CW01034132

FOUQUET

Daniel DESSERT

FOUQUET

FAYARD

Introduction

La biographie, comme les langues d'Esope, peut être la meilleure et la pire des choses. Son sujet de prédilection, « le grand homme », se répartit en deux catégories distinctes : celle des héros et celle des canailles ou des monstres. Encore nous épargne-t-on, sans toujours y réussir, la cohorte innombrable des imbéciles ou des médiocres.

La classification, par contre, demeure plus ténébreuse, sans que l'on sache toujours pourquoi tel ou tel est catalogué ici ou là. Le choix s'inscrit dans toute une historiographie qui reprend et perpétue des idées reçues, souvent éculées ou controuvées. Car la tradition dans ce genre traditionnel pèse d'un grand poids. Même dans un ouvrage historique, la tentation du biographe à sacrifier à la littérature se fait fortement sentir. On ne traite plus une question avec un regard d'historien, mais on raconte une histoire, quand ce ne sont pas des histoires, en usant ou en tentant d'user d'une plume littéraire. L'historiographie entraîne très souvent l'auteur à choisir une « victime », dont il existe déjà un profil, et dans certains cas, une vérité première qui s'est imposée au fil des ans et a fixé définitivement l'image d'une gloire nationale. A ce stade, remettre en cause une étiquette confine au sacrilège, alors que la biographie, avec d'autres approches historiques, pourrait contribuer à procéder à de nouvelles pesées et à de nouvelles investigations, susceptibles de nuancer ou de corriger les clichés propagés même par la plus glorieuse des hagiographies.

En ce domaine, le XVIIᵉ siècle, avec ses hommes illustres, demeure un exemple significatif de la stérilisation intellectuelle qu'engendre la veine biographique mal comprise. Depuis longtemps, les beaux et les mauvais rôles ont été partagés, et peu importe que la répartition corresponde à la réalité et qu'elle aide à mieux comprendre ce moment de notre histoire. A l'Age classique, tout est grand : le siècle, Louis, quatorzième du nom, les cardinaux-ministres, Colbert. Depuis des générations, la conscience collective française charrie benoîtement les poncifs que le maître de Versailles et son ministre des Finances se sont employés, chacun à leur manière, à véhiculer.

Les historiens se sont mis de la partie, avec d'autant plus d'ardeur que leurs certitudes ne traduisent bien souvent que la somme de leurs ignorances. Le ballet servile de Versailles dans son somptueux décor, les guerres victorieuses, les provinces arrachées à des puissances jalouses ou subalternes sont autant de fleurons d'une saga dorée sur laquelle il est recommandé de ne point porter de regard critique, ou du moins interrogateur, sous peine de crime de lèse-majesté. A force de scruter le Roi-Soleil dans le blanc des yeux, on a fini par en être aveuglé. Le cadre a pourtant été campé une bonne fois pour toutes : avant le règne resplendissant de Louis le Grand et des gloires qui l'ont servi, il n'y a que les ténèbres, illuminées par l'éclat fulgurant d'un Richelieu, ou par la flamme vacillante d'une éminence romaine. Pour le reste, des temps troublés, une monarchie grosse d'un absolutisme vengeur, en attente de quelque démiurge couronné ou de quelque ministre génial, préposé à l'accouchement d'un État moderne.

Dans ce théâtre grandiose, il existe des forces maléfiques, dont de bonnes fées ont heureusement triomphé : ainsi Colbert, véritable Hercule français, a terrassé la bête immonde. Nicolas Fouquet semble né sous une mauvaise étoile : il est désigné comme le mal, celui par qui le scandale arrive. Le portrait est sans appel. Depuis trois siècles, il se perpétue avec la simplicité candide, inhérente à toute évidence. Fouquet bénéficie bien de quelque commisération pour sa fin tragique, mais son procès, gagné devant ses adversaires, a été depuis longtemps perdu devant la postérité. Il reste le prototype du financier corrompu et jouisseur, et son image négative est à peine tempérée par son talent certain de mécène, car Vaux, le mal acquis, ne lui sert guère de circonstance atténuante. Sur le fond, c'est-à-dire la grande politique, l'économie, la finance, la cause se trouve entendue depuis des lustres. Nicolas demeure à jamais l'anti-Colbert, le négatif d'un être d'exception, le Rémois s'étant d'ailleurs forgé, sur son cadavre, une réputation consacrée par un substantif pompeux, témoin de sa réussite.

Si Fouquet n'a guère eu de chance avec l'histoire, les historiens l'ont tout autant maltraité. Dans une page célèbre, l'abbé de Choisy en a brossé un portrait resté classique et maintes fois repris. Pourtant la documentation sur laquelle on s'appuie pour décrire et juger l'action et la personnalité du surintendant des Finances pose, par sa nature même, quelques problèmes. On a l'habitude d'invoquer surtout des mémorialistes, comme Brienne, Mme de Motteville, Mlle de La Fayette, ou Gourville. Pour faire bonne mesure, on se prévaut des Mémoires de Louis XIV, qui paraissent plus véridiques encore, ou de l'abondante littérature colbertienne, largement divulguée, grâce à la monumentale édition, réalisée par P. Clément, des papiers de l'illustre homme d'État. Pour être impartial, on se réfère également, mais jamais dans leur ensemble, aux défenses fameuses de Fouquet, rédigées à l'occasion de son procès, lorsque l'accusé prenait à témoin le public des accusations injustes et des poursuites iniques dirigées contre lui.

Or peut-on dire que l'on dispose avec ces textes d'une documentation impartiale, fiable et suffisante ? Bien évidemment pas. Beaucoup d'entre eux sont des récits qui ne se rapportent qu'à un seul moment de l'existence de Fouquet : sa disgrâce et son procès. Tout au plus y trouve-t-on un éclairage sur les conditions générales qui ont entouré la chute de Nicolas. Cependant, chez Choisy, et surtout chez Louis XIV et Colbert, il y a des références explicites à son action politique, à son comportement officiel et privé, avec un jugement moral. En sont-il plus crédibles ? La question est importante, car ce sont sur eux qu'on se fonde essentiellement lorsque l'on étudie la conduite et la personnalité du surintendant. Il faut bien avouer que le doute sur la valeur de ces témoignages apparaît rapidement dès qu'on les regarde de près.

Ainsi, quand Choisy prétend tracer un portrait véridique des principaux protagonistes de l'affaire Fouquet, sans farder quoi que ce soit des bonnes ou mauvaises qualités d'un Colbert, d'un Le Tellier ou d'un Lionne, il justifie ses prétentions en rappelant qu'il les a connus de leur vivant, ce qui lui semble un critère suffisant de crédibilité. Pourtant, à l'égard du surintendant, il fait une restriction de taille : « Fouquet est le seul que je n'ai connu que de visage ; mais j'ai ouï parler de lui à tant de gens d'esprit, sans préoccupation, en différents temps, en lieux différents, disant tous la même chose, que je crois le connaître aussi bien que les autres[1]. » Aussi, bien souvent, Choisy ne rapporte-t-il que des bruits ; il n'est point un témoin, il ne sait pas, il a seulement entendu dire, ce qui limite singulièrement son témoignage. Cela apparaît clairement lorsque l'abbé évoque la mise en garde de Mazarin contre Fouquet : « *On* dit que le cardinal mourant lui avait conseillé de se défaire de Fouquet, comme d'un homme sujet à ses passions, dissipateur, hautain, qui voudrait prendre ascendant sur lui ; au lieu que Colbert, plus modeste et moins accrédité, serait prêt à tout et réglerait l'État comme une maison particulière. *On* dit même qu'il ajouta ces mots (et M. Colbert s'en vantait avec ses amis) : "Je vous dois tout, sire ; mais je crois m'acquitter en quelque manière en vous donnant Colbert"[2]. » Même chez une personne que l'on peut croire très bien informée, comme Mme de Motteville, on retrouve cette imprécision gênante : « Le cardinal Mazarin, avant que de mourir, avait donné, à ce qu'*on* a dit, des avis au roi contre le surintendant Fouquet : il le croyait trop prodigue de ses finances, et lui conseilla d'installer Colbert sous lui pour veiller à sa conduite et arrêter la profusion de ses libéralités[3]. »

En réalité, les déclarations des contemporains demeurent trop souvent des sources sujettes à caution, et l'exemple d'un Gourville le démontre avec éclat. Ce proche de Fouquet, qui aime se donner le beau rôle tout au long de ses Mémoires, reste d'une discrétion surprenante sur ce qui touche le surintendant, son action et son procès. Quand il écrit sur les conditions entourant la disparition du prisonnier de Pignerol, il tombe carrément dans le roman. Jusqu'à présent, il faut donc avouer qu'il n'y a pas de sources susceptibles de refléter une image crédible de Nicolas.

Sera-t-on plus heureux avec les Mémoires de Louis XIV ? Voilà un témoin de poids, qui devrait être considéré avec attention, et qui mentionne des faits précis, souvent repris et acceptés sans discussion : « Pour Fouquet, on pourra trouver étrange que j'aie voulu me servir de lui, quand on saura que dès ce temps-là ses voleries m'étaient connues ; mais je savais qu'il avait de l'esprit et une grande connaissance du dedans de l'État, ce qui me faisait imaginer que pourvu qu'il avouât ses fautes passées, et qu'il promît de se corriger, il pourrait me rendre de bons services[4]. » Le roi a éprouvé le besoin de revenir sur cette affaire en précisant ses griefs :

« Ce fut alors que je crus devoir mettre sérieusement la main au rétablissement des finances, et la première chose que je jugeai nécessaire fut de déposer de leurs emplois les principaux officiers par qui le désordre avait été introduit. Car depuis le temps que je prenais soin de mes affaires, j'avais de jour en jour découvert de nouvelles marques de leurs dissipations, et principalement du surintendant. La vue des vastes établissements que cet homme avait projetés, et les insolentes acquisitions qu'il avait faites, ne pouvaient qu'elles ne convainquissent mon esprit du dérèglement de son ambition ; et la calamité générale de tous mes peuples sollicitait sans cesse ma justice contre lui.

« Mais ce qui le rendait plus coupable envers moi était que, bien loin de profiter de la bonté que je lui avais témoignée en le retenant dans mes conseils, il en avait pris une nouvelle espérance de me tromper, et bien loin d'en devenir plus sage, tâchait seulement d'en être plus adroit. Mais quelque artifice qu'il pût pratiquer, je ne fus pas longtemps sans reconnaître sa mauvaise foi ; car il ne pouvait s'empêcher de continuer ses dépenses excessives, de fortifier des places, d'orner des palais, de former des cabales, et de mettre sous le nom de ses amis des charges importantes qu'il leur achetait à mes dépens, dans l'espoir de se rendre bientôt l'arbitre souverain de l'État[5]. »

Paroles fortes et, semble-t-il, sans appel. L'auguste plume traduit-elle une pensée originale ? Il est permis d'en douter. Contrairement à ce que l'on peut croire, ce texte n'émane pas entièrement du souverain : il a été pour une grande part composé et inspiré par un canevas préparé par Colbert. Sans entrer pour l'instant dans les détails, le texte montre qu'il s'agit d'une reconstruction après coup de la réalité, telle que les ennemis du surintendant veulent l'accréditer. Fouquet n'a jamais été arrêté parce qu'il était factieux, le « projet de complot de Saint-Mandé » n'ayant été découvert, comme les charges que Fouquet aurait accumulées, qu'après son arrestation. Seule sa conduite des Finances a d'abord fait l'objet d'une remise en cause, mais dans leur reconstruction a posteriori les adversaires de Nicolas introduisent le crime de lèse-majesté et le lient au péculat.

De fait, au travers du roi, ou des affirmations d'un abbé de Choisy, se sont surtout les explications de Colbert qui se trouvent répandues dans le public. Colbert, nous y voilà ! En réalité, toute notre connaissance du surintendant et de son action ne repose que sur l'abondante littérature partisane du contrôleur général, véritable prisme déformant. Sans se prononcer, pour le moment, sur le crédit à apporter à ses dires, il faut bien constater que le portrait de Fouquet, dessiné par son rival, est a priori partial et qu'il doit être regardé avec un esprit critique affirmé. Pourquoi suivre aveuglément les déclarations d'un homme qui n'a pas hésité entre 1661 et 1664 à utiliser tous les moyens, y compris les plus irréguliers et les plus coupables, pour abattre sa bête noire ? Tout le monde, à commencer par les contemporains, a repris les accusations de Colbert (qui les a diffusées avec un beau sens de la propagande) sans se donner la peine de les vérifier. Le plus souvent, on ne s'est contenté que de reprendre les paroles et les écrits d'une gloire nationale, censée détenir, on ne sait trop pourquoi, la vérité.

Or tous ces témoignages, toutes ces déclarations comportent de nombreuses contradictions, des obscurités curieuses, pour ne point dire troublantes. Pourquoi parler des dépenses somptuaires du surintendant, de sa fortune énorme, et donc cou-

pable, sans jamais avoir dressé un inventaire de ses biens ?
N'est-il pas étrange que durant le procès Fouquet, à un moment
où l'accusation faisait feu de tout bois, il n'ait jamais été
question des « voleries » du ministre auxquelles le roi fait
clairement allusion ? Fouquet appartient à la catégorie malheureuse des « maudits ». Une aura négative, créée aux sources
les plus pures par des personnages indiscutables, l'entoure de
façon indélébile.

Il faut pourtant remettre en cause cette présentation car
Fouquet, par sa personnalité, par son action financière et
politique, par son mécénat, a marqué profondément son temps.
Toute l'œuvre d'un Colbert et le règne de Louis XIV peuvent
être vus d'un œil nouveau si l'on abandonne la vision simpliste
répandue par Colbert, suivant laquelle, avant lui, tout était
chaos, rien n'avait été construit dans le domaine économique,
les finances du pays étant renversées, et le roi spolié, à la merci
d'un parti de publicains voraces et corrompus, façon par
contrecoup de glorifier son action. Ultime conséquence, cette
nouvelle perspective conduit à jeter un regard neuf sur l'œuvre
de Colbert, peut-être pas autant réformatrice, novatrice ni
efficace que celui-ci se piquait à le proclamer fort complaisamment.

L'acharnement mis à noircir le surintendant, à occulter ou à
diffamer son action, la fascination qu'il a exercée sur tous ceux
qui l'ont approché, ses talents multiples que nul n'a contestés,
sont autant de motifs pour entreprendre une révision du dossier
Fouquet. Car personne, sauf Jules Lair[6] dans son livre ancien
et incomplet, n'a cherché à replacer Fouquet dans son siècle,
ni à observer véritablement la nature et l'importance de son
action. Vaux et son mécénat ont éclipsé l'œuvre du ministre,
d'autant plus facilement que la cause semblait entendue par
avance. Or ce n'est pas le protecteur des arts, contesté par
personne, qui fait problème, mais l'administrateur, le politique.
Aussi ne cherchera-t-on point dans cet ouvrage des éléments
nouveaux sur l'amateur éclairé, sur le protecteur de La Fontaine, de Le Brun, Le Nôtre ou Le Vau, facettes intéressantes
de la personnalité du surintendant, mais qui ne tiennent qu'une
place très mineure, à côté des problèmes importants que posent

les modalités de son action, tant sur le plan politique qu'économique ou financier. Ce n'est pas le Fouquet de convention qu'il faut interroger, mais le comptable qui a supporté, dans des conditions particulièrement difficiles, le poids d'une guerre interminable et assumé le lourd fardeau des Finances royales.

Tout au long de notre recherche, au fur et à mesure que l'action de Fouquet se précisait, des pans inconnus de sa politique, notamment économiques, et les milieux sociaux au sein desquels il puisait son crédit, sont apparus. Tout cela a contribué à proposer une vision du surintendant en rupture avec l'image née de la propagande colbertienne, et par conséquent à reconsidérer l'aura flatteuse qui enveloppe Colbert. Ce n'est pas seulement Fouquet qui fera l'objet de toute notre attention, mais également son entourage, car le « Grand Homme », sous l'Ancien Régime, procède surtout de son milieu social. Contrairement à ce que ses adversaires ont voulu faire croire, Fouquet ne symbolise pas le grand argentier dévoyé, mais le grand commis dont la conduite s'accorde avec la société de son temps, et avec son régime politique et financier.

Par sa naissance, par sa carrière, Fouquet était prédisposé à participer au jeu enivrant et dangereux du pouvoir, auquel il finit par payer le plus lourd des tributs. Aussi n'est-ce point de complaisance dont il a besoin, mais seulement de compréhension, afin qu'on lui rende un peu de cette justice qui lui a tant fait défaut de son vivant et devant la postérité. Au-delà de sa personne, c'est tout un univers, influent, presque omniprésent, qui se révèle et qui éclaire de façon édifiante les rouages de la société et de l'État sous l'Ancien Régime.

PREMIÈRE PARTIE

La quête du pouvoir

CHAPITRE PREMIER

Les Fouquet avant Fouquet

Au fil des flots lents de la Loire, dans la cabane qui l'emporte vers son destin, Nicolas Fouquet opère un retour sur lui-même, sur son existence, sur l'étonnante aventure de sa famille. Son regard embrasse des terres qui toutes lui renvoient l'écho de sa jeunesse et l'histoire de ses aïeux. Touraine, Anjou, chaque point du paysage reflète un moment de sa vie ou des histoires de famille. A gauche, Tours, où son grand-père a siégé au parlement, alors exilé dans la cité, et la masse imposante de Saint-Martin, dont tant de Fouquet ont été trésoriers, y compris lui-même pendant ses années d'adolescence. A droite, les clochers des églises d'Angers se profilent sur l'horizon : Angers, l'Anjou, berceau de son lignage, il ne peut oublier cette terre à sa dévotion, cette cité qui, chaque année, lui envoie vins et primeurs, hommages à un illustre rejeton. Nantes, enfin, terme du voyage, lui rappelle sa première compagne, Louise Fourché, épousée dans la ville, et trop vite disparue. Les confins bretons lui remémorent ses cousins, puissamment établis dans la province. Au loin le vaste océan, et la pensée des richesses dont il comble les hommes, le confirment dans son dessein maritime, l'une des grandes œuvres de sa vie. N'est-ce pas à la mer que les Fouquet doivent, pour une large part, leur ascension ? N'est-ce pas elle qui a permis à François Fouquet, son père, de prendre grand crédit auprès de Richelieu ? N'est-ce pas pour capter ses richesses que Nicolas a réorganisé Belle-Isle, dont il est si fier, et qu'il va voir, du moins le croit-il, pour la première fois ?

En descendant le fleuve, Fouquet remonte le cours de son existence et celui de son lignage. Sans doute pense-t-il à l'aventure de ceux qui, depuis la fin du XVe siècle, ont forgé la saga familiale et illustré l'ambitieuse devise d'un clan dont Nicolas se sent et se veut l'artisan privilégié. Que de chemin parcouru depuis les premiers rejetons anonymes, ou modestes, et le brillant arbitre des finances du plus grand monarque de la chrétienté. Tout a commencé un siècle et demi plus tôt, et il a fallu l'activité inlassable et méthodique d'une succession de générations pour engendrer le prodige. Nicolas, comme tous les siens, animé d'un puissant esprit de famille, ne peut ignorer ce passé. Il assume une ascension familiale, à la fois extraordinaire et banale, dont il véhicule les mythes et la réalité, plus prosaïque.

LES MYTHES DE L'ORIGINE

Entre Tours et Angers, son patronyme est assez courant. Il a été illustré au XVe siècle, dans la cité de Saint-Martin, par le célèbre peintre et miniaturiste Jehan Fouquet. Rien qu'en Anjou, on trouve plusieurs familles nobles de ce nom, mais qui n'offrent aucun lien de parenté entre elles : les Fouquet de Marsilly, connus depuis 1545, ont donné des officiers de finances, dont un receveur général des finances de la généralité de Tours et un trésorier de France ; les Fouquet de la Varenne, barons de Sainte-Suzanne, anoblis en 1598, par Henri IV ; les Fouquet de Closneuf, enfin, anoblis en 1655[1]. Nicolas, lui, se rattache à une autre famille, les Fouquet des Moulins-Neufs, établis à Lessigné, près de Durtal, sur le Loir[2]. L'auteur de la famille serait un chevalier angevin, ou peut-être normand : après avoir combattu les Anglais — ce qui ne l'aurait point enrichi —, il serait venu se fixer vers 1469 sur les bords du Loir, où il aurait fait souche. Son petit-fils, Mathurin, aurait épousé en 1513 la fille d'un archer de la garde écossaise du roi,

Marguerite Cuissard, conservant ainsi le lignage dans l'état militaire, apanage de la petite gentilhommerie de province.

Les Fouquet ne se targuent point d'un nom antique, ils ne réclament pas pour ancêtres quelque croisé ou quelque gloire militaire. Ils ont même connu avec Mathurin un revers financier qui a provoqué la ruine de la famille et, en 1545, il leur a fallu vendre le domaine des Moulins-Neufs[3]. Ce coup du sort aurait dû interrompre la destinée d'un lignage paisible, mais sans relief. Pourtant, comme tout au long de l'histoire des Fouquet, les chutes, en apparence irrémédiables, sont suivies de rétablissements spectaculaires, alors que les réussites éclatantes préfigurent le plus souvent des lendemains qui déchantent. Le fils de Mathurin, François Fouquet, premier d'une longue série, rétablit la situation, au prix d'un déclassement social et de l'abandon du second ordre. Il s'est fait marchand à Angers, où il a épousé Lézine Cupif, fille d'un gros négociant appartenant à une famille notable de la ville[4]. Doué de sens pratique, ce drapier donne à ses enfants, dont François II, le grand-père du surintendant —, une solide formation en droit civil et en droit canon, éducation qui oriente pour un siècle la famille vers la magistrature et qui influe de façon déterminante sur sa destinée.

Au Grand Siècle, les Fouquet ont été fidèles au souvenir des pères fondateurs. François III, père du ministre, a pieusement recueilli les titres familiaux, et son fils, héritier des papiers paternels, au fur et à mesure de son élévation, a continué de réunir des actes notariés, envoyés par des cousins demeurés en Anjou et en Touraine, qui rendent plus lisible l'histoire du clan[5]. En cela, Nicolas ne fait que suivre l'exemple de son grand-oncle, Isaac Fouquet, trésorier de Saint-Martin de Tours, qui avait rassemblé avant 1610 toute une documentation sur ses ancêtres[6]. Ce dernier, dans une fondation pieuse, en 1621, qualifie l'époux de Lézine Cupif d'écuyer, marquant bien ainsi les prétentions nobiliaires de la famille.

Le souvenir des sieurs des Moulins-Neufs reste donc très vivace, et ce n'est pas un hasard si Nicolas, peu après son accession à la surintendance, rachète la terre et seigneurie des Moulins-Neufs, marquant ainsi symboliquement son attache-

ment à ses aïeux[7]. Comme tous les robins issus de la bourgeoisie officière ou marchande qui vont accaparer les charges
ministérielles, il a besoin de cet ancrage aristocratique pour
asseoir sa position dans une société où la naissance tient une
place si éminente. Avec habileté et avec patience, les Fouquet
ont accrédité l'histoire et la filiation des Moulins-Neufs, officiellement entérinées en 1722 par l'ordre de Malte qui reconnaît l'authenticité des titres présentés pour les preuves de
noblesse du comte de Gisors[8]. Le père Anselme, dans sa
généalogie des Fouquet, a accepté la vision qu'ils défendaient
depuis un siècle, tout comme le plus célèbre des biographes du
surintendant, Jules Lair[9]. Malheureusement, un examen attentif
fait ressortir la chimère des prétentions aristocratiques des
Fouquet et les libertés qu'ils ont prises avec la généalogie.

Pour tout habitué de la société d'Ancien Régime, l'aventure
malencontreuse de François Fouquet, devenu marchand après
un retournement de fortune, laisse subodorer quelque super-
cherie qui cache une réalité moins glorieuse. Il est fréquent de
voir une famille parvenue au premier rang après une ascension
rapide chercher à se rattacher, par une acrobatie généalogique,
à une famille noble depuis longtemps, mais éteinte. Pour
réaliser cette agrégation, on utilise souvent une « greffe »
artificielle, masquée par l'histoire édifiante et pitoyable d'un
noble lignage ruiné, dont le dernier rejeton a dérogé en
s'adonnant, par la force des choses, au commerce. Par ce
subterfuge, on agrège au second ordre une famille roturière, à
laquelle une série d'actes notariés, plus faux les uns que les
autres, redonnent une virginité douteuse. Pour les Fouquet des
Moulins-Neufs, il est frappant de constater qu'exception faite
de quelques titres originaux, conservés aujourd'hui aux archives
du Maine-et-Loire, ils ne sont connus que par des copies,
rédigées entre 1615 et 1660, et produites dans les preuves de
Malte de Louis Charles Auguste Fouquet. Il est évident que
les Fouquet ont recueilli des titres suspects, sinon apocryphes,
afin de se rattacher à une noble famille d'homonymes disparue
au XVIᵉ siècle. Ils ont profité de leur crédit pour faire reconnaître une filiation controuvée, mais plus honorable aux yeux

d'un clan parvenu au pouvoir que son origine platement bourgeoise.

Nicolas, d'habitude plein de tact, n'a pas pu ni voulu résister aux mythes des origines. Sans doute lui a-t-il fallu assumer une volonté familiale, mais à l'évidence, cette fiction sert aussi son tempérament ambitieux et flatte sa vanité. Il sait pourtant parfaitement à quoi s'en tenir, car un généalogiste aussi expert que d'Hozier l'avait clairement prévenu contre les titres de famille sur lesquels il entendait fonder ses prétentions : « Je vous dirai en peu de mots qu'il y a quelques jours que M. le prieur de Buc me montra la copie d'un titre où il est parlé de ceux de votre nom dont j'avais déjà vu l'original avec plusieurs autres de même nature entre les mains d'un de mes amis qui est commis de M. le comte de Brienne, à qui on les avait donnés pour expédier un relief de noblesse en faveur d'un nommé M. de Grandchamps-Amelote, de qui vous appuyez les intérêts. Mais après les avoir bien examinés il est aisé de reconnaître, et par le caractère qui n'a rien d'ancien et par le parchemin sur lequel ils sont écrits, que ce sont toutes pièces faites à plaisir où, à moins que de se vouloir tromper soi-même, on ne peut ajouter foi, qui ont été fabriquées par le père du personnage qui était notaire à Saintes et homme d'esprit, et qui a voulu en donner à garder à la postérité et à des gens qui n'y verraient pas bien clair, en faisant une grande déduction de ses prédécesseurs paternels et maternels et où il a voulu intéresser ceux de votre maison qui n'a pas besoin de ce faux état et que vous condamneriez vous-même, pour peu que vous y fissiez des réflexions. Enfin, Monseigneur, je ne vous conseille pas d'en faire ni mise ni recette, et de ne considérer tout ce fatras qui est détruit et démoli par l'histoire que comme une denrée de contrebande et une monnaie de faux aloi. Ainsi, Monseigneur, il vaut bien mieux s'en tenir à la vérité et avoir une livre de pur or que d'en avoir deux de métal corrompu et vous avez assez d'avantage d'ailleurs, sans emprunter celui-là qui est étranger. Et je ne voudrais pour rien au monde l'avoir seulement mis en avant[10]. »

La prudence du généalogiste n'est pas superflue. Le dernier des Moulins-Neufs, Mathurin Fouquet, est mort en 1541, sans avoir eu d'enfants, semble-t-il, de son épouse Marguerite Cuissard. Quant au contrat de mariage, mentionné parmi les titres conservés par les Fouquet, entre François Fouquet, écuyer, fils de Mathurin Fouquet, écuyer, sieur des Moulins-Neufs, et Lézine Cupif, fille de Jean Cupif, écuyer, sieur de la Jobinaye, il s'agit d'un faux qui permet de rattacher le dernier des Moulins-Neufs à l'ancêtre du surintendant[11].

Les lettres de retenue de François Fouquet en la charge de gentilhomme ordinaire de la chambre du roi, données en septembre 1589 par Henri III, en raison des services qu'il avait rendus au souverain, après ceux de son père, ne valent pas mieux[12]. Un juge d'armes impartial aurait tôt fait de démontrer l'inanité des prétentions de la famille Fouquet, et le sévère Chérin, au XVIIIe siècle, ne s'en n'est pas privé. Dans une lettre à Vergennes, de mars 1779, il détruit allègrement la filiation mythique du surintendant, et rappelle que sa famille était « encore bourgeoise et marchande au milieu du XVIe siècle ». Enfonçant le clou, il remarque, avec une certaine jubilation sadique, que toutes les précautions prises n'ont servi à rien : « Quoique cette famille se soit permis tous les moyens possibles pour dérober la connaissance de son origine, la vérité a percé les nuages dont on l'avait enveloppée[13]. » Mise au point tardive, sans grand risque, puisque le dernier mais puissant descendant du surintendant, le maréchal-duc de Belle-Isle, n'est plus de ce monde pour entendre ce désagréable verdict.

Pas plus que son rival Colbert, qui avait trouvé des ancêtres jusqu'en Écosse, Fouquet n'a voulu endosser un passé qui démontre une promotion sociale, courante au XVIIe siècle, ne cherchant à tromper que ceux qui voulaient l'être. Si ses origines sont plus modestes, elles n'en témoignent pas moins d'une réussite exceptionnelle. En ce sens, l'aventure des Fouquet symbolise la fluidité de la société française dès le milieu du XVIe siècle : lentement, par un mouvement complexe, parfois heurté, une frange de la bourgeoisie s'assimile au second ordre de la nation, grâce au service de la monarchie. Ce que conte l'histoire de Fouquet, comme celles de Colbert, de Le Tellier et autres Pontchartrain, c'est le règne de la « vile bourgeoisie », selon le raccourci un peu aigre du petit duc mémorialiste, toujours aussi atrabilaire et fat.

DU COMPTOIR AU PARLEMENT

En vérité, le surintendant descend d'un riche marchand angevin, Jehan Fouquet, qui vivait à la fin du XVe siècle[14]. De lui est issu François, marchand de soie et de laine devenu bedeau et suppôt de l'Université d'Angers en 1539. Tant par léur métier que par leur province d'origine, les Fouquet se trouvent prédisposés à une élévation sociale. En plein pays de Loire, ils assistent au recentrage de la monarchie, qui s'y est réfugiée à la fin de la guerre de Cent Ans, et qui se consolide grâce à des pérégrinations dans toute la région. Avec les développements primitifs de la cour et de l'administration, le monde officier prend une place plus importante. Il y a là pour les marchands les plus aisés des occasions de promotion. L'ascension est lente et se traduit par une somme de volontés, rassemblées et tendues vers un objectif encore lointain, mais parfaitement défini.

Dès la première moitié du XVIe siècle, les Fouquet ont conforté leurs positions. François Fouquet, également marchand drapier, pose les premiers jalons en épousant, en 1549, Lézine Cupif, fille d'un négociant membre du patriciat urbain[15]. En 1561, avec l'achat de la terre des Harenchères à René Roberdeau, l'un de ses beaux-frères, il s'intègre modestement au petit monde dominant des seigneurs. Les carrières et les alliances de ses frères et sœurs montrent que le lignage s'écarte progressivement du comptoir et opère petit à petit une muta- tion cohérente. Si deux sœurs de François Fouquet, Perrinette et Guillemine, ont convolé avec deux marchands drapiers, Hardouin Le Conte et René Roberdeau, une troisième a épousé un notaire royal d'Angers, Marc Toublanc. Ainsi se dessine l'orientation des cadets vers les études de droit et le glissement de la famille vers la basoche, puis le monde de l'office. Jean Fouquet, frère de François, licencié ès lois, suit cette voie, tout comme un autre frère, Christophe, auteur de la branche des Fouquet de la Bouchefollière[16]. Ce dernier, après une solide formation professionnelle en Allemagne et en Italie, a suivi des études de droit. Licencié ès lois, il devient avocat au présidial d'Angers, avant d'accéder, en décembre 1586, à l'échevinage de sa cité, ce qui l'anoblit avec sa postérité.

Ses enfants reprennent le chemin tracé par leur père. L'un, François, seigneur du Faux, est président en l'élection de Château-Gontier, puis maître des requêtes de Marguerite de Valois. Un autre, Christophe, franchit une étape supplémentaire : en 1591, il accède au Parlement de Paris, sans doute à la suite d'un de ses cousins germains de la branche aînée. Les filles renforcent également l'ancrage dans le monde judiciaire : deux d'entre elles épousent deux avocats au présidial d'Angers, Nicolas Herbereau, seigneur des Chemineaux, et André Guyet, sieur du Bois-Morin. Seul le dernier fils, marchand de soie, maintient la tradition familiale, mais sa propre fille se marie avec un avocat.

L'aîné, François Fouquet des Harenchères, a marqué de façon déterminante son lignage. Le bonhomme a fait prospérer son commerce dans la paroisse Saint-Pierre d'Angers. Il a pignon sur rue, avec sa boutique dont la façade de bois est décorée d'industrieux écureuils[17] Il joue sur son nom, qui préfigure les armoiries parlantes, adoptées plus tard par la famille, et preuves d'une origine peu ancienne, de même qu'une bonne famille de Reims se prépare à rendre illustre la couleuvre. Mettant à profit son aisance et son commerce quotidien avec la faculté d'Angers, il réalise, par l'éducation qu'il fait donner à ses enfants, une mutation décisive pour toute la famille. Leur solide formation, non seulement professionnelle mais juridique, les oriente vers les carrières de la magistrature. Ainsi, François Fouquet place sa progéniture dans la fraction « conquérante » de la bourgeoisie, décidée à se propulser sur le devant du monde. Son fils aîné, François II, a d'abord été envoyé en Angleterre « pour mieux apprendre les hommes et les choses. » C'est là une caractéristique atavique chez les Fouquet, toujours attentifs au monde et avides de connaissances. Cette ouverture d'esprit, ce goût pour le savoir et le grand large se retrouvent à chaque génération, en particulier chez Nicolas Fouquet. François, à son retour, et son frère Jean suivent des études juridiques qui les conduisent jusqu'à la consécration parlementaire. François, d'abord avocat en parlement, devient conseiller au Parlement de Paris en mars 1578, en même temps que son cadet.

Le tournant décisif vient donc de se produire, la famille ayant basculé dans le monde de la robe. Dans la mesure où les Fouquet se déplacent vers la capitale, ils se rapprochent du pouvoir royal. Tous les ingrédients sont donc réunis pour une étape nouvelle dans l'avancement de cette *gens* ambitieuse. Membres de la plus prestigieuse cour souveraine du royaume, les Fouquet ont entamé un processus d'agrégation au second ordre, que leurs enfants pourront achever. Reprenant l'espiègle ornement de la maison paternelle, les deux frères ont choisi avec l'écureuil des armoiries auxquelles il manque encore une ambitieuse devise : ce sera l'affaire de la génération suivante[18].

Hors de leur province, les Fouquet se trouvent maintenant au cœur de la vie politique et sociale du royaume. A Paris, François Fouquet a contracté, en mars 1580, un mariage avec Marie de Bénigne, fille de feu Claude de Benigne, que l'on disait mort en 1567 au combat de Saint-Denis, au service de son roi. Vision avantageuse des faits, qui semble faire de la famille de la jeune épouse une famille militaire, fidèle à la monarchie. Le contrat de mariage donne une vision moins idyllique[19]. La mariée appartient en réalité à la bourgeoisie parisienne, comme son père, un marchand, et comme son grand-père maternel, Pierre de Caen, ou ses grands-oncles, Guillaume, Claude et Denis Patrouillart, tous également marchands-bourgeois de Paris. Les autres parents, de condition modeste, appartiennent au même monde, sauf peut-être Guillaume de Caen, contrôleur provincial des greniers à sel d'entre Seine et Yonne. François Fouquet s'est donc allié à une famille qui ressemble à la sienne, le parlementaire de fraîche date n'ayant visiblement pas assez d'ancienneté pour frayer avec la bourgeoisie noble de la capitale. En contrepartie, son épouse lui apporte une dot substantielle de 6 000 écus soleil, qui laisse entrevoir au nouveau couple les possibilités d'un établissement heureux.

On sait peu de chose du conseiller Fouquet, sinon qu'en ces temps troublés de la Ligue, qui agite tant les consciences catholiques dans le microcosme parisien, il s'est comporté en sujet fidèle de son souverain. Lorsque Henri III ordonne la translation du Parlement à Tours, il est du nombre de ceux qui défèrent à la volonté royale. Ce loyalisme, ou ce légalisme, est une constante que l'on va retrouver dorénavant chez tous les Fouquet. Ces marchands, intégrés depuis peu à la robe, ont compris fort tôt que leur destin ne sera assuré que par, et au travers, le service scrupuleux du roi. Même dans les temps les plus agités, ils s'en tiendront à cette position, suivant toujours le souverain ou ceux qui, à l'image d'un Richelieu ou d'un Mazarin, incarnent et défendent le principe monarchique. C'est là une des clefs de leur réussite et la maxime la plus forte qui justifie leur élévation. Cette fidélité explique sans doute que le pouvoir choisisse, en 1590, François Fouquet pour exécuter le testament de Catherine de Médicis. On le charge en effet de mettre le duc d'Angoulême en possession du duché de Lauraguais et des autres terres, que sa mère vient de lui léguer. Mission funeste, puisqu'elle le conduit à Guéret, où il a rendez-vous avec la mort, le 17 août[20].

Cette disparition brutale est le premier de ces coups du sort qui vont secouer la famille. Le défunt laisse un fils unique, François III, né en mars 1587, sur qui reposent tous les espoirs de la branche aînée. Dans la tempête politique et religieuse qui agite le royaume, l'avenir du bambin paraît bien sombre. Son oncle, Jean Fouquet, conseiller au Parlement de Paris, n'a pu lui être d'aucun secours car il a suivi son frère au tombeau, un an plus tard. Autre catastrophe, Marie de Bénigne disparaît en 1600, laissant le malheureux bien seul[21]. Dans un monde en ébullition, où la famille tient tant de place pour se maintenir ou s'avancer, l'avenir du pauvre orphelin semble compromis.

Mais les Fouquet bénéficient d'un retournement de fortune, le premier, et il y a en aura d'autres, qui leur permettent de surmonter l'adversité. François, en fait, n'est pas totalement seul ; il a encore des oncles, et la solidarité familiale joue à plein. En outre, celui qui représente tous les espoirs de la branche aînée est un individu supérieur, que ses talents rendent capable de reprendre en main la destinée familiale, et de la conduire plus haut encore. Singulière aptitude d'un lignage qui trouve toujours son continuateur et son sauveur dans une personnalité exceptionnelle : François Fouquet en 1600 ; Nicolas en 1640 ; Belle-Isle au début du XVIIIe siècle.

En ces années charnières du Grand Siècle, la parenté de François Fouquet lui offre la possibilité de briser son isolement. Il peut compter sur son oncle Isaac Fouquet, un clerc représentant un autre monde, celui des gens d'Église, qui devait tenir tant de place dans la famille. Alors que ses frères devenaient des parlementaires, Isaac s'est agrégé au premier ordre. Doyen des Grassières, il est devenu chanoine de la cathédrale de Langres, puis, en août 1593, aumônier ordinaire d'Henri IV[22]. Enfin, de retour dans le cher pays de Loire, il a été fait chanoine et trésorier de Saint-Martin de Tours[23]. En sa personne, les Fouquet font leur première expérience de la carrière ecclésiastique. Au seuil du « siècle des saints » dans lequel ils vont prendre une place notable, le précédent donné par Isaac Fouquet est considérable. Non seulement Isaac aide son neveu, mais il donne à la famille une dimension spirituelle, et celle-ci, en associant son orientation parlementaire à une présence dans le clergé, dispose de tous les moyens pour réaliser ce qui sera l'une des grandes factions politiques et socio-religieuses de la France d'Ancien Régime.

Pour l'instant, le dernier des oncles de François, Christophe Fouquet, seigneur de Chalain, demeure le parent le plus important[24]. C'est lui qui le premier a réussi le passage décisif dans la robe et qui va assurer, grâce à son crédit, la survie de la branche parisienne. Né en 1559, il a suivi comme ses deux aînés la voie de la magistrature, mais au lieu de se tourner vers la capitale, il s'est habitué dans la Bretagne toute proche. D'abord conseiller au parlement de Rennes, il devient président aux requêtes, dans la même juridiction, en juillet 1586. Deux ans plus tard, il renforce son implantation dans cette cour en épousant Isabelle Barrin, fille de Jacques Barrin de la Galissonnière, président au parlement de Rennes. Alliance intéressante à plus d'un titre ; par bien des côtés les Barrin ressemblent aux Fouquet, et leur ascension, commencée une génération avant eux, témoigne d'une ambition et d'un cursus similaires. La famille de Mme de Chalain se prétend originaire du Bourbonnais, noble depuis le début du XVe siècle, et composée d'officiers domestiques de la maison princière de Bourbon[25]. Chérin reste sceptique et ne leur reconnaît qu'une noblesse ne dépassant pas le milieu du XVIe siècle, moment où ils se sont installés en Bretagne. Jacques Barrin a fait la fortune de sa famille en gagnant les premières places dans le monde parlementaire breton. Conseiller au parlement de Rennes en 1564, président aux enquêtes en 1671, il devient, deux années plus tard, président de la Chambre des comptes de Bretagne, enfin, en 1576, président à mortier au parlement de la province. De son union avec Jeanne Ruys, il a une descendance nombreuse, et sa famille va compter parmi les plus notables de la robe, admise au XVIIIe siècle aux honneurs de la cour, et illustrée par deux marins, dont le vainqueur de Minorque.

Christophe Fouquet, grâce à son mariage, s'est donc intégré à l'élite de la magistrature bretonne. Sa carrière le démontre aisément. Après un court intermède parisien (1591-1593) durant lequel il siège au Parlement de Paris à la place de son frère François, il revient au parlement de Rennes comme président à mortier en 1593, et voit ses services récompensés par un titre de conseiller d'État ordinaire, accordé en 1618. Incontestablement, les Chalain ont réalisé toutes les ambitions du marchand angevin ; devant l'apparent fiasco du rameau parisien, ils représentent l'élément dynamique de la famille.

Au début du Grand Siècle, les Chalain ont maintenu leur place prépondérante en Bretagne[26]. En 1607, Claude Fouquet de Chalain, fille de Christophe, a épousé Grégoire de Quélen, gentilhomme ordinaire de la chambre du roi, et personnage fort influent en tant que gouverneur de Rennes, cependant que ses sœurs, Madeleine et Françoise, se sont unies respectivement à Yves Rocquel de Bourgblanc, président à mortier au parlement de Bretagne, et à Paul Hay de Couellan, conseiller dans la même cour. Leur frère, Christophe (II) (1591-1675) reprend la voie tracée par son père : reçu conseiller au parlement de

Rennes en 1617, il siège l'année suivante comme procureur général, avant de succéder à son père comme président à mortier en 1631. Gouverneur de Concarneau, il obtient l'érection de sa terre de Chalain en comté, au profit de son fils Christophe. Le président de Chalain, les cousins Quélen, Rocquel ou Hay constituent un entourage prêt à soutenir les Fouquet de Paris, en la circonstance, François et, plus tard, son fils Nicolas, avec lesquels, durant les années 1600-1661, ils ne cessent d'entretenir des relations étroites, témoignage de la cohésion du clan familial et de son esprit d'entraide.

En s'établissant en Bretagne puis en y réussissant, les Chalain orientent toute leur famille vers une province influente, en particulier dans le domaine maritime. La place que le surintendant et son père vont prendre dans cette région n'a donc rien de fortuit ; bien au contraire, elle s'explique par cette présence, amorcée de longue date. Un constant dialogue se noue alors entre les deux branches de la famille, chacune entraînant l'autre, au gré des réussites individuelles. Aussi n'est-ce point un hasard si Nicolas, au fur et à mesure qu'il s'avance, fait bénéficier, par une espèce de juste retour des choses, ses parents bretons de sa réussite. Il sait combien son père doit aux Chalain, qui ont tant contribué à permettre au rameau parisien de surmonter l'adversité. La tâche, il est vrai, était rude, et le fardeau lourd pour les frêles épaules de celui qui devait le supporter. Mais François était un être d'élite, capable de relever le défi imposé par les circonstances.

CHAPITRE II

François Fouquet, le père fondateur

La grande solidarité des Fouquet, présente tout au long de leur histoire, se manifeste avec éclat en faveur du jeune François. Ses oncles Christophe et Isaac lui servent de tuteurs et le prennent sous leur protection. On ignore presque tout des années de formation du jeune homme, mais il n'est pas difficile de les reconstituer. Au vu des collections de livres et d'antiques laissées à sa mort, on devine sans peine qu'il a reçu de solides bases intellectuelles des plus classiques. Son attachement maintes fois affirmé aux jésuites, à qui il confiera l'éducation de son fils, laisse à penser qu'il a pu être lui-même un disciple des bons pères. Sa famille, sa carrière sous-entendent qu'on lui a donné cette formation juridique complète, qui va devenir la règle chez les Fouquet.

Le clan s'est préoccupé de recueillir les charges laissées vacantes par la disparition des frères François et Jean Fouquet. C'est à ce dernier qu'a succédé, selon toute vraissemblance, le cousin de La Bouchefollière au Parlement de Paris. De son côté, Chalain s'est attaché à conserver pour son neveu l'office de son père. Alors qu'il était président aux enquêtes du parlement de Rennes, il se fait substituer dans la charge du défunt au Parlement de Paris. En même temps, il réserve pour son pupille l'office de conseiller au parlement de Bretagne, dont celui-ci est revêtu en 1608. Intermède de courte durée, puisqu'en 1609 il vient siéger au Parlement de Paris. Ainsi, en quelques années, les parents bretons et angevins ont effacé les effets néfastes de la disparition prématurée des parents du jeune homme.

Il reste cependant une dernière étape à franchir, celui de l'établissement dans le monde. Un mariage prometteur représente un nouveau tournant décisif, habilement négocié : en février 1610, le parlementaire frais émoulu épouse une enfant de la robe, Marie de Maupeou, union capitale pour l'avenir de tout le clan Fouquet.

L'ALLIANCE DE L'ÉCUREUIL ET DU PORC-ÉPIC

La mariée appartient à une famille dont le nom brillera de l'éclat le plus vif dans la noblesse de robe française[1]. Mais, en ce début du XVIIe siècle, les Maupeou sont encore des hommes nouveaux. Originaires de Poitiers, ils se sont établis dans la capitale, où ils s'agrègent à la basoche parisienne, Vincent Maupeou, l'ancêtre de la famille, se rangeant parmi les notaires de la ville. A la seconde génération, ils s'intègrent à la robe et au second ordre. Pierre de Maupeou, trésorier de la maison du duc de Joyeuse, commissaire au Châtelet, puis contrôleur des guerres, enfin auditeur des comptes (1569), a été anobli avec ses frères, par lettres, en 1586. Il sera auteur d'une longue lignée de magistrats[2].

Son frère Gilles, fondateur de la branche cadette des Maupéou d'Ableiges, est le père de Mme Fouquet. Par sa personnalité, par sa carrière, il va fortement influencer son gendre, orientant le cursus de ce dernier vers le service du pouvoir monarchique. Dans une certaine mesure, la démarche de Gilles de Maupeou préfigure celle de son petit-fils Nicolas Fouquet. Né à Paris en 1553, il fait un stage de deux ans chez un notaire apostolique, greffier du chapitre de Saint-Marcel. En 1577, on le retrouve avocat au Parlement de Paris, où il reste peu de temps : dès 1579, il est nommé auditeur puis, l'année suivante, maître des requêtes en la Chambre des comptes. Son mariage, en décembre 1581, avec Marie Morély, fille d'un conseiller en la justice du Trésor, renforce sa vocation d'administrateur financier[3]. Cette fonction le rapproche du pouvoir.

Dans les troubles qui suivent l'assassinat d'Henri III, Gilles Maupeou, comme tous les siens, semble avoir embrassé un court moment le parti de la Ligue. Mais il se reprend vite et se rallie à Henri IV, lorsque celui-ci, après son abjuration, entre dans Paris et cherche à se concilier la bourgeoisie de la capitale. Bientôt, il apparaît parmi ceux sur lesquels le gouvernement s'appuie pour rétablir l'ordre, notamment dans le domaine financier. Le roi et Sully, comprenant combien la fiscalité est capitale dans la bonne marche des affaires, ont désigné comme l'un des objectifs prioritaires la résorption des désordres financiers nés des débordements de la guerre civile. Pour mener à bien cette tâche, le souverain et son ministre utilisent, avec un certain bonheur, des commissaires royaux investis de pouvoirs étendus, qu'ils dépêchent dans les provinces pour y rétablir l'ordre. Gilles de Maupeou se retrouve au nombre de ces auxiliaires du pouvoir. On l'a envoyé en Guyenne, à Limoges, mais c'est surtout en Bretagne, où il est nommé « commissaire député pour l'intendance et direction des Finances », que son action se fait sentir en 1598 et 1599. Il assiste aux États; dirige l'adjudication des baux financiers, parcourt la province, inspecte les agents du pouvoir central et reçoit les doléances de ses administrés. L'impôt accapare évidemment toute son attention. Il en réorganise le système de perception, en établissant le droit de trois écus par tonneau de mer, nouvellement levé par ordre du roi sur les blés exportés, quitte à affronter, victorieusement d'ailleurs, le mécontentement des parlementaires bretons. Maupeou symbolise donc bien ces « bourgeois » avancés par le service du prince, au détriment parfois du milieu dont ils sont issus. Il réorganise également la Chambre des comptes de Bretagne, publiant en 1599 un nouveau règlement, connu comme « Règlement Maupeou ».

Après ce dernier succès, Gilles de Maupeou est rappelé dans la capitale où il devient, en janvier 1600, secrétaire de la Chambre du roi, puis l'année suivante, conseiller d'État, enfin, consécration ultime, intendant des Finances (1602). A partir de ce moment, il compte parmi les plus proches collaborateurs de Sully et intervient dans de nombreuses affaires : liquidation des dépenses occasionnées par la réception des ambassadeurs suisses, règlement du procès entre la Ville de Paris et les nouveaux acquéreurs d'aides, taxations sur les financiers, recouvrement de diverses ressources financières. Ses services appréciés lui valent d'être nommé, par commission annuellement reconduite, contrôleur général des Finances en janvier 1607. Il est même pressenti quand le roi est sur le point d'entrer en campagne à propos de la succession du duc de Clèves et de Juliers, pour siéger dans le Conseil et seconder Marie de Médicis pendant l'absence de son époux[4].

Dans ce contexte, le mariage de François Fouquet avec la fille d'un haut fonctionnaire comblé arrive au meilleur moment, et favorise les ambitions du jeune homme[5]. Sa nouvelle parenté se trouve bien implantée dans les cours souveraines, avec son beau-frère Gilles de Maupeou, futur conseiller au Parlement de Paris, avec ses cousins René, Philippe de Maupeou, André et Hiérome de Cacqueville, et son beau-frère J. Daniau de Saint-Gilles, tous conseillers ou présidents au Grand Conseil, sans parler de René de Maupeou et de Nicolas Le Roy, conseillers en la cour des Aides, ou de ses beaux-frères Pierre Ruellan, maître des requêtes, et Claude des Bugnons, trésorier de France à Paris. Son épouse lui apporte en outre une dot substantielle de 40 000 l, en argent liquide, augmentée en 1621 de 10 000 l[6].

Il ne s'agit point cependant d'un hymen inégal par lequel François Fouquet se refait financièrement. Certes on ignore ce qu'il apporte dans la communauté, mais son inventaire après décès mentionne un extrait d'un livre, contenant « les affaires et mémoires des actes concernant les biens et revenus de M. Fouquet », où l'on trouve la trace des biens propres qu'il a vendus depuis son mariage[7]. Document précieux, qui permet de jauger ce que François Fouquet avait hérité de ses parents. On constate à sa lecture qu'il avait du bien, et que si son union se révèle une aubaine, elle ressemble plus à la fusion de deux capitaux, qu'à un mariage d'intérêt. Entre février 1610 et mars 1627, il vend des biens patrimoniaux, en particulier sept maisons parisiennes, son office de conseiller au Parlement, ainsi que des rentes sur des particuliers[8].

De l'argent, une belle-famille influente, une parenté nombreuse et soudée, François Fouquet a tout pour réussir, d'abord en profitant du sillage de son beau-frère, ensuite grâce à son talent personnel. Mais les mois qui suivent son mariage ne se placent pas sous les meilleurs auspices. Le 14 mai 1610, le roi succombe sous le poignard de Ravaillac. Les bouleversements qui accompagnent inéluctablement une régence ne tardent pas à se faire sentir. Les vieux serviteurs du disparu doivent rapidement s'effacer devant la camarilla italienne qui flanque la grosse Florentine. Le vieux Sully doit prendre une retraite bucolique et définitive, tandis que ses collaborateurs les plus proches sont écartés. On ne renouvelle pas la commission du contrôleur général des Finances de Gilles de Maupeou, bien qu'on le garde au conseil d'État et des Finances, où il instruit encore des affaires, comme celle relative aux accusations portés par la Ville de Paris contre l'administrateur de la ferme du sel.

L'insuffisance du maréchal d'Ancre et de son épouse, leurs dilapidations, et l'ombrage que leur crédit auprès de la reine mère porte au jeune Louis XIII, restaurent assez vite les choses en l'état. Le roi liquide prestement le couple Concini et rappelle la vieille garde, ou du moins une partie d'entre elle. Le 26 avril 1617, le président Jeannin est nommé surintendant des Finances, tandis que Gilles de Maupeou redevient contrôleur général des Finances, à titre d'office cette fois. La situation financière est peu brillante, et les deux hommes décident de réunir à Rouen, en décembre, une assemblée de notables afin de consulter les opinions les plus éclairées et d'exposer les besoins de l'État. On y discute ferme, sans prendre aucune décision précise, ce qui conduit Jeannin et Maupeou à louvoyer et faire flèche de tout bois. Les ressources de 1618, 1619 et 1620 étant épuisées d'avance, on recourt aux expédients traditionnels, les affaires extraordinaires, et l'on fait les promesses habituelles et platoniques d'économie, d'ordre et d'intégrité.

Formés à l'école de la stricte orthodoxie financière chère à Sully, le surintendant et son collaborateur n'ont ni l'autorité ni sans doute l'inflexible personnalité pour mener à bien leur programme. Ils doivent reconnaître leur impuissance et renoncer. Jeannin prend sa retraite en 1619, retraite agrémentée d'une solide pension, et de la demande de la charge de contrôleur général des Finances en faveur de son gendre Castille. Invité à démissionner, Maupeou s'exécute de bonne grâce. Il noue ainsi les premiers liens qui vont unir étroitement les Castille aux Fouquet[9]. Rentrant définitivement dans la vie privée, il laisse la voie libre à ses successeurs, et en premier lieu à son gendre. Jusqu'alors il a fait office de père et de mentor pour François Fouquet, il le conseillera sans doute encore, au besoin il l'aidera de ses deniers. Mais maintenant c'est à ce dernier de jouer.

Au service de Richelieu

Jusqu'à présent les Fouquet sont restés dans leur milieu d'adoption, la magistrature, dont ils ont épousé, par la nature des choses, les intérêts sinon les préjugés. Certes, ils ont été fidèles à la cause monarchique, mais ils n'en demeurent pas moins des bourgeois anoblis, à la recherche d'une position ferme dans la société. Avec Gilles de Maupeou, François Fouquet voit quotidiennement l'exemple d'un transfuge de la robe, dont la réussite s'explique par le service de l'État et l'abandon de l'office au profit de la commission. En un mot, Maupeou est devenu un homme du pouvoir, à défaut d'être véritablement un homme de pouvoir, en renonçant à son état d'officier, pour celui, nouveau, de commissaire.

Comme son beau-père, et sans doute sous son influence, François Fouquet opère à son tour la métamorphose, inclinant le destin de tout son lignage, à la fois pour le meilleur et pour le pire. En 1615, il vend à un certain Lallemant sa charge de conseiller au Parlement, moyennant 69 000 l, et achète pour 90 000 l un office de maître des requêtes[10]. Passant de la robe rouge des magistrats à celle noire des agents du pouvoir, il s'engage donc sur le chemin prometteur, mais semé d'embûches, du service zélé de la monarchie. Les maîtres des requêtes étaient primitivement des magistrats chargés de recevoir les plaintes adressées au souverain et d'en rendre compte. Bientôt, ils ont été chargés de suppléer le roi dans l'audition et l'expédition de ces requêtes dans ce qui allait devenir les « plaids de la porte ». Au bout du compte, ils finissent par être considérés non plus comme des magistrats mais des attachés à la cour. De plus en plus ils exercent, dans une évolution constante tout au long du XVIIe siècle, une double fonction : d'une part, ils jugent toutes les causes relatives à l'exécution des arrêts du Conseil, au Sceau, aux privilèges en matière de librairie et d'imprimerie ; de l'autre, ils agissent comme rapporteurs au conseil d'État et à la direction des Finances, ce qui les met au cœur des plus importantes affaires de l'État. Exerçant par trimestre — on dit à l'époque par quartier —, ils constituent donc un corps de « fonctionnaires » jalousés par les parlementaires, car ils empiètent sur leurs prérogatives judiciaires et surtout en raison des missions que la monarchie leur réserve. C'est en effet dans leurs rangs que le roi et ses ministres choisissent en général les intendants ou commissaires départis dans les provinces, chargés de faire régner l'ordre absolutiste que la monarchie veut imposer à tout le royaume. Ces « magistrats-fonctionnaires », bien qu'issus de la robe, sont ainsi des concurrents particulièrement honnis par elle. L'état de maître des requêtes ne marque souvent qu'une étape transitoire avant une intendance dans une généralité, dans une province frontière ou dans une armée en campagne. Les plus brillants, ou les mieux épontillés, peuvent espérer parvenir jusqu'au ministériat.

La décision de François Fouquet l'entraîne donc à faire carrière, à entrer dans le jeu subtil et périlleux du pouvoir. Son choix accélère l'intégration de sa famille dans le second ordre, car il ne jouissait jusqu'alors que des privilèges personnels de la noblesse. A présent maître des requêtes, il est devenu véritablement un noble. Ainsi, en moins d'un demi-siècle, les descendants du marchand de soie ont opéré une transformation radicale. Les Fouquet peuvent alors se donner des ancêtres plus en rapport avec leur nouvelle condition, et les seigneurs des Moulins-Neufs remplacer avantageusement le boutiquier

d'Angers. Après avoir retrouvé des aïeuls présentables, il leur
faut maintenant donner de la vigueur au lignage, ce qui
nécessite l'insertion dans une bonne filière administrative et
politique.

Jusqu'au procès de Chalais, dont François Fouquet est l'un
des juges, on ne connaît pratiquement rien de sa carrière. En
février 1618, il participe avec son collègue Amelot à la
cérémonie qui marque la réouverture des cours des jésuites au
collège de Clermont. Il s'agit d'un événement que l'on veut
empreint d'une certaine solennité, après l'arrêt du Conseil du
15 février autorisant les pères à reprendre leur enseignement,
droit qui leur avait été accordé par Henri IV, mais dont
l'Université, depuis 1609, s'employait à contrecarrer l'exécution[11]. Le choix de Fouquet, pour cette mission, s'explique
sans doute par les liens qui l'unissent à la compagnie. Il
reprend d'ailleurs une tradition familiale, son père ayant en
son temps soutenu de toutes ses forces les jésuites[12]. Pour le
reste, son activité se déploie normalement : on le signale parmi
les quarante-huit maîtres siégeant par quartier à l'Hôtel en
janvier, février et mars 1623, et au Conseil privé du roi, en
avril, mai et juin[13]. Jusque-là rien ne le prédispose à une
carrière notable, d'autant que la retraite de son beau-père ne
lui facilite pas les choses. Pour cet homme actif et cultivé,
l'oisiveté a probablement été génératrice d'industrieuses réflexions
qui l'ont mis en état d'être remarqué par un nouveau venu sur
la scène politique, un expert en hommes, habile à les utiliser
pour ses grands desseins : Richelieu.

Pendant les années durant lesquelles François Fouquet travaille obscurément, M. de Luçon déploie une énergie considérable pour forcer le destin. Ce rejeton d'une famille de moyenne
noblesse, devenu ecclésiastique pour ne pas perdre un évêché
tenu par les siens et, quoique d'un médiocre revenu, le plus
précieux bien d'un lignage en pleine déconfiture, cherche par
tous les moyens à s'avancer dans le monde[14]. Homme supérieur, il compte se refaire aux affaires, et en faisant celles de la
France, faire les siennes, à moins que ce ne soit le contraire. Il
lui a fallu cheminer avec souplesse, d'abord dans le sillage de
Marie de Médicis, ce qui lui a valu un exil en Avignon. Mais

il n'a pas tardé à reconnaître son erreur, et s'est rapproché du roi, tout en continuant de bénéficier de la protection de la reine mère.

D'un point de vue spirituel et politique, Richelieu a suivi le courant dévot, s'affirmant comme un prélat réformateur et animé d'un zèle missionnaire en parfait accord avec la contre-réforme catholique. Il parcourt son diocèse, prêche, dirige les missions dans une région où les huguenots sont légion. Il a rencontré les plus ardents défenseurs de la contre-réforme : François Le Clerc du Tremblay, provincial des capucins, en religion le père Joseph, Bérulle et son disciple Duvergier de Hauranne, futur abbé de Saint-Cyran. Sa présence aux États généraux de 1614, où il réclame un clergé réformé, tridentin et jouant un rôle politique, n'est pas passée inaperçue. Le parti dévot et la reine mère l'ont avancé, lui obtenant même le chapeau de cardinal en septembre 1622, sans réussir pourtant à le faire entrer au Conseil. Ce n'est que partie remise, puisqu'en avril 1624 Richelieu y accède enfin.

Son Éminence, en grand politique, cynique et pragmatique, n'a de cesse de se rapprocher de Louis XIII afin d'imposer son programme, quitte à renier ceux qui l'ont d'abord soutenu, en premier lieu Marie de Médicis et les dévots. Ne pouvant agir ouvertement, il commence par ménager les uns et les autres. Il ne manque cependant jamais une occasion de profiter des fautes de ses adversaires et de les desservir dans l'esprit d'un souverain jaloux de son pouvoir, mais influençable et rancunier. Au terme d'une campagne de presse conduite de main de maître, Richelieu réussit à perdre son principal rival, le surintendant des Finances La Vieuville, qui est enfermé à Amboise, en août 1624. Richelieu triomphe, il est devenu le chef du Conseil, le « principal ministre », position qu'il conservera jusqu'à sa mort, au prix d'une lutte quotidienne, vivant toujours sous la menace d'une révolution de palais ou d'un complot. L'arrivée du cardinal au pouvoir marque la grande chance du clan Fouquet. En effet, son chef prend auprès de Son Éminence un crédit qui lui assure ainsi qu'à sa famille les espérances les plus flatteuses.

On ignore les circonstances dans lesquelles leurs chemins se sont croisés, mais il est facile de les deviner à partir des points de convergence que l'on trouve chez l'un et l'autre. Tous deux sont liés aux milieux dévots, tous deux sont attachés par-dessus tout à la çause royale. Cette double profession de foi reste suffisamment rare dans le royaume de France, à cette époque, pour ne point être remarquée, d'autant que l'idéal de la contre-réforme ne paraît pas pouvoir s'accorder avec les desseins du cardinal, qui n'hésite pas à combattre la catholique maison de Habsbourg en s'alliant aux puissances protestantes, alors qu'à l'intérieur du royaume il s'appuie sur les forces catholiques pour triompher des minorités réformées.

Une autre passion commune les anime : le vif intérêt qu'ils portent aux choses de la mer. Dès 1624, Richelieu a créé un conseil de Marine, où vont siéger des ministres comme le surintendant d'Effiat, Chateauneuf, Bullion, Bouthilliers père et fils, trois maîtres des requêtes, et l'oncle du cardinal, le commandeur Amador de La Porte, intendant général de la Marine[15]. François Fouquet a été l'un des membres éminents de cette institution. Depuis quand œuvrait-il aux questions maritimes et coloniales ? On ne peut le dire avec précision. Une chose est sûre, c'est qu'il se trouvait en Bretagne en août 1626, lorsqu'il a été désigné pour siéger dans la juridiction chargée de juger Chalais, accusé de conspiration et de lèse-majesté. Sa présence dans cette province maritime a-t-elle un rapport avec des activités liées à la mer ? Peut-être, bien qu'il n'existe aucune preuve qui confirme cette hypothèse, l'activité maritime de François Fouquet ne se déployant de façon avérée qu'à partir de 1635. Quoi qu'il en soit, ce procès marque un tournant dans l'existence de François Fouquet, car il lui permet d'être remarqué par le ministre, en compagnie de son cousin Chalain, qui fait office de procureur général, et de Hay de Coislan, qui siège à ses côtés[16].

Henri de Talleyrand-Périgord, marquis de Chalais, maître de la Garde-Robe du roi, grand seigneur comblé par la naissance et la fortune, se trouve impliqué dans un complot que le pouvoir tient pour très grave[17]. De quoi s'agit-il ? Le roi et Richelieu voulaient réaliser un dessein naguère caressé par Henri IV : unir Gaston d'Orléans à l'une des plus riches fortunes foncières de France, Mlle de Bourbon-Montpensier. Le projet soulève dans la famille royale et chez les grands la plus vive opposition. Anne d'Autriche, qui n'a pu jusqu'alors avoir aucun enfant de son auguste mais maladif époux, craint la venue au monde d'un neveu qui deviendrait l'héritier du trône. Les Condé, de leur côté, redoutent que ce mariage ne les prive de la possibilité de récupérer les biens de la princesse. Chacun s'agite pour empêcher cet hymen. Les intrigues vont bon train, en particulier sous l'influence de Mme de Chevreuse, splendide mais vénéneuse beauté, qui rêve de remarier Monsieur à la reine, dont elle est la confidente. La duchesse a échafaudé un plan « grandiose » : on simulerait un enlèvement de Monsieur, le roi serait déclaré impuissant et destitué, puis remplacé par son frère qui épouserait Anne d'Autriche. Au passage, on en profiterait pour se débarrasser définitivement de Richelieu par quelque coup d'épée salvateur. Tous les princes du sang et bon nombre de grands se sont associés, avec leurs clientèles, à l'entreprise. Si l'assassinat du cardinal ne fait point de doute, le sort réservé à Louis XIII demeure par contre plus flou. Devait-on le tuer ? La chose est encore discutée, bien que Chalais ait toujours nié farouchement le régicide.

Pour exécuter Son Éminence, il fallait un spadassin. La troublante Chevreuse n'eut pas de mal à ensorceler Chalais, que sa charge et son rang rendaient familier du roi et de Richelieu. Mais comme beaucoup de ces complots fomentés par les puissants, aussi légers qu'écervelés, l'affaire n'a pas tardé à être percée à jour par les espions du cardinal. Mieux, Chalais, inconscient, en a parlé à son oncle, qui, effrayé, l'a conduit confesser son sinistre projet à Richelieu ! Ce dernier, avec son habileté et son machiavélisme coutumiers, manœuvre, force Monsieur à tout avouer, et celui-ci, avec sa veulerie habituelle, dénonce la machination et ses complices. Chalais, de son côté, pressé par Gaston d'Orléans, essaie de satisfaire tout le monde et s'empêtre dans une situation inextricable où il ne contente personne. Louis XIII et son ministre imposent le mariage Montpensier et exilent Mme de Chevreuse, tandis que la reine subit l'humiliation d'une sévère admonestation, qui marque la rupture entre les époux.

Richelieu voit dans cette affaire le moyen de raffermir l'autorité royale et la sienne, en effrayant les opposants par un exemple rigoureux. Il est hors de question de punir Gaston ou un prince du sang, mais on peut faire tomber une tête, celle d'un grand seigneur par exemple, suffisamment puissant pour que l'avertissement porte, et pas trop notable afin de ne pas provoquer une réaction vive des grands féodaux. Dès lors le sort de Chalais est décidé d'avance. Arrêté et transféré à Nantes, il est déféré devant une juridiction d'exception qui doit statuer sur son sort. Comme pour toute institution de ce genre, il ne faut guère attendre une indépendance d'esprit des magistrats qui la composent. Les charges qui pèsent contre Chalais sont trop lourdes, et ceux qui l'ont entraîné dans cette aventure l'abandonnent à une mort qui semble certaine. Il n'en reste pas moins que l'accusé, instrument stupide de fantoches méprisables, confronté à une juridiction que l'on sait entièrement dévouée à son instigateur, apparaît comme une victime du jeu mortel pour le pouvoir. La cause est vite entendue, les Fouquet et leurs collègues agissant promptement. Chalain requiert la peine de mort. Il l'obtient avec un verdict cruel et raffiné : Chalais sera décapité, son corps découpé en quatre morceaux, exposés aux portes de la ville, sa postérité déclarée ignoble et ses biens saisis. La sentence semble avoir inquiété ceux-là même qui l'ont inspirée puisque, sous couvert de considération pour la mère du condamné, le roi expédie des lettres de « modération ». Finalement, Chalais est décollé, mais ses restes sont remis à sa mère pour être inhumés en terre chrétienne. La conduite du procès, son exécution, qui fut une horrible boucherie en raison de l'amateurisme du bourreau, ne releva point la gloire des magistrats, protagonistes d'une justice trop teintée de raison d'État et trop maculée de sang[18].

Dans ces circonstances, François Fouquet, désigné comme juge à la demande expresse de Richelieu, a fait son devoir. Toutefois, on ne peut s'empêcher de voir en cette occasion une certaine ironie amère du destin. Ce grand chrétien, ce juriste accompli, s'est retrouvé à son corps défendant dans une juridiction dont il savait, par formation et sans doute en conscience, tout ce qu'elle avait de contestable. Le verdict attendu, car préparé de longue main, peut paraître disproportionné, le complot n'ayant pas reçu le moindre début d'exécution. On a foudroyé un être plus étourdi que pervers, alors que tant de conspirateurs ou d'intrigantes perpétuelles se prévalent sans pudeur de leur condition qui les place au-dessus de la loi. La position de François Fouquet est d'autant plus inconfortable que Chalais a épousé Charlotte de Castille, fille de Pierre de Castille, intendant et contrôleur général des Finances, celui-là même à qui Gilles de Maupeou avait abandonné sa charge sur la demande de son ami et patron, le président Jeannin. En condamnant Chalais, Fouquet peut-il imaginer que, vingt-cinq ans plus tard, son fils Nicolas épouserait la cousine du supplicié ? Pire, peut-il penser que ce tragique épisode préfigure un autre drame, qui se jouera dans la même cité, trente-cinq ans plus tard, la victime n'étant plus cette fois un écervelé, mais un ministre comblé, son propre fils ? Dans une certaine mesure, le sang de Chalais, s'il a rejailli sur Richelieu, a « dégoutté » sur les Fouquet. Une juridiction d'exception a marqué l'ascension du lignage. Par un retour impitoyable des choses, une autre marquera son écrasement.

L'influence de François Fouquet ne cesse de grandir auprès du cardinal, qui lui confie de nombreuses missions judiciaires. L'abbé de Beaulieu, naguère agent de Richelieu, a eu le malheur d'émettre des vues personnelles qui l'ont vite rangé au nombre des trublions, puis bientôt parmi les espions au service de l'étranger. Le malheureux a été prestement embastillé, et Fouquet a été chargé d'examiner ses papiers. On fait appel à lui, peu après, pour instruire contre un libelliste, La Milletière, que l'on vient d'incarcérer. Enfin, il regarde les papiers de Walter Montaigu, un agent de l'Angleterre, qui seconde les intrigues de Mme de Chevreuse, alors réfugiée à Nancy, et que l'on a fait enlever dans les États du duc de Lorraine[19].

Ce dévouement rapporte ses fruits : François Fouquet peut s'avancer dans le monde. Il est nommé conseiller d'État, ce qui lui permet de revendre en septembre 1627 sa charge de maître des requêtes à Claude Mangot, sieur de Villeran, fils de l'ancien garde des Sceaux, moyennant 199 000 l[20]. Il fait maintenant partie des proches collaborateurs du cardinal, dont il préside le Conseil, encore que l'on connaisse bien mal cette institution[21]. En 1628, il figure parmi les « bons conseillers » laissés par Louis XIII à son frère, pendant que ce dernier exerce la lieutenance générale du royaume, et chargés en fait de le surveiller. Son activité est foisonnante. D'un côté, il contresigne les lettres patentes établissant la fabrique de tapisseries de la Savonnerie (30 mars 1627). De l'autre, il joue les diplomates, étant envoyé en ambassade près les cantons suisses, ou bien il présente à Richelieu des observations sur le traité de Ratisbonne[22]. Le cardinal, qui apprécie par-dessus tout sa fidélité et son sens de l'État, en fait un spécialiste des juridictions d'exception. On retrouve François Fouquet parmi les commissaires, triés sur le volet, désignés pour siéger dans la Chambre de justice érigée en 1628 afin de réprimer les abus, notamment financiers. Finalement, il préside cette Chambre de l'Arsenal, qui tend à prendre un caractère permanent[23].

Cette activité judiciaire l'associe à de nombreuses affaires. Il liquide ainsi en 1633 la succession du maréchal-duc de Montmorency. Deux ans plus tard, il inventorie les papiers saisis sur un favori de Gaston, Puylaurens, alors prisonnier à Vincennes. Dans l'exercice de ses fonctions, il fait preuve d'un respect des règles, d'une équité que ses successeurs n'ont pas toujours montrés : n'appelle-t-il pas le secrétaire de l'accusé à la levée des scellés, ne l'autorise-t-il pas à parapher les pièces ? Ironie du destin, là encore : peut-il imaginer qu'un jour son fils Nicolas, également emprisonné à Vincennes, devra subir la même procédure, mais avec des magistrats moins scrupuleux ?

Malgré sa fidélité à Richelieu, François Fouquet a toujours conservé une honnêteté profonde, un respect de la loi, et cette probité a été soulignée. Goulas rapporte dans ses Mémoires qu'un de ses cousins, alors secrétaire des commandements de Monsieur, ayant été appréhendé, contre toute justice, par un prévôt, que l'humeur des temps portait à la prison ou aux supplices, en a appelé à lui pour se tirer d'affaire, tablant sur un lien de parenté réel, mais assez éloigné[24]. Le prisonnier est en effet le cousin germain de M. des Bugnons, beau-frère de François Fouquet. Ce dernier discerne l'arbitraire, prodigue

quelques conseils, fait jouer son crédit : quelque temps plus
tard, le parent Goulas est en liberté.

La personnalité de François Fouquet se révèle tout au long
de ses activités. Son attachement sincère à la cause royale
montre qu'il a retenu l'exemple de son père et de son beau-
père. Ce sens de l'État, il l'inculque à sa progéniture, et Nicolas
Fouquet a pu ressentir, dès son plus jeune âge, ce que rapportait
à une famille le service zélé de la couronne. Si la réussite
sociale a été assurée, la réussite matérielle n'a pas été négligée.
François Fouquet a su faire fructifier son patrimoine et l'accroissement de celui-ci indique que le commis de la monarchie
n'a rien oublié du sens pratique de ses ancêtres. Avec simplicité, il se comporte en bourgeois-gentilhomme, alliant les
vertus traditionnelles de son milieu d'origine aux préoccupa-
tions de l'univers dans lequel il s'est inséré.

Son inventaire après décès montre, par le biais de sa fortune
et l'évolution de celle-ci, l'ambiguïté du groupe hybride des
« bourgeois-nobles » du XVIIe siècle. Entre 1610 et 1625, il a
liquidé son capital immobilier, vendant les maisons qu'il
possedait dans la capitale et la banlieue[25]. En dehors de ses
intérêts maritimes, normaux chez l'un des principaux responsables de la politique navale et coloniale du pays, et des charges
achetées pour l'établissement de ses fils, il ne conserve qu'un
portefeuille bien garni. Il demeure avant tout un rentier, qui
prête avec libéralité, semble-t-il, aussi bien à sa famille qu'à
des collègues, mais sans investir dans les titres d'État. Attitude
singulière chez cet auxiliaire empressé de la monarchie, qui se
garde bien de lui confier ses deniers ! Consciemment ou non,
il reste fidèle aux options financières de ses aïeux. Si par sa
carrière il marque une étape pour l'évolution de son lignage,
financièrement et économiquement il se tient en retrait, sans
s'accorder avec son nouveau statut social. Il est frappant de
constater, contrairement à ce qu'affirme Jules Lair, qu'il n'a
acquis aucun domaine foncier, à l'exemple de ses cousins
bretons ou de son beau-père qui se sont enracinés dans leur
noblesse par l'achat d'une seigneurie, laquelle a fini par éclipser
leur patronyme, après l'avoir doublé. Même Nicolas Fouquet,
le fils glorieux et prodigue, le fastueux maître de Vaux, reste

fidèle à un nom, que jamais une propriété pourtant célèbre ne viendra alourdir. Ce ne sont que les petits-enfants du maître des requêtes qui deviendront M. de Vaux et de Belle-Isle.

Cette pudeur devant une honnête réussite, dont on espère qu'elle sera prolongée et amplifiée par la descendance, transparaît dans la devise, à la fois si célèbre et si mal connue, choisie par François Fouquet. Lorsqu'il fait frapper une médaille portant l'écureuil familial et la devise « *Quo non ascendet** », il pose plus une question, il marque plus une surprise devant le chemin parcouru qu'il ne claironne une ambition arrogante. Ce sont les ennemis, les envieux et tous ceux que la réussite du surintendant exaspère qui parleront du « *Quo non ascendam*** », beaucoup plus volontariste, certes, mais sujet à commentaires malveillants.

Tout conseiller d'État qu'il est, François Fouquet demeure le bonhomme Fouquet. De la bourgeoisie marchande, il a conservé le goût du travail, de la robe, celui de l'étude et de la connaissance. Comme beaucoup d'éminents magistrats, ses contemporains, comme Séguier, Servien, il est un lettré, un bibliophile, un numismate. En léguant ses collections à son fils Nicolas, il ne choisit pas seulement celui qui doit assumer l'avenir de la famille, mais celui qui a précocement incarné l'inclination atavique pour la beauté et la culture. Il est évident que tout ce que Nicolas et ses frères ont été procède largement d'un père fondateur qui les tant marqués, qui leur a tant appris. Il y a en lui plusieurs courants, issus d'un passé assez proche, à la fois divers et complémentaires. La marchandise et la robe ont, chez lui, accouché du grand commis. Nicolas Fouquet n'a donc eu qu'à suivre un exemple édifiant et défendre les valeurs qui ont présidé à l'ascension des écureuils. Mais il y a un autre enseignement que François Fouquet et son épouse ont délivré à leurs enfants, au moins aussi important que le service du prince : l'amour et le respect de Dieu.

---

* Jusqu'où ne montera-t-il pas ?
** Jusqu'où ne monterai-je pas ?

UNE FAMILLE EXEMPLAIRE DE LA CONTRE-RÉFORME

Le couple Fouquet représente l'archétype du foyer dévot du « siècle des saints » par son sentiment religieux, par sa pratique spirituelle et sa façon d'élever ses enfants dans la foi. Quand Goulas rapporte l'anecdote relative au sens de la justice de François Fouquet, il éprouve le besoin d'expliquer l'attitude de celui-ci par des mobiles bien précis : M. Fouquet, « tout chrétien et vertueux » et « faisant profession » de suivre l'Évangile » n'appréciait pas, se référant expressément à ses valeurs spirituelles, qu'on emprisonnât des innocents[26]. Le chrétien transparaît toujours chez lui, et on se plaît à souligner sa manière de vivre sa foi. Marie de Maupeou fait également l'unanimité. Sa piété, sa charité ont forcé l'admiration. A toute époque, et même dans les temps tragiques où il ne faisait pas bon porter le nom de Fouquet, nul n'a jamais contesté la haute figure de cette femme secourable, à l'écoute de Dieu. Saint Vincent de Paul, expert en la matière, lui a rendu hommage en des termes qui ne trompent point : « Si, par malheur, l'Évangile était perdu, on en retrouverait l'esprit et les maximes dans les mœurs et dans les sentiments de Madame Fouquet[27]. » Un esprit aussi acerbe que Saint-Simon n'hésite pas à lui tresser des couronnes[28]. Or toute cette piété ne concerne pas seulement l'exercice quotidien d'une religion épurée, mais la défense des valeurs de la contre-réforme.

En ce sens, les époux Fouquet militent parmi les forces multiples et diverses qui, dans le royaume, mais aussi à l'extérieur, par des voies publiques ou par des cheminements plus souterrains, œuvrent au renouveau catholique. En tant que robins, peut-être à cause de leur éducation chez les jésuites, les Fouquet (ou les Maupeou) se rangent aux côtés des défenseurs de l'orthodoxie et ressentent la nécessité d'une reconquête catholique, quand il ne s'agit pas d'une simple conquête. La situation paradoxale de la belle-famille de François Fouquet a sans doute contribué à renforcer chez lui et sa femme leur zèle religieux. Chez ces fervents croyants, quotidiennement mêlés aux controverses religieuses ou théologiques, il s'est produit en 1600 un événement extraordinaire : Gilles de Maupeou s'est converti au protestantisme. Décision sans doute aberrante aux yeux de la famille qui a dû supporter cette abjuration comme une épreuve[29]. Cette situation pénible n'a pu que conforter les Maupeou-Fouquet dans leur intérêt pour la contre-réforme, alors qu'ils vivaient personnellement l'impitoyable césure religieuse. Marie Morély, sa femme, a obtenu que ses enfants soient élevés dans la foi catholique. Aussi une spiritualité très forte va-t-elle se répandre sur toute la famille, en particulier les filles qui aspirent ardemment à la reconquête spirituelle d'un père égaré[30].

Dans ces conditions, il est normal que François Fouquet et sa femme soutiennent les ordres religieux ou les compagnies qui fleurissent alors et qui véhiculent les idéaux de la contre-réforme. Saint François de Sales, Bérulle, sainte Jeanne de Chantal ou saint Vincent de Paul sont des modèles, toujours présents à l'esprit des Fouquet, quand ils ne les côtoient pas dans leurs édifiantes activités. Un « humaniste » comme François Fouquet ne peut pas ignorer la nécessité de l'enseignement et de la propagation de la vraie foi, et il ne faut point s'étonner de le voir favoriser, dans la politique maritime et coloniale qu'il défend, des objectifs non seulement économiques mais aussi missionnaires. Les rapports étroits que les Fouquet entretiennent avec Monsieur Vincent procèdent du même état d'esprit. Dans cette œuvre pie, toute la famille paie d'elle-même, prodiguant sans compter ses enfants à Dieu, ne ménageant ni son argent ni sa peine pour les tâches multiples que son service réclame.

Comme tous les robins, les Maupeou ont fourni un contingent de filles pour les couvents. Marguerite de Maupeou est devenue religieuse à Montmartre, puis à l'abbaye cistercienne du Parc-aux-Dames, près Crépy-en-Valois, dont l'abbesse, sa parente Suzanne Morély, la prend comme coadjutrice. Marguerite de Maupeou en devient à son tour abbesse en 1647 ; elle devait y accueillir sa nièce Élisabeth Fouquet[31]. C'est Madeleine Élisabeth de Maupeou qui, la première, semble-t-il, entre dans l'institution la plus chère aux Fouquet : la Visitation Sainte-Marie[32]. Après avoir épousé, en 1616, le maître des requêtes Pierre Ruellan, malgré une inclination précoce pour la vocation religieuse, elle a obtenu une déclaration passée devant l'autorité ecclésiastique, entraînant la dissolution de son union (1624). Libre, elle se confie à la direction spirituelle du père Suffren et recherche l'établissement religieux qui pourrait la recevoir. A plusieurs reprises, elle fait retraite auprès de sa sœur à l'abbaye du Parc-aux-Dames, mais opte finalement pour la Visitation. Cette décision doit sans doute beaucoup à Vincent de Paul, ami de la famille et de Mme de Chantal, à qui il offrait une nouvelle disciple pour l'établissement qu'elle venait de fonder dans la capitale. Entrée au monastère de la rue Saint-Antoine, elle s'y distingue rapidement par sa piété édifiante. Cette retraite dans un ordre récent n'est pas le fait du hasard ; ce choix s'inscrit dans le soutien sans faille que sa famille porte à la contre-réforme militante.

En 1611, l'évêque de Genève, François de Sales, et Jeanne Françoise de Frémiot, veuve du baron de Chantal, avaient établi à Annecy un institut, qui prit le nom de Visitation Sainte-Marie, et dont les deux objectifs primitifs se voulaient la contemplation et l'oraison d'une part, le service des pauvres et des malades de l'autre. La communauté était, à l'origine, une réunion de femmes de grande vertu, visitant les déshérités, et non cloîtrées, ce qui n'a pas manqué de susciter l'étonnement, puis le scandale des malveillants. Très vite des filiales se sont ouvertes, à Lyon en 1615, puis l'année suivante à Moulins, fondations suivies d'autres à Grenoble, à Bourges, où André de Frémiot, frère de Mme de Chantal, occupe le siège archiépiscopal. Pendant les années 1616-1617, les deux fondateurs ont rédigé les règles définitives de l'institution. Celle-ci, devant les difficultés qui accompagnent son essor, se transforme, en octobre 1619, en un ordre, avec clôture et vœux solennels, supprimant de fait la visite aux malades. Malgré tout la Visitation garde une ouverture assez large, ne se fermant pas aux personnes de santé délicate, comme l'était Madeleine Elisabeth de Maupeou. En 1619, un couvent est ouvert à Paris, Faubourg Saint-Marcel ; il est transféré en 1621, rue du Petit-Musc. Mais son installation définitive date de 1628, quand les visitandines achètent, rue Saint-Antoine, l'hôtel de Cossé, jadis d'Etampes ; en 1632, le commandeur de Sillery y fait édifier la chapelle, œuvre de François Mansart, qui subsiste toujours[33]. Vincent de Paul avait reçu la direction spirituelle de cette maison. Entre 1620 et 1640, la Visitation multiplie les fondations à Montferrand, Nevers, Orléans, Dijon, puis en Savoie, en Lorraine, en Piémont ; dès 1635, elle compte plus de soixante-dix établissements. Madeleine de Maupeou apporte sa contribution au développement et à l'installation de l'ordre. Choisie comme supérieure du monastère de Caen, elle y fait construire par l'architecte Guillaume Brodan, en 1632, les bâtiments conventuels. Cela ne l'empêche pas de soutenir la reconquête catholique, en s'associant aux œuvres de saint Jean Eudes, le missionnaire normand dont elle est l'amie et qu'elle ne cesse d'aider durant son séjour dans cette région.

Avec de tels exemples, Marie de Maupeou ne peut échapper à l'emprise d'un climat pieux dans léquel baigne toute sa famille. Son rôle à elle, c'est la charité, l'aide morale et matérielle à ceux qui souffrent, et Dieu sait s'ils sont nombreux dans une France secouée par la guerre civile et étrangère. Dans l'ombre de Vincent de Paul, elle se prodigue sans compter pour faire avancer l'action évangélique et caritative du saint. En 1634, lorsque Monsieur Vincent fonde l'œuvre des Dames de la Charité, on la retrouve parmi ses premières collaboratrices, aux côtés d'Élisabeth d'Aligre, de Mme Séguier, de la duchesse d'Aiguillon, nièce de Richelieu, de la présidente Goussault, de Mme Le Gras, de Mmes de Lamoignon. Jadis, sa mère, Marie Morély, avait ouvert sa maison aux pauvres et aux malades. Marie de Maupeou prend maintenant le relais, ne ménageant ni son temps ni son argent, et c'est sous son toit que se tiennent les assemblées de la petite troupe qui seconde Vincent de Paul.

François Fouquet, dans la mesure où ses fonctions administratives et judiciaires lui en laisse le temps, apporte également sa pierre au saint édifice. Riche rentier, on l'utilise alors comme bailleur de fonds. Les pères de l'Oratoire, les religieuses de la Madeleine, celles de l'Annonciade, des couvents de Saint-Denis et de Mézières, les religieux de la congrégation de Saint-Paul et, bien entendu, les visitandines font appel pour leurs affaires à ses deniers[34]. On lui confie de l'argent pour le placer en œuvres pies. Il se charge ainsi de 5 000 l léguées par sa belle-sœur Madeleine Élisabeth de Maupeou à son autre sœur religieuse, à charge après le décès de cette dernière de placer l'argent dans la fondation qui lui paraîtrait la plus appropriée[35]. C'est la raison pour laquelle cette somme échoit finalement aux jésuites, chargés des missions près les Hurons d'Amérique[36]. François Fouquet a certainement commerce avec d'autres institutions, comme les chartreux, les carmélites réformées, les bernardins et les bénédictines réformées des Blancs-Manteaux : il demande à sa femme de les avertir de son décès afin qu'ils prient pour le repos de son âme[37].

Mais c'est encore par le truchement de leur progéniture que les époux Fouquet réalisent pleinement leur idéal. Ils ont eu quinze enfants. Douze ont survécu : six garçons et six filles. Toutes les filles se sont faites religieuses, tandis que deux garçons ont accédé à l'épiscopat, un troisième est devenu abbé ; les trois autres, dont un mort prématurément, ont été tonsurés. Un tel attrait pour l'état ecclésiastique, même dans un milieu très dévot, reste exceptionnel. Il témoigne d'un sens du sacré, profondément enraciné dans toute la famille. Il n'y a donc rien d'étonnant à la retrouver mêlée à tous les grands courants religieux qui ont traversé le siècle : la contre-réforme, le jansénisme, le quiétisme.

Les Fouquet sont des chrétiens militants, intéressés à tous les débats théologiques du siècle : Nicolas Fouquet également, dont il faut réfuter, dès maintenant, l'image voluptueuse mais fausse que ses ennemis ont voulu donner de lui. Les filles ont montré un exemple peu commun de piété. Élisabeth a rejoint sa tante Marguerite de Maupeou à l'abbaye du Parc-aux-Dames[38], tandis que ses sœurs, Anne, Élisabeth, Marie, ont pris le chemin de la Visitation, auprès de leur tante Marguerite de Maupeou, où les rejoindront leurs deux cadettes, Agnès et Madeleine[39]. A une époque où la stratégie familiale d'un clan repose en grande partie sur ses alliances, et par conséquent sur ses filles, la conduite des Fouquet paraît surprenante. Cette famille en plein essor se prive délibérément de toute sa partie féminine pour défendre ses positions et se maintenir. L'inclination manifestée par les mâles ne milite pas, non plus, pour la défense et la devise de la famille. Au lieu de vouloir briller dans le monde, les fils semblent vouloir le fuir, le ciel privant des fruits que la fréquentation du siècle laisse espérer. En cela l'exemple de l'aîné des enfants, François (IV) est somme toute inquiétant, bien qu'édifiant et agréable pour une famille dévote.

François Fouquet, né en 1611, comme tous les aînés, était déstiné à la robe. On lui a donné une éducation soignée chez les jésuites, dont il fut un élève brillant. A vingt ans, son père lui achète une charge de conseiller au Grand Conseil, qui venait d'être créée par édit de septembre 1631, le jeune homme bénéficiant d'une dispense d'âge pour être reçu dans cet office[40]. En juin 1633, il entre au Parlement de Paris, avec un office de conseiller, acheté au président de Lamoignon[41]. Tout annonce pour cet enfant doué une carrière brillante, habilement conduite et favorisée par Richelieu. Mais les espoirs se trouvent anéantis par sa volonté, exprimée en 1635, de servir Dieu[42]. Décision qui ne surprendra pas outre mesure, et qui perturbe les espérances de promotion de la famille. Cependant sa carrière ecclésiastique est encore plus brillante et rapide que son passage dans la magistrature. Clerc du diocèse de Chartres puis de Paris, il devient rapidement prêtre, avant d'accéder à la prélature. Sur la démission de son puîné, il reçoit les prieurés de Saint-Julien de Douy et de Saint-Nicolas du Port-Raingard, et la trésorerie de Saint-Martin de Tours, tandis que le roi lui accorde l'abbaye d'Eysse[43].

La vocation de François Fouquet s'abreuve aux meilleures sources. Très tôt, il suit Vincent de Paul. Il est l'un des premiers à participer aux « conférences du mardi », ces réunions hebdomadaires tenues à Saint-Lazare, où se regroupe l'élite du clergé parisien. Autour du saint, les disciples prient, travaillent, méditent et s'édifient en commun. François Fouquet est profondément marqué par l'apôtre des pauvres, dont il se réclame, en soulignant les liens qui l'unissent à lui[44]. Dès l'origine, il apparaît comme un dévot militant et adhère au grand jour au programme de la contre-réforme qu'il défend, de façon plus discrète, par ailleurs[45]. Cette activité, ces qualités, cet enthousiasme, ces appuis le prédestinent à un avenir brillant. Celui-ci ne se fait pas attendre : au début 1637,

Monsieur Vincent peut annoncer avec satisfaction que François Fouquet, à peine âgé de vingt-six ans, a été nommé évêque de Bayonne, ainsi que deux autres habitués des conférences du mardi : Godeau, désigné pour Grasse, et Pavillon pour Alet, l'un et l'autre hommes de grand mérite[46]. En mars 1639, il est consacré, devant une assistance brillante, dans l'église des jésuites, par Claude Rueil, évêque d'Angers, qu'assistent Mgr de Sponde, évêque de Pamiers, et Mgr d'Adhémar de Monteil de Grignan, évêque de Saint-Paul-Trois-Châteaux. Cette cérémonie marque assurément pour le conseiller Fouquet une consécration, à la fois sociale et morale, des plus flatteuses.

Avec l'esprit de famille propre à son clan, le nouvel évêque de Bayonne se met rapidement en état d'assurer à ses cadets, destinés à l'Église, la conservation de ses bénéfices. Il démissionne du prieuré de Saint-Julien de Douy en faveur de son frère Yves, et de la trésorerie de Saint-Martin de Tours en faveur de son frère Basile, clercs tonsurés du diocèse de Paris[47]. Cette nomination rapide pose un problème : comment expliquer cette réussite de François Fouquet ? Certes, la famille peut se prévaloir de l'appui de Richelieu, de l'influence de Vincent de Paul, mais est-ce suffisant ? En réalité, la famille évolue dans le milieu dévot qui récompense, en sa personne, des dévoués à une cause sacrée. Quoi qu'il en soit, les Fouquet représentent un puissant groupe d'influence religieux plus qu'ils ne constituent une force politique.

Pour l'instant, si François Fouquet père savoure la promotion de son aîné, il doit convenir qu'un problème majeur subsiste : le service de Dieu s'est enrichi d'un sujet d'élite, mais qui va se charger du service du roi, par lequel passe l'avancement de la famille ? La providence a bien fait les choses en désignant un jeune homme exceptionnel de vingt ans pour reprendre le flambeau.

Les années de formation de Nicolas Fouquet

Troisième enfant des époux Fouquet, Nicolas, leur second fils, est né en 1615, dans la maison paternelle, à Paris, rue de la Verrerie. Il est présenté au baptême, le 27 janvier 1615, en l'église Saint-Jean-en-Grève, par son parrain, Nicolas Morély, sieur de Chennevières, S.R., son grand-père paternel, et par sa marraine, Madeleine Fouquet, sa tante paternelle, femme de Claude des Bugnons, trésorier de France à Amiens[48]. Comme son aîné, il est confié aux jésuites, les meilleurs pédagogues du moment, qui ne tardent pas à découvrir ses aptitudes exceptionnelles. Ses humanités au collège de Clermont lui donnent une culture classique achevée. Il sait remarquablement le grec et la langue de Virgile, excelle dans la poésie latine, un peu précieuse, que les bons pères affectent particulièrement. Cette éducation complète l'atmosphère cultivée qu'il a connue dans sa famille et explique la passion qu'il nourrit pour la littérature, et plus généralement l'art sous toute ses formes.

Nicolas a été profondément influencé par ses maîtres qui ont su mobiliser son intelligence, que chacun reconnaît pour particulièrement brillante. Il est resté attaché à eux, les a soutenus, une fois au pouvoir, au grand dam de ses adversaires, qui, tel Guy Patin, lui reprochent son « âme moutonnière et loyolitique[49] ». Les jésuites, par tempérament et par tactique, ont privilégié la souplesse, le sens du compromis, la douceur pour mieux arriver à leurs fins. Ils ont trouvé à l'état spontané tous ces traits de caractère, que confortent une intelligence supérieure et une séduction exceptionnelle. Cette souplesse, ce sens du compromis et non pas de la compromission, comme veulent le faire accroire ses ennemis, font de lui un mondain et un politique, capable de saisir toutes les opportunités, de tirer parti de toutes les situations et de toutes les personnes qu'il cherche à se gagner par une grande délicatesse. De telles aptitudes le prédisposent incontestablement à une belle réussite dans la politique et les finances.

Sa culture se trouve confortée par de solides études de droit, qui conduisent Nicolas à devenir avocat au parlement. Malgré son jeune âge, en des temps où les grades sont accordés avec laxisme aux plus ignares, il se révèle un bon sujet, comme le souligne le président Barillon de Morangis, chargé de l'examiner alors qu'il est jeune conseiller au parlement de Metz[50]. Sa carrière, ses défenses durant son procès, démontrent qu'il est un juriste éminent, savant et habile. Cependant, à l'origine, il demeure un clerc du diocèse de Paris. En janvier 1631, il a été nommé trésorier de Saint-Martin de Tours, sur la résignation de son grand-oncle Isaac Fouquet[51]. Un autre de ses cousins, René Fouquet, de la branche des La Bouchefollière, lui a sans doute abandonné son prieuré de Saint-Nicolas de Port-Reingeard[52]. Enfin, il a été pourvu du prieuré de Saint-Julien de Douy, dont il se démet, avec tous ses autres bénéfices, au profit de son aîné[53]. Jusqu'en 1635, on hésite sur la voie qu'il doit suivre, la robe et le service du roi, ou l'Église. Une tradition veut que Richelieu, à qui on présentait le jeune homme, frappé par ses capacités, l'ait encouragé à servir l'État. Avec un jugement si prometteur, il est certain que l'on a pu bien augurer d'une carrière placée sous les meilleurs auspices.

En 1631, François Fouquet fait des démarches auprès de son puissant protecteur pour obtenir, dans de bonnes conditions financières, une des charges nouvellement créées de conseiller au Parlement de Paris, sans succès, semble-t-il. Mais en mars 1633 Nicolas reçoit, avec une dispense d'âge, ses lettres de provisions pour un office de conseiller au parlement de Metz[54], cour souveraine nouvelle : l'office, d'un prix modéré convient à ce jeune homme que l'on dit plein d'avenir. Siéger dans cette cour, dont Son Éminence veut se servir pour asseoir, avec des talents éloignés d'un parlement parisien si imbu de lui-même, la présence française dans les trois évêchés, ne peut qu'être agréable à Richelieu. D'ailleurs Nicolas arrive avec une mission confiée par le cardinal, preuve que celui-ci a confiance en sa jeune capacité et en son savoir. Il est chargé d'inventorier les papiers du Trésor de la chancellerie de Vic, où l'on conservait tous les titres du temporel de l'évêché de Metz. Mettant en pratique ses connaissances des langues mortes, il joue donc les feudistes, vérifiant si le duc de Lorraine n'empiète point sur le domaine du roi. Mais sans attendre la fin de ces travaux, Richelieu, après avoir occupé le duché de Lorraine, détache à

Nancy un certain nombre de magistrats de la cour de Metz, dont Nicolas qui participe au Conseil souverain (septembre 1634).

Cette agression, prélude à la guerre ouverte déclenchée quelques mois plus tard par Richelieu contre la maison d'Autriche, marque la dernière étape lorraine, et somme toute dilettante, de notre héros. Pendant les quelques mois qu'il a passés dans la province, si l'on en croit la rumeur publique, il aurait démontré un tempérament magnifique, démasquant sa nature profonde, son goût du luxe et de l'apparat, comme le diront ses adversaires. Pourtant, une chose est certaine : il reste en bons termes avec ce parlement qui a vu ses débuts, et il est suffisamment écouté pour y maintenir l'influence de son nom. Il sert d'intermédiaire lorsque son cousin Christophe, de la branche de La Bouchefollière, ancien conseiller au présidial d'Angers, acquiert la charge de procureur général au parlement de Metz[55]. Mais au moment où le royaume se lance dans la plus longue guerre qu'il ait jamais eu à soutenir, et où son aîné quitte le monde, Nicolas est conduit par les événements à s'y propulser.

Son père a agi avec célérité. Puisque Nicolas doit faire carrière, autant mettre tous les atouts de son côté. Il lui achète un office de maître des requêtes, créé par édit de décembre 1635, dont Nicolas est pourvu avec dispense d'âge et pour lequel il prête serment entre les mains du chancelier qui, vingt-neuf ans plus tard, devait voter sa condamnation à mort[56]. Nicolas entre ainsi dans le corps des officiers administrateurs dans lequel le pouvoir recrute ses collaborateurs les plus proches. Attendant une promotion qui ne saurait tarder, il exerce ses fonctions avec zèle et compétence, participe assidûment aux audiences, et opine avec science et intelligence. En fonction seulement un semestre sur deux, Nicolas est vite associé par son père aux entreprises maritimes et coloniales que ce dernier supervise : initiation précoce et précieuse qui influencera et orientera toute sa pensée économique dès qu'il sera au pouvoir.

Son avenir adroitement préparé, Nicolas doit maintenant songer à un établissement qui conforte ces débuts prometteurs.

Un bon mariage est indispensable pour parfaire l'édifice. Les activités maritimes de son père, l'influence de sa famille en Bretagne expliquent qu'il trouve dans cette province un bon parti, plein de promesses. Il a jeté son dévolu sur Louise Fourché, fille et unique héritère de feu Mathieu Fourché, conseiller au parlement de Bretagne, et de Guyonne Bouriau, dame de Quéhillac. Le contrat de mariage, signé à Nantes, est ratifié le 10 janvier 1640, par ses parents[57]. Riche mariage : pour dot, la jeune femme a reçu de sa mère 160 000 l en argent liquide et en rentes sur particuliers, plus la terre de Quéhillac, tandis que Nicolas apporte son office de maître des requêtes, estimé 150 000 l, que ses parents lui ont donné, ainsi que 4 000 l de rente au denier 18. Les mariés, qui débutent dans l'existence avec une solide aisance, peuvent envisager le futur avec optimisme.

François Fouquet a tout lieu d'être satisfait. Il préside le conseil du tout-puissant premier ministre, qui le compte parmi ses principaux collaborateurs. Il se trouve à la tête d'une belle-famille nombreuse, dévote, et pleine de promesses. Son fils aîné, chrétien fervent, a accédé à l'épiscopat, ses sœurs servent Dieu dans une institution dont les époux Fouquet protègent l'essor. Voilà maintenant que leur second fils suit, sans faute, un cursus qui le promet au plus bel avenir. Ce dernier ne réunit-il pas tous les avantages de l'esprit et du monde pour réaliser l'ambitieux programme paternel ?

François Fouquet a façonné son clan, il lui a tracé le chemin à suivre, mais à l'heure où il est en droit de voir lever le grain qu'il a semé, le destin le prive de la récolte. Le mariage de Nicolas a été sa dernière satisfaction. Déjà malade depuis quelques années[58], il se trouve à la dernière extrémité en février 1640. Le temps de rédiger son testament, et il meurt le 22 avril suivant. Commence alors pour Nicolas une période doulou-reuse de trois années, durant lesquelles une série d'autres disparitions remettent en cause tout l'édifice.

CHAPITRE III

L'ascension de l'écureuil

François Fouquet, prévoyant les difficultés et le vide laissés par sa disparition, a prodigué ses derniers conseils à sa nombreuse famille dont les mâles sont loin d'être tous établis. Il recommande à son aîné « d'avoir soin que ses frères et sœurs vivent dans la crainte de Dieu et en union[1] ». Il sait que l'évêque de Bayonne, d'une intégrité morale et religieuse indiscutable, sera pour tous un exemple de cet idéal chrétien qui a fait en grande partie que les Fouquet sont devenus ce qu'ils sont. Il compte sur lui pour défendre, en se prévalant de l'autorité que lui confère le sacerdoce et la prélature, l'union de la famille qui lui a permis de surmonter jusqu'à présent toutes les épreuves. La leçon a été entendue, et jamais le lignage ne va se départir de cette ligne de conduite, exception faite de la brouille entre Nicolas et l'abbé Fouquet, payée très chère par l'ensemble du clan, et illustration a contrario de la justesse de la recommandation paternelle.

Le second précepte du moribond concerne la place que Nicolas doit occuper dans l'avenir : « Ayant beaucoup avantagé mon fils Nicolas, maître des requêtes par son contrat de mariage, je me promets qu'il aura un soin particulier d'assister sa mère en la conduite de ses affaires et qu'il servira de père à ses frères et sœurs en la conduite de leur personne et de leur bien[2]. » Tâche bien rude pour ce jeune homme de santé délicate, dont on pressent qu'il sera à la hauteur de la situation. Il lui faut s'occuper de mineurs avec lesquels il a une grande différence d'âge : Nicolas a eu des rapports fraternels étroits avec M. de Bayonne qui a presque le même âge que lui. Mais avec Basile, de huit ans son cadet, avec Yves, avec Louis né en 1633, avec Gilles né vingt-deux ans plus tard, il se comporte effectivement plus en père, en chef de famille, qu'en frère. On notera cependant la confiance du patriarche en un fils, certes prometteur, mais peu expérimenté pour conduire les destinées du clan. Il est vrai que François Fouquet laisse suffisamment de biens à sa famille. Sa succession, telle qu'elle transparaît dans son inventaire après décès, prouve qu'il avait su faire ses affaires ; il avait gardé un goût désuet pour la rente sur des particuliers, placement qui sentait sa bourgeoisie, mais sa fortune sera un atout essentiel pour la réussite de ses descendants[3].

FORTUNE DE FRANÇOIS FOUQUET À SA MORT

Effets actifs :	
Promesses et obligations...............	1 630 livres
Rentes sur particuliers.................	368 030 livres
Rente sur l'État.......................	54 600 livres
Offices[a].............................	275 000 livres
Intérêts dans les affaires maritimes et coloniales........................	41 483 livres
Dettes actives[b].......................	52 950 livres
Meubles (y compris les livres et les antiques)	19 359 livres
Argent liquide........................	2 862 livres
Total :......................	815 914 livres
Dettes passives........................	40 638 livres

a. Y compris les 150 000 l, valeur de l'office de maître des requêtes donné par les époux Fouquet à leur fils Nicolas pour son mariage. La valeur du quart appartenant au défunt dans les offices de contrôleur des poids et mesures des villes et marchés de Normandie demeure inconnue. Au total, le montant des offices est donc très sensiblement inférieur au chiffre présenté ici.

b. Il s'agit surtout de reliquats d'appointements qui ont fort peu de chance d'être payés.

Un cap difficile

Si la disparition de son père est pour lui une grande perte, il peut cependant toujours compter sur son grand-père, Gilles de Maupeou, homme digne et de bon conseil. Or voici qu'au début de l'année 1641, malade, ce dernier se trouve à son tour à la dernière extrémité. Il accorde alors une ultime satisfaction à sa dévote famille, répondant *in extremis* aux pieuses prières des siens : il abjure[4]. Cette nouvelle fit quelque bruit dans le Tout-Paris protestant, incrédule. Le doute n'est cependant pas permis car Maupeou a fait introduire la foule auprès de son lit d'agonie, et chacun a pu témoigner de la réalité et de la sincérité de sa conversion. Le 3 février, Gilles de Maupeou meurt, laissant son petit-fils chef incontestable des Fouquet et des Maupeou.

Au moment où son grand-père disparaît, Fouquet vient de prendre une décision lourde de conséquences pour son destin — il est loin de s'en douter — en achetant la seigneurie de Vaux[5]. Grâce à cette terre les Fouquet ont sauté le pas, ils se sont intégrés totalement au second ordre en devenant de gros propriétaires. Dorénavant, Fouquet va poursuivre avec méthode et persévérance une politique d'acquisitions foncières, qui fera de lui un grand seigneur. Il sait par l'exemple de son grand-père à Ableiges, ou de ses cousins bretons, avec Chalain, qu'un fief de dignité est indispensable pour une famille ambitieuse qui veut perdurer, comme si un domaine familial marquait et garantissait une continuité et manifestait une ambition. L'achat de Vaux, qui comprend un vieux château en mauvais état, donne à Nicolas l'occasion de sacrifier à l'une des passions majeures de sa vie : la bâtisse.

Il a peu le temps de jouir de son achat. A peine a-t-il quitté le deuil de Gilles de Maupeou qu'une nouvelle disparition, cruelle entre toutes, le frappe : en août 1641, sa jeune épouse rejoint son beau-père dans le caveau familial des Fouquet, à la Visitation Sainte-Marie de la rue Saint-Antoine[6]. A ses nombreuses responsabilités, Nicolas doit donc ajouter celle de l'éducation de sa fille mineure, âgée seulement de six mois, dont il a reçu la tutelle et obtenu la garde noble[7]. Fouquet affronte l'infortune avec une détermination et un courage dont il fera toujours preuve, même dans les heures les plus sombres. Aidé de sa mère, il prend en main les rênes de la famille.

Les Fouquet ont payé un lourd tribut à la mort, et celle-ci fauche maintenant des personnalités qui leur sont chères. En décembre 1641, Jeanne de Chantal, la fondatrice vénérée de la Visitation, a rejoint son créateur dans une de ses maisons, à Moulins, peu après avoir été visitée, à Montargis, par Madeleine-Élisabeth de Maupeou et son neveu M. de Bayonne, qui l'emmenait dans son diocèse, où il venait de lui confier la direction du couvent de la Visitation, nouvellement fondé par lui[8]. Perte vivement ressentie dans une famille qui consacre tant d'ardeur, d'argent et de dévouement à la réussite de l'ordre. Un an plus tard, le clan enregistre avec déplaisir une autre disparition, celle de Richelieu, qui rend l'âme le 4 décembre 1642.

Perte immense pour les Fouquet, car leur éminent protecteur était en grande partie garant de leur avancement. Nicolas, devenu en remplacement de son père un collaborateur du cardinal dans les affaires maritimes et coloniales, Richelieu l'entretenant « d'un illustre dessein sur les colonies », ne goûte pas cette nouvelle situation. Il sait que la clientèle d'un ministre tout-puissant, et honni par une bonne partie de tout ce qui compte dans le royaume, doit s'attendre à être écartée pour longtemps, voire même définitivement, du jeu politique. Il a sûrement à l'esprit la retraite imposée à Sully et son équipe, et l'exemple de son grand-père lui rappelle toute l'incertitude d'une carrière. La disparition du patron se double bientôt de celle du maître, car Louis XIII ne lui a survécu que quelques mois.

Fouquet comprend très bien que l'on entre dans une période d'incertitude dans laquelle le bon choix, l'habileté seront déterminants. La régence d'une reine qui a été controversée et, en pleine guerre avec les Habsbourg, suspectée d'être plus espagnole que française n'incite pas à l'optimisme. Le nouveau souverain, un bambin de cinq ans, n'est pas un roi « plein ». Il faut attendre de longues années pour qu'il atteigne sa majorité (13 ans et un jour) et qu'il soit sacré. Des précédents, encore présents dans les mémoires, prouvent que la régence connaîtra des moments difficiles. Déjà, des personnages aussi exceptionnels, comme Mazarin, Le Tellier, Condé, Turenne, qu'insignifiants, comme Séguier, Orléans ou les Vendôme, s'agitent sur le grand théâtre du monde. Dans cette période charnière, il est important de savoir épouser la force nouvelle appelée à la conduite des affaires. Mais en même temps, ce moment extraordinaire et dramatique, car la guerre extérieure fait rage, offre des perspectives d'avancement pour les âmes bien nées que rien n'effarouche, à l'image du jeune mars vainqueur, le duc d'Enghien, qui vient de balayer les *tercios* espagnols à Rocroi.

Nicolas, poussé par son ambition dévorante, se doit de prendre part aux événements et d'en recueillir des fruits délicieux. De sa famille, notamment de son père, il a reçu un héritage précieux qui ne figure pas dans les biens du défunt : une tradition de dévouement absolu à la cause royale. Fouquet se veut légaliste, non seulement par formation juridique, mais aussi par intérêt. La fidélité au roi ou à son premier ministre, leur service aveugle quelles que soient les circonstances, voilà le credo qu'il entend adopter contre vents et marées, attitude qui fait finalement sa force et sa faiblesse. Dans sa volonté de s'intégrer aux serviteurs inconditionnels du pouvoir, il y a du génie politique et du suicide. Le grand tournant des années 1640-1643 a été déterminant car il l'a poussé à affronter son destin.

Au service du roi

En fin 1642, Nicolas reçoit une commission d'« intendant de police, justice et finance auprès de l'armée chargée de défendre la frontière septentrionale »[9]. Il entre ainsi dans le corps abhorré des commissaires départis dans les provinces ou aux armées, agents du gouvernement dénoncés par les officiers de tout poil, jaloux de leur autorité. Comme intendant, Fouquet doit surveiller les comptables de l'administration des guerres, les munitionnaires, même les généraux, et assiste aux conseils de guerre. Bref, il remplit une tâche d'informateur et de régulateur dans le microcosme agité des armées en campagne. Cette action se double de fonctions judiciaires, l'intendant devant connaître les crimes et délits commis dans les zones où la soldatesque se comporte comme des termites indisciplinés et ravageurs. Fouquet fait donc ses premières armes auprès de M. de Châtillon, dans une campagne clôturée par la célèbre et décisive bataille de Rocroi. Cet intermède guerrier dure peu, puisqu'en mai 1643 il reprend ses fonctions de maître des requêtes ; à ce titre, en compagnie de son collègue Achille de Harlay, il interroge un certain Gendron, dit La Grange, praticien de Barbezieux, convaincu de l'injustice de l'impôt, qui s'est agité dans sa localité, ce qui lui vaut la Bastille[10].

Cette activité fait connaître à Nicolas le mécontement fiscal profond qui secoue la France depuis que la guerre impose au pays un effort sans précédent. Elle l'informe du sentiment quotidien des Français sur la question financière, expérience fort intéressante pour un homme destiné à présider un jour aux Finances du roi. Ses fonctions le conduisent à se mêler aux milieux politiques, à observer l'opposition entre la robe et le gouvernement, soucieux de briser les velléités de contrôle politique des cours souveraines. On le retrouve aux côtés du chancelier Séguier, représentant le pouvoir royal durant le lit de justice entérinant la régence d'Anne d'Autriche[11]. Son attachement à la cause royale est judicieux, d'autant plus que, contrairement à toute attente, l'équipe de Richelieu n'a pas été remerciée. La reine s'appuie en effet sur des hommes expérimentés, et bientôt chacun peut constater que le pouvoir se trouve entre les mains d'une autre éminence, aussi avisée, obstinée et rusée, mais plus ondoyante que l'impérieux disparu dont pourtant elle chausse, sans y toucher, les mules. En choisissant la France et le parti de la reine, Mazarin favorise sa fortune, et ceux qui opèrent le même choix n'y perdront point au change. Malgré les orages, les séditions politiques et populaires, les « Mazarins » sont appelés à faire la France, tout en assurant leur avenir. Pour l'instant, Fouquet n'a pas encore fait acte d'allégeance : il se contente de servir la mère et le fils ; le parrain (et l'époux ?), ce sera pour un peu plus tard.

En 1643, on désigne Nicolas comme intendant du Dauphiné[12]. Cette fois, il s'agit d'un poste très important, dans une province éloignée, jalouse de son identité, et dominée par l'influente famille Lesdiguières, dont le chef exerce héréditairement la charge de gouverneur, ce qui en fait une sorte de vice-roi. Ce dernier est plutôt enclin à protéger ses compatriotes de ce qui pouvait passer pour des empiétements du pouvoir central, et paraît par conséquent peu disposé à seconder les efforts d'un commissaire du roi. Fouquet n'a guère à attendre non plus du parlement de Grenoble, dont le premier président exerce de droit l'autorité dans la province, en l'absence du gouverneur, et se soucie avant tout de défendre le particularisme local. La tâche n'est donc point facile pour un fonctionnaire de vingt-huit ans, chargé de représenter un pouvoir ressenti uniquement sous la forme peu exaltante des collecteurs d'impôts, au nom de cet ancien dauphin qu'on ne voit jamais.

Pourtant l'intendant s'est mis rapidement au travail et en arrive à une conclusion, douce pour les oreilles des contribuables du cru : ils paient trop d'impôts ! Conclusion vite adoptée par le parlement et le gouverneur, dépêché dare-dare à Paris, afin de solliciter des dégrèvements. L'avis du commissaire royal n'a sans doute pas été apprécié en haut lieu : n'est-il pas là pour faire avaler les potions du gouvernement, fussent-elles amères ?

La prise de position intempestive et le faux pas commis par Fouquet expliquent le seul échec qu'il enregistre avant la fatale année 1661. Cet impair a pour origine l'esprit de famille et l'étroite liaison existant entre l'intendant et François Fouquet. Celui-ci ayant été transféré en octobre 1643 à l'évêché d'Agde, Nicolas croit pouvoir participer, sans autorisation, aux fêtes accompagnant la prise de possession du diocèse par son nouveau titulaire. Décision malheureuse, car en son absence une émeute antifiscale éclate dans son département. A Moirans, en particulier, les peuples ont brûlé les rôles des taxes. A Paris l'annonce de l'événement et le voyage de l'intendant sont du plus mauvais effet et autorisent les commentaires les plus désobligeants. Quelqu'un qui s'est déjà rendu suspect en n'appuyant pas les traitants, en défendant la cause des contribuables devenus des révoltés, a fait preuve de légèreté, pour ne pas dire plus. On laisse entendre que cette absence, due en fait à la peur de Fouquet devant l'émeute, serait une fuite. Le chancelier Séguier qui a recueilli toutes ces dénonciations intervient auprès de Mazarin, et avant toute enquête, Fouquet est relevé de ses fonctions. En vain les maîtres des requêtes plaident-ils auprès du ministre en faveur de leur collègue : le cardinal reste inflexible[13].

Apprenant la disgrâce de l'intendant, les parlementaires dauphinois se mobilisent pour intercéder en sa faveur à la cour, défendant sa bonne foi et dénonçant la campagne menée contre lui. Un comble ! La province qui loue ses talents et sa vertu réclame son maintien ! Au passage, on remarque un phénomène qui suivra Fouquet sa vie entière : partout où il passe, sa séduction personnelle, sa faculté de s'imposer aux autres font merveille. Le commissaire royal, a priori mal vu dans une province particulariste, même s'il a su bien s'y faire voir en reprenant à son compte le point de vue fiscal de ses administrés, a réussi en quelques semaines à conquérir la robe locale, farouche ennemie, par tradition et par intérêt, du pouvoir central et de son représentant. Un incident, qui accompagne le départ de Fouquet et qui ne dépasserait pas l'anecdote en d'autres temps, révèle en cette circonstance le caractère de Fouquet et son comportement habituel[14].

Le 11 août 1644, Nicolas quitte Grenoble, accompagné de deux conseillers au parlement, du président du bureau des Finances et de plusieurs autres notables, venus rendre les honneurs au limogé en lui faisant un brin de conduite. Le disgracié ne paraît d'ailleurs pas particulièrement affecté par son infortune. La petite troupe gagne Moirans, où l'on présente à Fouquet le registre fiscal rétabli, puis Romans. Le lendemain, au moment de descendre sur Tournon, on avertit Nicolas que les femmes de Valence, poussées par la misère, ou excitées par des propos attribués à tort ou à raison aux collecteurs des taxes locales, se sont armées et parcourent la ville, battant tambour dans une atmosphère d'insurrection. Bref, on assiste à une de ces « émotions » populaires, comme le royaume en connaît tant en ces périodes de pression fiscale intense. Les préposés à l'impôt ont dû se réfugier dans la citadelle, tandis que la situation demeure très explosive, car les hommes, restés jusqu'alors prudemment, ou lâchement, dans l'expectative, peuvent prendre part au mouvement, ce qui conduirait à un soulèvement général. Or l'ordre ne peut pas être assuré, car le gouverneur de la province n'est pas là et le successeur de Fouquet n'est pas encore arrivé.

Que faire ? L'émeute pouvant faire tache d'huile et gagner toute la région, Nicolas agit avec promptitude. Il prévient le duc de Lesdiguières et se porte en personne avec ses compagnons à Valence. Les émeutières, prévoyant sa venue, se sont avancées sur la route de Moirans, mais Fouquet déjouant leur manœuvre a pris une voie détournée et est entré dans la ville, où il gagne rapidement l'évêché. Là, il invite les révoltées à venir s'entretenir avec lui, sous la promesse qu'il ne leur sera fait aucun mal. En présence de l'intendant et de l'évêque, les pauvres femmes, intimidées, tombent à genoux et réclament justice, dénonçant notamment les exactions de la troupe. Elles remettent une requête, résumant leurs doléances. Fouquet promet d'examiner leurs plaintes, de leur rendre justice, mais au préalable, il réclame le retour à l'ordre, le désarmement et la dispersion des attroupements. Les déléguées des révoltées ne pouvant s'engager au nom de leurs compagnes, il les fait introduire et leur tient un langage de fermeté et de justice ; son talent oratoire en impose à l'assistance, qui se retire en ordre et rentre dans ses foyers. Comme par enchantement, la ville semble redevenue calme.

Fouquet profite des circonstances pour délibérer avec les autorités locales, appeler divers témoins, rendre justice à quelques malheureux. Il continue à prêcher l'ordre et l'obéissance. La paix civile régnant, il n'a plus de raison de rester dans un département où, officiellement, il n'a plus l'autorité. Il se décide donc à gagner Tournon avec quelques compagnons. Mais, avant de quitter Valence, il a la malencontreuse idée de passer par la citadelle où se cachent les collecteurs des tailles et d'y conférer avec le lieutenant du roi, personnage détesté par la population.

Enfin, en pleine nuit, il sort de la ville, et constate peu après que son carrosse est suivi. Le long de la contrescarpe, son équipage est attaqué à coup de pierres, l'une le frappe à la poitrine, et bientôt quatre cents ou cinq cents émeutiers vociférants entourent la voiture, car ils croient que l'on cherche à faire fuir les publicains haïs. Fouquet veut parlementer. En vain. Le cocher enlève ses bêtes et réussit à dégager le carrosse mais l'un des chevaux s'abat, immobilisant la voiture. La populace fond sur l'équipage. En un instant, le cocher, ses aides et tous les compagnons de Fouquet, sauf le conseiller Coste, prennent la fuite. Les deux hommes cherchent à s'échapper, mais ils ignorent l'endroit où ils se trouvent. Fouquet propose alors de marcher aux émeutiers et de tenter de les circonvenir. Coste accepte bravement. Aux exhortations de Nicolas, la foule qui les entoure répond par des pierres, des coups de hallebarde. Coste, blessé, met la main à l'épée ; mais il est rapidement séparé de Fouquet par la multitude, tandis que ce dernier continue ses harangues, mêlant les prières aux mises en garde. Finalement son éloquence triomphe. On le ramène vers la ville, lorsque surgit une nuée de harpies, criant à la trahison et qu'on a voulu faire fuir les « voleurs ». Une nouvelle fois, Nicolas retourne la situation, échappant au lynchage. Réfugié dans une taverne, il obtient que l'on arrache Coste, ruisselant de sang, des mains des plus excités qui veulent l'achever. Ce répit permet aux autorités de Valence, averties par le tumulte, de se porter au secours des malheureux et de les délivrer. Dans l'affaire, Nicolas a perdu son argent, ses papiers, et ses vêtements ont été lacérés ; par chance, il n'a reçu que quelques égratignures.

Le lendemain, la ville gronde encore, et devant le risque d'une nouvelle explosion populaire on propose à Fouquet de gagner discrètement Tournon. Il s'indigne, déclare qu'il préfère mourir sur place que de laisser la cité en ce désordre. Pour éviter toute provocation, il renonce à utiliser la troupe, mais constitue une espèce de milice bourgeoise, chargée de maintenir l'ordre. En même temps, il promulgue un texte défendant les accaparements de blé. Cette décision, un peu démagogique, et le mélange de fermeté et d'accommodement portent leurs fruits. Les jours suivants, on instruit, on enquête, on multiplie les manifestations de force. Les mutins ont déclaré qu'ils ne laisseraient pas juger leurs camarades capturés. Averti, Fouquet se rend au présidial, envoie chercher les prisonniers et leur fait traverser deux fois la cité, sous bonne escorte, sans que nul n'ose bouger. Il pourrait présider le tribunal qui va juger les séditieux, mais, remarque-t-il en juriste accompli, étant du nombre des victimes de l'incident, il ne peut être juge et partie, ni laisser croire qu'il va user de sa condition pour laisser libre cours à son légitime ressentiment. Apprenant que Lesdiguières accourt avec une chambre complète du parlement de Grenoble, il ordonne de suspendre les procédures et d'attendre l'arrivée des magistrats. Enfin, le 20 août, il rentre dans la capitale, laissant une ville reprise en main par les autorités.

Cette affaire, en elle-même mineure, bien qu'elle ait failli interrompre définitivement la carrière de Nicolas, fait ressortir plusieurs traits de sa personnalité. Derrière une apparence physique assez frêle, et malgré sa jeune expérience, il a manifesté un grand courage et un grand sang-froid. Il ne se trouble pas facilement dans l'adversité, et il compte sur les ressources de son intelligence et de son éloquence pour triompher des pires difficultés. Ce charmeur, grâce à son verbe persuasif, peut aussi bien subjuguer des foules frustes, débordant de misère et de colère, que des esprits raffinés de la cour ou du Palais, qui se délectent en l'écoutant opiner. Dans une position difficile, il se manifeste toujours comme un homme de dialogue, de négociation, et son esprit inventif et souple lui permet de s'adapter aux circonstances et de maîtriser les événements. Il analyse rapidement les situations et sait tirer profit des circonstances. Bref, il démontre des qualités d'homme d'action, jointes à un sens de la mesure qui sait se ménager des recours.

On retrouve là le caractère qui le prédispose à devenir un surintendant des Finances, efficace et adulé, capable, tel un prestidigitateur, de faire surgir les capitaux. L'homme d'État est en germe dans l'intendant habile qui a su se tirer d'un si mauvais pas. Il lui faut cependant assumer la courte disgrâce qu'il vient d'encourir. On connaît peu de chose sur cette période d'inaction forcée[15]. Mais, dès le printemps 1646, les circonstances lui donnent l'occasion de reprendre du service.

En mai 1646, le comte d'Harcourt, vice-roi de Catalogne, ayant entamé avec beaucoup de légèreté le siège de Lérida, s'est retrouvé rapidement en difficulté. Il se plaint de n'être point ravitaillé, de manquer d'argent, en un mot d'être privé d'assistance. Mazarin, échaudé par un premier échec devant cette place, échec qu'on lui a imputé pour n'avoir pas pris les mesures nécessaires, se décide à expédier un observateur, chargé de faire un rapport sur la situation exacte. La mission échoit à Fouquet[16]. Il part pour le front, où il débarque en pleine agitation, car l'ennemi a forcé, par une manœuvre habile, les troupes françaises à lever le siège. Cet insuccès a aussitôt entraîné des dissensions dans le corps des officiers, ce qui a conduit le commandant en chef à faire arrêter quelques-uns d'entre eux. En outre, de fâcheuses affaires de concussion ont éclaté, un commis de l'extraordinaire des guerres étant accusé de fausse monnaie.

Comme à son habitude, Nicolas fait preuve de prudence, il observe, juge avec netteté et dresse un rapport qui semble avoir entièrement satisfait le cardinal[17]. Aussi Fouquet est-il nommé intendant de l'armée du Nord, que l'on concentre sur les frontières de Picardie sous le commandement nominal et fictif de Gaston d'Orléans, parti en fait prendre les eaux en Bourbonnais. Ainsi que l'indique Mazarin à Monsieur[18], cette nomination était due directement à Anne d'Autriche. Il s'est donc produit un retournement en faveur de Fouquet, dont la disgrâce « dauphinoise » est oubliée. Pour quelle raison ? Est-il apparu que le comportement de Fouquet en Dauphiné a été apprécié, comme l'atteste le satisfecit que lui ont octroyé les autorités locales, et qu'il n'a été que la victime d'une campagne insidieuse de dénigrement ? L'influence de sa mère, Marie de Maupeou, dont l'action charitable et l'autorité morale lui confèrent du crédit auprès de la régente, a-t-elle joué un rôle ? Quoi qu'il en soit, il participe à cette campagne de 1647, qui, sans être éclatante, lui permet de faire son travail, avec le sens de la modération qu'il manifeste toujours ; notamment face à Gassion dont il tempère la violence. Lorsque ce dernier tombe mortellement blessé sous les murs de Lens, c'est Nicolas qui accourt aux avant-postes, parant au plus pressé[19]. Et lorsque les troupes, plus nombreuses qu'au début de la campagne, prennent leurs quartiers d'hiver, on constate que l'intendant de l'armée a bien rempli ses fonctions.

L'année 1648 s'ouvre pour Nicolas sous des auspices favorables, malgré le grand orage politique qui pointe à l'horizon. L'affrontement, longtemps différé, entre le gouvernement et le Parlement ne tarde pas à se produire. Fouquet, comme maître des requêtes issu de la robe, et comme commissaire du roi, est donc confronté au choix qu'ont connu son grand-père et son père. Faut-il suivre aveuglément les décisions du ministère, ou bien épouser la cause des cours souveraines, dans la défense de leurs intérêts et de leurs prétentions politiques ? La désignation de Fouquet comme intendant de Paris, au début de l'année, prouve que Nicolas avait choisi. Mazarin a nommé un fidèle qui, bien avant la Fronde, s'affiche comme un soutien indéfectible à la cause du roi, encore qu'aucun des frondeurs ne se voudra adversaire du souverain, mais surtout, plus courageusement, comme un partisan du cardinal.

Ses nouvelles responsabilités — il doit homologuer le rôle des tailles, surveiller la levée de l'impôt, contrôler les étapes militaires, veiller à la subsistance — sont délicates, compte tenu du contexte politique que connaît la capitale. Les difficultés croissantes entre le pouvoir et le Parlement ne contribuent pas à alléger la tâche de Nicolas. Les parlementaires tonnent contre la multiplication des offices, réalisée dans un but financier, qui exaspère les « pères du peuple », les charges perdant de leur valeur au fur et à mesure de l'accroissement de leur nombre. La création de charges de maîtres des requêtes, entre autres, a mis le monde de la robe en ébullition. Fouquet se trouve dans une position délicate : officier, il devrait s'associer au mécontentement de ses collègues, et, même temps, il soutient la politique du cardinal. N'a-t-il pas naguère bénéficié de ces créations d'offices ?

En juin, la tension est montée. Les cours souveraines de

Paris, habituellement tiraillées par des querelles permanentes, se sont constituées en une « Union » pour s'opposer à l'exécution des édits créant de nouveaux offices. Beaucoup de maîtres des requêtes se sont joints aux magistrats, inaugurant ainsi la Fronde parlementaire. Le gouvernement ne peut tolérer ces réunions qui mettent en cause son autorité, d'autant que les parlementaires veulent faire avaliser leurs prétentions politiques visant à contrôler la monarchie. Mazarin cherche à diviser ses adversaires afin de mieux les réduire. Fouquet, avec son tempérament, peut participer à une manœuvre de fragmentation du front adverse, en suscitant des factions, des rivalités. En particulier, il peut détacher ses collègues des requêtes des parlementaires. Avec son entregent, son rayonnement personnel, le cardinal attend qu'il agisse efficacement. Certes, il est suspecté d'être un homme du pouvoir, par ses fonctions mêmes, par ses précédents emplois, mais l'on compte sur son habileté pour réussir.

Le gouvernement a vu juste ; dès sa première tentative, Nicolas a séparé doucement les maîtres des requêtes des parlementaires[20]. Il a manœuvré pour faire obtenir des faveurs à quelques mécontents, divisant ainsi les adversaires du gouvernement. Ce dernier, en faisant preuve de générosité et de bienveillance, notamment envers le Parlement, ressaisit l'autorité. Nicolas a expliqué clairement sa démarche à Mazarin, qui voit en lui quelqu'un sachant à merveille utiliser les hommes, art suprême du politique. Dès cette époque, un homme aussi fin et intelligent que le cardinal a certainement distingué tout ce que l'on peut espérer de Fouquet. L'élévation rapide de Nicolas, à la faveur des troubles, a surpris bien du monde. Pourtant rien de plus logique : le cardinal ne récompense pas seulement un fidèle ou une créature qu'il installe à un poste clé, c'est un état d'esprit, une façon de gouverner, avec lesquels il se trouve en parfait accord qu'il couronne.

Les péripéties de la tragi-comédie qu'est la Fronde vont rythmer la progression discrète mais insinuante de Nicolas, qui a lié son destin à celui du premier ministre. Comme on s'y attendait, la Chambre de Saint-Louis, nom donné à l'union des cours souveraines, a supprimé les intendants, ce qui a renvoyé Nicolas dans son corps d'origine. Mais elle s'est attaquée à un objectif qui lui est cher : la restauration de l'ordre financier ; un vaste programme visant essentiellement la gent financière, tenue pour responsable de tous les malheurs du royaume. La justice fiscale est l'un des fruits les plus attendus de la Chambre de Justice que l'on va établir, en particulier par les peuples, qui supportent de plus en plus mal le fardeau financier de la guerre. Cette juridiction d'exception offre aussi aux magistrats une cure de popularité à peu de frais, d'autant plus qu'elle s'accompagne d'arrière-pensées moins avouables. Le gouvernement ayant proclamé la banqueroute — simple constatation d'un état de fait : la monarchie ne peut plus honorer ses engagements —, il faut prendre ses précautions pour négocier au mieux le règlement de ce douloureux constat. La Chambre de Justice doit donc remettre les comptes à zéro, dans le cadre d'un règlement général politique et social[21], le problème majeur étant bien entendu de savoir qui paiera la note.

Pour surveiller les opérations, le gouvernement désigne Fouquet comme procureur général, décision qui accentue son profil d'homme du pouvoir. Il reprend donc une place dans une juridiction extraordinaire, comme celle où s'étaient illustrés son père et son cousin Chalain. Mais par une ironie du sort, on veut le faire siéger avec des magistrats, tels Poncet, Boucherat et Séguier : dont il est loin d'imaginer qu'il les retrouvera treize ans plus tard dans une autre Chambre de Justice, inflexible celle-là, où il sera le principal accusé et eux, ses juges ! Pour l'heure, le Parlement, suspectant l'humeur conciliante de Nicolas et son dévouement au gouvernement, ne l'agrée pas[22].

Mazarin décide donc d'utiliser l'expérience que Fouquet a acquis dans les intendances aux armées. Il le charge de constituer en Brie des magasins de blé pour assurer la subsistance des troupes que le cardinal projette de rassembler autour de Paris afin de triompher de la Fronde parlementaire. Mazarin s'est résolu avec Condé à écraser les trublions. Après avoir fait quitter la ville à la famille royale et au gouvernement, il a décidé de la réduire par un blocus militaire, qui devrait balayer les parlementaires et leurs suppôts de la bourgeoisie parisienne. Le siège victorieux de la capitale à peine terminé, Fouquet, grâce à son habileté coutumière, s'empresse de se mettre en bons termes avec la municipalité. Il fait assaut de civilité et multiplie les actes de déférence vis-à-vis du prévôt des marchands, facilitant le ravitaillement de la ville[23].

Les hostilités achevées, Fouquet reprend ses fonctions de maître des requêtes, mais les événements le replongent bientôt dans l'action. Il est de service en janvier 1650, lorsque le cardinal fait arrêter les princes, rallumant ainsi la guerre civile. Une petite troupe est levée pour combattre les frondeurs en Normandie. Fouquet, qui participe au voyage comme intendant, se dépense sans compter et avec efficacité. En compagnie d'un officier général affidé de Mazarin, Duplessis-Bellière, il empêche que Mme de Longueville ne s'empare de Dieppe. De mars à mai 1650, il accompagne l'armée royale dans une autre « chevauchée » en Bourgogne et en Berry, terres dans l'obédience de M. le Prince[24]. Cette activité intensive, cette aptitude à passer d'une question juridique ou judiciaire à des fonctions d'intendant ou de munitionnaire, ces capacités multiples, ce sens du dialogue et de la manœuvre, cette facilité à s'adapter aux circonstances sont rares chez un seul individu. Un brillant avenir s'ouvre devant Fouquet.

LES PRÉMICES DU POUVOIR

A l'automne 1650, malgré l'échec de l'insurrection parisienne et l'emprisonnement de Condé, le Parlement reste un adversaire pour le gouvernement. Ce dernier ne dispose que de peu de moyens pour agir sur la cour, hormis par les avocats généraux et surtout par le procureur général, que l'on considère comme l'avoué du roi. Dans les circonstances présentes, cette charge, qu'on ne peut ni acheter ni vendre sans l'assentiment du souverain, est devenue de la toute première importance. Il est donc impératif pour Mazarin de la contrôler, en la faisant exercer par une de ses créatures. Les événements le servent quelque peu, car son titulaire, Blaise Méliand, ne rallie pas tous les suffrages. Cet homme que l'on avait agréé sous la réputation d'un être habile s'est révélé un médiocre, sifflé en plein Parlement par les jeunes conseillers les plus délurés. Devant cet insuccès, Méliand se déclare prêt à se retirer, ce dont le cardinal profite pour lui chercher un successeur. Tout naturellement, il pense alors à Fouquet, qu'il fait pressentir, lequel, ravi de l'aubaine, s'empresse d'annoncer qu'il est candidat, d'autant qu'il bénéficie de l'accord de la reine[25].

L'acquisition de cette charge marque une étape déterminante de la carrière de Nicolas. Elle l'introduit dans l'élite du monde parlementaire, alors qu'il demeure une créature du pouvoir, position ambiguë mais qui laisse augurer dans les troubles présents une position clé d'arbitre ou d'intermédiaire, tout à fait dans les cordes de son nouveau titulaire. Le 26 novembre, Fouquet est nommé par lettres patentes et, trois jours plus tard, il est reçu officiellement à l'occasion de l'ouverture solennelle de la session de Noël de la cour. En réalité, la transaction avec Blaise Méliand dépasse largement un simple accommodement pour une charge. Celle-ci a été achetée moyennant 300 000 l, plus la charge de maître des requêtes de Nicolas, qui en démissionne au profit de Nicolas Méliand, fils de l'ancien procureur général[26].

Mais, à cette occasion, des liens plus étroits sont tissés entre les deux familles. Les Méliand, originaires de Montmirail, ont pour auteur un secrétaire du roi, devenu trésorier de France à Bourges[27]. Les enfants de ce dernier, dont Blaise Méliand, se sont introduits dans les cours souveraines, en particulier le Parlement de Paris. On peut penser que Nicolas a songé nouer avec eux une alliance qui renforcerait son influence dans le milieu des magistrats parisiens, et qui lui serait utile dans ses nouvelles fonctions. Le 21 novembre 1650, Fouquet et Nicolas Méliand signent un contrat de mariage, au terme duquel Méliand épousera la fille unique de Nicolas, Marie Fouquet, lorsqu'elle aura atteint sa douzième année, c'est-à-dire au début de 1653. Les deux promis reçoivent chacun de leur famille 300 000 l, ce qui leur assure un avenir sans gros problèmes[28].

Cet accord s'inscrit dans une stratégie plus vaste, la famille Fouquet profitant des circonstances pour accroître son influence sociale et politique. Dès mai 1650, Yves Fouquet, frère puîné de Nicolas, a fait son entrée au Parlement[29]. Né en 1628, cet ancien avocat, clerc tonsuré du diocèse de Paris, pourvu de petits bénéfices dans le diocèse du Mans et d'une pension sur les revenus de l'évêché d'Agde[30], bien que jeune conseiller, peut toujours seconder son aîné dans une cour tumultueuse, que l'on régit en manipulant les factions bâties sur les liens du sang ou de l'amitié. La disparition prématurée d'Yves Fouquet[31] le 17 septembre 1651 ne réduit pas les espoirs de la famille à néant, puisque son frère Louis Fouquet, également avocat en Parlement, lui succède[32].

La tâche de Nicolas se trouve aussi facilitée par l'activité inlassable de son autre frère, Basile. Homme étrange et controversé, cet abbé trésorier de Saint-Martin de Tours, cet ecclésiastique qui n'a jamais été ordonné prêtre, sert activement Mazarin depuis 1649, dans toutes ses intrigues. Par bien des côtés, il ressemble au procureur général : la même capacité d'adaptation, le même sens de la négociation, la même activité débordante, le même courage à la limite de la témérité, une intelligence vive, mais le tout gâté par une sorte de démesure. Il devient alors intrigant, homme de basses œuvres et de recours expéditif, brouillon, jouisseur, bref dangereux. Pendant la Fronde, il est l'homme de la situation ; les conditions extérieures favorisent l'épanouissement de ses qualités, quand elles n'encouragent pas la recrudescence de ses défauts. Lui et Nicolas, l'un et l'autre factotums du cardinal, travaillent en étroite union à leur avancement commun.

Fouquet, fort de ces appuis et de sa fonction nouvelle, peut ainsi espérer des satisfactions plus grandes encore. Cependant, en 1651, n'être qu'un ambitieux dévoué au roi et à Son Éminence, comme il l'est depuis tant d'années maintenant, n'a guère de sens. A quoi bon cette agitation pour la poursuite du pouvoir quand le lignage n'a pas de descendance. François et Basile Fouquet sont ecclésiastiques, Louis va le devenir. Certes, il reste le cadet, Gilles, mais il est trop jeune, et on peut toujours craindre le sort funeste d'Yves. Aussi, Nicolas représente-t-il encore et toujours l'avenir du clan, mais veuf depuis dix ans, il n'a pas d'enfant mâle. Pourquoi se battre pour promouvoir un lignage s'il doit disparaître ou tomber en quenouille ? Nicolas a dû être sensible à cette situation, puisqu'il prend à ce moment l'importante décision de se remarier.

Le choix de sa seconde épouse, Marie Madeleine de Castille, prouve qu'il a soigneusement mûri sa décision, car l'élue répond, au-delà de toute espérance, aux impératifs de Fouquet : c'est une très jeune fille, presque une enfant[33], unique héritière de richissimes parents. Les Castille sont connus des Fouquet. Ils comptent dans leurs rangs le gendre du président Jeannin, en faveur de qui Gilles de Maupeou avait démissionné de sa charge de contrôleur général des Finances, et la veuve du malheureux Chalais, décapité sur les réquisitions de Christophe Fouquet de Chalain et sur le vote du père de Nicolas[34]. Malgré tout, cela ne paraît pas avoir suscité des relations tendues entre les deux familles puisqu'elles unissent leur sort le 4 février 1651[35].

Le contrat de mariage montre qu'il s'agit d'une famille influente, dont les alliances ne peuvent que favoriser l'ascension de Nicolas. Les Castille forment un riche lignage d'officiers et de robins. L'arrière-grand-père de Marie Madeleine a été receveur général du clergé, son grand-père a exercé les mêmes fonctions avant de devenir surintendant de la maison et des affaires du duc d'Orléans. Ses oncles et ses cousins ont rempli des fonctions importantes dans la haute administration financière ou dans les cours souveraines. Le père de Mme Fouquet, conseiller au Parlement avant d'y devenir président aux requêtes, a épousé une fille de robin, Claude Garrault, tandis que son oncle, Henri de Castille, est intendant de Monsieur. Mais la jeune femme bénéficie de parents encore plus intéressants pour la carrière présente et future de Nicolas : ses cousins Nicolas de Neufville, marquis de Villeroy, chevalier des ordres, gouverneur du Lyonnais, maréchal de France et gouverneur de Louis XIV, et Nicolas Jeannin de Castille, trésorier de l'Épargne. Enfin, outre les appuis à la cour, dans la finance et dans la magistrature, son épouse lui apporte une belle dot et la promesse d'héritages considérables. En un mot, tout dans cette union concourt à bien augurer de l'avenir. Mais Nicolas n'a pas le temps de savourer son bonheur, les événements le replongent dès l'heure de son mariage, qui a lieu le 5 février, à Saint-Nicolas-des-Champs, dans le tourbillon de la grande et de la petite politique.

Au moment où Fouquet célèbre ses noces, le Parlement, à nouveau déchaîné contre Mazarin, a décidé l'expulsion de celui-ci. Son Éminence n'a pas attendu la sentence et, devant la recrudescence de l'agitation des frondeurs, a pris les devants, en partant pour un exil qui le conduit jusqu'en Allemagne. Jusqu'au retour du cardinal, Fouquet doit donc jouer un jeu serré dans une cour en proie aux mouvements les plus divers, qui se méfie de lui, et où l'esprit de cabale tire l'assemblée à hue et à dia. Il doit défendre tout à la fois l'autorité royale, les décisions et les affaires privées de Mazarin. Situation bien inconfortable en des temps où il ne fait pas bon militer pour le parti du cardinal, dont les biens viennent d'être saisis. Il faut du mérite en ces jours sombres de 1651 pour rester fidèle au premier ministre alors que presque tous l'ont abandonné. Pour maîtriser la course des événements qui paraissent si contraires, il faut de l'habileté, sinon de la dissimulation.

Officiellement Fouquet instruit contre Mazarin, mais en sous-main, par l'intermédiaire de son frère Basile, il l'avertit de tout ce qui se passe, des manœuvres qu'il tente, en particulier pour empêcher la dispersion de ses biens. Mazarin, toujours sensible quand il s'agit de ses intérêts les plus matériels, félicite chaudement le procureur général pour ses précautionneuses activités, sans pour autant perdre le sens des réalités, même s'il doit en coûter à cet harpagon ensoutané : « Je remercie de tout mon cœur M. le Procureur général de la bonté qu'il a eue pour moi touchant la mainlevée des saisies ; je n'en serai jamais ingrat. Je le prie de continuer ; car je n'ai qui que ce soit au Parlement qui me donne aucun secours, et faute de cela l'innocence court grand risque d'être opprimée. Si M. le Procureur général croyait qu'il fallût faire quelque présent à quelqu'un, qui soit capable de faire quelque chose à son avantage, j'en suis d'accord[36]... »

Longs mois d'incertitude, de combats quotidiens pour Nicolas qui, le 7 septembre, a cependant la satisfaction de voir le lit de justice marquant la majorité du roi. Un souverain « plein » donne l'assurance dans une certaine mesure d'un pouvoir moins contesté, même si l'attitude du Parlement et des princes demeure source d'inquiétude. En temporisant, Fouquet favorise le retour du cardinal, bien qu'il soit convaincu qu'il ne faut pas brusquer les choses car l'opinion publique lui demeure très hostile. En décembre, il a encore fait prendre un décret interdisant son retour, mais en sous-main il continue de le tenir au courant de la tournure des événements. La situation cependant s'améliore, et le roi, quasiment prisonnier des Parisiens au début de l'année, parcourt maintenant la province à la tête de l'armée commandée par Turenne. Fouquet manœuvre le Parlement, qui s'est déchaîné à l'annonce du retour en France du cardinal. Ce dernier rejoint la cour à Poitiers, en janvier 1652, bien décidé à liquider la Fronde avec des troupes aguerries et fidèles.

De son côté, M. le Prince, fort de son génie militaire, se sent capable de défendre ses prétentions, les armes à la main. Dans cette lutte, le Parlement est traversé par des principes contraires : la reconnaissance du pouvoir absolu du monarque et un droit de contrôle qu'il prétend détenir d'une soi-disant constitution de l'État. Or Condé, malgré ses talents, représente une force moins considérable que Mazarin ne l'imagine. Par contre le Parlement, imprévisible à cause des « mouvements browniens » qui l'agitent, se révèle une puissance redoutable, que le gouvernement a sous-estimée. Sur place, il ne reste que quelques esprits supérieurs capables de démêler l'écheveau. Retz, conspirateur-né, est dépassé par la tâche. L'apprenti sorcier, impuissant, voit la mécanique qu'il a contribué à mettre en branle, et qu'il ne peut plus maîtriser, le balayer à son tour.

Mazarin, au contraire, revigoré, laisse parler son intelligence consommée de la diplomatie et de la manœuvre. Il en va de même pour Fouquet, dont l'influence s'accroît. Il exploite les capacités que son patron apprécie, louvoie, défend les intérêts du roi et de son ministre, tout en restant crédible au Parlement.

Il lui faut retarder ou annihiler toutes les initiatives de l'assemblée, sans hésiter à la diviser. Objectif difficile, loin d'être atteint d'avance. Nicolas est ainsi doublement marri de ne pouvoir sauver la splendide bibliothèque de Mazarin que le Parlement, dans sa haine du ministre, brade aux enchères. La créature du cardinal et le bibliophile passionné qu'il est ont tout tenté pour prévenir cette vengeance stupide.

En politique, le procureur général se montre plus heureux. Aidé des présidents de Novion et de Mesmes qui neutralisent l'inconsistant Gaston d'Orléans, Fouquet, dans un style « jésuitique », combat les fauteurs de troubles. Il requiert contre tous ceux qui lèvent des troupes sans commission du roi, ce qui vise en fait les Condéens, et est suivi par la cour. En mars 1652, avec le soutien de l'avocat général Talon, il travaille à remettre de l'ordre dans la tenue des séances de l'assemblée : on en interdit l'accès aux personnes étrangères, aux trublions, aux maîtres des requêtes qui ne sont point en service, on ferme les locaux ; bref, on cherche à limiter le tumulte dans le Parlement. En même temps qu'il attaque les libelles en circulation qui desservent la cour et le cardinal, Fouquet feint habilement de suivre une manie des frondeurs, en réclamant au pape le rappel de Mazarin à Rome. Par tous les moyens, il cherche à jeter le trouble et des ferments de division dans les esprits parlementaires, donc de paralysie.

Sa situation devient plus délicate lorsque les armées royales marchent sur Paris. Nicolas, isolé, est enfermé dans un milieu hostile, d'autant plus sensible que la pression se fait plus vive sur la capitale. Face à Turenne, qui conduit une guerre méthodique et patiente, Condé n'a dû son salut qu'à la trahison du duc de Sully, qui lui a permis de franchir la Seine à Mantes avec l'armée du duc de Nemours, avant de bousculer des troupes royales à Bléneau. Voilà donc M. le Prince, ce grand fauve, toujours furieux et emporté, qui vient se jeter dans Paris, prêt à combattre contre tout le·monde, ne rêvant que d'assauts. Pour le contrer au Parlement, il faut suivre cette même tactique méthodique et prudente qui l'a déjà déconcerté sur le terrain. Fouquet semble la personne idoine pour agir comme Turenne, surtout après l'échec de la négociation entre le Parlement et la cour. La tension est remontée dans la capitale qui reprend un aspect révolutionnaire. La populace est descendue à plusieurs reprises dans la rue, soudoyée par les partis contraires, Beaufort ou l'abbé Fouquet. Dans cette atmosphère d'insurrection, il est toujours difficile de contrôler les événements, et les hommes qui pensent les agiter ne sont bien souvent que de frêles silhouettes, ballottées par les forces des profondeurs. Fouquet a failli être victime de ces mouvements dangereux et imprévisibles, manquant d'être lynché ou lapidé, comme jadis à Valence, mais la providence en a décidé autrement.

Ces péripéties n'empêchent pas Nicolas de suivre la situation de fort près, et d'être attentif à tous les mouvements des frondeurs. Dans la nuit du 2 juillet 1652, il fait avertir secrètement la cour que l'armée de Condé, estimant ne pas pouvoir tenir sa position de Saint-Cloud, décampe discrètement et longe en désordre l'enceinte de la capitale, prêtant ainsi le flanc à une prompte attaque[37]. Le procureur général suscite aussitôt le sanglant combat de la porte Saint-Antoine, car Turenne a réagi avec célérité et a fondu sur l'adversaire. Bataille farouche et indécise, dont le résultat principal est d'enfermer les troupes épuisées de M. le Prince dans une ville déçue, puis bientôt envahie par la canaille qui crie à la trahison, pille et incendie. Ce chaud climat refroidit assez rapidement les ardeurs belliqueuses de la bourgeoisie et du Parlement, viscéralement attachés à l'ordre et effrayés de ces débordements populaires qu'ils redoutent par-dessus tout. Les princes, qui fondent une grande partie de leur pouvoir sur l'agitation des peuples et la complicité du Parlement, risquent d'être abandonnés. Dans beaucoup d'esprits naguère séditieux, un dialogue, ou plutôt une négociation s'impose. Mazarin peut manœuvrer, Fouquet aussi. Encore faut-il agir vite afin d'éviter que l'adversaire ne se ressaisisse.

Au plus fort du tumulte, Fouquet, replié sur Argenteuil, a rédigé pour le cardinal deux mémoires dans lesquels il expose avec lucidité la situation. D'après lui, on ne peut plus maintenant temporiser. Devant la révolution montante, il faut prendre le parti d'avoir une faction ouvertement contre soi, mais en gagnant une autre à sa cause. En finassant trop, on risque de voir le Parlement s'unir aux princes et aux villes, nommer un garde des Sceaux, voire même proclamer un régent, sous le motif maintes fois allégué que Louis XIV est prisonnier du cardinal. On doit éviter de faire croire que l'on craint le peuple ; il faut faire en sorte que chacun connaisse qui est le vrai maître et que le roi rétablisse son autorité. On doit donc soit se concilier Condé, en prenant ses précautions pour le retour de Mazarin, soit agir au plus vite contre les mutins. Mais, dans tous les cas, Fouquet pense qu'il faut annoncer l'éloignement du premier ministre (éloignement temporaire dans son esprit), concédé par le monarque à l'injuste prévention des peuples, et qui ôterait tout prétexte à la révolte.

Fouquet propose le chemin à suivre pour sauver le gouvernement en s'appuyant sur un Parlement lié au roi : « Il ne faut pas douter que tous les peuples ne suivent à la fin un parti où le Parlement de Paris, le corps de ville et les princes du sang seront unis ; mais s'il établit un autre parlement, les affaires seront balancées et l'autorité du roi bien soutenue dans les provinces. Ceux de la cour qui ont des grâces à espérer et qui se ménagent avec le parlement pour le besoin qu'ils en ont, ne reconnaîtront plus pour parlement que celui qui sera autorisé par le roi, où seront tous les présidents et le procureur général, qui sont ceux qui font le corps[38]. » Mais Fouquet insiste beaucoup, à juste titre, sur la célérité nécessaire et l'effacement provisoire de Mazarin : « En temporisant, en négociant, tout périra inévitablement. Si l'on croit que M. le cardinal puisse demeurer et que les forces du roi soient capables de résister à celles des ennemis, il faut retrancher toute espérance de paix et d'accommodement (...) Si, au contraire, M. le cardinal est dans le doute de pouvoir résister et qu'il ait quelque peine de se retirer, il faut dès aujourd'hui plutôt que demain, s'accommoder avec M. le Prince, solidement pour ce que, dans peu de jours, il ne le pourra peut-être plus ou refusera les assurances du retour de M. le cardinal, et les peuples devenant insolents, M. le Prince n'en sera plus le maître. En un mot, il n'y a personne en tout le royaume, de tous ceux qui ne sont point intéressés en cette affaire, qui ne dise la même chose : prendre une résolution certaine. Il vaut mieux qu'elle ne soit pas bonne, pourvu qu'elle soit certaine, et que chacun sache sur quel fondement il a à travailler[39]. »

Mazarin, par nature, compte toujours beaucoup sur le temps. Or, pour le moment, il ne bouge pas. Peut-être après son premier exil se sent-il peu disposé à faire une fausse sortie et à suivre le plan judicieux du procureur général. De surcroît, son jugement se trouve paralysé par la douleur qui l'accable. Son neveu Mancini, qu'il chérit beaucoup et qui doit assurer l'avenir du nom de Mazarin, a été mortellement blessé au combat de la porte Saint-Antoine. Le cardinal le veille, restant sans réagir aux circonstances qui appellent pourtant des décisions promptes et précises. Comme Fouquet l'a prévu, les événements s'accélèrent. Le 18 juillet, le roi est déclaré, à Paris, prisonnier du cardinal. En conséquence, Gaston d'Orléans est proclamé lieutenant général du royaume, Condé commandant en chef des armées, et la tête de Mazarin est à nouveau mise à prix.

Cependant, le cardinal ne bougeant toujours pas, les deux camps plongés dans l'impuissance restent face à face. Le roi n'ose sortir de Pontoise et les princes se querellent dans la capitale[40]. Seules les troupes de chaque parti, unies par un sens commun de la maraude, parcourent la région parisienne en y semant la mort et la dévastation. Cette situation bloquée ne peut s'éterniser, et le 31 juillet, on en arrive à la solution préconisée par Fouquet. Le Conseil du roi rend un arrêt transférant le Parlement à Pontoise. Le 6 août, en présence du roi, on tient une espèce de lit de justice où l'on lit les lettres de translation. Le lendemain, la cour siège en petite assemblée : dix-huit conseillers, trois conseillers d'honneur, quatre maîtres des requêtes ; le premier président Molé, les présidents de Novion et Le Coigneux, et Fouquet sont présents.

Peu de temps après, on en vient au second point du plan de Nicolas : l'éloignement tactique du cardinal, sous le prétexte de rétablir la paix civile. En face, les frondeurs paraissent affaiblis. Le Parlement, amoindri par la retraite d'une partie de ses membres et de ses chefs, tourne à vide, et son impuissance éclate d'autant plus que le lieutenant général n'est capable que d'une seule chose : ne rien faire. Quant aux princes, ils ne peuvent que proposer la guerre, mais ils manquent de troupes aguerries pour la conduire. Dans le camp de la royauté, la situation n'est guère plus brillante. Les partisans de la monarchie n'affichent plus des principes fermes, depuis que leur chef, le cardinal, s'est éloigné. Seuls veillent autour de la reine et du roi les ministres fidèles, Servien, Lionne, et Le Tellier, mais ils se surveillent, se jalousent.

Dans tout cet ensemble inconsistant ou équivoque, seuls deux hommes tranchent : Turenne, avec l'armée, Fouquet avec son « Parlement ». Ce sont eux qui vont triompher de la guerre civile. Pour la première fois ce duo décidé se trouve réuni, il va connaître de plus grands succès encore, en particulier à l'occasion de leur victoire sur l'Espagne. Le premier, stratège habile, a condamné Condé à n'être plus qu'un transfuge au service de l'ennemi. Le second, politique subtil, a fait éclater l'impuissance et l'incohérence des frondeurs parisiens.

Le retour du roi dans sa bonne ville entraîne le retrait piteux de ses adversaires. La Fronde se consume, comme une flamme s'amenuise lentement mais inexorablement faute de combustible. En octobre 1652, en même temps qu'un édit d'amnistie, on signifie les clauses qui font disparaître toutes les prétentions de contrôle administratif et financier du Parlement. Fouquet peut être fier de sa contribution majeure à la victoire de la cause royale. Mais c'est évidemment le cardinal qui triomphe le plus. Il ne lui reste plus qu'à liquider les dernières séquelles de la Fronde : éliminer son vieil adversaire Retz, chose faite en janvier 1653, pacifier les dernières places condéennes.

Au-delà de l'achèvement de la guerre civile se profilent d'autres tâches écrasantes : restaurer durablement l'autorité royale, continuer jusqu'à la victoire les hostilités avec l'Espagne, enfin, et le cardinal y est fermement décidé, rétablir ses affaires personnelles renversées par les troubles. Dans tous les cas, ce vaste programme nécessite une reprise en main de l'État et le règlement de l'impasse financière dans laquelle il se trouve depuis près de dix ans. Aussi les questions financières prennent-elles une place prépondérante dans la conduite des affaires. D'elles dépendent tout le programme de restauration intérieur et le succès sur les Habsbourg. Dans ces circonstances, la gestion des ressources publiques devient la principale responsabilité ministérielle, après celle du cardinal. Une fois de plus, les événements entraînent Fouquet dans leur course tumultueuse et le portent vers ce poste capital. Le 2 février 1653, une nouvelle fait sensation : la mort subite du surintendant des Finances La Vieuville. Il faut lui trouver le plus rapidement possible un successeur. L'heure de Fouquet vient de sonner.

DEUXIÈME PARTIE

Les félicités du pouvoir

Les révoltes du pouvoir

CHAPITRE IV

Fouquet au pouvoir

La disparition de La Vieuville, loin de laisser un vide, engendre un trop-plein. De toutes parts, les candidatures à sa succession affluent. Avec un beau désintéressement, chacun fait assaut de dévouement pour ce poste influent entre tous, mais surtout réputé lucratif, agrément suave, mais qui passe, on n'en doutera pas, derrière le souci du bien public.

Le président de Maisons, un ancien surintendant, jadis relevé de ses fonctions, y aspire de nouveau pour laver l'affront qu'on lui a fait. Servien, vieux serviteur de la monarchie, l'habile négociateur de Münster, y prétend également en récompense d'une vie toute dévouée à la cause royale, tandis que Le Tellier, sortant de son attentisme habituel, s'avance plus à découvert que de coutume pour briguer cette fonction mirifique. Les militaires ne sont pas en reste. Les maréchaux de l'Hospital et de Villeroy pensent pouvoir glaner à bon compte dans la finance des lauriers que les champs de bataille leur ont accordés avec trop de parcimonie. Un homme de l'art, publicain notoire, l'intendant des Finances Guillaume de Bordeaux, doué d'un talent unique pour embarquer les gens d'affaires, comme le susurre Colbert aux oreilles de Son Éminence, apporte dans ces candidatures une touche de compétence éprouvée[1].

Quant à Fouquet, fort des promesses de Mazarin, précises et naguère réitérées, il ne se laisse pas distancer par ses concurrents. La Vieuville à peine froid, il propose déjà ses services en des termes éloquents : « J'attendais avec impatience le retour de Votre Éminence pour l'entretenir à fond de tout ce que j'ai connu de la cause des désordres passés et des remèdes ; mais, comme la mauvaise administration des Finances est une des principales raisons du décri des affaires publiques, la mort de M. le surintendant et la nécessité de remplir sa place m'obligent d'expliquer à Votre Éminence par celle-ci ce que je m'étais résolu de lui proposer de bouche à son arrivée, et de lui dire l'importance qu'il y a de choisir des personnes de probité connue, de crédit dans le public et de fidélité inviolable pour Votre Éminence. J'oserais lui dire que, dans l'application que j'ai eue en m'informant des moyens de faire cesser les maux présents et d'en éviter de plus grands à l'avenir, j'ai trouvé que le tout dépendait de la volonté des surintendants ; peut-être ne serais-je pas inutile au roi et à Votre Éminence si elle avait agréable de m'y employer. J'ai examiné les moyens d'y réussir. Je sais que ma charge n'est point incompatible, et plusieurs de mes amis qui m'ont donné cette pensée m'ont offert d'y faire des efforts pour le service du roi assez considérables pour n'être pas négligés, de sorte que c'est à Votre Éminence à juger de la capacité que dix-huit années de service dans le Conseil me peuvent avoir acquise ; et pour l'affection et la fidélité à votre service, je me flatte de la pensée que Votre Éminence est persuadée qu'il n'y a personne dans le royaume à qui je cède. Mon frère en sera caution, et je suis assuré qu'il ne voudrait pas en donner sa parole à Votre Éminence, quelque intérêt qu'il a en ce qui me touche, s'il ne voyait clair, et dans mes intentions et dans la conduite que j'ai tenue jusques ici, et si nous n'avions parlé à fond des intérêts de Votre Éminence dans cette rencontre ; et je puis lui protester de nouveau qu'elle ne sera jamais trompée quand elle fera un fondement solide sur nous, puisque personne au monde n'a plus de zèle et de passion pour les avantages et la gloire de Votre Éminence. Je la supplie que personne au monde n'entende parler de cette affaire qu'elle ne soit conclue[2]. »

Devant cette pléthore de candidats, Mazarin prend tout son temps avant de se prononcer. Pendant un mois, il examine la meilleure façon de conduire les finances du royaume, sujet capital puisque la guerre contre l'Espagne devient l'objectif prioritaire du gouvernement. Mais l'action et la démarche du cardinal s'accompagnent d'une équivoque fâcheuse, car il entend rétablir ses affaires en gérant celles de l'État, quitte à embarrasser les secondes pour rendre prospères les premières. Aussi doit-il choisir un surintendant qui lui permette de conserver la haute main sur les deniers de la couronne et de les utiliser dans des desseins publics louables, ou dans des entreprises personnelles moins reluisantes. Sur le plan militaire, la victoire est loin d'être assurée, et le cardinal a d'autant plus besoin que le responsable des Finances soit à la fois efficace et dévoué à sa personne.

Pour remplacer La Vieuville, Mazarin peut se reposer sur un collège de directeurs des Finances, ou bien faire confiance à un nouveau surintendant. La première option présente un inconvénient majeur : ce serait un organisme lourd, donc lent, solution peu idéale pour un département où il est nécessaire de prendre des décisions rapides et fermes. En outre, sa composition exigerait un dosage subtil entre les multiples ambitions et clientèles qui se pressent, sans parler des corps constitués que l'on vient de mettre au pas et qui risqueraient de s'agiter pour s'y retrouver représentés. La seconde solution, un surintendant, évite ces inconvénients. Encore le premier ministre doit-il trouver l'homme capable de répondre à tous ses désirs, quelqu'un d'expérience qui sache manœuvrer les gens d'affaires, par nature peu accommodants et échaudés par la banqueroute de 1648, et en même temps suffisamment proche de lui pour déférer à ses moindres desiderata.

Le 8 février, Mazarin rend son verdict : deux surintendants, Abel Servien et Nicolas Fouquet, se partageront la tâche. Comme à son habitude, le cardinal a biaisé en rejetant un conseil trop délicat à diriger, mais il a amoindri la surinten-dance en nommant deux titulaires. L'expérience, en soi, ne constitue pas une innovation — il y a eu des précédents[3] —, mais le choix de deux personnalités aussi dissemblables montre que le cardinal applique la vieille recette politique : diviser pour régner. Il est vrai qu'il a promu deux hommes réputés pour leur attachement inébranlable à la cause royale, et qui lui sont fort proches. Jean Vallier, dans son journal, résume assez

bien la façon dont l'opinion publique réagit à cette nomination : « L'on ne fut pas surpris du choix que fit S.E. de la
personne de M. Servien, mais l'on eut peine de se figurer les
raisons qui l'avaient portée à lui donner M. Fouquet pour
collègue, vu le peu de rapport qu'il y avait de cet emploi à
celui de procureur général du Parlement de Paris, dont il était
nouvellement pourvu[4]... »

Quoi qu'en pense Vallier, la promotion de Servien n'est
peut-être pas des plus judicieuses. Certes, Servien n'est pas un
médiocre, mais ni son passé ni son caractère n'en font l'homme
ad hoc. Après des débuts prometteurs, ce Dauphinois, d'une
bonne famille parlementaire, a vu sa carrière longtemps contra-
riée par les circonstances, plus exactement par Richelieu, qui
l'a tenu dans une longue disgrâce[5]. La régence lui a donné
l'occasion de faire briller ses talents de diplomate, notamment
lors des préliminaires de la paix de Westphalie. Mais, malgré
des services éminents que nul ne songe à nier, Servien est
amer de n'avoir pas été récompensé à sa juste valeur, même
si un brevet de ministre en 1649, puis les charges honorifiques
de chancelier et de garde des Sceaux des ordres du roi ont
adouci un peu son aigreur. Son élévation à la surintendance
marque donc une consécration tardive de son mérite, et il la
ressent comme telle d'autant plus vivement qu'elle accompagne
celle d'un jeune *alter ego*, au cursus particulièrement brillant.
Ainsi ce vieux serviteur ne s'annonce pas un collègue facile
pour Nicolas, ni un exécutant docile des volontés du cardinal.
De surcroît, il est affligé d'un caractère épouvantable, et
Münster tinte encore de l'écho bruyant de ses démêlés homé-
riques avec son collègue d'Avaux lorsque les deux représentants
de la France y négociaient la paix. Ce tempérament abrupt ne
favorise donc pas sa mission, en particulier dans ses rapports
avec le monde de l'argent, qui demande à être ménagé.

Par contre, Fouquet, bien qu'il soit le plus jeune responsable
des Finances de l'Ancien Régime, semble a priori beaucoup
mieux adapté à sa nouvelle fonction. En dépit de sa jeunesse,
que Servien critiquait non sans arrière-pensées, Nicolas est
préparé à affronter la redoutable tâche des Finances royales.
Par sa famille, il s'est trouvé plongé depuis le plus jeune âge

dans les arcanes de la politique et de la finance. Son grand-père Maupeou, on l'a vu, a été le bras droit du président Jeannin, lorsque celui-ci était surintendant. Son père a été chargé en tant que maître des requêtes de plusieurs commissions financières, notamment de la vente d'offices domaniaux[6] et de la poursuite de divers officiers comptables des Gabelles[7]. Le second mariage de Nicolas l'a maintenu dans les milieux de la finance, puisque sa femme, cousine du surintendant Jeannin, descend d'une lignée de financiers du clergé, tandis que son cousin Nicolas Jeannin de Castille, l'un des trésoriers de l'Épargne, compte parmi les tout premiers officiers comptables du royaume[8]. Ainsi, depuis toujours, Nicolas a évolué dans un monde qui exerçait des responsabilités financières, directes ou indirectes, et qui se colletait avec les problèmes fisco-financiers.

Les premières étapes de sa carrière ont accru ses connaissances des problèmes financiers et fiscaux. Comme intendant d'armée, Nicolas a fréquenté les munitionnaires, les trésoriers de l'administration des guerres, et s'est trouvé confronté quotidiennement aux questions d'argent qu'engendre la guerre. Il a pu juger l'importance que revêt dans les opérations militaires la rapidité des paiements et, par là, méditer sur les moyens de surmonter les problèmes financiers d'un État en guerre. Son bref passage à l'intendance du Dauphiné et les mésaventures auquel il a donné lieu lui ont permis de mesurer l'impact fiscal de la guerre sur une population. Il n'ignore donc pas les réalités humaines et politiques profondes de l'impôt. N'a-t-il pas été en partie disgracié pour avoir soutenu des administrés qu'il considérait lui-même comme trop et injustement taxés ? Il a vu, au péril de sa vie, l'impact social du fardeau fiscal générateur de tant d'« émotions populaires » de par le royaume.

Autre facette de son expérience, qui n'est sans doute pas la moindre, Nicolas connaît de l'intérieur le fonctionnement de la finance : après son père, il a participé — à une échelle modeste, sur ce que l'on peut en voir — à la complexe et discrète noria des Finances en tant que bailleur de fonds. François Fouquet, comme commissaire du roi, s'était occupé de l'aliénation des offices de contrôleur, visiteur et marqueur de cuir. A titre privé, il avait acquis des droits domaniaux. En compagnie d'associés, dont certains liés à la finance, il avait acheté les offices de vendeur de cuir de Normandie[9]. De son côté, Nicolas, dès 1643, a avancé de l'argent à la monarchie[10]. De plus, ses fonctions de procureur général, loin d'être incompatibles avec sa nouvelle tâche, la lui facilitent. Il devient une parfaite courroie de transmission avec le Parlement auprès duquel sa double fonction lui permet d'imposer plus facilement les décisions financières du gouvernement. Enfin, son caractère souple, inventif, charmeur, en fait par excellence le truchement entre la couronne et ses pourvoyeurs de capitaux. Plus que tout autre, mieux que tout autre, il saura se procurer du crédit, aptitude sans prix qui le désigne comme un interlocuteur obligatoire en ces temps difficiles.

Il ne faut cependant pas réduire les capacités de Nicolas à celles d'un séducteur capable de tous les expédients, ainsi que voudront le faire accroire ses adversaires au moment de sa chute. Fouquet n'est pas un aventurier de la finance, ni un joueur se livrant à une partie hasardeuse, et qui s'abandonne à tous les artifices afin de durer et de satisfaire ses passions sinon ses vices. Bien au contraire, il connaît admirablement les composantes du système fisco-financier dans lequel évolue la monarchie, système qu'il n'a jamais prétendu vouloir réformer, mais dont il sait tirer le meilleur parti. Aussi, pour apprécier justement son action et ses résultats, faut-il analyser le système fisco-financier, l'obstacle incontournable, sur lequel viennent, et viendront, buter tous les responsables des Finances de la France d'Ancien Régime : les règles de la finance.

LA RÈGLE DU JEU

La vie financière, comme les autres activités du royaume, se trouve dominée par le métal précieux. Sous l'Ancien Régime, il n'existe qu'un seul instrument de paiement universel : les espèces d'or et d'argent[11]. Cet or et cet argent sont les dimensions de toutes choses : ils permettent aussi bien les actes les plus élémentaires de la vie quotidienne — l'achat de vivres, le paiement des salaires — que les actes les plus importants de la vie sociale, comme le paiement d'une dot, d'une terre ou d'un office. Ainsi, lorsque Fouquet marie sa fille aînée au comte de Charost, il lui donne en dot 600 000 l, payées en louis d'or et d'argent[12]. Il en va de même pour la vie civile : tous les impôts, tous les gages des officiers, toutes les soldes des troupes sont honorés grâce aux précieuses espèces. Cette présence de la monnaie métallique ne correspond pas à un goût particulier ou conjoncturel pour le métal précieux : c'est un état de fait dans tout le royaume à tous les instants. En temps de guerre, le problème monétaire prend cependant une acuité particulière.

En 1635, Richelieu a entamé le plus long conflit — vingt-cinq années sans interruption — qu'a connu la France d'Ancien Régime. A cette occasion, pour la première fois, la France a fait l'expérience de la guerre moderne qui mobilise en permanence des troupes nombreuses. Il faut armer, équiper, nourrir toute cette multitude, tandis que de nouveaux problèmes liés à la logistique apparaissent. Dans une large mesure, les munitionnaires deviennent aussi importants que les grands capitaines : la guerre ne se résume plus à l'affrontement de deux armées, soumises aux talents de quelque stratège ; il s'agit désormais de l'affrontement entre deux puissances financières. Montecuccoli résumera, un peu plus tard, de façon fort heureuse, les nouvelles données de l'art militaire : « Pour faire la guerre, il faut trois choses : 1° de l'argent, 2° de l'argent, 3° de l'argent. » Maxime profonde dans sa simplicité lapidaire. Dorénavant, on ne peut plus rien sans les précieuses espèces métalliques. Sans argent, plus de troupes, plus de ravitaillement ; quant aux plans les plus habiles des meilleurs chefs de guerre, ou les combinaisons les plus subtiles des plus fins diplomates, ils n'ont aucune chance d'aboutir, comme on le vérifie fort bien en 1656 et 1658, quand les opérations demeurent entièrement suspendues à l'arrivée d'argent frais collecté pour continuer la lutte. Les impératifs de la diplomatie doublent le poids de la guerre. Il faut beaucoup d'écus et de louis pour stipendier des princes allemands ou italiens, ou pour acheter l'alliance anglaise. Le besoin impérieux de métal précieux se double d'une nécessité immédiate. Car la célérité des paiements, quelle que soit la conjoncture, devient un facteur décisif de succès.

Les questions financières prennent donc une place prépondérante, voire obsédante, dans la conduite des affaires de l'État. Les problèmes qu'elles posent sont d'autant plus ardus qu'ils n'entrent pas dans des cadres normaux. La guerre plonge le royaume dans une vaste turbulence, où les notions de la gestion des temps de paix n'existent plus. L'équilibre budgétaire, cher à tout grand argentier, n'a plus alors aucun sens, la guerre n'étant pas un phénomène économique qui suit les règles habituelles. Elle n'a pas à être rentable ; on doit la faire sans se préoccuper de ce qu'elle coûte. A l'inverse des temps de paix, les recettes doivent s'adapter aux dépenses. La guerre, s'éternisant, pose des problèmes de trésorerie inextricables, cauchemars des responsables des Finances du prince. La fonction de surintendant des Finances prend ainsi une place prépondérante dans le gouvernement. L'autonomie du ministre, dans une telle situation, est cependant singulièrement limitée par les contingences du système fisco-financier français.

La capacité financière du monarque est largement fonction de ses réserves monétaires et de l'encaisse métallique du royaume. Cette encaisse dépend, de son côté, du mouvement international des métaux précieux entre le vieux continent et le reste du monde. Depuis le début du XVIe siècle, l'Amérique ravitaille l'Europe en or et surtout en argent. Une partie de ce métal repart pour l'Orient afin de solder la balance commerciale, mais l'essentiel du pactole se concentre dans les grandes nations européennes. Tenant compte des pertes dues aux aléas du transport et à l'usure des espèces, on a pu calculer la masse métallique restée dans le vieux continent au fil des ans[13]. Si l'on ignore encore la valeur exacte du stock européen avant 1492, ainsi que la masse métallique roulant dans chacun des États, on connaît bien l'évolution décennale de l'accroissement monétaire, ce qui permet d'en induire le climat monétaire que doivent affronter Fouquet et Servien.

Les surintendants n'ont pas de chance : pendant toute la

période allant de 1500 à 1800, les décennies 1640-1649 et 1650-1659 sont les plus mauvaises, celles qui enregistrent les taux d'accroissement en métal précieux le plus médiocre (respectivement 3,6 ‰ et 3,9 ‰) de tout l'Ancien Régime[14]. La masse que l'on peut ponctionner demeurant stagnante et insuffisante alors même que la demande devient très forte, il n'est pas étonnant que les deux ministres rencontrent d'immenses difficultés pour remplir leur mission. Il leur faut donc tirer le maximum des ressources monétaires qu'ils sont en mesure d'exploiter. Pour étancher la soif monétaire imposée par les jeux de Mars, ils disposent d'un large éventail de ressources fiscales ou parafiscales dont ils doivent jouer avec habileté et efficacité. Leur principal secours provient de la fiscalité, de sorte que tout le mécanisme des Finances se trouve intimement connecté avec l'appareil fiscal.

Il y a longtemps déjà que les rois de France ne vivent plus du fruit du Domaine. Tout au plus, ce bien inaliénable fournit-il à l'occasion des ressources d'appoint, facilement mobilisables et négociables à tout moment. Le Domaine recouvre en fait un vaste ensemble, hétéroclite, de droits les plus divers, de terres, propriétés des rois en vertu de leurs pouvoirs régaliens et de leur statut de premier seigneur du pays[15]. En cas de nécessité majeure, la guerre par exemple, la monarchie peut aliéner une partie de ses « domaines » par des adjudications à des particuliers, mais cette cession n'est que temporaire, et elle lui fournit d'ailleurs l'occasion d'autres transactions fructueuses. En effet, périodiquement, le roi réclame aux engagistes des rallonges de finance pour les maintenir dans leur jouissance. Parfois, il réunit à son domaine les biens aliénés contre un dédommagement modique, en tout cas inférieur au prix d'aliénation, avant de se livrer quelque temps plus tard à une nouvelle adjudication. Ces domaines, très recherchés par les élites car d'un bon rapport, se vendent fort bien. Dans ces conditions, il ne surprendra pas que Nicolas, comme ses prédécesseurs, utilise cet expédient financier. Mais, quoi qu'il en soit, ces ressources sont bien loin de couvrir les nécessités du Trésor. Il faut donc se tourner vers l'impôt.

La taille fournit la majeure partie des impôts directs perçus

par la monarchie. Richelieu n'a pas hésité à augmenter massivement les redevances des non-privilégiés, c'est-à-dire surtout
le monde paysan, pour financer l'effort de guerre. La taille
passe ainsi de 12 680 000 l en 1637 à 37 244 000 l en 1645[16].
Ce tour de vis fiscal, qui double, voire triple, l'impôt direct,
explique largement les soulèvements populaires qui secouent
le royaume entre 1623 et 1646[17]. De plus, l'impôt direct accru
ne satisfait pas les besoins en métal précieux ; il faut donc faire
appel aux impôts indirects. Ceux-ci concernent la consommation de certains produits, comme le sel, ou la circulation des
denrées et des marchandises. Leur recouvrement s'opère par
l'intermédiaire d'une foule de fermes générales — Gabelles,
Aides, Cinq Grosses Fermes, Convoi de Bordeaux —, dont le
rendement évolue peu en période de crise où la consommation
et l'activité à l'intérieur et à l'extérieur du royaume se trouvent
évidemment ralenties. En gros, le produit global des fermes
passe de 11 239 000 l en 1634 à 23 959 000 l en 1644[18]. En fin
de compte, l'ensemble des revenus ordinaires est loin de
couvrir les dépenses de la guerre.

Force est donc de s'abreuver à d'autres sources : les affaires
extraordinaires. Derrière ce vocable assez vague se dissimule
un vaste ensemble complexe de droits, d'offices, d'augmentations de gages, de taxations, de rentes que le gouvernement,
doué d'un bel esprit inventif, ne cesse d'instituer au long du
siècle. On peut y rattacher les prêts et les avances sur recettes
que la royauté affectionne également beaucoup. Par ces moyens,
le pouvoir se procure rapidement des liquidités, notamment
grâce à la création de droits et d'offices bien adaptés à une
société où les élites sont fortement attachées à la propriété
héréditaire d'une fonction, d'une dignité ou d'un droit.

Les surintendants disposent ainsi de toute une gamme de
revenus, sur lesquels ils peuvent jouer selon la conjoncture,
privilégiant tel ou tel. Leur marge de manœuvre demeure
pourtant faible, car on ne peut augmenter indéfiniment l'impôt,
sous peine d'une explosion populaire. Aussi vont-ils s'orienter
vers les affaires extraordinaires, d'emploi plus souple et destinées en priorité aux milieux qui disposent d'argent et font
confiance au gouvernement. Les grands argentiers recourent

largement à cette source qui paraît inépuisable au point qu'à partir de 1634 elle assure la partie prépondérante des recettes publiques.

Il reste, en outre, un autre moyen d'augmenter les ressources métalliques, on devrait même parler d'expédient : les manipulations monétaires. Sous l'Ancien Régime, les louis d'or et les écus d'argent en circulation offrent la particularité de ne pas porter de valeur nominale. Leur cours (respectivement 11 l et 3 l) est fixé arbitrairement par le roi, qui peut en « augmenter » la valeur. Profitant de la distorsion entre la monnaie de compte (la livre tournois) et les espèces en circulation, il peut en retirer des facilités de trésorerie. Ainsi empruntant 3 000 000 l, soit 1 000 000 écus à 3 l, au moment de faire ses paiements ou ses remboursements, il peut fixer l'écu à 3 l 6 s, soit restituer seulement 909 090 écus[19] ! Fouquet et son collègue ne vont pas s'abandonner à cette facilité[20]. Ils restent attachés à une politique monétaire mesurée, car ils savent que la confiance, fondement du système fisco-financier du royaume, doit être impérativement défendue.

La perception des multiples types de revenus de la monarchie, malgré leur diversité, s'effectue de manière identique. Pour l'impôt direct aussi bien que pour les fermes générales ou les affaires extraordinaires, leur recouvrement s'opère de façon contractuelle par versements échelonnés. Mais, dans tous les cas, les premiers termes se font par avance. Compte tenu des retards de paiement par les contribuables, les comptables, chargés des recettes, se trouvent pris dans une spirale d'avances au Trésor, qui se conjuguent avec les prêts sur recette. Le pouvoir est donc à la merci de ces magiciens, capables de faire sourdre, en toute circonstance, le précieux métal. Leur ministère n'est point gratuit ; pour prix de leur activité, ils savent obtenir un bel intérêt, d'autant plus élevé que la conjoncture est difficile. Ces officiers comptables, ces fermiers généraux ou ces traitants[21] vivent ainsi des embarras financiers du monarque. De par leurs fonctions et leur aptitude à trouver du crédit, ils suscitent de par tout le royaume une somme de haine. On les traite de sangsues du peuple, on les tient pour responsables des malheurs financiers des temps, on jalouse leur opulence et leur luxe ostentatoire, fruits de leur mystérieuse et rémunératrice activité. Pourtant il ne faut point se laisser abuser par les apparences : le financier n'est lui-même, en grande partie, qu'un intermédiaire. Son crédit, il le tire de puissants mais discrets bailleurs de fonds, qui jouissent de fortes réserves monétaires. Ces riches prêteurs se recrutent parmi tout ce que le royaume compte de grand et d'influent : la haute aristocratie d'épée et de robe, les riches officiers et quelques gros rentiers bourgeois[22]. Bref, l'État se trouve entre des mains averties, peu disposées à être flouées.

Quand la situation financière devient inextricable, dès lors que la guerre dure trop longtemps, des tensions sociopolitiques vives se produisent immanquablement. Le roi ne peut plus honorer ses engagements et la banqueroute se profile, avec toutes ses graves répercussions. Telle est pratiquement la situation du royaume depuis 1648, situation aggravée par la Fronde, dont l'origine repose en partie sur cette impasse financière. Dans ces conditions, le rôle et l'influence des surintendants pour juguler la crise est déterminant. Mais en dépit de leurs qualités, leur expérience, leur habileté, ils restent prisonniers des règles contraignantes du système fisco-financier de la monarchie.

LE SURINTENDANT, UN DÉMARCHEUR FINANCIER

La surintendance des Finances, qui s'exerce par commission, donne à son titulaire (ou ses titulaires) la haute main sur l'administration financière de tout le royaume. Il a autorité sur les trésoriers de France, sur les officiers comptables — en particulier les trésoriers de l'Épargne — qui centralisent les revenus de la monarchie. Il donne les ordres de paiement qu'il assigne sur les fonds prévus à cet effet. Normalement, il ne manie pas l'argent du roi, ce qui reste l'affaire des officiers receveurs, mais il supervise et contrôle la bonne marche et la régularité des affaires de finance. Sa responsabilité est grande car, au terme même de sa commission, Fouquet n'a de comptes à rendre qu'au roi seul : c'est là une délégation de pouvoir énorme, qui, en temps de guerre, en fait un personnage presque omnipotent[23].

La nécessité de se procurer du crédit et la perte de confiance en un État chroniquement impécunieux augmentent son influence. Par une dérive de ses fonctions, il assure les relations entre la monarchie et ses bailleurs de fonds, et dans le même temps crée des ressources nouvelles. Dans la mesure où les affaires extraordinaires se gonflent inexorablement, le surintendant joue les démarcheurs auprès des compagnies de publicains qu'il rassure par sa protection personnelle, plus certaine que la parole du roi. D'administrateur, il est devenu insensiblement un intermédiaire, puis, quand les embarras financiers se sont accrus, un pourvoyeur de fonds, engageant son crédit personnel comme garantie des opérations qu'il propose. Appartenant au milieu des aisés qui prêtent beaucoup à la royauté, il participe directement, ou par l'entremise de parents ou d'amis, aux activités des publicains. Situation ambiguë, porteuse d'une fâcheuse confusion, mais qui ne procède de sa part d'aucun noir dessein puisqu'elle est la rançon du fonctionnement du système fisco-financier.

La monarchie, aux abois, encourage d'ailleurs le grand argentier à prêter son concours, comme le font les autres ministres, et à se muer en financier. Ce gauchissement, joint à la jalousie que suscite une fonction par nature enviée et exécrée, comme tout ce qui touche au maniement de l'argent, en font une personnalité facilement suspectée du pire. En raison de ses relations avec le monde décrié des publicains, on attribue au surintendant toutes les concussions, vraies ou fausses, et on le rend responsable des blocages et des perversions, inéluctables dans un système fisco-financier en crise. Une campagne de diffamation, habilement conduite, peut lui être fatale. Fouquet, archétype du grand argentier engagé à fond dans sa tâche, ne tardera pas à en faire la douloureuse expérience.

Pour l'instant, en ce mois de février 1653, les deux heureux promus ne connaissent pas encore les affres du métier. Ils prennent possession d'une fonction bicéphale, selon la volonté tortueuse de Mazarin qui espère conserver la direction effective des affaires. Cependant, compte tenu de la conjoncture, une double responsabilité n'apporte pas l'efficacité souhaitable pour mener à bien la guerre contre l'Espagne. Par leur opposition d'âge, de personnalité, même de carrière, Servien pèse d'un poids plus lourd, et, de ce fait, acquiert une prépondérance. Mais son caractère abrupt, tant avec les gens de finance qu'avec Mazarin, démontre bientôt qu'il n'est pas l'homme aimable et souple, nécessaire à la conduite des affaires. Si Servien, dans un premier temps, a souscrit aux demandes financières du cardinal, sa patience, qui n'est pas infinie, s'est lassée devant les demandes incessantes et pressantes du premier ministre. Son humeur belliqueuse se réveille, alors qu'au même moment son audience auprès des financiers s'épuise rapidement. En décembre 1654, les revenus de 1655 et 1656 étant anticipés, et Servien n'ayant plus de crédit ni d'expédients à proposer, Mazarin est conduit à répartir la tâche entre les deux surintendants suivant leurs aptitudes. Le règlement du 24 décembre 1654 délimite plus précisément les missions et les responsabilités des deux hommes[24].

Servien devient l'ordonnateur des fonds pour toutes les dépenses, et délivre les assignations sur les ordonnances du roi, expédiées par les secrétaires d'État. Fouquet n'a aucun pouvoir d'intervention dans le secteur de son collègue et doit cosigner toutes ces ordonnances sans difficulté. Nicolas, lui, se charge du recouvrement des sommes qui alimentent l'Épargne, et qui serviront à honorer les paiements réalisés par Servien. Il supervise aussi les comptes des fermiers et des traitants, allouant en dépense tout ce que les gens d'affaires auront payé en vertu des quittances ou des billets de l'Épargne, expédiés à leur décharge sur les ordres des surintendants. Sa fonction principale demeure cependant la recherche et la création de ressources financières nouvelles. Il est donc chargé d'arrêter tous les traités, les prêts et les avances, dont il fixe les modalités. Ainsi est-il conduit à examiner toutes les propositions de nouvelles affaires extraordinaires, soumises aussi bien par les financiers que les donneurs d'avis[25]. S'appuyant sur son office de procureur général du Parlement de Paris, il est chargé d'établir tous les édits, les arrêts, les déclarations nécessaires, et d'en faire poursuivre l'enregistrement devant les juridictions compétentes.

Cette répartition des tâches affirme l'incontestable primat de Fouquet sur son *alter ego*. La recette des fonds occupe la place dominante en temps de guerre, et c'est donc sur les épaules de Fouquet que repose en grande partie le destin du royaume. De sa réussite dépend largement le succès des armes du roi. On se rend mieux compte alors du choix judicieux de sa personne opéré par Mazarin. Son esprit souple et inventif, son charme, son entregent, sa connaissance de l'appareil fisco-financier sont autant de qualités rarement réunies chez un seul homme, et autant de gages de sa réussite. Son caractère le pousse également à remplir au mieux sa fonction, tant par un désir de servir bien et de s'acquérir de la gloire que par une ambition profonde et une fascination pour le pouvoir. Décidé à tout risquer, il est prêt à tout perdre pour triompher. Mais il n'agit pas en joueur qui lance une grosse mise en tablant sur sa bonne étoile, il s'avance au contraire en suivant des maximes nettes, mûrement réfléchies, ce qui donne à son action une cohérence et une profondeur incontestables.

La pensée financière de Fouquet

Nicolas, semble-t-il, ne s'est jamais expliqué en détail sur les principes de sa politique financière en dehors de ce qu'il a déclaré lors de son procès. Vis-à-vis de l'abondante littérature, pleine d'autosatisfaction et de doctes théories de son successeur, il se trouve dans une position de faiblesse. Parce qu'il ne s'est pas comporté en théoricien, parce qu'il n'a rien explicité, ou parce qu'il ne nous est rien parvenu de sa pensée, on en a conclu un peu légèrement que Fouquet s'est laissé porter par les événements, vivant au jour le jour. Rien n'est plus faux. Certes, par tempérament, il n'est pas un dogmatique ; il se plie aux circonstances, ce qui lui donne l'apparence d'improviser perpétuellement. Mais, devant la dureté des temps, il est contraint dans la conduite quotidienne des affaires de procéder au coup par coup pour résoudre l'angoissante boulimie de l'État en métal précieux.

Au-delà de l'alchimie journalière, quelques grands principes intangibles inspirent la pratique financière de Nicolas et lui confèrent une unité parfaite. Il connaît de façon remarquable le fonctionnement du système fisco-financier français et son évolution à l'épreuve de la guerre. Sa démarche, par ses paroles, et surtout par ses actes, apparaît alors des plus claires. La mauvaise pratique gestionnaire des Finances de la monarchie est à ses yeux la source principale de l'impopularité du gouvernement. L'objectif prioritaire qu'il se fixe reste simple : s'assurer à tout moment l'or et l'argent qui triompheront de l'Espagne. Il y a là un impératif devant lequel toute autre considération, quelle qu'elle soit, doit s'effacer.

Or l'État n'a pas de bailleurs de fonds inconditionnels, car l'État n'a pas de crédit. Le crédit, le grand mot est lâché ! Quoi qu'il dise, quoi qu'il désire, l'État ne se trouve pas dans une position de force, car les puissances d'argent, ni financièrement, ni politiquement, ni même socialement n'ont confiance en lui. La banqueroute de 1648 n'a pas arrangé la situation, pas plus que les manifestations intempestives de force, esquissées par la Chambre de Justice, avortées par la force des choses. Ce que Nicolas désire, c'est donc rétablir la confiance dans l'État, sachant pertinemment que ce facteur fondamental dans l'art de la finance ne se commande pas, mais se gagne par une pratique scrupuleuse dont il faut accepter toutes les conséquences. Pour lui, l'État doit respecter ses engagements, ses créanciers, assurer ainsi le paiement des rentes, des augmentations de gages et des dettes contractées à son service. Nicolas connaît les véritables animateurs de la noria des finances, il n'en a jamais fait mystère, pas même avant son élévation à la surintendance. En 1651, il déclarait déjà que les parlementaires qui attaquaient le profit, et ceux qui tiraient parti des affaires, n'étaient que des jaloux dont les propres contrats avec le Trésor n'avaient point été honorés[26]. Il sait que le jugement de Richelieu sur les publicains, hommes indispensables, est parfaitement exact. Quant à savoir le moyen de les contenir dans les bornes acceptables pour l'État, pour le moment la question n'est pas d'actualité. Il sait également qu'en s'abandonnant aux financiers et en respectant les accords passés avec eux, on s'assure immanquablement des ressources auprès des « aisés » gorgés d'argent, et par là on se met en mesure d'approvisionner le Trésor. Il a conscience que pour restaurer la confiance il ne suffit pas d'être exact, encore faut-il savoir attirer et pratiquer alors un fort loyer de l'argent.

On peut gloser, après coup, sur cette politique, mais en 1653, en pleine guerre, et à plus forte raison pendant les crises militaires de 1656 et 1657, elle est d'une rigoureuse logique, car elle assure ce que Servien, avec des principes moins vigoureux, n'a pu réaliser : financer les opérations. La notion d'économie ou d'équilibre financier n'ayant aucun sens en temps de guerre, seul importe l'objectif politique qui justifie la pratique, fût-elle onéreuse. De fait, le prix que le royaume paie n'est pas celui de la mauvaise administration, mais bien celui de la guerre. En accordant de fortes remises aux publicains, Nicolas remplit sa mission puisqu'il procure à la monarchie l'argent dont elle a besoin pour se soutenir. D'ailleurs sa gestion financière ne se borne pas à une politique de haut loyer de l'argent, elle se préoccupe également de la répartition de l'effort commun de la nation, en tenant compte de l'efficacité, de la productivité et des répercussions sociales de la pression fiscale.

Fouquet connaît parfaitement, par l'expérience des années 1635-1648, les périls inévitables, si l'on fait peser un fardeau fiscal trop lourd sur les peuples, épuisés par vingt années de guerre étrangère et meurtris par cinq années de guerre civile. Les révoltes populaires et le non-paiement d'une partie de la taille, faute de moyens, en sont des effets probables, sinon certains. Tout en l'augmentant de 29 362 000 l en 1654 à 38 103 000 en 1655, Nicolas en reste à des niveaux supportables, malgré des soulèvements en Sologne. D'ailleurs la mise en parti de la taille[27] fait que celle-ci est acquittée dans une large mesure par des avances sur recettes, consenties par des compagnies de publicains. De la sorte, l'impôt retombe donc sur les financiers et leurs bailleurs de fonds.

En ce qui concerne l'impôt indirect, Fouquet agit avec

modération. Il n'augmente pas massivement le produit global des fermes, qui passe de 16 880 000 l en 1653 à 20 252 000 l en 1659[28]. Dans la logique de son action, comme cela s'est produit depuis 1630, et surtout depuis 1635, il fait porter tout son effort sur les affaires extraordinaires (créations d'offices, d'augmentations de gages, de droits nouveaux, vente et revente de biens domaniaux, augmentation de revenus casuels, émissions de rentes, prêts). Certes il renforce ainsi l'influence des partisans, qui accourent alléchés par le taux élevé de l'argent. Mais s'il devient l'homme des financiers — ce qui est le lot de tout responsable des finances de l'Ancien Régime —, il fait porter habilement le poids fiscal du financement de la guerre sur les plus aisés des Français : ceux qui participent aux affaires extraordinaires n'appartiennent pas aux 80 ou 85 % de paysans, plus ou moins misérables, qui composent le royaume, mais au monde de la bonne bourgeoisie, de la robe, de l'office, de la noblesse parlementaire ou d'épée qui concentrent entre leurs mains la majeure partie des espèces métalliques du pays.

Contrairement à ce que l'on peut penser, c'est finalement cette élite qui fait tourner la machine de guerre. Par le biais des affaires extraordinaires, on fait payer les riches, tout en leur accordant de fortes remises pour prix de leur ministère. Le mécanisme demande du doigté car, s'il se bloque, il ne faut pas craindre une bouffée de violence — on la réprimera impitoyablement par la force, ou elle se dégonflera d'elle-même aussi spontanément qu'elle a éclaté —, mais une agitation dangereuse des milieux qui forment la bonne société. C'est pourquoi Fouquet demeure si attaché à la probité des contrats puisque leur respect garantit la paix politique, et l'exemple récent *a contrario*, de la Fronde, le conforte dans cette opinion. Nicolas maîtrise donc parfaitement les moyens de sortir de l'impasse à laquelle conduit une longue guerre. Mais avant d'examiner comment il envisage le règlement de la crise, il faut évoquer un problème annexe, qui interfère sur la conduite des affaires : la participation aux Finances des gouvernants.

Pour que la politique de Fouquet porte ses fruits, il est indispensable que les remboursements des emprunts ou des avances des traitants soient assurés ponctuellement. Et lorsqu'il se produit un blocage, dû à une surconsommation de fonds, ce blocage doit être adouci par une pratique « égalitaire » dans les répartitions retardées de ces remboursements. Or Nicolas se trouve aux prises avec Mazarin, qui réclame pour lui-même chaque année des sommes considérables pour paiement de ses avances personnelles et de ses activités de munitionnaire. L'appétit du cardinal, son âpreté au gain — il accable journellement les surintendants de demandes de subsides — rendent la tâche des grands argentiers très difficiles. Mazarin et son intendant Colbert dérivent en priorité des masses considérables d'argent, ce qui déséquilibre la répartition des remboursements que doit effectuer Fouquet, et risque donc de compromettre son crédit. Le penchant maladif du premier ministre, et de son factotum, pour la thésaurisation n'arrange pas les choses, car, dans une période où la masse métallique n'est pas extensible, les avares précautions du duo sont génératrices de troubles.

Fouquet tente de résister comme il peut à leur pression, allant jusqu'au bord de la rupture, dans une atmosphère de crise permanente larvée. Mais ce climat n'est pas bon pour son image de marque. Que des bruits circulent dans le milieu bien informé des puissants bailleurs de fonds à propos d'une tension entre le surintendant et le cardinal, et aussitôt la crédibilité et le crédit de Nicolas s'en ressentent. Fouquet est perpétuellement soumis à l'attitude ambiguë du cardinal, dont la duplicité, véritable seconde nature, ne tarde pas à le handicaper. Malgré les bonnes paroles que finit par lui prodiguer Son Éminence, il ne se trouve pas fermement soutenu par l'arbitre du royaume. Qui plus est, à partir de 1659, lorsque Colbert entreprend de ruiner auprès de son maître l'image de Nicolas, celui-ci doit combattre sur plusieurs fronts, ce qui le pousse au découragement. Nicolas connaît ses lourdes responsabilités, puisque son engagement personnel et celui de ses amis sont suspendus à sa réussite que menace la « concurrence » déloyale de Mazarin. Non seulement l'avidité de ce dernier sape la politique suivie par Nicolas, mais elle risque de le ruiner avec tous ceux qui lui ont fait confiance, et en fin de compte de renverser le crédit public.

Cette tension perpétuelle, ce soupçon devant les manœuvres

sournoises du cardinal et de son domestique expliquent largement les précautions que Nicolas prend pour se défendre contre les menées des deux ingrats[29]. D'ailleurs, le cardinal, toujours impénétrable, maintient Fouquet au pouvoir ; celui-ci, en dépit des embûches, des difficultés, des crises, conserve son cap et remplit finalement sa mission. Nicolas n'a-t-il pas réussi à satisfaire les appétits de Son Éminence, et gagner la guerre de l'argent, contribution déterminante à la victoire sur l'Espagne ? Toutes ces vicissitudes expliquent la démarche empirique du surintendant. Derrière l'apparence d'improvisateur génial se dissimulent une incroyable persévérance, un acharnement sans faille, bref une volonté politique, qui cache sous l'écorce d'un prestidigitateur financier un homme d'État, digne élève du grand cardinal, l'autre.

Ces principes généraux affichés, cette volonté manifestée, comment Fouquet a-t-il surmonté les obstacles dont son collègue Servien n'avait pu triompher ?

FOUQUET AU TRAVAIL

Le renforcement de l'autorité du gouvernement facilite la tâche du surintendant. Les édits fiscaux qui permettent la levée de 17 000 000 l sont enregistrés sans opposition. En 1653-1654, les affaires extraordinaires avaient été relativement peu nombreuses, mais avec la prise en main des recettes par Fouquet, elles prennent un essor notable[30]. Dans son programme de sécurité des investissements et de hauts profits accordés aux publicains, Fouquet accorde la réassignation des vieux billets de l'Épargne sur de nouveaux fonds. La banqueroute de 1648 avait laissé sur le marché une masse de billets du Trésor ou des comptables du roi, caducs, car assignés sur des fonds qui se trouvaient déjà consommés. Ces billets, qui circulaient sur la place, faisaient l'objet d'une spéculation et se négociaient à 5 ou 10 % de leur valeur. Mais, si par chance ou par faveur on obtenait une réassignation, on pouvait se les faire rembourser au pair. Naturellement, les financiers les plus puissants les rachetaient aux petits porteurs qui n'étaient pas assez en fonds pour pouvoir attendre des jours meilleurs. D'ailleurs, la réassignation impliquait presque toujours un appui politique influent pour l'obtenir. Dans tous les cas, on assistait à une interpénétration des milieux d'affaires et des milieux gouvernementaux.

Cette pratique, source d'abus, bien qu'à tout prendre les vieux billets non honorés soient tout de même des créances incontestables sur l'État, a contribué à ranimer l'ardeur des détenteurs de capitaux, qui affluent vers les affaires du roi. Rien qu'en 1657, 25 000 000 l en vieux billets ont fait l'objet de cette résurrection[31]. Le climat d'affairisme confiant est largement conforté par la participation active de Nicolas aux prêts. Son besoin d'être apprécié, mieux, d'être aimé, l'a conduit à se jeter à corps perdu dans l'aventure. Quand on l'accusera de s'être conduit en chef de faction, en patron des publicains, tout occupé à la rapine au détriment de son maître, on omettra volontairement de préciser qu'il y jouait tout son bien, celui de sa famille et de ses amis, sans vraiment être certain de maîtriser la situation. Il avait plus de chance d'y laisser sa fortune — ce qui s'est passé — que d'y gagner de grands biens.

A partir du moment où il joue les démarcheurs financiers auprès des nantis, il lui faut assurer un extérieur engageant, qui inspire confiance, d'où sa politique d'achats fonciers, ses bâtiments somptueux, qui sont autant de signes extérieurs de richesse à destination du public et une garantie pour les emprunts qu'il souscrit. Si le ministère public pendant son procès se garde de faire l'inventaire de son bien, c'est qu'il connaît la fausseté des allégations sur sa prétendue fortune, née de ses activités financières. D'ailleurs, il faut bien constater que Nicolas au début de son ministère est assez riche pour avoir du crédit, et les gens qui se sont attachés à son étoile ne se sont point embarqués à la légère. Dès 1653-1654, il emprunte pour la couronne. Ne dit-il pas lui-même, dans ses offres de service à Mazarin de janvier 1653, qu'il a des amis qui se déclarent prêts à l'aider de leurs bourses ?

A partir de 1655, Fouquet entreprend de fournir toutes les sommes que lui réclame Mazarin. Il réussit à faire face aux demandes de ce dernier jusqu'au milieu de 1656. Ensuite les difficultés surgissent. La guerre devient un gouffre financier insondable, et l'attitude fluctuante de Mazarin contrecarre les efforts de Nicolas. Il lui faut trouver de nouveaux expédients et, par conséquent, faire enregistrer de nouveaux édits. Celui du 19 octobre 1656, confirmant la suprématie du Conseil d'État sur le Parlement, se justifie en partie par le besoin de faire enregistrer sans opposition de nouvelles décisions fiscales. Le gouvernement commence à songer à ses bonnes vieilles méthodes de retranchement des rentes et des gages, que l'on avait respectées scrupuleusement depuis la fin de la Fronde, ainsi qu'à des mesures à but fiscal, mais lourdes de sens politique et social, telles que des recherches de noblesse. Cette dernière orientation engendre presque aussitôt des assemblées de petits hobereaux, assemblées qui se multiplient en 1657-1658.

Fouquet voit dans cette politique de Mazarin un danger pour sa pratique financière. Pour lui, les gages et les rentes sont sacro-saintes : ils garantissent la crédibilité de l'État qu'il s'est efforcé de restaurer. En robin, il sait pertinemment l'effet désastreux que l'attentat à ces revenus peut avoir dans le petit monde des rentiers et des parlementaires. Pourquoi provoquer ces groupes influents, et fort chatouilleux sur ce sujet qui les touche de si près, alors que par ailleurs ils comptent parmi les gros bailleurs de fonds de la monarchie ? Veut-on abattre le crédit du surintendant en ruinant ses efforts ?

Les difficultés financières s'amplifiant, les récriminations du cardinal se font plus pressantes. En juin 1656, il accuse pratiquement Fouquet de ne pas fournir les 13 500 000 l que celui-ci lui avait promis. Résultat : deux armées royales restent sans paiement avec les risques stratégiques qu'une telle situation comporte. Le mois suivant, le grave échec des troupes françaises devant Valenciennes accentue le malaise. Fouquet doit faire flèche de tout bois, imposant un prêt aux membres du Conseil royal et aux financiers. Mazarin ne désarme pas dans ses critiques et attaque le pessimisme financier du surintendant. Certes, il semble bien que Basile Fouquet, informateur de son frère, ait accentué le courroux du cardinal, qui savait alterner les critiques et les paroles lénifiantes. L'attitude de Mazarin est d'autant plus injuste que, feignant d'ignorer la dureté des temps, et oubliant opportunément et hypocritement sa rapacité, il profite de sa position éminente pour accabler son collaborateur. Il est facile de réclamer de l'argent, de gémir sur sa pauvreté, surtout quand on est riche ! La situation s'est aggravée après l'échec du siège de Courtrai, en mai 1657, quand Fouquet fait clairement savoir qu'il ne peut plus prêter sur son crédit personnel.

L'attitude ingrate du ministre s'explique également par des motifs plus personnels : Nicolas ne lui a payé récemment aucun intérêt pour les prêts que le cardinal a consentis à la couronne. En plus, l'intendant de Son Éminence, le bon Colbert, commence à distiller aux oreilles de son maître les critiques contre le surintendant, en affirmant que ce dernier est l'arbitre des Finances. Curieuse attaque contre quelqu'un officiellement chargé de trouver par tous les moyens de l'argent, de soutenir le crédit de l'État, et que l'on accuse maintenant d'avoir pris une place prépondérante dans la conduite des affaires ! Fouquet offre sa démission, qui est refusée.

En fait, devant l'obstacle et malgré toute sa mauvaise foi, Mazarin est bien forcé de reconnaître les services de Nicolas. Il l'encourage même à participer à un prêt important en novembre 1657. Quatre contrats sont signés, pour un montant global de 11 800 000 l, à anticiper sur les revenus du quartier d'hiver 1657-1658[32]. Fouquet s'engage pour environ un tiers, et ses partenaires, le contrôleur général des Finances Hervart et le cousin de Nicolas, Jeannin de Castille, prêtent sur la garantie du ministre. Nicolas pour sa propre participation est couvert par une tierce partie, mais il doit dans cette transaction acquitter un intérêt de 20 %[33]. Ce prêt est couronné de succès, mais les difficultés ne disparaissent pas pour autant.

L'année suivante, les emprunts ne sont pas couverts avec facilité, et en juillet 1658, avec la grave maladie du roi, la situation prend à nouveau l'allure d'une crise. L'éventualité de la disparition de Louis XIV risque de plonger le pays dans une nouvelle phase d'incertitude, et la confiance, toujours aussi versatile, semble sur le point de s'évanouir. Déjà des faillites individuelles de plusieurs financiers se sont produites et l'on peut craindre qu'elles ne dégénèrent en une banqueroute générale[34]. Mazarin pense encore à une révocation des prêts, nouvel attentat à la politique de Fouquet, qui aurait été obligé de s'en aller devant cette nouvelle entorse majeure à la philosophie de son action. A la fin juin 1658, Nicolas, au cours de ses phases de maladie qui le secouent périodiquement, paraît déterminé à liquider ses opérations de crédits et à résigner sa charge. Son esprit de compétition demeure finalement le plus fort. Il décide de résister, empruntant auprès de très gros financiers comme le trésorier de l'Épargne La Bazinière et les frères Monnerot[35]. Il conserve ainsi sa place parmi les soutiens financiers de la monarchie qui, au début de 1659, lui doit au moins 5 000 000 l.

Mais les circonstances, une fois de plus, influencent son destin : le 17 février 1659, son collègue Servien disparaît.

LES FAUX-SEMBLANTS DE LA RÉUSSITE

Des conditions nouvelles suivent la mort de Servien. Il est évident que l'on s'achemine maintenant vers la paix avec l'Espagne. Une trêve va être signée le 8 mai, suivie du traité de Paris et prélude aux négociations finales que couronne la paix des Pyrénées du 7 novembre. Après de si longues années d'hostilités et de si nombreuses acrobaties financières, le retour à l'ordre financier devient une préoccupation majeure du gouvernement.

Le grand argentier doit donc opérer une restauration de l'équilibre, notamment budgétaire, et une résorption des dettes de l'État. La lutte pour la conduite des affaires reprend alors de plus belle. On ignore si Servien va être remplacé, si Fouquet demeurera seul en fonction, ou bien s'il va être démissionné. Les intrigues vont bon train, en particulier de la part d'Hervart et de Colbert, qui louchent sur le poste de Nicolas. A en croire ce dernier, Colbert aurait soufflé à son patron de prendre la corresponsabilité des Finances, sachant pertinemment que cette tâche dépasse les aptitudes du cardinal, qui n'a ni le goût ni le temps de superviser une machinerie aussi lourde et complexe que celle des Finances. En conséquence, le fidèle intendant de Son Éminence aurait alors reçu, par délégation, l'autorité de son maître pour gérer les affaires et tenter d'évincer celui qu'il jalouse et auquel il désire succéder[36].

En fait, après quatre jours d'hésitation, Fouquet est confirmé dans ses fonctions comme seul titulaire avec une marge de manœuvre qui prouve qu'on lui fait grand crédit, puisqu'il peut « désormais les [les affaires de finance] administrer avec un plein et entier pouvoir et ainsi qu'en votre conscience le jugerez nécessaire pour notre service et jouir de cette charge [...] sans que de cette administration vous soyez tenu de rendre compte en notre Chambre des comptes, ni ailleurs qu'à notre personne, dont nous vous avons, de notre grâce spéciale pleine puissance et autorité royale, relevé et dispensé[37]... »

Malgré ce blanc-seing, cet exercice solitaire du pouvoir qui marque l'apogée de la carrière de Nicolas ne doit pas illusionner. La présence équivoque et intéressée du cardinal, et la surveillance médisante et envieuse de Colbert, qui ne désarme pas, limitent le champ d'action de Fouquet. Pour conserver son crédit, il lui faut lutter journellement contre les rumeurs, alarmistes ou désobligeantes. En novembre 1659, Bruant des Carrières, son bras droit, l'avertit du complot de Colbert et d'Hervart qui cherchent à lui aliéner les gens d'affaires et leur ôter toute la confiance qu'ils ont en lui[38]. Le programme défendu par le domestique de Mazarin n'est guère compatible avec celui de Nicolas : Colbert veut une action drastique, qui reprend tous les poncifs antifinanciers. Il ne rêve que de Chambre de Justice, de châtiments contre les maltôtiers, de banqueroute, le tout agrémenté d'un discours moralisateur et sentencieux, tenu à des fins de propagande personnelle et flattant les goûts du populaire pour le prurit démagogique.

Toute personne sensée désire, avec la paix, le retour à une vie financière et économique cohérente et stable, Fouquet plus que tout autre. Encore cette restauration, à ses yeux, doit-elle se faire avec souplesse et mesure. Il a trop l'expérience, familiale et personnelle, des grandes juridictions d'exception pour ne pas savoir que les Chambres de Justice restent en définitive bien illusoires. L'aspiration à l'équité financière, caressée par les peuples, s'estompe très rapidement devant les réalités sociologiques des milieux d'affaires. Si chacun dans un consensus artificiel et hypocrite tonne contre les partisans, quand il s'agit de les frapper la chanson devient tout autre. Les créanciers légitimes de l'État demeurent tout de même les riches bailleurs de fonds qui, au moment de l'apurement des comptes, commencent à s'agiter pour récupérer leur mise, ou du moins une partie. Les poursuites « impitoyables » contre les financiers ne débouchent jamais sur rien, pas plus qu'elles ne les font disparaître, puisque ceux-ci sont la rançon du système fisco-financier. Aucune Chambre de Justice, pas même celle en apparence sévère instaurée par Colbert en 1661, n'a réglé les abus inhérents aux dérèglements financiers engendrés par la guerre. La gent financière survit à toutes les crises et, tôt ou tard, la monarchie retombe sous sa dépendance.

Alors pourquoi, pense Fouquet avec logique, des manifestations tapageuses dont le résultat serait de ruiner le crédit et d'augmenter le loyer de l'argent ? Aux potions violentes, le surintendant préfère des médications plus douces, mais pas moins efficaces sinon plus. Fidèle à son tempérament, tout en nuances, il préfère contourner habilement les obstacles, conduire des opérations de restauration au coup par coup, par touches successives, quitte à frapper le monde de la finance, ce qu'il sait nécessaire, mais sans tapage. Comme il a jadis manœuvré les parlementaires pendant la Fronde, Nicolas veut laisser aller les affaires tout en les amendant graduellement, grâce aux conditions favorables offertes par le retour à la paix. S'il faut frapper les publicains, encore faut-il le faire adroitement, en préférant les taxes catégorielles, qui évitent l'impression d'une épuration générale et que l'on peut répéter autant de fois qu'il sera nécessaire. Bref, Fouquet désire une politique sans concession, sous des aspects de mesure et de continuité.

Malgré les termes même de sa commission, il n'a pas cependant les coudées franches, car il doit toujours tenir compte des volontés du cardinal. Ainsi, au moment où on lui accorde la haute main sur la conduite des affaires, il sait qu'en réalité ce pouvoir lui échappe de fait, de par la volonté de Son Éminence. Et cet être fasciné par le pouvoir en ressent une certaine amertume, teintée d'insatisfaction. Ainsi s'explique peut-être en partie son attitude aveugle face à Louis XIV, lorsque le jeune roi décidera de gouverner par lui-même, ce qui frustrera Nicolas une seconde fois de la plénitude du pouvoir, au moment où il croit enfin y être parvenu.

Mais, pour l'heure, durant tout l'automne 1659, Fouquet tente de persuader Mazarin de prendre de nouvelles résolutions, et « une règle certaine qui paraisse stable[39] ». Mazarin semble se décider à une réduction des dépenses et à un accroissement des revenus réguliers de la monarchie. Fouquet fait alors porter ses efforts sur les impôts indirects. Avec la paix, il fait publier de nouveaux baux, et cherche à fortifier les fermes générales en les regroupant[40]. Au début de 1660, les premiers efforts de restauration portent leurs fruits : le montant global des fermes passe 20 252 000 l à 32 020 000 l[41]. Parallèlement, Fouquet entreprend un allégement des tailles, première ébauche d'un soulagement des peuples. En janvier 1661, il s'attaque à l'énorme arriéré des tailles impayées, ordonnant une remise de 20 000 000 l sur des arriérages échelonnés entre 1647 et 1656[42]. Dans le cadre de la réduction des dépenses de l'État, il commence prudemment une opération de réduction des rentes, jamais bien vue par leur détenteur, qui le conduit à économiser 2 000 000 l par an[43]. Enfin, pour soulager l'économie du royaume, il entame un vaste programme de liquidation des dettes des villes, c'est-à-dire une réforme des finances municipales, en faisant vérifier les dettes des villes et des communautés de Bourgogne, de Toulouse et de Moulins[44]. Dans le domaine des affaires extraordinaires, il ne reste pas inactif, tout en conservant vis-à-vis des gens d'affaires une démarche habile et conforme à la ligne générale qu'il s'est fixé.

Les manieurs d'argent redoutent à tel point les Chambres de Justice destinées à leur faire rendre gorge que l'État, profitant de la situation, pousse son avantage et monnaie auprès d'eux leur révocation. L'impécuniosité du second rejoint ici bien à propos les intérêts des premiers. Le principe de la tenue décennale de ces juridictions place en effet le monde de la finance dans une incertitude permanente qui permet facilement au Trésor public de lui soutirer des subsides supplémentaires. Comment les financiers résisteraient-ils à la proposition d'un renvoi aux calendes grecques de la prochaine Chambre de Justice contre une simple taxe ? Voilà une transaction trop avantageuse aux uns et aux autres pour être étourdiment négligée ! Le pouvoir se procurera ainsi le précieux métal, tandis que les « victimes » s'en tireront en payant des contributions inférieures à ce qu'elles auraient dû normalement acquitter, tout en conservant l'intégrité de leurs biens.

Dans ces conditions, il n'est guère étonnant que dès 1635, lorsque survient le temps d'une nouvelle recherche, le roi ait invité à la transaction. L'édit d'avril abolit, contre le versement d'amendes modérées, la Chambre de Justice qui devait informer des malversations commises dans la décennie écoulée. Mais grande était la tentation d'abuser de ce procédé, en tablant sur la peur des financiers et sur leur désir d'une garantie officielle de tranquillité pour leur arracher de nouvelles sommes. Assez vite, ces décharges de Chambre de Justice se transforment en emprunts forcés, fort proches, en réalité, de vulgaires affaires extraordinaires. En juillet 1643, puis en août 1645 et finalement en décembre 1652, on réclame ainsi aux manieurs d'argent un effort supplémentaire, sous la promesse fallacieuse, puisque toujours démentie, d'un quitus pour leur gestion, dont ils savent par expérience le caractère éphémère.

Après la Fronde, Fouquet poursuit avec vigueur cette politique, tirant parti non sans habileté de la position délicate du monde de l'argent, privé de toute protection légale face aux atteintes répétées du pouvoir à ses propres engagements. A partir de mai 1656, le surintendant impose presque chaque année ce type de contributions[45]. Celle de 1657 est établie d'après un barème précis : les traitants doivent rendre le quarantième des remises qui leur avaient été accordées, alors que les fermiers généraux sont taxés sur le pied de 300 l par an, pour chaque tranche de 100 000 l du montant de leur bail, jusqu'à concurrence de 3 000 000 l et pour l'excédent à 150 l par an, pour chaque tranche de 100 000 l. En octobre 1658, Fouquet maintient sa pression et ordonne la restitution sur les remises de tout ce qui excède le sixième et les deux sols pour livre, avec effet rétroactif pour les traités conclus depuis 1635. Quant aux deux années suivantes, il perçoit la décharge de Chambre de Justice sous la forme d'un prêt forcé. Enfin, en mai 1661, il invite tous les comptables à abandonner le douzième de l'intérêt des sommes dont l'État leur avait fait remise lors de la signature des résultats, et songe déjà à leur imposer d'autres taxations dans les mois suivants.

Cette politique mesurée de ponction discrète, mais régulière, des bénéfices financiers répond bien aux conditions du moment : tant que la guerre dure et que le surintendant doit s'appuyer sur le crédit des puissances d'argent, il procède par petites condamnations au coup par coup : celles-ci sont censées repousser chaque fois le spectre de la Chambre de Justice et n'engendrent pas d'effets dévastateurs susceptibles de détruire le système fisco-financier. La paix revenue et le cardinal Mazarin disparu, il dispose de conditions plus favorables pour persévérer dans la voie qu'il s'est fixé. Fouquet agit donc avec une mesure, toute feinte, mais également avec une grande suite dans les idées qui confirment la philosophie de sa politique : accorder pendant les temps difficiles des larges remises, mais récupérer patiemment par des taxations incessantes une bonne partie de ce que l'on a donné.

On a reproché à Fouquet sa timidité dans la réduction des affaires extraordinaires et dans l'extinction des emprunts royaux, grevés de lourds taux d'intérêt. Il faut reconnaître pourtant que Nicolas envisage de réduire ces taux à 12,5 %, certes élevés en temps de paix[46]. Mais il lui est nécessaire de procéder avec doigté pour ne pas effaroucher les bailleurs de fonds, sur lesquels il commence à régner en douceur. Si l'on regarde les taux accordés par Colbert durant les années 1661-1669, on constate qu'ils demeurent à un niveau assez proche. Fouquet agit de la sorte non pas pour rester l'arbitre de l'État, mais pour sauvegarder, dans la mesure du possible, les intérêts de ceux qui lui ont fait confiance dans les temps d'adversité.

La confiance, maître mot, obsède Nicolas. C'est en son nom qu'il rejette toute idée d'une Chambre de Justice, dont il craint avec raison les retombées sociales et politiques. N'a-t-on pas

décrété par une sage décision la grâce de Condé et de ses
partisans, autorisés à rentrer en France et réintégrés dans leurs
charges ? Si des rebelles devenus des traîtres ont été amnistiés,
pourquoi agir différemment avec des financiers, restés fidèles
et responsables indirectement de la victoire sur les Habsbourg ?
Est-il vraiment habile de renverser les familles des publicains,
ruiner ou mécontenter celles de leurs bailleurs de fonds,
auxquelles on ne peut ni ne veut toucher ? Au lieu de les
écraser sous des amendes immenses, alors qu'on peut les
amener à restituer par des voies détournées une partie de leurs
gains, ne vaut-il pas mieux les rassurer pour obtenir une
abondance d'argent qui ferait tomber le taux du loyer des
capitaux ? A en croire Fouquet, l'amnistie des gens de finance
aurait été discutée « sur le chemin d'Orléans » entre le cardinal,
Villeroy, Le Tellier et lui, et décidée par Louis XIV et
Mazarin[47].

Dans les mois qui précèdent sa chute, Nicolas se préoccupe
de rassembler des concours financiers pour continuer sa politique. En juin 1661, il travaille en accord avec un consortium
de très gros hommes d'affaires, Jacquier, Monnerot, Gruyn du
Bouchet, Boylesve, qui s'engagent à le soutenir grâce à des
affaires financières qu'ils lui proposent[48]. Ainsi, à partir de la
fin de 1659, Fouquet a mis en place un vaste plan de
redressement financier, qu'il conforte après la disparition du
cardinal. Il a choisi la discrétion, sans exclure la fermeté.

Peut-on porter un jugement sur cette politique ? Comment
savoir si elle aurait échoué ou réussi, puisque l'arrestation
rapide de Fouquet lui a interdit de la mener à son terme ? La
démarche de son détracteur pipe encore plus les données, car
ses diatribes contre le mauvais état des finances et ses rodo-
montades contre les financiers obscurcissent le tableau. Pour
mieux faire ressortir son action, qu'il veut novatrice, Colbert
a noirci par des allégations mensongères, par des déclarations
controuvées l'œuvre de son prédécesseur. Depuis trois siècles,
on a pris l'habitude de le croire sur parole, habitude fâcheuse
qui satisfait la paresse naturelle des historiens. Pourtant, la
démarche de Fouquet n'a pas de quoi horrifier les thuriféraires

du Rémois, puisqu'elle a été reprise par ce dernier. Pour quelles raisons ce qui est positif chez l'un ne le serait-il pas chez l'autre ?

En un an et demi, alors qu'il ne bénéficie pas de la marge de manœuvre dont jouira Colbert, Fouquet lance le redressement financier grâce à plusieurs mesures : augmentation et concentration des fermes générales, diminution des tailles, établissement des trésoreries municipales, diminution du déficit budgétaire, suppression des rentes, abaissement des remises des affaires extraordinaires, et multiplication des taxations discrètes sur les gens d'affaires. Toutes ces mesures seront reprises par Colbert, qui les intensifiera certes, mais dans le cadre « terroriste » d'une Chambre de Justice qui leur confère un côté inquisitorial. Cette façon de procéder a-t-elle été plus efficace que celle choisie par Nicolas ?

Nicolas, avec sa démarche feutrée, maintient la confiance même si, par l'absence d'une action en apparence volontariste, il prête le flanc à des accusations de mansuétude coupable. On lui reproche de se reposer sur la maltôte pour se maintenir, et par là placer l'État sous la coupe des gens d'affaires. Attaque injuste, car rien ne prouve que Fouquet ait perpétué l'emprise des publicains. C'est le système fisco-financier de la monarchie qui les engendre, comme l'a fort bien compris Richelieu. Loin de s'être affranchi de leur tutelle avec Colbert, l'État se lie un peu plus à eux sous le ministère de ce dernier[49]. En réalité, il n'y a pas de politique financière profondément différente entre Fouquet et son rival. Ce qui les différencie, c'est un style : tout en nuances, en touches subtiles chez le premier ; en coups de boutoir chez le second. La méthode Fouquet, dénigrée par Colbert, a bien fonctionné, et rien ne permet d'affirmer qu'elle soit perverse et inefficace. Les difficultés rencontrées par Colbert dès la guerre de Hollande (1672) montrent que Fouquet proposait une voie moins « médiatique », mais peut-être plus sage que celle du contrôleur général des Finances.

Avant de dresser un bilan de l'œuvre de Nicolas, il faut avoir à l'esprit la philosophie de son action et considérer qu'elle a sombré sous les machinations d'un fourbe, alors que les fruits que l'on pouvait en attendre ont été volontairement sacrifiés. Si l'image de Fouquet comme grand argentier a été soigneusement travestie, il en va tout autant de son action économique, occultée ou grossièrement déformée, et ce pour les mêmes raisons partisanes.

CHAPITRE V

L'écureuil industrieux

A la fin de 1662, Colbert trace un tableau comparatif du royaume sous l'administration de Fouquet et sous la sienne[1]. Avec une rare impudence, le contrôleur général accumule dans ce mémoire contrevérités et flagorneries à l'adresse du roi. A l'entendre, on pourrait croire qu'une année de son gouvernement a suffi à changer le vil plomb en or. Le mobile profond de ce qui apparaît comme un morceau d'anthologie en matière de propagande tient à la volonté de dénigrer tout ce que le rival malheureux a pu faire, de montrer tout ce qu'il n'a pas fait, pour mettre en valeur ses propres réalisations, dont, par Louis interposé, il s'attribue la paternité. Colbert y affirme ainsi sans vergogne que « l'on n'avait jamais pensé au commerce dans le royaume », tandis que, maintenant, « Sa Majesté en a fait un de ses principaux soins, et a donné une telle protection qu'elle a vu un nombre considérable de vaisseaux se bâtir de nouveau[2] ».

On trouve ici l'un des chevaux de bataille du Rémois : le développement économique, en particulier maritime et colonial, comme source majeure de l'enrichissement des peuples et comme fontaine d'approvisionnement en métal précieux. L'exemple de l'exceptionnelle réussite des Provinces-Unies au XVIIᵉ siècle obsède les esprits. La puissance maritime et les succès coloniaux ne semblent-ils pas garantir le dynamisme commercial, élément fondamental dans cette quête du métal précieux auquel aspirent toutes les grandes puissances européennes ? L'ensemble des pratiques négociantes, fiscales et industrielles, que l'on englobe sous le terme général de mercantilisme, en privilégiant volontiers le facteur monétaire, s'impose en effet aux contemporains non pas tant pour des raisons purement économiques que politiques. L'abondance en métal précieux, que procure une balance commerciale excédentaire, fortifie les revenus du prince et lui ouvre les portes d'une ambitieuse politique.

Ce n'est pas un hasard si le mercantilisme et sa variante monétaire, le bullionisme, connaissent leur apogée au Grand Siècle, c'est-à-dire au moment où les États modernes, fondés sur une administration plus solide et plus étoffée, expérimentent en même temps la première forme de la guerre moderne. Les activités guerrières et les nécessités d'un État moderne se révèlent grandes dévoreuses de métal précieux. Aussi les gouvernements se préoccupent-ils avant tout d'accroître leurs ressources en or et en argent. Dans cette stratégie, le commerce maritime et l'exploitation coloniale constituent des secteurs d'enrichissement que le pouvoir s'efforce de stimuler, en appuyant les initiatives de ses sujets les plus entreprenants. Colbert, pour défendre son programme, aime rappeler au roi l'exemple de Richelieu, « ce grand cardinal, Sire, qui... ». Or, contrairement à ce qu'il sous-entend, il n'est pas le seul à utiliser comme référence suprême l'action éclairée de Son Éminence. Fouquet aussi, et pour les mêmes motifs, suit ce prestigieux modèle.

Nicolas a pour cela maintes raisons personnelles. Son œuvre s'inscrit même bien davantage que celle de Colbert dans la continuité du grand ministre. Depuis l'adolescence, il suit les leçons de celui-ci et, pendant un quart de siècle, cet enseignement inspire ses décisions. Et si Colbert agit de la sorte, c'est que, pour défendre sa cause, il lui faut une fois de plus mentir et occulter une politique qui s'est abreuvée à la meilleure des sources : la pensée du cardinal.

L'HÉRITAGE DE RICHELIEU

Dès son accession au pouvoir, Richelieu énonce clairement les objectifs qu'il s'est assignés : lutter contre la volonté d'hégémonie de la maison d'Autriche, abaisser et contrôler les grands féodaux du royaume, enfin, régler le problème huguenot. Il n'en méprise pas pour autant les difficultés économiques dans lesquelles se débat le pays depuis les guerres de Religion. Il sait que la France, par la qualité de son terroir et l'abondance de ses peuples, est une nation riche, mais dont le commerce, en particulier le commerce international et maritime, n'est pas à la hauteur de ce formidable potentiel. La société française, essentiellement terrienne, ne se tourne point vers la mer et ses fruits indirects. Le cas de l'Espagne et, plus récemment, ceux des Provinces-Unies et de l'Angleterre, ne démontrent-ils pas tous les bienfaits qu'apportent la domination des océans et le commerce colonial ?

Le cardinal souhaite donc encourager les Français à tourner leurs regards et à déployer leurs énergies au-delà des frontières du royaume. Les propositions que lui font des audacieux, rêvant d'empire colonial en Amérique, au Canada comme aux Antilles, lui prouvent que ces facultés créatrices existent et qu'elles ne demanderaient qu'à se concrétiser, pour peu que le pouvoir les aide.

Vers 1625-1626, le cardinal rédige ainsi plusieurs mémoires, préconisant le développement maritime de la France. Les raisons en sont diverses. La principale tient sans doute à la nécessité d'affirmer la puissance du roi sur mer pour faire triompher les ambitions françaises face à l'Espagne ou à l'Angleterre. Une telle politique suppose un instrument naval capable de protéger les intérêts maritimes français. Mais cet essor de la marine de guerre doit naturellement avoir pour contrepartie le développement d'une flotte marchande, la création de compagnies de commerce, à l'instar de celle des Indes orientales néerlandaises, pour ne citer que celle qui hante l'esprit des contemporains. S'affirme donc, dans une perspective mercantiliste, le souci de ne plus dépendre de l'étranger, aussi bien comme intermédiaire que comme distributeur des produits français. La colonisation outre-mer ne pourrait-elle marquer le début d'un « empire colonial » aussi rentable que celui des Espagnols ? C'est dans cette idée que Richelieu suggère à l'assemblée des notables, réunie à la fin de 1626, de réfléchir sur les grands problèmes, politiques, financiers et économiques, qu'affronte alors la France, et d'ébaucher un programme maritime et colonial.

Cette démarche n'est cependant pas que le fait d'un esprit supérieur, concevant un vaste plan, génial, pour l'unique bien et grandeur de son maître et de son pays. D'autres mobiles animent sans doute Armand Duplessis, moins nobles parce que plus intéressés. S'il est hors de question de contester la profondeur de cette politique et la sincérité de son dévouement au bien commun, les agissements du cardinal répondent néanmoins à des motivations personnelles. Sans doute est-ce la première fois qu'un responsable au plus haut niveau conduit une politique dont les lignes de force correspondent, certes, aux intérêts de la nation, mais dont les particularités satisfont aussi admirablement ceux qui la dirigent ! Cette ambiguïté est lourde de conséquences. Le premier ministre — ceci est vrai pour Richelieu, mais aussi pour Mazarin, et, dans une certaine mesure pour Colbert — ne développe-t-il pas, sous couvert de ce programme, un complexe politico-économique à sa dévotion et pour son profit ? Il est sûr que la politique générale que mène Richelieu lui offre la possibilité de restaurer ses affaires et d'accroître sa puissance. Ce théoricien et ce praticien de la raison d'État, de l'absolutisme monarchique, accouche ainsi, à l'abri de telles expressions, d'un pouvoir énorme, fondé sur des liens issus de cet univers féodal qu'il prétend combattre par ailleurs. La mer et les activités qui en découlent lui fournissent l'occasion de se refaire, de conforter sa richesse par la domination, politique et administrative, sinon fiscale et financière, de l'univers aquatique.

La mise en œuvre de ce dessein se double d'une prise de possession de la façade maritime du royaume, que le cardinal place dans sa mouvance personnelle et celle de sa famille. Dès mars 1626, Richelieu forme une compagnie composée de cent particuliers, pour l'essentiel des négociants, des financiers et des officiers, afin de lancer un commerce, par terre et sur mer, au Levant comme au Ponant, commerce au long cours, bien sûr. Cette compagnie jouit d'un capital de 1 600 000 l, dont 400 000 l pour le seul achat des navires, le surplus servant à acquérir des marchandises, établir les entrepôts et construire les bâtiments outre-mer. Le golfe du Morbihan est au cœur de ses activités, d'où le nom primitif de la société : Compagnie du Morbihan[3]. Aussi le roi délaisse-t-il aux associés tous ses droits dans la région, à charge pour eux d'indemniser les engagistes. Cela touche la presqu'île de Rhuis, le vieux château de Succino, la seigneurie de Mussillac, ainsi que les îles et îlots des rivières d'Auray et de Vannes, lesquelles se jettent dans le golfe. La compagnie pourra députer un de ses membres auprès du surintendant général et aux Conseils du roi pour la défense de ses intérêts. La couronne lui accorde en outre la propriété des terres de la Nouvelle-France et des autres lieux qu'elle aura explorés et peuplés.

La compagnie demeure ainsi sous la seule autorité du roi. Elle jouit donc d'un monopole commercial, tout autre privilège, antérieurement consenti, se voyant révoqué *ipso facto*. En réalité, le projet restera à l'état d'ébauche. Il n'est pas moins important. Il sert en effet de modèle, et sans doute était-ce là le rôle que lui assignait le cardinal, à d'autres sociétés ayant vocation, elles, d'exploiter des aires géographiques précises. Richelieu, en mai 1626, passe dans cette optique un contrat avec des négociants flamands, hollandais et français. La Compagnie de la Nacelle de Saint-Pierre Fleurdelysée (*sic*) se propose de faire venir en France des familles hollandaises ou flamandes, destinées à promouvoir dans le pays les activités maritimes et « industrielles », qui expliquent la prospérité des Pays-Bas espagnols et des Provinces-Unies[4]. Là aussi, l'association ne dépasse pas le plan théorique. Il faut attendre octobre de la même année pour que naisse la première compagnie maritime, inspirée par les desseins de Richelieu.

Son Éminence réunit dans ce but un certain nombre de bailleurs de fonds, désireux d'implanter le commerce aux Antilles. Ce sera la Compagnie de l'Île de Saint-Christophe, laquelle adopte, en 1635, le nom de Compagnie des Îles d'Amérique[5]. A partir de ce moment, on assiste à une floraison de sociétés : l'année suivante, en avril-mai, le cardinal regroupe cent associés, qui s'engagent, moyennant la garantie d'un monopole, à peupler et à développer la Nouvelle-France (= Canada), en bâtissant des forts, en exploitant les ressources, en organisant des liaisons avec la patrie-mère. L'impulsion est décisive. Les sociétés se multiplient avec les Compagnies de Rouen, du Cap-Nord, du Cap-Vert, du Cap-Blanc, jusqu'à la dernière-née du vivant de Richelieu, la Compagnie française des Indes orientales, à la fin d'avril 1642[6].

Ce dynamisme ne doit pourtant pas faire illusion, et Richelieu se révèle en l'occurrence moins novateur qu'on le croit souvent. Sa démarche s'inscrit en fait dans un ample courant qui, depuis le début du siècle, prône l'établissement outre-mer et ne manque pas, pour ce, d'appuis politiques. A cet égard, l'action d'un duc de Montmorency, amiral de France, préfigure déjà ce que sera celle du cardinal. Celui-ci ne soutient-il pas, à partir de 1620, la société des sieurs Decaen, préposée à la mise en valeur du Canada, notamment par la recherche des fourrures et la pêche à Terre-Neuve ? Elle montre donc bien quels sont les projets maritimes de l'amiral. Dans les années 1626-1627, son essor se brise néanmoins sur les créations de Richelieu. Ce dernier veille à éliminer un rival, et les prétextes, pour être hautement politiques, n'en demeurent pas moins ce qu'ils sont !

La Compagnie de la Nouvelle-France, et le monopole qui s'y rattache, justifient son fonctionnement par la qualité de protestants des sieurs Decaen et l'importance prise par les gens de la R.P.R. dans la colonisation outre-Atlantique. Face à leurs intérêts, le cardinal et sa compagnie s'érigent en défenseurs du catholicisme. L'entreprise, commerciale à l'origine, vire à la reconquête, et ne s'en cache pas : « Comme le principal dessein de cette compagnie était l'établissement de la foi catholique dans un pays idolâtre, on crut qu'il était nécessaire de faire un premier embarquement, qui fut considérable[7]. »

Ce coup porté ne constitue qu'un épisode dans la longue série de péripéties qui oppose, pour le contrôle des mers, Richelieu à la concurrence. Montmorency n'est que le premier d'une liste qui ne tarde pas à s'allonger. Le trait de génie de Richelieu, c'est de donner l'impression que la monarchie reprend la direction des affaires maritimes et maîtrise le développement économique et social que cela sous-entend. Derrière cette noble façade, Richelieu tire les ficelles pour son propre compte[8]. Il force donc, en 1626, Montmorency à se démettre de sa charge d'amiral, et, avec celle-ci, se volatilisent les prérogatives que ce dernier détenait comme vice-roi d'Amérique. Une fois ce ménage exécuté, le cardinal se taille sur mesure un costume de grand maître, chef et surintendant de la Navigation et du Commerce de France, ce qui lui procure un pouvoir discrétionnaire sur la politique coloniale et négociante.

Richelieu ne s'arrête pas en si bon chemin. Directement ou indirectement, se couvrant alors du nom de ses parents, le voilà qui s'empare des positions clés de la façade Atlantique[9]. Son beau-frère, Brézé, qui domine déjà en Anjou, devient gouverneur de Calais, puis de Pontchâteau et de Brest. Le cousin La Meilleraye, lui, sert comme lieutenant général de Normandie. Le cardinal s'est réservé Le Havre, Brouage, La Rochelle, Nantes, l'Aunis, la Saintonge, y compris les îles de Ré et d'Oléron. Cela ne signifie pas qu'il dédaigne ce qui se passe au Levant, mais son action y sera un peu plus tardive. Exploitant la disgrâce et l'exil du duc de Guise en 1631, il obtient « sans bourse déliée », la charge d'amiral du Levant que possédait celui-ci. Quatre ans après, son neveu, Pont-Courlay, devient général des galères, mais nul n'ignore l'identité du véritable titulaire. La même année, Son Éminence acquiert les îles d'Hyères, position avancée qui peut être utilisée comme base contre la flotte espagnole.

Cette mainmise sur le monde maritime français s'assortit d'une exploitation fiscale de celui-ci, notamment par le biais des droits d'amirauté. Les revenus en sont substantiels, d'autant qu'ils s'ajoutent à ceux, officiels ou occultes, qui émanent de ses charges et gouvernements, sans parler des bénéfices provenant des droits sur le sel, en Aunis et Saintonge, et des fermes telles que les traites de Charente ou le convoi de Bordeaux ! Certes, l'essor du commerce maritime et colonial enrichit le pays, mais il faut bien admettre que la fortune de cardinal profite très largement de cette expansion[10]. De l'art de concilier les intérêts de la monarchie avec ceux de la famille...

La présence maritime de Richelieu est trop vaste pour qu'il fasse l'économie d'un réseau de collaborateurs, dévoués et compétents. Aussi le Conseil de Marine ressemble-t-il davantage à un conseil d'administration de la « Société d'armement et d'exploitation maritime Richelieu » qu'à un organisme d'État. Ses membres se recrutent au sein de ses parents, comme Amador de La Porte, parmi ses créatures, tel Julius de Loynes. Tous sont les obligés d'Armand Duplessis, ont son oreille, son œil et, souvent, sa voix. L'un de ces gestionnaires zélés se distingue particulièrement : il a nom François Fouquet.

L'ÉCUREUIL ET L'OCÉAN

Contrairement à ce que l'on pense, la vocation maritime de François Fouquet ne semble pas précoce. Ce n'est pas elle, en tout cas, qui explique son passage au service de Richelieu. Rien, dans les papiers de François Fouquet, ne permet d'affirmer qu'il s'est intéressé au grand large avant 1635. Il apparaît plutôt en tant que juriste-administrateur s'occupant de questions maritimes à la demande de Son Éminence, et non comme spécialiste de celles-ci s'orientant vers la gestion des affaires du cardinal. Il ne figure ainsi sur aucune des listes d'associés, qu'il s'agisse des Compagnies du Morbihan ou de celle de la Nouvelle-France. De fait, il entre dans ces entreprises au premier semestre de 1635, en acquérant en janvier et février deux parts dans l'entreprise de la Nouvelle-France[11], auxquelles viennent s'agglutiner divers intérêts dans une annexe, la société de Beaupré et Îles d'Orléans[12] (il fera d'autres investissements en 1638 et 1639, dans les compagnies mère et filles[13]). Toujours en janvier 1635, François s'associe, moyennant 4 300 l, à la société des Îles d'Amérique, dite des Îles Saint-Christophe et de la Barbade, dans laquelle il agit, non seulement en son nom, mais aussi pour celui de Richelieu, qui, depuis le début, veillait sur elle[14].

C'est à ce double titre que François Fouquet participe à l'accord passé par la compagnie pour l'exploitation et le peuplement de la Guadeloupe, de la Martinique et de la Dominique, en février 1635[15]. Ce mois-là, il augmente même sa mise en achetant la part d'un des fondateurs, Claude Cornuel, intendant des Finances, qui la lui cède au prix coûtant[16]. Dans les semaines suivantes, son influence dans le groupe progresse encore. Ne récupère-t-il pas celles détenues par la veuve du maréchal d'Effiat et par Claude Mallier du Houssaye ? Il en rétrocédera d'ailleurs une partie, d'abord en janvier 1636, puis en juin et décembre 1638[17]. Le commerce américain l'attire donc. Il en va de même pour le négoce africain : dès la fin de janvier 1635, il place 6 948 l dans la Compagnie du Sénégal Cap-Vert et Gambie[18]. Ainsi, par ses divers investissements, François contribue largement à la politique de son maître. A sa mort, ses investissements représentent un total de 41 483 l.

Il est cependant frappant de constater à quel point ses interventions, bien tardives, paraissent téléguidées par le pouvoir. Toute l'activité de François se veut en relation avec les affaires de Richelieu. Mai 1635 le voit fouiner dans les anciennes provisions d'amiral de France : le cardinal désire s'informer de qui dépendait cette charge, il y a un siècle ou deux, afin de ne point laisser s'égarer les avantages afférents et ne pas risquer d'en amputer d'autres de leurs droits annexes[19]. Dès le début de cette année 1636, il est devenu omniprésent dans toutes les grandes compagnies. Dans les mois à venir, le royaume entrant en guerre ouverte avec les Habsbourg, toute l'attention de Richelieu sera mobilisée par la conduite des hostilités : ce dernier aura alors besoin d'un représentant sûr, industrieux et capable, critères qui remplit parfaitement le sieur Fouquet. Les atouts dont dispose François ne se bornent d'ailleurs pas là. D'autres vont en faire un acteur privilégié.

Toutes ces sociétés offrent, en plus de leur vocation marchande, et ce n'est pas leur moindre intérêt, la particularité de vouloir propager le catholicisme et favoriser l'évangélisation des régions mises en valeur. D'où les missions, destinées à convertir les autochtones païens. François Fouquet, lié au monde de la contre-réforme et reconnu comme créature des jésuites, pourvoyeurs attitrés des missions en Amérique, paraît l'homme idéal. Qui, mieux que lui, pourrait représenter le cardinal, surveiller l'application de sa politique et préserver, en même temps, les intérêts chers au parti dévot ? Le fait qu'il se soit autant préoccupé du peuplement au Canada, si bien encadré par les bons pères, milite pour cette hypothèse. A sa mort, François Fouquet, en dehors de ses parts dans la Compagnie du Sénégal, est surtout actionnaire dans celle de la Nouvelle-France, filiales comprises. Au reste, cette sollicitude pour le Canada et son évangélisation, la famille l'éprouvera toujours, multipliant les dons « aux missionnaires des Hurons[20] ».

François manifeste à l'égard de ce travail, nouveau au fond, le sérieux qui caractérise chacune de ses démarches. Il ne se contente pas d'être un actionnaire, un agent du pouvoir. Il se signale aussi par son ouverture d'esprit, sa curiosité sans cesse en éveil. Grand lettré, numismate réputé, il est également féru de géographie. Il collectionne les cartes, les globes terrestres et passe pour posséder deux des plus beaux de son époque. Bref, son côté humaniste lui montre toutes les dimensions économique, politique, religieuse et intellectuelle de l'aventure maritime et coloniale. Or cette passion, comme beaucoup d'autres, il la transmet à son fils, Nicolas. Dans une large mesure, Richelieu a fait un disciple de son factotum ; grâce au bel exemple fourni par ce dernier, il va en hériter un second, encore plus parfait, tant par l'esprit que par l'action : le futur surintendant des Finances.

L'APPEL DE LA MER

Élevé dans la dévotion du cardinal — son portrait ne trône-t-il pas dans la maison paternelle ? —, Nicolas subit la fascination qu'exerce le grand homme. Plus tard, enfin parvenu au pouvoir, nul compliment ne chatouillera plus agréablement son oreille que lorsqu'on le comparera à l'illustre Armand[21].

Tous les jours, il entend son père décrire les multiples entreprises que le démiurge en soutane se plaît à animer. Adolescent, puis jeune homme, il se frotte aux questions de haute politique, aux problèmes économiques les plus graves qui agitent le royaume. Les affaires maritimes et coloniales lui sont de bonne heure familières. Ne voit-il pas dans le domicile familial les produits coloniaux et les étranges objets que rapportent les négociants, comme ce canoë indien fait d'écorces d'arbre qui encombre un couloir[22] ? La bibliothèque paternelle, avec ses cartes et ses globes, permet à l'enfant de s'emparer du monde par l'imagination et le rêve. Les nouvelles de ces mondes encore si mal connus arrivent rue de Jouy et enflamment son esprit. François Fouquet se charge d'ordonner tout cela, en faisant passer au plan pratique le goût que son rejeton manifeste pour les choses de la mer. En juin 1638 — Nicolas a alors 23 ans — il lui cède une de ses parts dans la Compagnie des Îles d'Amérique, et le propulse ainsi d'un coup dans le milieu des armateurs et des négociants internationaux[23].

Nicolas Fouquet n'abandonnera plus maintenant cet univers que pour être enseveli vivant à Pignerol. Le décès de son père l'oblige à lui succéder dans ses nombreuses participations. Le voilà maintenant un protagoniste important de la politique maritime et coloniale française, tant dans la Compagnie des Îles d'Amérique, qu'il affectionne entre toutes, que dans celles du Sénégal ou de la Nouvelle-France, si chères au cœur paternel. L'aire américaine semble retenir particulièrement son attention. Aussi le retrouve-t-on parmi les premiers actionnaires de la Société du Cap-Nord, dite de l'Amérique. Louis XIII vient en effet de concéder à une compagnie la défense du christianisme et l'évangélisation des Indiens installés sur la côte entre Amazone et Orénoque. Le projet date de décembre 1638. Des lettres patentes et un arrêt du Conseil en mai 1640 donnent corps à l'affaire. Deux ans plus tard, Nicolas guigne une place dans une autre société, celle des Indes orientales, créée du vivant du cardinal. C'est chose faite en avril 1642[24]. A dire vrai, il n'agit pas pour son seul compte, mais pour l'ensemble de son clan. Parmi les intéressés, figurent sa mère et ses frères, ce qui est logique puisqu'ils sont les héritiers de François, mais également le cousin Pierre Daniau de Saint-Gilles, que Nicolas a poussé dans la Compagnie des Îles d'Amérique, et les Fouquet de Chalain, membres, eux, de la Compagnie de la Nouvelle-France.

Le rôle effectif de ces créations reste pourtant aussi flou que leur place véritable dans l'économie du royaume. Ne disposant que d'assez faibles capitaux, elles paraissent vulnérables. De plus, pour les compagnies de commerce, le nombre des partenaires, leur bigarrure sociologique, le marchand côtoyant l'officier de finance et le robin, ne contribuent pas, tant s'en faut, à leur donner une efficace gestion. Chacune constitue un microcosme grouillant, aux traditions diverses, et, hélas, parfois difficilement conciliables. Toutes ces entreprises qu'a patronnées Richelieu pâtissent de la dualité de leurs objectifs. Ne sont-elles pas conçues à la fois comme un instrument religieux, devant servir la cause du christianisme, et comme un instrument économique, destiné à la colonisation et à l'expansion commerciale ?

Ce péché originel leur confère une ambiguïté, source de quiproquos et de conflits : les associés, selon leur conviction, mettent en effet l'accent soit sur l'aspect religieux, soit sur l'aspect économique. Avec cela, comment éviter que ces entreprises n'aient la démarche cahotante ? Ces deux handicaps ne sont pas minces. S'en ajoute un troisième, qui tient à l'industrieuse activité des Bataves et des Anglais. Bien souvent, ceux-ci ont devancé lesdites sociétés françaises. Elles se débattent donc dans une situation d'autant plus délicate que le paradoxe préside à leur fonctionnement. Désireuses de porter haut l'étendard de la foi catholique au-delà des mers, les voilà qui s'appuient sur des huguenots, négociants ou marins, tous plus soucieux de bénéfice que de catéchisme ! Comment ne seraient-elles pas fragiles, minées par l'intérieur et inadaptées à l'outre-mer ? La plupart finissent par végéter, exception faite de la Nouvelle-France. Manque d'argent, absence de consensus, résistances locales, les motifs d'échec ne font pas défaut.

Nicolas et les siens perçoivent ces difficultés. S'ils demeurent

solidaires de l'œuvre commencée au Canada, par piété filiale
et sentiment religieux, très vite, à l'égard des autres, leur
attitude se fait plus individualiste, plus volontariste, aussi.
Fouquet se détache ainsi de la Compagnie des Indes orientales,
dans laquelle sa participation ne s'élevait qu'à 2 000 l[25]. On
ne sait pas grand-chose de ses décisions au sujet de celle du
Sénégal. L'absence de papiers la concernant plaiderait plutôt
en faveur d'un retrait. La Compagnie des Îles d'Amérique en
revanche lui tient à cœur. Les dissensions internes la plongent
dans une mauvaise passe durant ces années 1650. Sa rentabilité
financière est pour le moins médiocre, alors qu'ont dû être
contractés d'onéreux emprunts. L'assainissement suppose de
vendre certains actifs, à commencer par les Îles elles-mêmes.
Lors de son procès, Fouquet dira avoir rédigé en personne
cette cession du capital foncier, cession qu'il pensait alors
temporaire. Ce qui est sûr, c'est que la société cède, dès 1649,
la Guadeloupe, la Désirade et Marie-Galante à un correcteur
de la Chambre des comptes, J. de Boisseret[26] ; puis, l'année
suivante, Sainte-Lucie et la Martinique à Jacques Dyel, sieur
du Parquet, sénéchal de la Martinique ; enfin, en 1651, Saint-
Christophe à l'ordre de Malte[27]. Est-ce à dire que, devant leurs
problèmes, aggravés par la guerre civile et le conflit espagnol,
Fouquet renonce au programme de son maître à penser ? Point
du tout. Avec l'esprit d'initiative et le besoin d'action qui le
caractérisent, Nicolas entraîne sa famille, les cousins Chalain
en particulier, vers une intervention plus personnelle et plus
directe dans les activités navales. Se méfiant des grandes
machineries officielles, il choisit une autre voie, discrète mais
profitable.

FOUQUET, UN DISCIPLE DU CARDINAL

En fait, dès avant la Fronde, bien des indices montrent que
les Fouquet se sont mués en armateurs, agissant pour leur
propre compte. L'évolution est intéressante car elle tend à
prouver qu'avec Nicolas, l'investissement colonial ne s'arrête

pas à la défense du catholicisme, mais procède d'une démarche purement économique. Bref, il se sécularise. Certes, les poursuites entamées par Colbert contre lui ont fini par masquer cette composante. Si Jean-Baptiste s'ingénie ainsi à l'occulter, c'est que son rival et prédécesseur a développé une action dont il entend bien être l'unique inventeur. Les indications que fournissent à ce sujet les papiers de Fouquet souffrent du filtrage opéré par son adversaire, qui présente une version malhonnête de toutes les initiatives, de tous les actes du surintendant concernant la mer. Ni ses objectifs ni ses réalisations n'apparaissent donc sous leur vrai jour.

Au travers des informations que laissent sourdre les archives notariales, quelques pans de cette action peuvent cependant être reconstitués. Dans le cadre de la colonisation du Canada et des Antilles, et dans les débuts de la prospection le long des côtes d'Afrique, les Fouquet, devenus armateurs, cherchent un point d'appui. Cette base de départ, ce sera le port breton de Concarneau. Le président de Chalain en obtient le gouvernement en avril 1646[28]. En même temps, les Fouquet acquièrent ou font construire plusieurs bâtiments. Il est vraisemblable aussi que certains navires de guerre ont été utilisés pour la course, comme l'atteste le témoignage tardif de Colbert de Terron, dénonçant l'usage « scandaleux » que font les Fouquet du pavillon portugais pour courir sus aux alliés de la France, les Hollandais notamment. La vente à la couronne de plusieurs d'entre eux en 1656 le confirme. Va encore dans ce sens une remarque de Ducasse, extraite de son mémoire sur le voyage de 1687-1688, sur les côtes de Guinée : « Ce lieu, le Cap-Vert, distant du Sénégal de trente lieues, a une île qu'on appelle Gorée, qui signifie en langage flamand "bonne rade" laquelle [île] fut prise en 1648 par un frère de Monsieur Du Quesne, sous commission de Portugal, qui se contenta de la piller[29]. » Or, de l'aveu même du président de Chalain, il existait une association entre lui, et sans doute la famille entière, avec Jacob Du Quesne, le frère du célèbre Abraham, pour les voyages à destination du Canada[30].

La course sous pavillon portugais, la propriété des navires de guerre et les liaisons d'affaires avec les Du Quesne, tout cela marque l'engagement du clan Fouquet dans une politique maritime délibérée. Même la pieuse Marie de Maupeou ose risquer, le cas échéant, quelque argent sur le royaume mouvant de Neptune[31].

Fouquet est la cheville ouvrière de son développement. A cela, maintes raisons. D'abord son statut, qui lui permet de faire fructifier au mieux ses capitaux et ceux qu'il emprunte. Comme beaucoup de responsables politiques, eux aussi armateurs, tels que Mazarin, Servien ou Lionne, Fouquet ne saurait demeurer en reste, d'autant qu'il fait œuvre de pionnier. Sans compter qu'en tant que responsable des Finances, il a conscience des nécessités mercantilistes d'une importante activité maritime et coloniale : pas de guerre sans argent !

Son projet économique, ensuite. Là aussi s'impose le modèle de Richelieu, flatteur pour son orgueil et excellent pour sa cause. Avoir en la matière un grand dessein, quoi de plus banal ? Nicolas innove pourtant, car, loin de se retrancher derrière un appel pompeux mais artificiel, il prêche d'exemple, ce que plus d'un, par la suite, aurait bien fait d'imiter. D'autant qu'une éclatante réussite commerciale reste encore le meilleur moyen de confronter son crédit. Et si celui-ci faiblit, comment continuer à recruter des prêteurs pour son maître ? Sa défense, enfin, contre les premières insinuations de Jean-Baptiste. Il lui faut démonter la cohérence de son programme et son ampleur. Dès 1658, il y répond en présentant à Mazarin un ensemble de propositions qui prend son adversaire au dépourvu.

Pour tous ces motifs, Fouquet se doit de montrer la justesse de ses vues en s'engageant personnellement. Les circonstances lui facilitent la tâche en évoluant dans un sens favorable. La défaite espagnole aux Dunes, en mai 1658, laisse présager l'ouverture de négociations. Madrid n'en peut plus. Avec ces pourparlers, c'est la paix qui se lève enfin à l'horizon, condition première d'une remise en ordre de l'appareil fisco-financier du royaume. Voilà qui bouleverse les données de l'expansion économique tant recherchée. Fouquet entend bien en tirer parti. Plusieurs de ses gestes, inscrits dans une chronologie fine des événements, confirment l'interprétation.

Depuis 1656-1657, Fouquet consolide son implantation sur

le littoral de la Bretagne méridionale, profitant, pour ce, des déboires financiers que connaît alors l'illustre maison de Rieux, et rachetant à ses cousins Chalain terres et domaines. Le surintendant obtient ainsi du marquis d'Asserac, puis de sa veuve, Jeanne-Pélagie de Rieux, les seigneuries côtières d'Asserac, du Largouët et de la Guerche, fondant son emprise régionale sur les décombres de l'antique famille. Cela ne nuit pas à l'excellence de ses rapports avec Mme de Rieux. Ne lui avance-t-il pas 20 000 l afin d'acquérir les gouvernements de Guérande et du Croisic[32] ? Ayant restitué à celle-ci le marquisat d'Asserac en vertu d'un retrait lignager, reste à trouver sur cette façade un nouvel ancrage[33]. Jeanne-Pélagie possède un emplacement qui convient parfaitement : l'île d'Yeu. Le surintendant voit là un endroit idéal pour abriter ses vaisseaux, et peut-être — qui sait ? — y édifier un centre puissant pour les commerces lointains.

Les travaux qui débutent dans l'île ne manquent pas d'émouvoir le clan Colbert, toujours à l'affût. Colbert de Terron se hâte d'avertir son cousin en termes alarmistes : « ... Je crois être obligé de vous écrire une chose que j'ai négligé de vous faire savoir, c'est que l'on fait quelques fortifications dans l'île d'Yeu, qui appartient à Madame d'Asserac. On y fait un port, que l'on prétend fermer avec une chaîne et deux bonnes tours. On fait aussi quelques forts dans les autres endroits de l'île qui sont les plus propres pour une descente. L'on contraint les habitants d'y travailler sous les ordres d'une manière de gouverneur. Le bruit du pays a été que le roi faisait cette dépense. Depuis, on a dit que c'était l'abbé Fouquet, qui avait quelque liaison pour le mariage avec Madame d'Asserac. J'ai assez penché de ce côté-là pour ce qu'assurément cette dépense doit venir d'une personne abondante en argent, mal informée des avantages que l'on peut tirer de l'île d'Yeu[34]. »

Quinze jours après, Colbert de Terron précise ses informations. Ce n'est plus seulement l'abbé Fouquet, mais « Messieurs Fouquet » qui engloutiraient des sommes folles dans la fortification de l'île ! Une frégate de dix-huit canons a même relâché au large de l'île et le cousin de Colbert suppose qu'elle doit y avoir apporté des munitions. Quoi qu'il en soit, Terron, en homme décidé, se résout à y envoyer un espion[35]. L'enquête se poursuivant, il apprend que, depuis environ le mois de février, un certain Desnoyers, venu de Paris, jouant les gouverneurs, renforce l'île, notamment là où un débarquement est possible ; que l'on besogne ferme pour clore le bourg de murailles ; qu'un ingénieur doit arriver sous peu pour installer un port capable de recevoir de gros navires. Certains seraient attendus de Bretagne. De La Rochelle, on fait venir cinquante quintaux de biscuits et des munitions de guerre, poudre, plomb et boulets. Terron note que les ouvriers sont payés en espèces d'or et en pistoles, ce qui témoigne d'une grande aisance. Reste pour lui à démêler le fin mot de l'entreprise.

Tous ces rapports sont, au fond, assez vagues, mais leur imprécision n'arrête pas Terron. Celui-ci flaire quelque noir complot, manifestant en l'occurrence cet état d'esprit soupçonneux qui ne va plus quitter les colbertides : « Par la connaissance que l'on peut avoir à Paris de la disposition des affaires de Madame d'Asserac, on peut savoir si elle est en état d'entreprendre de faire fortifier son île. Il semble que cela ne peut servir qu'à des gens qui cherchent à se précautionner ou à se rendre considérables dans un parti[36]. » Il discute donc longuement avec un de ses observateurs sur la présence de cent vingt hommes dans l'île, devant monter sous peu, d'après la rumeur publique, dans un vaisseau, lequel se fait attendre. Le brave homme n'est donc sûr de rien.

Les craintes échafaudées ne s'écroulent pas pour autant. Ainsi son interlocuteur conclut-il : « Après avoir repassé entre nous deux la grande dépense qui se fait pour la construction de plusieurs tours et d'un grand bassin capable de plusieurs vaisseaux, nous trouvons que cela passe le profit qu'un particulier en peut tirer. Si, par la connaissance que vous pouvez avoir des habitudes de Messieurs Fouquet, vous ne croyez pas que cette dépense se fait de concert entre eux et Madame d'Asserac, il faut absolument que ce soit Messieurs de Retz et de Brissac[37]. » Terron doute de l'honnêteté de ces travaux, et son cousin Colbert doute, lui, d'une coalition Fouquet-Asserac ! En tout cas, ce n'est pas le moment de cesser la surveillance.

Cette lettre qui recommande à Terron d'ouvrir l'œil survient presque en même temps que de nouveaux renseignements. A son vif regret, il n'a plus qu'à reprendre la plume pour expliquer que cette dangereuse agitation n'était que la marque d'une activité négociante, importante, certes, mais pacifique : « J'ai appris que Madame la marquise d'Asserac était arrivée à l'île d'Yeu, le 20e de ce mois [de juillet], avec cent soldats et quantité de blé. Il y a devant la même île deux vaisseaux assez grands dont l'un est commandé par le nommé Dinan, capitaine breton. On dit que tout cet appareil est pour un grand commerce. Cela pourrait être véritable si Monsieur l'abbé Fouquet a part dans ce dessein. Les gens qui sont dans l'abondance, et ne connaissent point la mer, donnent aisément dans les nouveautés. Je serai bien trompé s'ils réussissent. Au moins, je vois que les plus puissants et les plus éclairés demeurent sans rien faire[38]. »

Terron découvre donc progressivement l'activité que les Fouquet, et Nicolas en premier, déploient dans le domaine maritime. Ce n'est pas une raison pour se priver du plaisir d'annoncer triomphalement qu'il vient de percer le ministre à jour ! Un zeste de perfidie là-dessus ne gâte rien : « Il n'y a plus à douter que Monsieur le surintendant ne soit le principal acteur de ce qui se passe à l'Île-Dieu [avec] Madame d'Asserac. Tout le monde le publie, et, même, on parle d'un mariage du fils de Madame d'Asserac avec une fille de Monsieur le surintendant. Cette alliance n'est pas fort heureuse pour le commerce de ce pays-ci, pour ce qu'elle va à joindre la puissance des deux familles pour armer des corsaires, qui ont la commission de Portugal et celle de France, et, sous l'une et l'autre commission, prennent occasion de courir la mer et ruiner le commerce.

« Vous saurez donc qu'à l'île [d'Yeu], qui est à Madame d'Asserac, il y a deux navires armés en guerre, [...] et que ces deux navires ont société avec d'autres bâtiments, qui ont été armés à Concarneau, qui est au président de Chalain. Tous ces corsaires ensemble sous la commission du Portugal courent les Hollandais, qui font tout le commerce de cette côte. Ainsi il ne se fait plus rien. Les marchandises déprédées ont été portées et vendues à Concarneau.

« Cela sonne assez mal en ce pays-ci qu'une personne de la dignité d'un surintendant fasse armer des navires, au préjudice d'une déclaration du roi qui fut publiée l'année passée sur le sujet d'un nommé Biltz, natif de Rouen, qui avait une commission du Portugal, et s'était saisi d'un navire hollandais dans nos rades. Par cette déclaration, il est défendu, sous peine de la vie, à tous les sujets de Sa Majesté, de prendre aucune commission du Portugal ou d'autres princes étrangers, pour courir sus aux alliés de la France. Leur est aussi défendu, sous la même peine de se retirer dans les ports et rades du royaume. Il est de grande conséquence de voir ces déclarations-là méprisées par ceux qui doivent les faire observer. Je vous écris ceci pour ce qu'il est bon que vous sachiez tout ce qui regarde les personnes constituées en haute dignité[39]... »

De ce fatras, il ressort de façon indubitable que Nicolas et sa famille manifestent, au premier semestre de 1658, la volonté de se lancer dans une intense pratique maritime. Ce qui correspond d'ailleurs avec ce qu'avait annoncé le surintendant. Terron, alerté par tout ce remue-ménage dans l'île d'Yeu, s'empresse de fournir la plus noire traduction possible de leurs faits et gestes, alors qu'il ignore tout de la logique et des buts poursuivis. En cet été 1658, les parages de l'île sont-ils vraiment hantés par des navires corsaires ? Au fond, rien ne permet de l'affirmer. Sous l'Ancien Régime, tout vaisseau est équipé de canons, et qu'il soit corsaire ou marchand, la différence est mince, surtout s'ils sont de faible tonnage. Fouquet possède, on l'a vu, deux ou trois bâtiments de guerre sous le nom de ses cousins Chalain, mais il les a vendus au roi en 1656, ce que Terron sait pertinemment[40].

Il est curieux que, durant le procès, l'accusation, qui fera flèche de tout bois, ne mentionne pas cette faute, d'autant que Colbert en avait été informé des plus vite. Ces déductions malveillantes et inutilisables rappellent étrangement les rumeurs qui entourent l'établissement de Nicolas à Belle-Île : un repaire de navires de guerre, une base propre à fortifier un parti de factieux. Pas une fois, ne vient spontanément à l'esprit qu'il s'agit là d'une installation servant au commerce.

UN DES GRANDS ARMATEURS DU ROYAUME

Pourtant, que Fouquet porte ses regards sur une île comme celle d'Yeu n'a rien qui puisse surprendre. Depuis sa plus tendre enfance, ne connaît-il pas admirablement cette façade maritime de la Bretagne ? Nantes et sa région : il s'y est marié la première fois, et la famille de Rieux s'y trouve puissamment possessionnée. Le golfe du Morbihan : le grand cardinal y situait le centre géographique de ses affaires, qui restaient à matérialiser. Concarneau : les cousins Chalain tiennent la ville depuis plus de douze ans et en ont cédé secrètement une partie à Nicolas. Tant de liens ! Pourquoi, cherchant une base pour le négoce au long cours, aurait-il jeté l'ancre sur une autre région ? Les installations auxquelles on œuvre d'arrache-pied, préfigurent Belle-Île, disent certains. Ils ne croient pas si bien dire. C'est en septembre 1658 que Fouquet s'assure cette position éminente, la clé du golfe.

L'achat de Belle-Île offre au surintendant la possibilité d'achever ce qu'avait commencé, trente ans plus tôt, son maître à penser. Avec elle, il peut organiser une base navale, relais pour le commerce international sur la route du nouveau monde, et centre « d'industries de transformation ». A la fois port, entrepôt, lieu de transit, cette place complète sa présence à Concarneau et renforce ses appuis autour du golfe. Ce qui n'était qu'esquissé à l'île d'Yeu apparaît ici en grand.

Une autre décision de Fouquet, longtemps demeurée dans l'ombre, renforce le vaste dispositif établi à partir de cette implantation bretonne. A Paris, en décembre de 1658, se constitue une compagnie spécialisée dans le commerce à destination de l'Espagne et des Indes. Son objectif est de vendre, entre autres, des toiles blanches de Rouen, Laval et Château-Gontier. Cette société présente une caractéristique rarissime pour l'époque : un capital tout à fait considérable. Chacun des trois associés a investi dans l'affaire 350 000 l, ce qui porte le total à 1 050 000 l, une somme faramineuse[41] !

L'identité de ces riches commanditaires ne manque pas d'intérêt. Il s'agit de Jean de Faverolles, de Claude Boylesve, et de Louis Bruant des Carrières. Le premier appartient à l'une des grandes familles marchandes de la capitale. Il a suivi la carrière de ses pères, jusqu'à son entrée dans les affaires du roi, en compagnie de son gendre et associé, Simon Lefèvre, lequel participe du reste à cette compagnie marchande en tant que croupier[42]. Le second, issu d'une bonne famille noble d'Angers — un de ses frères est conseiller au Parlement, un autre, évêque d'Avranches — est promu intendant des Finances en 1653. Derrière cette apparence d'officier se cache en fait un gros financier, qui demeurera toujours très lié à son supérieur hiérarchique, Nicolas[43]. Le troisième, avocat au Parlement, puis secrétaire du roi, est encore plus proche de celui-ci, puisqu'il cumule les attributs de commis et d'homme de confiance[44]. Dans cette occasion, il sert en fait de prête-nom. La participation de Fouquet demeure cachée, comme l'est d'ailleurs toute l'entreprise. Ses créanciers ne découvriront le secret qu'en... 1679 !

Le surintendant s'emploie donc à intégrer les diverses étapes de la vie économique. Son activité se déploie ainsi à partir des ports métropolitains, utilisant une flotte personnelle vers l'outre-mer où l'attirent maintes raisons. Dans cette stratégie, Belle-Île occupe une place essentielle, non comme repère de factieux, mais comme base active. Peu après son acquisition, arrive un des navires de Nicolas, l'*Écureuil*, que celui-ci a fait charger de froment. Cargaison et bateau sont vendus au Portugal, en 1659[45].

Cette année-là, plusieurs bâtiments font encore leur apparition dans le havre de Belle-Île. La petite *Sainte-Anne*, dite encore l'*Hercule*, basée d'ordinaire à Concarneau, pratique un *tramping*, puisque, partie de Bretagne chargée de sardines à destination de Malaga[46], elle repart, les cales pleines de vin d'Espagne et de raisins secs, vers l'Irlande, d'où elle reviendra vers Belle-Île, chargée cette fois de beurre et de suif. En juillet, ce navire se prépare à gagner la Martinique[47]. Au moment où la paix des Pyrénées est signée arrive une petite frégate, la *Tour*, que Fouquet envoie en Espagne, d'où elle rapporte du vin ; elle continuera de naviguer jusqu'au moment de son arrestation[48]. Peu après vient de Bayonne une flûte, bâtie en Hollande, le *Saint-Antoine-de-Padoue*, qui fait plusieurs rotations entre la cité basque et Belle-Île, et apporte du bois. En juillet 1661, ce navire, bien armé, bien équipé avec deux chaloupes, part pour une campagne de pêche à Terre-Neuve[49].

En 1660, Fouquet a fait venir de Bordeaux le *Saint-Sébastien*, un navire de guerre construit par le meilleur maître charpentier du Ponant, Laurent Hubac, bâtiment qui sera saisi à Nantes, l'année suivante, au moment où il allait partir pour la Martinique[50]. Il est suivi de peu par un autre vaisseau de guerre, vendu par les Hollandais, la *Sainte-Anne-de-Biscaye*, utilisée maintenant comme flûte. Celle-ci navigue en Manche et sur la côte du Sud-Finistère ; en 1661, elle cherche du plâtre à Rouen pour les travaux de Belle-Île.

À la fin de l'année 1660 et au début de la suivante, surviennent, armées par des équipages hollandais, quatre autres flûtes, acquises par Fouquet auprès d'un marchand d'Amsterdam en octobre 1660 : le *Jardin-de-Hollande*, la *Renommée*, l'*Aigle-d'Or* et le *Saint-Jean-Baptiste*[51]. Aussitôt la livraison accomplie, Fouquet engage des équipages français et les réexpédie sur mer. L'*Aigle-d'Or*, comme les autres, équipé de deux chaloupes pour la pêche, part donc pour Terre-Neuve. La *Renommée*, elle, est interceptée par le roi en septembre 1661, au moment où elle appareille pour la Martinique. Le *Saint-Jean-Baptiste* n'a pas davantage de chance : sa capture intervient alors qu'on le charge de sel, à Brouage[52]. Outre cette armada, Nicolas entretient en permanence à Belle-Île des navires de servitude, comme la *Grande-Gabarre*, qui transporte depuis Concarneau vivres, munitions et matériaux, et une pinasse espagnole, assurant les liaisons entre Belle-Île et Concarneau, sans parler d'une longue barque qui fait passer le gouverneur et les gens du fort sur le continent, ainsi que d'une autre portant une machine à retirer les pierres du port, et qui restera très peu employée[53].

L'aménagement de Belle-Île, en tant que centre maritime et commercial, fournit l'occasion au surintendant de satisfaire son goût pour la bâtisse. L'espace en sera ordonnancé en accord avec sa destination économique. Belle-Île annonce en grande partie ce que sera Lorient, même si le choix d'une île n'est pas des plus heureux pour fonder un port de commerce.

Les travaux qu'ordonne le surintendant dès qu'il prend possession des lieux marquent la cohérence de son activité commerciale. Les murailles de la place, qui avaient souffert de longues
années d'abandon, sont remises en état : il faut restaurer une
forteresse du roi, il faut aussi garantir la sécurité des établissements que l'on installe et celle des navires qui viennent y
mouiller.

L'important, cependant, ce sont les bâtiments en chantier :
des magasins, des entrepôts, un hôpital, bref, tout ce qui est
nécessaire à la logistique de vaisseaux qui vont « aux Indes »
pour le commerce ou pour la pêche[54]. La présence de presses
à sardines, d'une brasserie et de moulins souligne que le
commerce local ou infra-européen n'est pas pour autant négligé.
Sardines du Morbihan et poisson de Terre-Neuve sont traités
avec le sel venu de l'Aunis et de la Saintonge, deux provinces
toutes proches, avant d'être réexportés. Enfin, avec Belle-Île,
comme Fouquet le dira après son arrestation, fonctionne un
centre qui associe le commerce reposant sur un cabotage et le
commerce au long cours.

Nicolas, avec au minimum une dizaine de navires, se classe
ainsi parmi les grands armateurs du royaume. Il combine
habilement le négoce international, comme le montre l'accord
signé entre la société Faverolles-Boylesve-Bruant (Fouquet) et
les banquiers parisiens, les Symonnet, pour la fourniture des
toiles aux Indes via l'Espagne, et le trafic maritime direct que
pratiquent ses vaisseaux entre l'Europe et l'Amérique. Il
s'intéresse aussi à la pêche, au bois, aux blés, au suif et aux
vins. L'Amérique conserve pour lui tout l'attrait de sa jeunesse.
La paix revenant, il porte de nouveau ses regards vers les
Antilles. En 1663, il expliquera avoir alors songé à relever la
Société des Îles d'Amérique, vidée de sa substance par les
cessions foncières de 1649-1651. C'est dans l'espoir de la
reconstituer, dit-il, qu'il a développé ses activités d'armement
vers la Martinique en 1659 et 1660. N'a-t-il pas acheté, huit
jours avant le fatal voyage de Nantes, l'île de Sainte-Lucie[55] ?

Ces déclarations se trouvent confirmées par la suite. Les
créanciers du surintendant, après sa chute, se pourvoient au
Conseil du roi afin de récupérer les biens de Nicolas, notam-

ment sa propriété de Trois-Rivière, à la Martinique, et une autre, dans l'île de Sainte-Croix[56]. Cette dernière comportait à la fois un centre agricole, employant esclaves et ouvriers, et un centre commercial, drainant les produits locaux pour la métropole, et suffisamment conséquent pour exiger la présence permanente de six agents et commissionnaires.

Toute cette activité financière et économique, pensera-t-on, a dû apporter à Nicolas de quoi arrondir une fortune déjà coquette au moment où il accède au pouvoir. Ses adversaires prétendent que la surintendance lui a permis de spolier son maître et d'appliquer à ses luxueuses passions le fruit de ses pillages. Si richesse extraordinaire il y a, peut-être trouve-t-elle son origine, non dans quelques voleries, mais dans de fructueux placements, maritimes et négociants, dans le service de l'État, aussi. Il convient donc d'ouvrir le dossier.

CHAPITRE VI

Les mirages de la fortune

La prodigieuse activité que déploie Fouquet dans les affaires de l'État et l'économie du royaume se traduit dans l'évolution de son bien. Au fur et à mesure que s'affirme sa réussite, elle s'accompagne de manifestations dont le caractère glorieux, sinon tapageur, engendre jalousies et soupçons. Dans l'esprit des contemporains, l'achat de terres et de charges s'imposent comme la rançon, onéreuse pour l'État, de ses fonctions. Et de là, par un raisonnement primaire, on déduit que la richesse de l'un s'est nourrie de la pauvreté de l'autre. Les attaques, les arguments de Colbert n'ont pas peu contribué à faire jeter un regard méfiant sur l'éclatante fortune du surintendant, qui dérange d'autant plus qu'elle paraît refléter son ascension politique et sociale. Fouquet illustre le délicat problème des rapports qu'entretiennent alors Pouvoir et Argent.

La somptuosité apparente du surintendant tranche fâcheusement avec un royaume et un Trésor public saignés par vingt-cinq années de conflits. En un mot, le grand argentier ressemble trop à un profiteur de guerre, situation peu enviable, surtout pour un responsable des Finances. S'il faut trouver l'auteur des malheurs du temps, il offrira, c'est certain, une cible de choix. De par ses pouvoirs, et l'évolution qu'il leur a conférée, à la demande du gouvernement, n'est-il pas le maître du système fiscal, l'arbitre suprême d'une gent financière qui vit de lui et par lui ? Évidemment, cette gestion des affaires royales ne saurait être innocente. Elle ne l'est pas : sans doute doit-elle rapporter à celui qui la dirige, et de façon a priori coupable. Et le surintendant fait ainsi figure, par son rôle et son faste, de chef de bande, ses complices rapaces étant les publicains.

Cette vision, fort répandue chez les peuples qu'écrase le poids fiscal de la guerre, est aussi le lot d'une frange des couches dirigeantes. Elles jalousent un jeune et brillant ministre, issu de la robe, mais « renégat », puisque commissaire du roi et « Mazarin » de surcroît. Elles sont trop heureuses, dès lors, d'abandonner un tel personnage à la vindicte générale, ce qui leur permet de dissimuler leur place réelle dans le mécanisme des finances. Colbert joue donc gagnant en exploitant le sentiment général que le surintendant, surtout en cette période troublée, a partie liée avec les puissances d'argent. Même dans une société où le pouvoir peut procurer quelques avantages matériels, et dans le contexte d'une crise profonde, chacun subodore d'inadmissibles excès. La possibilité de s'abriter derrière l'image sacrée du monarque, qu'il est criminel de voler, autorise tous les amalgames.

Rapidement, la faillite du système fisco-financier se réduit à une vulgaire concussion. La personnalité des soi-disants coupables facilite la dilution des responsabilités, plus amples et plus diverses qu'on ne le laisse supposer au bon peuple. Jean-Baptiste use à cet égard d'un argument massue : l'insolente prospérité de son rival. Il ne cesse de le marteler, durant les dernières années de Mazarin, pendant tout le procès du surintendant, aux oreilles de Son Éminence comme à celles de Sa Majesté. La force des répétitions engendre une croyance étonnante, pour ne pas dire irrationnelle, en la véracité de ses propos. Et voilà forgée une vérité première, qu'il semble presque indécent de critiquer, ou même, plus modestement, d'examiner.

Or que dit Colbert ? « Les surintendants ne pensaient qu'à appauvrir les peuples en augmentant les impositions, s'enrichir eux-mêmes, leurs parents, leurs amis et une trentaine de gens d'affaires. Les bâtiments, les meubles, l'argent et autres ornements n'étaient que pour les gens de finance et les traitants, auxquels ils faisaient des dépenses prodigieuses, tandis que les bâtiments de Sa Majesté étaient bien souvent retardés par le défaut d'argent ; que les maisons royales n'étaient point meublées, et qu'il ne se trouvait pas même une paire de chenets d'argent pour la chambre du roi[1]. »

Tous ces points sont repris et précisés lors du procès : « A son égard, on a vu sa dépense en bâtiments par ses maisons de Vaux et de Saint-Mandé. Mais, ce qui est surprenant, est que, dès lors que sa maison de Vaux, qui avait coûté des sommes effroyables, fut bâtie, il s'en dégoûta et commença de faire bâtir dans son île de Belle-Île, en sorte que son insatiable avidité et son ambition déréglée lui donnant toujours des pensées plus reculées et plus étendues, lui faisaient mépriser ce qu'il avait autrefois estimé. C'est ce dégoût, et non pas une fausse générosité criminelle, qui lui fit offrir cette maison à feu M. le cardinal, lorsqu'il y coucha en 1659, en partant pour son voyage de la paix, et ensuite au roi, en 1661, comme il l'a voulu dire.

« Cette même dépense prodigieuse a paru en ses meubles, en ses acquisitions de toutes parts, en son jeu, en sa table, en toutes autres matières publiques et secrètes, en sorte que l'on voit, par les registres de ses commis qui ont paru, des 20 et 30 millions de livres, qui ont passé par leurs mains, en peu d'années, pour ses dépenses particulières. [...] Comme il fallait que les finances du roi fournissent à tous ces désordres, il ne faut pas s'étonner si Sa Majesté les a trouvées en mauvais état lorsqu'elle en a voulu prendre elle-même la connaissance[2]. »

Colbert établit donc l'équation suivante : richesse = pouvoir = concussion. Vaux, Belle-Île et Saint-Mandé deviennent, par un raccourci saisissant, le gouffre dans lequel se sont abîmées les finances du monarque. La fortune du surintendant devient alors preuve et cause de ses voleries. Devant cette vertueuse indignation, le dossier semble classé. Le pouvoir, que Fouquet a recherché avec passion, ne serait qu'un instrument pour satisfaire, sans la moindre pudeur, les penchants pervers qui le portent vers le luxe et la bâtisse. Le procureur général de la Chambre de Justice récupère tous ces arguments, et réfute par avance les quelques objections qui viennent spontanément à l'esprit. Fouquet, selon lui, appartient à une famille nombreuse. La modeste fortune du père ne saurait avoir enrichi le rejeton.

Les deux mariages du ministre ne sont pas, non plus, de nature
à expliquer son opulence ; lorsqu'il est entré dans les affaires,
sa situation était médiocre. En revanche, depuis qu'il les gère,
l'accroissement de ses richesses tient du prodige. Pire : il en
jouit de façon ostentatoire, offensant et le roi, et le peuple. Les
preuves ? Ses établissements, ses constructions, son train de
vie, son mécénat — et les comptes fantastiques de ses commis !
Bien que la fin du procès ait déçu ses instigateurs, la fabuleuse
fortune de Fouquet, depuis pareil réquisitoire, ne fait plus de
doute. Ces dilapidations insensées supposent une étonnante
richesse, qui, elle-même, trouve sa source dans les fonds
publics.

Comme tout ce qui touche au surintendant, la question
mérite d'être revue de près. Les historiens, toujours routiniers,
ne se sont jamais attardés sur un léger détail : le montant de
la fortune de Fouquet, lequel est resté dans les brumes du
qu'en-dira-t-on. Durant le procès, puis pendant trois siècles,
on a abondamment glosé sur le caractère scandaleux de cette
prétendue richesse, en oubliant qu'on en ignorait le volume, le
détail, et la genèse ! Que Colbert ne s'en soit pas soucié, que
le procureur général de la Chambre de Justice l'ait imité, cela
peut se comprendre. Encore faudrait-il s'interroger sur les
raisons qui leur font préférer des affirmations non vérifées, ni
même démontrées... Que les historiens ne se soient pas
interrogés sur les étranges lacunes de l'enquête, voilà de quoi
surprendre.

Aussi convient-il de reprendre le dossier Fouquet, en rejetant
les à-peu-près, les opinions, les rumeurs, quelles qu'en soient
les origines, pour ne s'appuyer que sur des faits réels, dûment
contrôlés. Il faut donc suivre la formation de cette fortune à
partir de ses papiers personnels, ceux qui ont subsisté, notamment les actes de son notaire, Cousinet[3]. Là encore, la prudence
s'impose. Les documents notariés, en particulier sous l'Ancien
Régime, reflètent souvent une réalité déformée. Les actes passés
sous seing privé les corrigent parfois et nous échappent presque
toujours. Or ils peuvent modifier complètement l'approche
d'un phénomène financier, soit en dissimulant une propriété,
une prise de participation dans une entreprise ou une charge,

soit, en sens inverse, en créditant le surintendant de faux droits sur des biens ou des affaires pour lesquels son action se limite à servir d'intermédiaire. La reconstitution comprend donc une part d'aléatoire, mais, au bout du compte, ces réserves formulées, elle seule autorise un jugement fiable sur la fortune véritable de Nicolas.

LES DÉBUTS D'UN « PAUVRE » MAÎTRE DES REQUÊTES

Contrairement aux dires de ses adversaires, le maître de Vaux n'a pas vu le jour dans une modeste famille, chargée d'enfants. La très confortable fortune paternelle — 800 000 l — lui est d'ailleurs revenue dans une large mesure. Comme François Fouquet le rappelle dans son testament, il a fortement avantagé son fils lors du contrat de mariage. La bibliothèque, une partie du mobilier lui ont, en outre, été légués. Quant au surplus, moins, bien sûr, la part de Marie de Maupeou, il ne va qu'aux mâles de la famille : les six filles se sont retirées du monde, et le décès prématuré du frère de Nicolas, Yves, en réduit le nombre. Le premier hymen, suivi malheureusement d'un rapide veuvage, lui assure donc, dans les années 1640-1641 une masse de manœuvre fort considérable. De ses parents, il reçoit en effet l'office de maître des requêtes, estimé 150 000 l, et une rente de 4 000 l, ce qui correspond à un capital de 72 000 l. Son épouse, fille unique et riche héritière, lui apporte, elle, 160 000 l de dot, en argent comptant et rentes sur particuliers, plus la terre de Quéhillac[4]. En mettant de côté ce que Fouquet possède de son propre chef, le fruit de ses activités entre 1633 et 1641, il dispose de 400 000 à 500 000 l, une somme confortable pour démarrer dans l'existence !

La gestion de son bien, durant les années 1640-1653, montre qu'il poursuit, avec constance et discrétion, comme pour tout ce qu'il fait, des objectifs précis. En février 1641, Fouquet acquiert de F. Lottin de Charny la terre et seigneurie de Vaux, moyennant 6 000 l de rente, au capital d'environ 120 000 l. Cette propriété, encore modeste, flanquée d'un vieux château, assez délabré, nécessite quelques travaux urgents : Fouquet y consacre près de 10 000 l sur un an. Quatre mois plus tard, Nicolas achète pour 40 000 l, à Louis de Valois, la moitié de la vicomté de Melun, dont dépendait Vaux, renforçant ainsi sa domination seigneuriale dans la région[5]. Par ces deux actes, il se lance dans une aventure qui va accaparer argent et énergie.

Dès cette époque, il est clair que Fouquet veut se doter d'une propriété de prestige. Avec celle-ci, la famille quitte vraiment la robe, qui sent encore sa bourgeoisie, pour se fondre dans une noblesse terrienne et seigneuriale. Il commence donc à acheter et à échanger terrains grands et petits, afin d'obtenir ce joyau que deviendra, quinze ans plus tard, le domaine de Vaux. Ce travail de fourmi représente près de 200 contrats, ne portant parfois que sur quelques arpents, payés une dizaine ou une centaine de livres. Une démarche d'apparence bien bourgeoise : le maître des requêtes saisit toutes les opportunités pour intégrer, au coup par coup, les parcelles acquises dans le complexe foncier en construction. Cette quête, attentive et passionnée, indique bien que Nicolas, avant d'être au gouvernement, envisage un établissement d'importance et qu'il est prêt, pour le bâtir, à dépenser temps et fortune.

Fouquet a pourtant un autre pôle d'intérêt : la Bretagne. Cela s'explique : une bonne partie de sa famille y est installée, notamment les Chalain, avec lesquels son père, puis lui-même, sont fort liés ; une grande partie de son activité maritime et commerciale a cette province pour cadre ; sa femme, enfin, est originaire de Bretagne où elle possède tous ses biens. Or la perte de celle-ci, le laissant tuteur d'une enfant de quelques mois, l'oblige à s'occuper du patrimoine que sa mère lui a légué. Aidé par sa belle-mère, qui gère pour son compte les biens de sa petite-fille, Nicolas s'efforce de le faire prospérer. C'est le 29 août 1646 qu'il achète la terre et seigneurie de Kerraoul, pour 85 000 l[6].

L'étude attentive des actes notariés que passe Fouquet à cette époque révèle comment il finance sa politique foncière. Il négocie pour cela des rentes, qu'il possédait en propre ou qui lui venaient de ses parents et de sa femme. Il en souscrit aussi, comme remboursement de ses emprunts. Incontestablement, et les actes officiels ne disent pas tout, vu le nombre d'acquisitions qui mettent en jeu des contre-lettres, Nicolas ne manque pas d'argent. D'autres signes corroborent l'existence de ces fortes liquidités. En octobre 1643, il prête 61 000 l au roi[7]. En juillet 1648, 2 000 pistoles, soit environ 22 000 l, à Mazarin[8]. Cette aisance s'explique par l'étendue de ses ressources, qu'il tire en particulier du commerce maritime et colonial ainsi que de ses émoluments, correspondant à sa charge de maître des requêtes ou à ses fonctions d'intendant de province et aux armées. La couronne lui doit même un reliquat, 40 000 l, qui lui sera versé un an après[9]. A tout cela, s'ajoute l'apport de son épouse — 300 000 à 400 000 l — qui facilite bien des transactions.

Il n'est donc pas étonnant de le voir acheter, en 1650, la charge de procureur général du Parlement de Paris à Blaise Méliand. L'opération, réalisée sans doute sous seing privé, est d'ailleurs conduite de manière à lui éviter de verser l'intégralité de la somme : 450 000 l. Ne cède-t-il pas à ce dernier sa charge de maître des requêtes d'une valeur de 150 000 l ? Le fils Méliand, Nicolas, en sera pourvu. L'accord prévoit en effet que celle-ci fasse partie de ses propres, lors du mariage conclu entre lui et la fille de Fouquet[10]. Nicolas n'a donc que 250 000 l à payer. Il le peut d'autant plus aisément que sa seconde femme, Marie-Madeleine de Castille, est bien plus riche que ne le laisse supposer ses 100 000 l de dot et les maisons données par ses parents[11]. Le décès de ceux-ci, peu de temps après la cérémonie des épousailles, alors que Marie-Madeleine est encore mineure, met à la disposition de Fouquet leur juteux héritage : plus de 2 000 000 l[12].

Bref, Nicolas, avant d'arriver aux Finances, jouit d'une fortune énorme (même si on connaît pas le montant exact de certains effets : rentes, meubles, argent liquide et investissements maritimes). Ses adversaires le décrivent bien à tort comme un pauvre maître des requêtes :

ÉTAT DES BIENS DE FOUQUET EN 1653[13]

Office de procureur général au Parlement de Paris	400 000	livres
Terre de Vaux et dépendances	250 000	livres
Domaine de la vicomté de Melun et de Vaux	40 000	livres
Terre de Kerraoul	85 000	livres
Intérêts maritimes et coloniaux	48 000	livres
Rentes	48 000	livres
Meubles	40 000	livres
Sommes diverses dues par l'État	100 000	livres
Total des biens personnels	1 011 000	livres
Biens de la première épouse de Fouquet	400 000	livres
Biens de la seconde épouse de Fouquet	2 000 000	livres
Total général	3 411 000	livres

Cet état de la fortune de Fouquet exige quelques commentaires. Le chiffre global de la fortune de Nicolas — un million de livres — correspond à un minimum. Lors de son procès, il évalue sa charge de procureur général à 1 400 000 l, mais il s'agit du prix tel qu'il ressort de la vente de 1661. Certes, elle ne valait pas si cher en 1653. A cette date, la Fronde est pourtant terrassée. Les détenteurs d'office peuvent se rassurer. Une telle charge devait donc représenter beaucoup plus alors que les 400 000 l dépensées trois ans plus tôt : en l'estimant à près du double, on n'est sans doute pas très loin de la réalité. Quant aux intérêts maritimes, aux rentes et aux meubles, pris au sens large, là aussi, l'évaluation telle qu'elle ressort des sources disponibles et des déclarations de Fouquet paraît minimum. Fixer à 40 000 l ses parts dans les Compagnies de la Nouvelle-France, des Îles d'Amérique ou du Sénégal et dans quatre ou cinq navires ne semble pas excessif.

En ce qui concerne les rentes, Fouquet déclare, et tout laisse penser qu'il dit la vérité, que ces rentes actives compensaient très largement en 1653 ses rentes passives. Ne jouissait-il pas de 2 000 à 3 000 l de rente pour un capital de 48 000 l ? Et, à celles-là, s'en ajoutaient d'autres, sur le procureur du parlement de Bretagne et le marquis d'Asserac, qu'il ne chiffre pas, mais décrit comme importantes. Son capital en rentes excède donc, et sans doute de beaucoup, ce qui est ici comptabilisé.

Il en va de même des meubles. Fouquet s'indigne en entendant ses accusateurs prétendre qu'il ne possédait rien alors, ni en meubles ni en argent. Or le seul inventaire après décès de Louise Fourché montre qu'en la matière meubles meublants, habits, argenterie, livres, antiques, ses biens se montaient déjà à 26 158 l ! Dix ans ont passé là-dessus, durant lesquels il a doublé la superbe bibliothèque léguée par son père, s'est pourvu d'une admirable argenterie et a acquis d'autres meubles, satisfaisant ainsi sa passion pour le beau. « Mais comment est-ce que je faisais, s'exclame-t-il, si j'étais sans meubles ? Étais-je couché sur le pavé ? Ne mangeais-je que dans de la vaisselle de terre ?

« [...] et je puis dire que j'avais assez de vaisselle d'argent pour n'en avoir pas acheté beaucoup pendant ma surinten-dance, sinon depuis que M. le cardinal m'obligea de le traiter lui et toute la cour à Vincennes, car comme j'ai toujours eu le cœur assez bon pour faire les choses raisonnablement et honorablement autant que j'ai pu, ne manquant point de crédit. D'ailleurs j'en ai acheté beaucoup que je dois à présent à ceux qui m'ont prêté[14]. » Il détient aussi, et les preuves ne manquent pas, de grosses sommes en liquide qui ne figurent pas dans ce bilan. Ainsi, Nicolas, lorsqu'il accède au sommet, détient sûrement plus d'un million. Ses biens personnels oscillent en fait entre 1 000 000 l et 1 500 000 l.

Cela montre qu'en treize ans sa fortune personnelle a environ triplé. Et il n'était pas encore au gouvernement ! Dans ce montant, ne figure naturellement pas la fortune de sa première femme — 300 000 à 400 000 l au bas mot — qu'il considère comme revenant à sa fille. Cependant, jusqu'à ce qu'il marie celle-ci au comte de Charost, c'est lui qui en a la jouissance, et il peut donc en utiliser les revenus dans ses affaires propres.

Sa seconde femme lui apportera beaucoup plus qu'il ne perdra alors. Il atteint de la sorte sans peine un avoir de 4 000 000 l, un montant impressionnant, surtout dans les milieux de robe où de telles sommes sont inusitées, particulièrement au moment d'entrer dans les affaires. A 38 ans, ne dispose-t-il pas d'une fortune comparable, par exemple, à celle que le chancelier Séguier et son épouse — 4 430 000 l —, ont amassée après une longue et glorieuse carrière[15] ?

Les déclarations de Nicolas lors de son procès se confirment donc. Voilà détruits certains des arguments adverses. Il est effectivement très riche avant de devenir surintendant. C'est à bon droit qu'il fait remarquer qu'« il y a peu d'hommes en France de ma condition dont le bien monte plus haut de 4 millions qu'il est justifié que j'avais[16]. » Le public peut s'étonner que ce jeune procureur général soit choisi pour un tel poste. Mazarin, lui, sait ce qu'il fait. Il connaît ses qualités personnelles. Il a vu, pour en avoir profité personnellement, que l'homme a du crédit parce que du bien. Et que non seulement celui-ci a su les conforter, mais aussi les accroître.

LES FÉLICITÉS DU POUVOIR

A partir de l'époque de sa surintendance, au regard d'un observateur, la fortune de Fouquet se dilate et grandit, accréditant du coup l'idée que sa fonction doit y être pour quelque chose. L'argent du roi ne l'engraisse-t-il pas, lui qui accumule terres, maisons, droits sur le monarque, propriétés somptueuses ? La première de ces acquisitions est la demeure seigneuriale des Moulins-Neufs, près de Duretal, en Anjou[17]. Le surintendant reprend ainsi ce qui aurait appartenu aux ancêtres mythiques : les Fouquet de Moulins-Neufs ! Ce n'est point un hasard. Nicolas, ayant solidement ancré son lignage par les terres de Vaux et de la vicomté de Melun, éprouve le besoin, maintenant qu'il est au pouvoir, de trouver de nobles ascendants à la famille. Ceux-ci feront toujours meilleure figure, pour un ministre du roi, que de simples marchands angevins. Ce retour aux sources prétendues se complète, en 1657, par l'achat de la seigneurie d'Auvers, elle aussi près de Duretal[18]. Cela valait bien les 75 000 l versées.

Près du château de Vincennes, où Mazarin et la cour aiment à séjourner, Fouquet se rend acquéreur propriétaire, en 1654, de la terre et seigneurie de Montreuil moyennant 30 000 l, ainsi que d'une maison et d'un parc fermé de quatorze arpents, à Saint-Mandé[19]. Le lieu sera l'un des préférés de Nicolas. On l'aménage vite, mais somptueusement : le surintendant s'y délasse des soucis de l'État. Aussi veille-t-il à l'agrandir et multiplie-t-il en conséquence les achats entre 1654 et 1657. Ce n'est que très tardivement, et pour des raisons inconnues, qu'il prend la moitié de la terre et seigneurie de Bouy-le-Neuf, située dans le bailliage de Troyes[20]. Toute sa sollicitude va en effet aux deux établissements les plus chers à son cœur : Vaux et les domaines de Bretagne.

Nicolas décide de transformer sa terre de Brie en domaine de prestige. Celui-ci témoignera de sa réussite, de son nouveau statut. Il célébrera avec force ses aptitudes au mécénat. Par lui, sera comblé son penchant quasi maladif pour la gloire. Après tout cela, comment s'étonner que les ennemis de Fouquet aient désigné Vaux comme la marque effrontée de ses ambitions sans bornes ? En fait, cette propriété ne constitue pas un cas : elle illustre bien des succès ministériels, et depuis près de vingt ans, des domaines semblables surgissent dans la campagne française, à proximité de la capitale. Richelieu a lancé la mode à Rueil, le président de Maison la reprend en édifiant Maison-Laffite. Au moment où Nicolas déploie tant d'ardeur pour Vaux, son collègue Servien n'en manifeste pas moins sur le territoire de Meudon. Lui-aussi se crée une résidence princière au prix de travaux considérables : pour construire la fameuse terrasse de Meudon, n'a-t-il pas fallu enfouir toute la partie supérieure du village sous des tonnes de terre[21] ? Par bien des côtés, la formation et les bâtiments de Meudon sont le pendant de ce qui s'effectue à Vaux, mais là, curieusement, personne ne repère une origine douteuse, personne n'y voit malice. Dans un cas, la banalité, dans l'autre, le scandale. Sans désemparer, Nicolas s'obstine à remembrer les parcelles tout autour de Vaux-le-Vicomte, raflant ici quelques modestes pièces de vignes, là quelques méchants prés, négociant belles et riches fermes, achetant petites et grandes seigneuries, au prix d'un incroyable jeu d'acquisitions de rentes et d'échanges. La genèse de la propriété peut se résumer dans le tableau suivant :

ÉTAT CONSTITUTIF DE LA TERRE DE VAUX-LE-VICOMTE[22]

Terre, vicomté et seigneurie de Vaux	120 000 livres
Terre et seigneurie de Maincy (plus dépendances)..................	236 000 livres
Terre et seigneurie de la Maison-Rouge (plus terres annexes)	50 000 livres
Terres et seigneuries des grand et petit Mimouches (plus terres annexes)	20 000 livres
Terres diverses	9 500 livres
Bois..................................	71 000 livres
Total...........................	506 500 livres

C'est en 1656 que Nicolas décide de faire de sa résidence un grand château de plaisance, orné d'un vaste parc d'agrément. Pour réaliser ce beau projet, qu'il englobe dans un ensemble grandiose de constructions, il n'hésite pas à faire raser tout le village de Vaux, le vieux château qui venait d'être restauré, ainsi que les hameaux de Jumeaux et de Maison-Rouge[23]. Il en confie l'exécution à Louis Le Vau, qui travaille alors à transformer le château médiéval de Vincennes, ainsi qu'au Raincy, édifié pour le compte du financier Jacques Bordier. Le surintendant passe en conséquence deux accords, sous seing privé, l'un avec l'architecte Le Vau, l'autre avec l'entrepreneur Villedo[24]. Le coût est fixé à 600 000 l, payables en 1656, à raison de 4 000 l par semaine, en 1657 pour 270 000 l, le restant étant liquidé en 1658. Les communs, eux, reviennent à 257 000 l.

Les travaux commencent immédiatement. Fouquet est pressé, comme s'il pressentait que le temps lui sera compté. Cette fébrilité, qui se retrouve dans son action politique, reflète sans doute la conscience qu'il a du caractère précaire de sa situation. Toujours sous tension en raison de la conjoncture financière, redoutant la disgrâce du cardinal, son maître, Fouquet vit sur les nerfs. Il donne l'impression d'être furtif, dissimulé. Il n'est que préoccupé par l'angoisse du sablier.

Dans sa hâte d'aboutir, Nicolas accepte tous les dépassements de devis pourvu que la besogne ne ralentisse pas. Le voilà happé par la spirale des prix. Une fois les travaux bien lancés, une fois les corrections approuvées, le château s'élève, en pierres de Creil, alors que, dans le projet initial, une partie devait être en briques. Fouquet est astreint à financer le gouffre, quitte à emprunter quand ses revenus n'y suffisent plus. Les travaux, qui ont débuté à la mi-août, avancent avec célérité. On ne lésine point sur le nombre d'ouvriers. Et, il faut aussi créer de toutes pièces le splendide jardin, avec ses grands bassins, ses ornements, ses statues, ses allées, ses parterres, le grand canal. Dès septembre 1657, on monte la toiture ; en décembre, marbriers et menuisiers s'occupent de l'intérieur. En 1659, on installe les rampes d'escalier. On accélère la décoration, entamée dès septembre 1658 sous l'égide de Le Brun. Ainsi, en un peu plus d'un an, le gros œuvre est terminé. Moins de trois années ont suffi à rendre le château habitable. Chose surprenante, au moment où Nicolas déploie tant d'activités, effectue toutes ces dépenses, il se lance dans de grandes acquisitions en Bretagne, qui consomment aussi argent et énergie.

Depuis son premier mariage, on a vu Nicolas se préoccuper de cette province. Outre les biens de Louise, qu'il gère d'abord avec sa belle-mère, puis seul, après le décès de celle-ci en 1652, il y possède la terre de Kerraoul. Pourtant, ses investissements fonciers se développent rapidement. Deux impératifs les guident. Le premier, familial, tend à faire valoir ou à maintenir le patrimoine des cousins. C'est dans cette intention qu'il reprend en décembre 1655 les terres de Langarzeau, de Pléhédec, de Kérusoré et de Grand-Pré, éparses dans les diocèses de Dol et de Saint-Brieuc[25]. Le second, économique, cherche à établir, sur la côte méridionale, une série de bases terriennes qui serviront ses desseins navals et maritimes. Profitant de ses liens avec les d'Asserac, notamment avec le marquis de Rieux et sa seconde épouse, Jeanne-Pélagie, bientôt veuve, il utilise le désastre financier de cette puissante maison tout en lui offrant la possibilité d'un redressement. Pour ce, il achète en 1656 le marquisat d'Asserac, ainsi que le comté de Largouët. Deux ans plus tard, il rétrocède le premier en vertu d'un retrait lignager, mais garde le second. Il acquiert aussi la terre et seigneurie de La Guerche, à l'embouchure de la Loire[26]. Il rachète au président de Chalain, son cousin, la terre de Coercanton, proche de Concarneau, une maison dans cette cité, et le domaine de Rosporden[27]. En 1658, il se porte acquéreur de Belle-Île, laquelle déséquilibre une fortune déjà ébranlée par les fastes de Vaux. Moyennant l'énorme somme de 1 300 000 l, plus 30 000 l données pour « la chaîne* » de Madame la duchesse de Gondi, Nicolas met donc la main sur l'objet le plus controversé, celui qui l'entraîne vers des dépenses nouvelles, celui qui va l'exposer au soupçon de rébellion[28]. L'année 1659 le voit continuer ses achats dans le ressort de Vannes. Il s'empare de la terre, du château et parc d'Elvin, de la terre et seigneurie de Trévérac, et l'année suivante, du fief et seigneurie de Lanvaux, près d'Auray, puis de la terre et seigneurie, bois et droits de pêcherie de Trédion, enfin de la terre et seigneurie de Cantissac[29].

La localisation de cet ensemble est remarquable : ces établissements encadrent soit Concarneau, dont Fouquet est gouverneur, et où sont ancrés une partie des vaisseaux qu'il possède avec ses cousins Chalain, soit le pourtour du golfe du Morbihan, essaimant jusqu'à l'estuaire ligérien. Avec Belle-Île comme centre, Nicolas contrôle les débouchés vers la haute mer, mais aussi l'arrière-pays nantais. Par ces implantations, terriennes ou seigneuriales, il domine l'économie d'une région, fondée sur le sel, le poisson, le beurre, les grains et le vin, sans parler des produits coloniaux. Belle-Île ne constitue pas une place forte, mais un relais de distribution, s'appuyant sur un *hinterland* intéressant. Sa politique économique explique donc cet essor foncier et s'inscrit bien dans la droite ligne de Richelieu. Les installations du Morbihan concrétisent pour ainsi dire les rêves du cardinal.

* Pot-de-vin.

Fouquet complète ses avoirs par des acquisitions parisiennes, surtout dans les derniers mois de sa surintendance. En particulier, il achète la demeure du président de Thoré, ayant appartenu à d'Hémery, le financier, ainsi que les deux maisons la jouxtant, plus cinq maisons et un jeu de paume, sis rue des Vieux-Augustins[30]. Il s'agit de placements habituels à la noblesse de robe ou d'épée : ne possède-t-il pas déjà d'autres maisons à la périphérie de Paris, à Saint-Mandé, à Montreuil ?

Nicolas ne s'en tient pas là. Il se lance également dans des investissements assez rémunérateurs que représentent les aliénations de droits sur le roi. Même en période de crise, il manifeste de la sorte sa confiance en la monarchie. De nombreux capitalistes de l'époque raisonnent à son instar. Persévérer dans cette pratique, une fois au pouvoir, le gêne quelque peu, bien qu'il n'en ait jamais fait mystère. En qualité de ministre, il lui revient en effet de décider de ces aliénations, mais c'est la personne privée qui s'en porte acquéreur. La séparation entre les deux doit être nette. Aussi veille-t-il, contrairement aux dires de Colbert, à ne jamais agir en tant que partisan. Il achète donc, sous des prête-noms, ces droits à des traitants, au détail ou en « semi-gros ».

C'est ainsi qu'il se rend adjudicataire d'une partie de l'augmentation et doublement du marc d'or[31], des droits domaniaux, tels ceux du comté de Melun et des regrats de cette ville, qui lui permettent de renforcer son emprise sur la région de Vaux, ou des notifications de la généralité de Champagne[32]. De même, il acquiert en Bretagne les impôts et billots, prélevés sur les évêchés de la province et les boissons alcoolisées, lesquels rapportent de substantiels profits. Là encore, dans ces paroisses des diocèses de Saint-Malo, Rennes, Dol, Saint-Brieuc, l'emprise fiscale double la présence seigneuriale et économique. Dans la capitale, il se rend adjudicataire, en sous-part, des deux tiers des droits de Ceinture-la-Reine, dont le duc de Burnonville est, sous un prête-nom, l'adjudicataire primitif[33]. Fouquet afferme ces droits, à raison de 30 000 l par ans, puis, les cède en 1659. Le duc rachète une partie, le sieur Germaine l'autre.

Nicolas, comme tout grand seigneur, comme tout respon-

sable politique de haut niveau, ne dédaigne pas non plus les
charges. Dans ce genre d'acquisition, entrent en ligne de compte
bien des mobiles, dans lesquels se combinent recherche de
prestige et intérêt politique, mais aussi, parfois, la volonté
d'obliger un membre de la famille en lui versant en échange
un bon prix, ou de conserver à celle-ci un poste qui peut se
révéler précieux. En acquérant la charge de chancelier et garde
des Sceaux des ordres du roi — qui permet le port tant envié
du cordon bleu — Fouquet agit en faveur de la gloire de sa
famille[34]. Mais le calcul n'est pas exempt d'autres raisons :
grâce à elle, il s'incruste dans cette haute société, fermée et
bien née, que constituent les chevaliers des ordres. Cela ne se
néglige pas lorsque l'on est ministre des Finances et qu'il vous
faut l'appui financier de la noblesse d'épée.

Certains offices, par contre, sont seulement en rapport avec
son statut de procureur général du Parlement de Paris. Relèvent
de cette catégorie, par exemple, ceux de conseiller de la Ville,
de greffier des commissions extraordinaires du Conseil ou
d'huissier au Parlement. Ces charges sont d'ailleurs inscrites
sous le nom d'hommes de paille représentant le ministre.
Enfin, les gouvernements de Concarneau, du Mont-Saint-
Michel, le titre de vice-roi et gouverneur de l'Amérique, loin
d'être des investissements, procèdent en fait de son dessein
maritime, lequel exige de surveiller peu ou prou les choses de
la mer[35].

Cela ne signifie pas que Fouquet soit indifférent à l'égard
des placements financiers, tout au contraire, car il a fortement
accru son portefeuille d'actions. Lors de sa disgrâce, ne possède-t-il pas 5 330 000 l en billets de l'Épargne ? Il ne s'agit
pas de vieux effets réassignés, mais de valeurs récentes et sûres,
ce qui situe l'enthousiasme de son engagement et le niveau de
son crédit. Fouquet se révèle donc un excellent pourvoyeur de
fonds pour la monarchie. Ses méthodes aimables, sa probité
reconnue ne sont pas faites pour effaroucher les gros bailleurs
de fonds au cœur sensible... La somme, considérable, confirme
donc ses dires quant à la confiance dont il jouit.

Ses créances sur des particuliers n'atteignent pas le volume
des précédentes sur l'État. Néanmoins, elles représentent un

montant des plus respectables : 652 000 l en 1661. Les débiteurs du surintendant font en général partie de son entourage. Ce sont des parents, tels son frère, François Fouquet, ses cousins, La Bouchefollière et La Haye-Saint-Hilaire. Ce sont des amis, des fidèles, comme la marquise d'Assèrac, le comte de Brancas, le duc de La Rochefoucauld ou le duc Mazarin. Tous ont été plus ou moins mêlés à l'ascension du ministre.

Cette énumération, qui souligne la diversité de ses biens et leur importance, montre ce que cette fortune a d'exceptionnel. S'est-elle construite aux dépens de la couronne, comme le murmurent les adversaires du surintendant ? Ou n'est-elle que le fruit de pratiques parfaitement honorables ?

UN BIEN MAL ACQUIS ?

Comprendre la façon dont Fouquet a pu réaliser tous ces achats suppose d'avoir en mémoire plusieurs facteurs. Tout d'abord, outre sa fortune lorsqu'il accède au pouvoir, il tire de substantiels profits de ses hautes fonctions. La surintendance, tout comme la charge de procureur général, produit de fort importantes rentrées, officielles et occultes : l'accusation elle-même admet qu'elles peuvent avoisiner les 150 000 l par an. Ensuite, viennent les gratifications que Fouquet, comme les autres ministres, reçoit de Sa Majesté. Il en a touché plusieurs de son propre aveu, dont l'une de 200 000 l, en 1657[36]. Enfin et surtout, s'ajoutent les revenus de ses autres charges, le produit de ses rentes, des droits sur le roi et les bénéfices que lui procurent entreprises commerciales et maritimes. L'ensemble additionné doit peser lourd, encore que l'on n'en connaisse pas le montant exact. Nul, durant le procès, ne s'est soucié de le calculer, chacun se contentant de vagues données. C'est que, pour un homme de sa condition, disposer d'une fortune immense alors qu'on n'a que des ressources moyennes, voire médiocres, cela ne peut signifier que des agissements coupables. Comment expliquer cette richesse insolente, sinon par la prévarication ? Le flou sert donc la thèse de ses ennemis, et il n'en manque pas.

Cependant, bien des signes montrent que Nicolas jouit de très gros revenus. Lui-même les estime, dans les meilleures années, à 500 000 l, ce qui paraît très vraisemblable. Rien que les droits de Ceinture-la-Reine sont affermés 30 000 l par an. Quant aux droits relatifs aux impôts et billots de Bretagne, ils livrent chaque année pour 42 000 l[37] !

Le financement de chacune de ses opérations ne comporte d'ailleurs nul mystère, et sans doute est-ce la raison pour laquelle, après son arrestation, on s'est bien garder d'en lever le voile. Ainsi, lorsqu'il achète Saint-Mandé, il procède en fait à un échange, la contrepartie de cette maison étant deux autres situées rue Saint-Antoine et rue de Jouy, qui lui viennent des propres de sa seconde épouse[38]. La technique ne diffère pas en ce qui concerne la seigneurie de Montreuil, troquée, elle, contre des rentes qui figuraient dans son portefeuille[39]. En outre, Fouquet est bien loin de régler comptant tout ce qu'il acquiert. Les versements s'étalent en général sur plusieurs années. Certains n'ont pas même commencé lors de son arrestation. C'est le cas pour les domaines de Trédion, Le Largouët, Coercanton et Rosporden : le prix intégral en reste échu. D'autres sont achevés ou en passe de l'être. La terre de La Guerche, par exemple, est payée en deux ans[40].

Belle-Île, dont les 1 300 000 l grèvent lourdement le budget de Fouquet, illustre parfaitement cette méthode. L'achat d'un bien d'une telle envergure suppose que les dispositions financières soient prises à l'avance. Lors de la signature du contrat, au début de septembre 1658, n'a-t-il pas dû fournir 400 000 l ? Or, cette même année, Fouquet vend quelques terres lui venant de sa femme, notamment la propriété de Belle-Assise[41]. L'argent qu'il en retire est tout de suite converti en rentes, faciles à négocier lorsque l'instant l'exigera. En rétrocédant le marquisat d'Asserac, il obtient de même des liquidités qui lui serviront pour Belle-Île[42]. En 1659, sur plus de sept mois, il remettra ainsi aux créanciers de la maison de Retz la somme de 712 541 l. Reste encore à payer 187 459 l[43].

En fait, Fouquet éponge une bonne partie de ses achats grâce à la revente de ses biens, qu'il s'agisse de ses droits de Ceinture-la-Reine, cédés en 1659 pour 300 000 l[44], ou de certaines de ses possessions bretonnes (Lanzardeau, Kéruzoré, Pléhédec), aliénées en 1660 pour 150 000 l[45]. Même le montage financier de la dot de sa fille — 600 000 l — qui épouse le comte de Charost ne pose pas de difficultés. Marie Fouquet reçoit, certes, une somme énorme, mais, à l'époque, les nièces de Mazarin, et la fille de Servien en reçoivent tout autant[46]. Fouquet rassemble les fonds destinés à sa charmante fille en liquidant, non seulement les avoirs bretons de sa première femme, mère de la mariée, mais aussi ceux qui échoient en 1652-1653 à celle-ci, légués par sa grand-mère maternelle. Voilà la future bien pourvue : 300 000 ou 400 000 l, sans compter ce qui lui vient de sa grand-mère. Le montant est ainsi très vite atteint. Le règlement se fait dès 1657, Nicolas y ajoutant un avance-ment d'hoirie sur sa propre succession[47]. Il n'a donc pas eu besoin d'emprunter pour conclure cette affaire. Cela lui arrive pourtant, lorsqu'il ne dispose pas de liquidités en quantité suffisante au moment voulu, et qu'il lui faut couvrir ses dépenses[48]. Rien de sulfureux dans une pratique si courante que les traces en couvrent tous les registres notariaux !

La fortune de Nicolas a été envisagée jusqu'à présent sous l'angle qualitatif, à savoir les modalités de sa formation. Reste à cerner son ampleur véritable. Composée d'éléments divers, terres, maisons, charges, droits sur le roi, portefeuille de papiers, il convient maintenant de la détailler. Toutes les incertitudes ne peuvent pas être dissipées. Il n'empêche que l'on peut connaître le volume de cette fortune si l'on s'appuie sur les actes du procès, les sources notariées et les délibérations de ses créanciers. Le bilan est cruel* : au bout de neuf années de surintendance, l'actif équilibre tout juste le passif. Encore faut-il apporter quelques nuances à ces chiffres, le premier représentant moins qu'il n'y paraît et le second davantage qu'il ne semble. Des avoirs de Nicolas, il faut déjà défalquer le « million de Vincennes », provenant de la cession de la charge de procureur général, et porté au roi sans aucun reçu. Cela ressemble plus à un don volontairement consenti qu'à un prêt enregistré en bonne et due forme ! Quant à ses terres, leur

* *Cf.* annexe 3.

valeur réelle est très en dessous du prix d'achat. Fouquet, parfois pour asseoir son crédit, souvent afin d'obliger parents et amis, s'est rendu acquéreur de biens très surestimés : Belle-Île, à elle seule, ne lui a-t-elle pas davantage coûté que la totalité de ses possessions, délaissées en 1671 à Marie-Madeleine de Castille, faute de trouver preneur ? L'actif réel du surintendant avoisine les 10 000 000 l, pas plus. Confronté au montant de ses dettes, Fouquet, au mieux, n'a pas un sol vaillant ; au pire, le service du maître l'a ruiné, entraînant dans sa débâcle tout le clan. Le constat est amer, mais indéniable. On comprend pourquoi ses adversaires se sont gardés d'inventorier le patrimoine de Fouquet comme celui-ci le réclamait. Le bilan offert au grand jour aurait trop bien confirmé les déclarations du malheureux accusé.

Son cas a de quoi déconcerter. Voilà bien le seul exemple sous l'Ancien Régime d'un ministre, arrivé riche au sommet et finissant dépouillé ! Le procès à son encontre n'en apparaît que plus odieux. Fouquet, loin de se gaver auprès de Sa Majesté comme tant l'ont fait et le feront, s'est appauvri. Directement ou indirectement, ses fonctions de grand argentier, en dépit des apparences, l'ont conduit vers le néant. En ce sens, il partage le sort d'un certain nombre de gros financiers qui, en soutenant la monarchie, s'y sont ruinés. Certes, on objectera son appétit de luxe, ses dépenses à Vaux, Saint-Mandé ou Belle-Île. Il est vrai que de tels goûts sont pécuniairement dangereux. Et pourtant, le faste dans l'exercice de telles fonctions est en grande partie une nécessité. Comment, autrement, établir son crédit et drainer les fonds qui permettent à la machine de rouler ? Fouquet s'est justement expliqué sur les ambiguïtés de la fortune : derrière, un gouffre qui se creuse ; devant, une façade qui rassure : « Les dépenses de l'État n'eussent pu être faites, ni les deniers fournis à temps pour les besoins et les nécessités plus urgentes, si je n'eusse pas pu les faire fournir. Si l'apparence de mon bien, la dépense, l'éclat, la libéralité, joints à l'observation inviolable de mes paroles, ne m'en eussent donné le crédit[49]. »

Le mot clé est prononcé : le crédit ! En vérité, les paroles de Nicolas sonnent juste. Dans le métier de finance, le paraître importe beaucoup pour obtenir la confiance. Un extérieur munificent, des établissements considérables permettent de collecter le précieux métal. Ils ne suffisent peut-être pas mais sont en la matière des atouts de poids. Le surintendant doit garantir les emprunts qu'il lance. Il faut les gager sur des biens qui inspirent respect : terres, maisons, offices, droits sur le roi, ce sont des effets qui parlent au monde aisé dans lequel le grand argentier jette ses filets. Tous sont définis comme valeur refuge. Dans ces conditions, les bailleurs de fonds osent s'engager ferme aux côtés du ministre. Le piège claque alors sous les pas de Fouquet.

Par une espèce d'engrenage infernal, Nicolas, en se dévouant au monarque ingrat, comble ses penchants naturels, l'envie de la gloire, le sens inné du beau. Plus il accumule services du roi et plaisirs du pouvoir, plus il s'enfonce. Les bonheurs esthétiques, les gestes prodigues ne sont-ils pas l'envers de la confiance et du crédit ? Le prix à payer s'alourdit avec les intérêts. Au feu du luxe, sa fortune et celle de sa femme se consument lentement mais inexorablement. Lorsque la fête se termine, Fouquet est ruiné. Ultime coquetterie : les créanciers ne sont pas spoliés, puisque ses avoirs compensent les engagements.

Quelques moments de découragement transparaissent pourtant, telle cette démission proposée en 1657. Ils s'expliquent par les difficultés quotidiennes qu'il éprouve dans sa tâche, face aux jérémiades et demandes incessantes du cardinal. Ils s'expliquent aussi par le sentiment confus que cette course le mène à l'abîme. Colbert peut distiller dans le public, d'abord à petits bruits, puis à grand vacarme, les assertions sur la prétendue richesse du ministre. Les familiers de ce dernier savent bien à quoi s'en tenir. Chanut, un très vieil et très cher ami de la famille, donne maints exemples sur la dure réalité dans laquelle se noie le surintendant. Détail aggravant : il en parle à Jean-Baptiste ! Celui-ci connaît donc la vérité. Il n'en poursuit que de plus belle une campagne malhonnête et provocatrice.

Quelques jours après l'arrestation de Fouquet, en septembre 1661, Chanut écrit à son adversaire une missive fort éclairante : « Et à l'égard de M. le surintendant, j'ai divisé ce qui est du véritable bien de sa fortune d'avec les ambitieuses pensées de quelques-uns de ses amis, pour ne me pas déterminer sitôt à juger de cet accident, dans lequel je me console de ce qu'il est entre les mains du meilleur prince du monde, et que la reine sait combien de profusion de toutes choses il s'est abandonné au service du public. Nul homme vivant ne peut assister : il est tout entier dans la bonté du roi. Mais si j'étais en état de le servir, pour le démêler de son domestique, lequel j'estime d'être dans un abîme effroyable, j'aurais bien de la hardiesse d'en demander la permission et de continuer avec lui une amitié innocente[50]. »

Un mois se passe. Chanut, obtempérant aux ordres du roi, relatifs à la saisie de l'argent du surintendant, déposé entre ses mains, informe encore plus nettement Colbert : « Je ne pense point avoir besoin de faire une apologie sur ce que vous avez trouvé que Monsieur Fouquet m'a confié, il y a environ deux ans ou plus, une somme de cent mille écus (= 300 000 l), qu'il me disait mettre en réserve pour le pain de ses enfants, ayant grand sujet de craindre à tous moments dans l'engagement où il était de plusieurs millions de dettes pour soutenir les efforts du roi. J'ai gardé le dépôt, et, très souvent, dans mes besoins, j'ai emprunté de l'argent et n'y ait pas touché. Puisque mon écrit est entre les mains du roi, et qu'il veut que cette somme soit portée en son Épargne, ce n'est point à moi de m'y opposer. Elle est toute prête dans les mêmes espèces et les mêmes sacs. J'ai seulement à vous supplier de vos bons offices auprès du roi pour faire qu'il ne tire aucune conséquence contre ma fidélité à son service de celui que j'ai voulu rendre à Monsieur Fouquet en cette occasion, et j'espère cela de votre bonté[51]. »

Malgré ces renseignements non équivoques, Jean-Baptiste ne désarme pas. Bien au contraire : c'est la prétendue fortune de Nicolas qui constitue le meilleur justificatif de toutes les accusations portées contre lui. Jusqu'ici, l'argent soi disant volé par ses soins le transformait en concussionnaire. Le voilà maintenant qui sert à le déguiser en factieux.

CHAPITRE VII

Le lobby Fouquet

Les accusations de Colbert tendent à prouver que le pouvoir sécrète la richesse. Renverser cet axiome ne manque pas non plus d'intérêt pour conduire Fouquet à sa perte. Jean-Baptiste proclame donc que le principe contraire — la richesse permet de conquérir le pouvoir — est tout aussi pernicieux : « Cette même dépense prodigieuse a paru en ses meubles, en ses acquisitions de toutes parts, en son jeu, en sa table, en toutes autres matières et publiques et secrètes, en sorte que l'on voit, par les registres de ses commis qui ont paru, des 20 au 30 millions de livres qui ont passé par leurs mains en peu d'années pour ses dépenses particulières. Mais, s'il se fût contenté de tout ce qui le pouvait concerner, encore l'État aurait-il pu souffrir ces excès. Il a porté son avidité bien plus loin : il a voulu mettre ses créatures dans toutes les charges de la cour et de la robe, et, pour cet effet, il a donné une partie du prix de toutes celles qui ont été à vendre, et qui n'étaient pas remplies de gens à lui ; il a voulu gagner toutes les personnes un peu considérables qui approchaient le roi, les reines et feu M. le cardinal ; il a voulu être averti de tout, et, pour cet effet, a mis des espions proches de toutes ces personnes sacrées ; et, pour parvenir à tous ces desseins vastes, étendus et sans bornes, il n'y a point de profusion qu'il n'ait faite. Comme il fallait que les finances du roi fournissent à tous ces désordres, il ne faut pas s'étonner si Sa Majesté les a trouvées en mauvais état, lorsqu'elle en a voulu prendre elle-même la connaissance[1]. » Au terme de ces propos se dessine un second grief contre Nicolas, le crime de lèse-majesté, dont, en principe, on ne se relève pas.

Une mainmise sur tout l'appareil de l'État, l'omniprésence de ses gens, voilà qui indiquerait, de la part de Fouquet, la volonté de se constituer un parti, l'arrière-pensée de se défendre, même au prix de mouvements séditieux. Et pourquoi pas d'une révolte armée, appuyée sur une clientèle dévouée et des établissements, devenus « places de sûreté » ? Avant d'étudier la faction Fouquet — si faction il y a — il faut rappeler certaines des particularités de la vie sociale sous l'Ancien Régime. A l'opposé de notre temps, marqué par l'individualisme militant, le Grand Siècle reste attaché à une tout autre vision du monde. Quel que soit l'échelon social considéré, du plus humble des manouvriers au plus illustre rejeton d'une antique maison, nul ne conteste son appartenance à une collectivité. L'homme seul n'existe pas. Il s'insère toujours dans un groupe plus vaste, fortement soudé : le lignage familial, au sens le plus fort et le plus large du terme. Cela ne concerne donc pas que la famille nucléaire, mais aussi la parenté, fût-elle lointaine. Dans ces conditions, le choix d'une alliance est une décision capitale. Ne doit-il pas relier, unir même, deux groupes structurés et cohérents ?

Tous les stades de la vie privée et publique dépendent de la nature du lignage. Liaisons ou relations tissées par lui jouent à plein à chaque étape de la vie de l'individu. Le clan familial se rapproche ainsi de la faction, surtout dans un univers encore imprégné par l'héritage de la féodalité, où prédominent les liens entre suzerain et vassal, et, plus généralement, d'homme à homme. Les contraintes de la vie communautaire dans les milieux paysans, la vénalité des offices chez les robins renforcent cette alliance issue des rites de l'aristocratie traditionnelle et qui remonte à la nuit des temps. Pour s'élever dans le monde, y faire carrière par les offices ou le service du roi, il faut faire acte d'allégeance. Car l'homme isolé, ne représentant rien, ne peut rien.

L'ascension d'un lignage devient donc l'affaire du groupe tout entier, et non le résultat du génie personnel d'un de ses membres, plus heureux ou plus doué que les autres. Colbert n'a pas fait les Colbert. Pas davantage que lui, Fouquet n'est l'inventeur des siens. Depuis près d'un siècle, la famille, solidaire de son chef, s'est poussée au prix d'un effort collectif, où les destins particuliers, réussis, médiocres ou avortés concourent pourtant à l'unisson : un unique objectif, la défense de l'intérêt commun. Dans un mouvement dialectique, le groupe soutient les individus, et chaque avancée de ceux-ci lui profite. La progression ne s'effectue pas de manière linéaire. Elle apparaît au contraire cahotante, le recul guettant à chaque pas.

L'aventure singulière de chaque lignage s'inscrit dans un cadre plus large. Y interfèrent diverses données, géographiques, sociales, religieuses, politiques et économiques, qui fixent les règles du jeu. La quête du pouvoir, sa jouissance et, par contre-coup, sa défense, font l'objet d'une âpre compétition. Celui qui l'assume, parce que le sort et le talent l'ont voulu, doit nécessairement rechercher des appuis pour durer, et s'entourer d'assistance pour le protéger. L'homme arrivé est l'élément d'un système complexe, dont l'énergie va en partie à la recherche de nouveaux soutiens, de nouvelles alliances. Si l'ensemble ne se fortifie pas, il périclite.

Dans le cas de Nicolas, cette nécessité d'un parti est rendue encore plus impérieuse en raison de sa charge et des services que la monarchie attend de lui. Un responsable des recettes royales ne saurait vivre hors du monde. Ses devoirs l'obligent au contraire à se doter d'un entourage nombreux et puissant, donc fortuné. Attirer les financiers, ce n'est point faire l'épargne aux dépens de l'État, mais en assurer le crédit. Séduire de riches bailleurs de fonds, ce n'est point fomenter un parti, mais permettre à ceux qui en ont les moyens d'alimenter le Trésor. Le charme de Fouquet, son habileté, sa souplesse font le reste. A son extérieur glorieux, se joint l'image de l'homme comblé que courtisent les puissants et la fortune.

Les créatures de l'écureuil

Fouquet, pour toutes ses actions, s'appuie sur un groupe de fidèles, qui le servent, et qu'il sert dans un système d'aides réciproques. Au premier plan, figurent ses proches, mère, frères et sœurs, puis, en cercles concentriques de plus en plus éloignés par le sang, ses cousins, ses alliés, ses amis, enfin, la cohorte de ses domestiques et de ses commis, ses interlocuteurs professionnels, recrutés en quasi-totalité dans la gent financière. Il est évident que les frères Fouquet occupent une place éminente au cœur de ce dispositif. N'incarnent-ils pas ce lignage auquel Nicolas doit tant ? Aussi le surintendant respecte-t-il à la lettre les dernières volontés de son père, le modèle en maints domaines : demeurer tous unis, ce qui est à coup sûr le meilleur moyen de gravir les échelons du monde et de s'y maintenir.

La famille du surintendant possède cependant certains traits qui donne à son ascension une nuance très spécifique, singulière pour ainsi dire, dans le microcosme que constituent les sphères du pouvoir. Ce robin, ce ministre appartient en effet avant tout à l'Église, par définition étrangère aux occupations journalières de Nicolas. Le paradoxe ne signifie pas handicap. Compte tenu de l'importance qu'ont la foi et la religion dans la France classique, l'univers dans lequel évolue le surintendant se révèle d'une extrême influence.

François Fouquet, évêque de Bayonne, tient un rôle prépondérant auprès de Nicolas, non seulement parce qu'il est le premier à atteindre une telle dignité à l'intérieur du clan, mais aussi parce que sa carrière contribue puissamment à l'élévation de celui-ci. Bien pourvu en bénéfices ecclésiastiques d'un excellent rapport, tels que le prieuré de Cassan et les abbayes de Saint-Séver et de Saint-Sens, il poursuit sa route ascendante[2]. Le voilà nommé en octobre 1643 évêque d'Agde. Certes, le diocèse est un des plus exigus de France — 17 paroisses — mais son revenu est fort substantiel. Et, avec l'accès du puîné à la surintendance, ce siège épiscopal ne devrait être qu'une étape transitoire pour le nouvel élu. Son avenir s'annonce brillant. En 1656, l'archevêque de Narbonne, Claude de

Rebé, ministre d'État, arguant de son grand âge et des incapacités qui en découlent, ne propose-t-il pas de le prendre pour coadjuteur ? Le surintendant prépare de son côté, tant à Rome qu'auprès de Son Éminence, la succession. C'est chose accomplie en mars 1659. François préside, mitre en tête, le synode de Narbonne qui s'ouvre en 1660.

Cette réussite entraîne l'accès à l'épiscopat de l'avant-dernier des frères, Louis, un jeune homme de 23 ans. Né en 1633, filleul de Nicolas, lui aussi éduqué par les jésuites du collège de Clermont, il est soumis par sa mère et son frère aîné, l'évêque de Bayonne, à l'influence de Vincent de Paul. Comme celle de tous les membres de la famille, sa formation est double. Juridique, il est avocat au Parlement de Paris, et siège, durant cinq ans, à partir de 1652, en tant que conseiller clerc, dans l'office de son défunt frère, Yves[3]. Théologique, il est docteur *in utroque* de la faculté d'Orléans, et a la réputation d'être fort instruit des choses de la religion. Pendant la Fronde, Nicolas lui demande de le seconder, puis l'envoie en mission à Lübeck, en 1653, et à Rome pour deux ans (1655-1656). Il surveille officieusement le cardinal de Retz et en profite pour soutenir les intérêts familiaux. Ses talents se déploient dans les négociations destinées à faire obtenir l'archevêché de Narbonne à François. Il n'en manque pas non plus dans les achats, menés pour le compte du surintendant, de nombreuses œuvres d'art destinées à orner le château de Vaux. Le succès couronne tous ses efforts, et ce beau dévouement mérite récompense. Ce sera le siège épiscopal d'Agde, que son frère vient de laisser vacant. Consacré en 1659 par François Harlay de Champvallon, archevêque de Rouen, avec lequel il se lie d'amitié, il se signale à l'Assemblée du Clergé de 1660-1661 par son zèle antiprotestant et antijanséniste, dans la stricte orthodoxie prônée par le monarque.

Nicolas compte donc parmi les siens deux prélats à des postes clés dans une province fort indépendante d'esprit comme l'est le Languedoc d'alors. Son troisième frère, Basile, n'est pas moins essentiel que les deux précédents pendant tout le temps que durera leur entente. Troisième fils de François Fouquet et de Marie de Maupéou, il a été baptisé en 1622 à

Saint-Médéric. Après les inévitables études chez les bons pères, voué à l'Église, il obtient, fort jeune, les bénéfices ecclésiastiques qu'avaient reçus ses aînés, à savoir la trésorerie de Saint-Martin de Tours et une charge d'aumônier du roi[4]. Son étoile brille d'un vif éclat lorsque, à l'instar de Nicolas, il lie son destin à celui du cardinal. Les raisons en sont mal connues. En fait, de tous les frères Fouquet, Basile, qui, par bien des côtés, ressemble au surintendant, demeure seul une énigme. L'homme est tout en contrastes. Prototype de l'abbé de cour, aimant la galanterie — il ne sera jamais prêtre — c'est un fin lettré, et pourtant l'action le passionne. Intelligent, hardi, voire téméraire, il a le génie des combinaisons tortueuses et un goût prononcé pour les combats de l'ombre. Au fond, lui qui déteste le cardinal de Retz semble son double. Avec de telles qualités, comment aurait-il pu laisser Mazarin indifférent ?

Son Éminence l'emploie dès 1649 à négocier la soumission de la duchesse de Chevreuse. Comme Basile n'hésite pas à franchir les lignes ennemies pendant la Fronde, Mazarin en fait une sorte de chef des services secrets. Celle-ci finie, le voilà établi conseiller d'État en 1653. En fait, pendant toutes ces années troublées, il agit de concert avec son frère Nicolas. C'est lui qui a soudoyé les émeutiers parisiens, œuvrant pour Mazarin après le combat du faubourg Saint-Antoine. C'est lui aussi qui a réussi à éventer le complot de Madame de Châtillon contre ce dernier. Le retour à l'ordre ne sied donc guère à ce conspirateur-né, ne respirant que par et dans l'intrigue, de cœur ou de politique. Il intervient ainsi dans l'affaire du maréchal d'Hocquincourt, un traître vendu aux Condé. Il surveille de près le cardinal de Retz dans son exil romain. Il reste toujours chargé des questions de police mais, dans cette période de stabilité, son influence auprès de Mazarin s'émousse quelque peu, influence qui a beaucoup contribué au crédit dont jouit Nicolas. Il a bien été nommé procureur général du Parlement de Metz, une cour où les Fouquet occupent une place notable depuis sa création, mais son frère le pousse à viser plus haut. En 1654, Nicolas, peut-être écrasé par son double fardeau, judiciaire et financier, décide de lui remettre le premier : il lui résigne donc en survivance sa charge de procureur général du Parlement de Paris, pour laquelle Basile est pourvu et reçu en conséquence[5].

Ce désistement sera sans effet, car Basile se tourne vers d'autres honneurs. Il achète alors, moyennant 400 000 l, la charge prestigieuse de chancelier des ordres du roi, dont sont détachées cependant la garde des Sceaux et la surintendance des deniers au profit d'Henri de Guénégaud[6]. Il la conserve d'ailleurs, puisque ce n'est qu'en 1659 que, par suite de sa renonciation, celle-ci incombe à son frère, l'évêque d'Agde. Une certaine instabilité, peut-être son agitation intempestive refroidissent vers 1657 les relations avec Nicolas. La brouille met fin à une longue complicité, fondée sur des goûts communs et des intérêts réciproques. La querelle publique qui les voit s'opposer l'un à l'autre, en janvier 1661, laisse penser que Basile, emporté par ses penchants naturels, s'est lancé dans une de ces cabales dont il a le secret, dirigée cette fois contre son frère. Aurait-elle réussi à le perdre six mois plus tard, comme on l'a dit ? En réalité, jusqu'à la chute de son aîné, Basile poursuit les affaires en cours avec lui. Mieux : son exil après l'arrestation du surintendant montre qu'en haut lieu, loin de le considérer comme l'artisan de ce fait, on le considère plutôt comme son allié.

L'importance de ces hommes d'Église draine vers Nicolas un grand nombre de soutiens politiques. François Fouquet, en tant qu'archevêque de Narbonne, préside de droit les États de Languedoc, un atout appréciable lorsqu'il s'agit de faire voter le don gratuit de la province ! Une position charnière, du reste : du côté de la province, quel meilleur intercesseur trouver afin de la défendre que ce François qui a l'oreille du ministre ? Du côté du pouvoir, comment mieux faire passer son message aux représentants locaux que par le truchement du surintendant ou de son frère ? François et Louis Fouquet, comme membres de l'épiscopat, peuvent aussi communiquer à l'Assemblée du clergé les volontés royales à l'égard des protestants et des jansénistes. Louis, en particulier, ne s'est pas privé de défendre hautement les thèses de la monarchie sur ces points délicats. Sans compter que dans cette institution, qui défend pied à pied ses privilèges financiers, ils peuvent fournir à Nicolas bien des renseignements utiles. Enfin, tous deux, ainsi que le versatile abbé, constituent des puissances non négligeables, sur le plan pécuniaire s'entend. Outre ces revenus importants que forment les manses épiscopales, leurs bénéfices ecclésiastiques rapportent gros. Chacun prend garde d'ailleurs à ce que ces profits ne sortent pas de la famille. Le clan doit avoir ses rentrées financières assurées : offices et bénéfices changent donc de titulaires sans jamais s'égarer en dehors de lui.

A maintes reprises apparaît la solidarité existant entre les frères Fouquet. Nicolas s'entremet dans leurs opérations, leur prêtant son nom, son crédit pour acquérir des biens ou conclure quelques affaires. L'abbé, comme chef de la police secrète, tient celui-ci au courant de ce qui se trame, et ses informations sont d'un grand poids, en raison de l'extrême sensibilité des milieux d'affaires à la conjoncture politique. Cependant, une entière communauté peut, à la longue, offrir quelques désavantages. L'abbé a beaucoup d'ennemis, et Nicolas, surintendant des Finances et porte-parole du monarque parmi les robins, en a suffisamment par lui-même pour ne pas s'encombrer de ceux-là ! Lorsque leurs relations se détériorent, il sait devoir redouter les perfidies d'un expert en la matière. Ses adversaires ne sauront-ils pas exploiter faux pas et déconvenues ? Pourtant, l'union des Fouquet n'est pas en mesure d'inquiéter le pouvoir en dépit de ce qu'insinue le cher Colbert : le parti n'a pas d'avenir.

Une faction n'acquiert de la consistance que lorsqu'elle sert les intérêts de qui la gouverne sur le long terme. Or si Nicolas agit avec précipitation, c'est justement parce que le temps se dérobe sous lui. Il sait qu'il est un homme seul. Comment bâtir une faction sur un clan condamné à s'éteindre ? Nulle descendance n'est à espérer de Basile ou de François. Et de son côté, la perpétuation du lignage restera longtemps problématique. De son premier mariage, une fille unique est née, Marie. Elle ne peut ni sauvegarder le nom ni défendre le lignage. Tout au plus, par ses noces, est-elle en mesure de renforcer le potentiel des Fouquet.

Le choix de l'époux est donc un élément déterminant dans

la stratégie du groupe. La politique suivie par Nicolas montre qu'il s'est heurté à des hésitations, dont on ne sait si elles lui sont imputables ou si elles proviennent de circonstances indépendantes de sa volonté. En 1650, on l'a vu, il a songé à la marier au fils du procureur général du Parlement, Blaise Méliand. Le calcul était à la fois économique et social, puisqu'il liait la succession de Fouquet au poste de Méliand à l'alliance des deux jeunes gens, autrement dit, des deux familles. Or celles-ci, quelques jours avant que Nicolas n'accède à la surintendance, ont rompu d'un commun accord le contrat qui les associait[7]. Rien ne permet de deviner les causes de ce revirement et l'identité de la partie responsable. Quelques mois après, Nicolas Méliand convole avec la fille du financier Bossuet. Restait aux Fouquet à se mettre en quête d'un autre prétendant.

La faveur de Nicolas a sans nul doute favorisé l'hymen de sa chère enfant avec Armand de Béthune, marquis de Charost, célébré en 1657[8]. L'alliance est illustre : l'époux appartient à une vieille maison d'épée et descend du grand Sully, dont il est le petit-neveu. On ne pouvait rêver mieux ! Sur le plan des relations publiques, l'affaire est superbe. Le nom des Fouquet lié à ce patronyme éclatant : cela rappelle des jours heureux après la bourrasque des guerres religieuses et sonne donc agréablement dans les milieux d'affaires. Fouquet a bien visé en l'occurrence. Cette heureuse cérémonie ne règle cependant pas la question de la descendance. La progéniture sortie de son très tardif remariage ne saurait entrer en ligne de compte. L'existence des nouveau-nés est chose trop fragile à l'époque pour que Nicolas ait confiance dans le destin de ses enfants. N'a-t-il pas déjà perdu un petit garçon en 1656 ? Sa femme, Marie Madeleine, a de plus fait une fausse couche après avoir voulu imprudemment le rejoindre dans le Sud-Ouest, durant les tractations préparant la paix des Pyrénées (1659). Pour l'heure, l'aînée des survivants n'est qu'une fille. Quant aux mâles, sur qui repose la survie du clan, ils vagissent encore dans leurs langes, et l'on forme des vœux pour qu'ils atteignent l'âge adulte.

Aussi, jusqu'à ce que s'écroule l'ambition de Nicolas, toute la famille met-elle ses espérances dans le dernier rejeton qu'ont eu François Fouquet et Marie de Maupeou : Gilles. Comme tous ses frères, il a reçu la double formation, juridique et religieuse, en usage chez les Fouquet. Tonsuré, il est pourvu, fort jeune, d'un bénéfice ecclésiastique[9]. Ayant suivi également des cours de droit, il devient conseiller au Parlement de Metz, où avaient déjà siégé ses aînés. Puis, en 1657, il entre au Parlement de Paris, à la place, cette fois, de son autre frère, Louis, qui vient d'être nommé évêque d'Agde[10]. A cette date, la famille compte sur lui, d'autant plus que la santé de Nicolas n'a jamais été excellente. La très grave maladie de celui-ci, en juillet 1658, souligne combien est précaire la continuité du lignage. Dès lors, l'avenir de Gilles est fermement pris en main. Nicolas ne le voit plus dans la robe, mais à la cour, auprès du monarque. Gilles reçoit, en octobre de cette année, la charge de premier écuyer de la Grande Écurie du roi. Dans la foulée, Nicolas et son épouse, dès le mois de décembre, lui offrent les terres d'Anjou (Les Moulins-Neufs et le Grand-Auvers), qui symbolisent les origines mythiques du clan. Le voilà investi du passé idéalisé, lui sans lequel les Fouquet risquent de ne pas connaître de lendemains. Le surintendant lui reprend du reste ces terres des prétendus ancêtres, en 1660, contre un substantiel don — 240 000 l — quand il convient de l'établir[11].

C'est dans cette perspective — la recherche d'une descendance — que s'inscrit le mariage de Gilles conclu, le 2 mai 1660, avec Anne d'Aumont. Là aussi, une flatteuse union : Anne appartient à une très ancienne famille d'épée. Son père, César d'Aumont, tient l'une des premières places en Touraine, dont il est gouverneur. Son oncle, Antoine d'Aumont, maréchal de France et gouverneur de Boulogne, deviendra gouverneur de Paris en 1662, duc et pair trois ans plus tard. A dire vrai, le mariage est même inégal. Mademoiselle d'Aumont ne décolère pas d'être ainsi sacrifiée. Les époux ne seront d'ailleurs guère unis, et ce n'est certes pas la chute de Nicolas et la disgrâce qui s'abat sur les siens qui vont améliorer leur vie conjugale ! Il faut avouer aussi que le pauvre Gilles, à la différence de ses frères, ne brille guère par sa personnalité.

Lorsque son beau-père disparaît, en avril 1661, il briguera en vain sa succession comme gouverneur de Touraine. Signe avant-coureur de la tempête qui se déclenchera cinq mois après ou légitime scepticisme devant ses capacités restreintes ? Louis XIV ne l'agrée pas dans cette charge. Ainsi, à s'en tenir à la famille mononucléaire, Nicolas ne bénéficie pas d'une véritable faction politique et sociale. L'aire d'influence se limite à l'univers religieux et se révèle, somme toute, plutôt périphérique. Certes, les cousins bretons foisonnent, mais là aussi, sont-ils de quelque poids ?

Depuis longtemps, les Chalain entretiennent avec le père de Nicolas une étroite amitié, et sur ce point la continuité l'emporte également. Leur position au Parlement de Rennes, leurs alliances dans la province font qu'ils gèrent les intérêts qu'y ont leurs parents parisiens. Entre ces deux rameaux, les relations sentimentales vont de pair avec le souci du patrimoine familial. Les Chalain participent, on le sait, à l'effort maritime et colonial voulu par le surintendant, en particulier au Canada. Ils possèdent la moitié du gouvernement de Concarneau et une part sur certains navires de Nicolas[12].

Cette solidarité s'accompagne d'un certain nombre de bons procédés. Ici, les Chalain agissent comme prête-nom pour la vente des vaisseaux du ministre, comme fondés de pouvoir afin de diriger les affaires qu'a celui-ci en Bretagne. Là, c'est Nicolas qui se porte pour eux caution, leur avance des fonds ou leur prête son crédit. Lorsqu'il leur achète par exemple la terre de Cortanton et le domaine de Rosporden, ces biens sont surpayés afin de les obliger : 200 000 l pour un ensemble qui, en fait, n'en vaut guère plus de 50 000 l. Ces liens chaleureux vont d'ailleurs coûter fort cher aux Chalain lors de la débâcle de 1661. La ruine attend le président Chalain. Témoignage émouvant de son attachement à la personne de Nicolas, à sa mort, on retrouvera parmi ses maigres meubles un portrait de ce dernier : il les avait tant soutenus au temps de sa splendeur ; pourquoi lui en vouloir de les précipiter dans sa chute[13] ?

Fouquet, dans sa gloire, n'oublie pas non plus les autres membres de la famille, les Fouquet du Boullay ou les Rocquel de Bourblanc. Ainsi, lors du mariage de Madeleine Fouquet,

fille de feu Jean Fouquet du Boulay, avec Bernardin Gigault
de Bellefonds, il facilite le versement de la dot, en avançant
200 000 l contre une cession de terres en Bretagne[14]. Cette
alliance avantage d'ailleurs l'ensemble du clan, car elle y
introduit un soldat distingué, que Louis XIV nommera maréchal de France et dont il fera un de ses favoris. A l'instant des
noces, Bellefonds navigue dans les mêmes eaux que Nicolas.
Maître de camp du régiment de Champagne, puis maréchal de
camp, il sert en Catalogne sous les ordres de Jacques de Rougé,
marquis Du Plessis-Bellière, ami de Nicolas et proche de
Mazarin. C'est en cette qualité qu'il participe aux opérations
contre Naples où Rougé commande en chef. Les Du Plessis-
Bellière illustrent à merveille ces lointains apparentés au
surintendant, pour lesquels en définitive les liens du sang
importent moins que la solidité de l'amitié et l'imbrication des
intérêts.

Madame Du Plessis-Bellière, née Suzanne de Bruc, « à qui
je me fie de tout, proclame Fouquet, et pour qui je n'ai jamais
eu aucun secret ni aucune réserve[15]... », représente l'une des
personnes les plus considérables dans l'entourage de ce dernier.
Suzanne sort d'une vieille famille bretonne, qui semble avoir
été alliée aux Fouquet de cette province. Peut-être François
Fouquet, lorsqu'il œuvrait dans les compagnies de commerce,
a-t-il eu l'occasion de fréquenter certains de ses membres ? Un
Bruc figure en effet parmi les Cent de la société du Morbihan.
Nicolas, alors intendant d'armée, connaît bien les Du Plessis-
Bellière, depuis qu'au siège d'Armentières, en 1657, Suzanne
est demeurée avec courage aux côtés de son époux, gouverneur
de la place. Une étroite amitié n'a cessé de se développer entre
lui et elle, au point qu'on a voulu croire, sans la moindre
preuve, à des liaisons plus intimes. En fait, Suzanne est déjà
âgée de quarante-deux ans, et ce qui frappe surtout en elle, ce
n'est pas tant sa beauté que son intelligence et son dynamisme.
Quand Nicolas atteint les sommets, elle assume presque,
comme il le dit, les fonctions d'une collaboratrice. Elle lui
prête son nom dans certaines entreprises, tel l'achat des droits
de Ceinture-la-Reine. Elle se charge aussi d'honorer ses dépenses

d'ordre privé. La marraine qui tient en 1656 dans ses bras la seconde fille de Nicolas, c'est elle.

Suzanne de Bruc met au service de son ami et protecteur tous les siens, en particulier ses deux frères, René de Montplaisir, maréchal de camp et colonel du régiment Du Plessis-Bellière, et François de Bruc, qui succède à son aîné dans ce même régiment, ainsi que leur parent, Christophe, dit le prieur de Bruc. Eux aussi aident le surintendant dans ses affaires privées, lui offrant de l'argent, ou lui prêtant leur nom dans l'aliénation des bois de Normandie[16].

Un peu de la même façon, Jeanne Pélagie de Rieux, marquise d'Asserac, facilita les établissements de Nicolas. Les relations, d'abord d'affaires, puis d'amitié, entre les Rieux et les Fouquet datent de François. Cette antique maison, fortement possessionnée en Bretagne, se débat cependant au milieu des difficultés pécuniaires. Le marquis d'Asserac et sa première femme, Anne Mangot, fille du garde des Sceaux Claude Mangot, utilisant les liens de ce dernier avec François Fouquet, lui ont emprunté des sommes importantes. L'habitude s'est poursuivie après la mort du père. La famille Fouquet devient ainsi la créancière des Rieux, dont la situation ne s'améliore guère, malgré le remariage du marquis avec sa cousine, Jeanne Pélagie, comtesse de Chateauneuf.

La jeune femme, vive et séduisante, possède pourtant de grands biens, mais mal gérés. Elle se tourne donc vers Fouquet pour sauver ce qui peut l'être. Moyennant l'abandon d'une partie de ses terres sur la côte sud, elle réussit à sauver le domaine d'Asserac, mais échoue dans sa tentative pour récupérer le meilleur du duché de Penthièvre[17]. Nicolas, qui apprécie comme il se doit la spirituelle veuve, finance en partie cet essai visant à restaurer la maison d'Asserac. En échange, celle-ci l'aide à bâtir son complexe maritime et colonial du Morbihan.

Le surintendant, doté d'un heureux tempérament, aimable et enjoué, se plaît à obliger les particuliers qu'il souhaite ranger parmi ses amis. Ses bons procédés lui permettent de conquérir ou de conserver l'affection des Chanut, des Mangot, des Lamoignon. N'est-ce pas grâce à lui que Guillaume de Lamoignon devient premier président du Parlement de Paris ? Des Harlay, aussi : ne cède-t-il pas sa charge de procureur général à un prix inférieur à celui proposé par ailleurs, pour qu'Achille de Harlay puisse la lui acheter ? Au niveau gouvernemental, ses rapports avec Servien manquent certes de cordialité. En revanche, ceux qu'il entretient avec le neveu de son collègue, Hugues de Lionne, sont excellents. Lionne, diplomate de son état, se sent démangé par l'affairisme, mais ses projets ne récoltent pas toujours le succès escompté, d'où les fréquentes interventions de son ami, le surintendant[18]. Lionne lui propose même de marier leurs enfants, l'hymen couronnant en quelque sorte l'association financière[19] !

Cette approche, qui mêle relations amicales et affaires d'argent, n'est pas spécifique de Fouquet. Toute la bonne société de l'Age classique en fait autant. Elle trouve son relais à l'échelon subalterne (qui n'en est pas moins essentiel) des domestiques du surintendant, ses commis, tous ceux qui constituent les rouages de ses entreprises, tant publiques que privées. Au début, il emploie des secrétaires, qui servaient déjà son père, comme Waroquier, un avocat au Parlement, utilisé aussi par son frère, l'évêque d'Agde, des domestiques aussi, tel le célèbre Jean Pecquet, médecin[20], ou le non moins fameux Jean Vatel, maître d'hôtel et infortunée victime de la marée. Tous interviennent dans ses affaires privées, notamment en ce qui concerne l'achat de terres et l'édification de Vaux. Cependant, la part la plus notable de ses affaires, celles qui sont relatives à l'État, ne dépend que d'une poignée de collaborateurs. Fouquet a en eux une absolue confiance.

Charles Bernard, tout d'abord. Fils d'un secrétaire de la Chambre du roi, il devient secrétaire du roi, puis son maître d'hôtel, en 1651. Son ascension se trouve grandement facilitée par son union, en avril 1651, avec Anne Dunoyer, fille d'un receveur-payeur des rentes, et cousine de Marie Madeleine de Castille, la seconde femme de Fouquet. Celui-ci l'utilise donc, une fois au pouvoir, pour ses affaires personnelles comme pour celles de l'État[21]. Bientôt, cependant, s'impose le dynamisme d'un autre de ses auxiliaires, Louis Bruant des Carrières, un avocat en Parlement, devenu lui aussi secrétaire du roi avant d'acquérir, en 1659, l'office de correcteur en la Chambre des comptes de Paris[22]. Il se concentre sur les affaires de Nicolas, lequel lui laisse la plus grande liberté de manœuvre possible. Bruant, un personnage au demeurant assez curieux, ne se contente d'ailleurs pas d'être le commis de Fouquet. Il apparaît en fait comme gérant de multiples portefeuilles privés, à commencer par celui des Bruc, ceux d'autres riches bailleurs aussi. Le dernier du trio et le plus connu, le huguenot Paul Pellisson-Fontanier[23], vient du Languedoc. Issu d'une famille de parlementaires, ses talents littéraires l'ont fait remarquer d'un surintendant mécène, passionné de poésie. Pellisson ne tarde pas à associer ses qualités d'écrivain à l'ardeur du financier. Il commence premier commis de Fouquet en 1657, puis, bien vite, devient secrétaire du roi et correcteur de la Chambre des comptes de Montpellier : la trajectoire habituelle, mais en accéléré ! Le voilà prêteur de la monarchie, tout comme ses collègues, Bernard et Bruant des Carrières. Cela consolide les liens noués entre son patron et la finance, mais contribue aussi à entretenir l'équivoque autour de ses fonctions. Au fond, parents, amis et créatures, tous se rassemblent, non au sein d'une faction, mais dans un consortium d'affairistes, qui aident la couronne en soutenant les entreprises que propose Nicolas.

LE LOBBY FINANCIER DE FOUQUET

Lorsque Nicolas fait acte de candidature à la surintendance, en janvier 1653, il prend soin de rappeler que bon nombre d'amis fortunés sont tout disposés à lui prêter leur concours financier. Cette façon de présenter les choses ne correspond ni à une figure de style ni à une manœuvre destinée à le faire agréer, mais bel et bien à la réalité. C'est que le système fisco-financier de la France implique nécessairement la participation de groupements financiers très liés aux détenteurs du pouvoir. La présence d'un lobby d'affaires ne saurait par conséquent choquer : sans ces puissants bailleurs de fonds, la monarchie ne pourrait faire face à ses obligations. Fouquet, qui agit dans le cadre imposé par les circonstances, et avec les éléments constitutifs du système, s'est donc pourvu — comme l'ont fait ses prédécesseurs, et, malgré ses dires, comme le fera son successeur, Colbert — d'un groupe d'investisseurs, joliment baptisés « son crédit ». Du reste, il ne cache pas ce recours aux gens ayant de l'argent à placer, et auxquels des affaires peuvent être proposées :

« Il est vrai, rappelle Fouquet, qu'un grand nombre de personnes de toutes qualités l'ayant prié pour, par son autorité, faire employer quelque argent qu'ils voulaient faire valoir dans lesdites fermes, il n'a pas pu leur refuser de le faire dire par ses commis aux principaux intéressés pour en faire ce qu'ils jugeraient le plus à propos, croyant que c'était toujours une plus grande sûreté pour le roi et un plus grand secours pour la bourse desdits intéressés, lesquels ne demeureraient pas moins responsables du total envers le roi[24]. »

Il est évident que, pour la commodité, Fouquet se sert de ses parents, de ses amis, de ses fonds propres aussi, tout responsable de ce niveau se devant d'entrer dans la noria des finances royales. N'est-il pas logique de s'appuyer sur ceux dont la fidélité est éprouvée ? Ainsi, dans les affaires extraordinaires qu'il suscite — émissions de rentes, aliénations de droits, de domaines —, ses « créatures » sont là, épaulant le ministre devenu le démarcheur de la couronne. La notion de relations amicales en matière de finance demeure pourtant assez floue. Les acteurs n'aiment guère le devant de la scène, surtout dans un milieu qui affecte de mépriser le négoce de l'argent, voire de le vouer aux gémonies. Cela ne signifie d'ailleurs pas que Nicolas exerce un monopole au profit d'une coterie personnelle, comme le prétend Colbert. Il rassemble toutes les bonnes volontés, à commencer par celles de ses familiers, ce qui est tout différent.

Nicolas lui-même est une créature, celle d'un personnage omnipotent, qui, depuis son retour au sommet, a tissé un réseau considérable d'intérêts et met en coupe réglée le royaume de France. Ce personnage — et c'est là que se situe le nœud de l'affaire pour Fouquet et pour son accusateur — n'est autre que le cardinal, flanqué de son âme damnée, ce bon Colbert, qui tire en sous-main les ficelles. En dénonçant le soi-disant lobby Fouquet, Colbert ne fait qu'occulter, derrière une attaque personnelle, une des grandes contradictions de la monarchie à velléité absolutiste. Par la nature de l'instrument monétaire, par la méthode de recouvrement des impôts et des autres ressources de la monarchie, le roi se trouve inéluctablement aux mains des financiers et de leurs puissants bailleurs de fonds. Mais ceux-ci, parce que riches et inscrits dans les milieux les plus huppés de la société, cotoient le pouvoir, sont le pouvoir. A partir du moment où le système ne fonctionne qu'avec ceux qui ont de l'argent à faire valoir, les responsables des affaires sont amenés à devenir acteurs privilégiés du jeu financier, entraînant avec eux toute leur clientèle, parents et amis. Ce n'est pas Fouquet qui place avec malignité ses créatures dans la finance, c'est l'ensemble du corps politique qui suit cette démarche. On le vérifie avec Richelieu, avec Mazarin et l'immense cohorte de leurs créatures. Dans cette partie, il n'est alors pas sûr que Fouquet soit du nombre des plus furieux affairistes, au sens péjoratif du mot, que la monarchie ait connus.

Nicolas, là est son honneur, s'est jeté à corps perdu dans sa tache. Contrairement à beaucoup de ses homologues, à son rival, le jeu de l'argent, qui ne le passionne d'ailleurs que modérément, ne l'a pas enrichi. Son goût pour la gloire, son besoin de servir pour paraître, pour être aimé de ses maîtres, constituent des mobiles autrement puissants. Il est prêt à tout sacrifier, et il a tout sacrifié pour cette gloire et cet amour du service. C'est avec ces sentiments exacerbés, et non par recherche du profit personnel, qu'il oblige et soutient à fond les intérêts de ces amis et de ses maîtres. Dans ces conditions, tous ses gestes peuvent paraître suspects. Et d'abord aux yeux de Colbert, qui, pourtant, bénéficie sans vergogne pour lui-même et pour celui qu'il sert du système que Nicolas anime avec maestria. En poussant un groupe, Nicolas ne se forge pas une faction. Il agit en financier qui se veut socialement un honnête homme. Contrairement à l'habitude, admise au Grand Siècle, selon laquelle l'homme au pouvoir s'enrichit par lui, encore qu'il faille regarder de près ce qu'il en est véritablement, Fouquet n'incarne absolument pas l'archétype du concussionnaire. D'où le caractère particulièrement odieux des critiques portées à son encontre et la désolante platitude d'esprit avec laquelle l'historiographie a repris ce cliché : les idées toutes faites plaisent beaucoup car elles évitent de vérifier, point par point, leur fondement véritable.

Tenant compte de ce contexte, suivons la manière dont procède un responsable des finances pour défendre sa politique. L'anatomie du traité concernant l'aliénation de la moitié des octrois des villes du royaume en fournit un bon exemple[25]. Fouquet décide une nouvelle adjudication de ces octrois en août 1657. L'affaire est adjugée au mois de septembre à un certain Philippe Picard, qui n'intervient qu'en tant que prête-nom de Pierre Baron, financier. Celui-ci n'est lui-même qu'un homme de paille, derrière qui se cache le prieur Christophe de Bruc, cousin de Madame Du Plessis-Bellière, le véritable traitant, donc, dans cette affaire. Ce prieur ne la gère d'ailleurs pas : c'est le commis de Fouquet, Bruant des Carrières, qui se charge de la conduire. Sur le plan financier, Christophe de Bruc est épaulé par le marquis de Créquy, gendre de sa cousine, qui y place l'argent produit par son gouvernement[26]. Le traité donne ensuite au niveau local toute une série de sous-traités : les octrois se revendent au détail. Parmi les acquéreurs, se pressent parents, amis ou obligés du surintendant. C'est le cas de Vatel pour ceux de Meaux, de Harlay pour ceux de Montargis, de Madame de Motteville pour ceux de La Rochelle, d'Henri de Graves, un protégé de la reine mère, pour ceux d'Orléans, de Chanut pour Chartres, du marquis de Créquy pour Amiens et Sézanne, du chevalier de Maupeou pour Troyes, de Madame Du Plessis-Bellière pour Tournon, de Gilles Fouquet pour Tours, de Saint-Gilles pour Pithiviers, Beaugency et Poitiers[27]. Les créatures de Fouquet sont tout aussi nombreuses à figurer dans celui de l'aliénation du droit de Ceinture-la-Reine.

L'entreprise revient à un certain Jehan Bollet, qui en revend un tiers au duc de Bournonville et le reste à Madame Du Plessis-Bellière, qui sert ici de prête-nom au ministre[28]. De façon significative, lorsqu'en 1659 Nicolas liquide ses parts, une fraction en est revendue — toujours sous le nom de Madame Du Plessis-Bellière — à Bournonville, mais aussi, au collègue Servien[29] ! Finance et pouvoir sont donc bien imbriqués... Suzanne de Bruc se révèle une précieuse collaboratrice pour toutes ces affaires. N'est-elle pas aux côtés du surintendant dans celle qu'offre l'aliénation du marc d'or ? De même pour le traité des commissaires des tailles ? En fait, elle est présente dans maints contrats proposés par Nicolas, œuvrant en sous-part de François Jacquier, l'un des plus illustres munitionnaires et financiers du XVIIᵉ siècle, et prêtant de l'argent à Sébastien Cazet, le fermier du convoi de Bordeaux[30].

En jouant les intermédiaires, Nicolas n'hésite ni à solliciter ses amis ni à faciliter leur entrée dans ce monde des affaires. Se montrer efficace, n'est-ce pas pour cela qu'il a été choisi ? Les bailleurs de fonds ne s'adonnant aux finances que sous couvert de paravents, il prend soin de leur garantir la discrétion. Ses adversaires ne se feront pas faute d'interpréter les mesures prises à cette fin comme l'indice d'une coupable participation. On retrouve ainsi en 1661, parmi les papiers de Fouquet, un document dans lequel il parle, de façon voilée, de quitter les fermes des Gabelles et les Cinq Grosses Fermes. Aussitôt, on flaire là la preuve de sa présence occulte dans les fermes du roi et la marque d'affreuses pratiques envers les malheureux fermiers. Ces bonnes âmes ne seraient-elles pas rançonnées par l'infâme ? Nicolas ne tarde pas à se justifier. Au reste, des lettres que certains lui ont écrites peu avant la disgrâce confirment ses propos.

Au passage, Fouquet révèle comment introduire dans le circuit ceux qui cherchent à placer de l'argent, qu'ils comptent ou non au rang de ses proches. Dans le cas précis, il s'agit d'un être cher, Hugues de Lionne[31]. Affairiste impénitent mais malchanceux, il ne réussit pas mieux dans ses investissements que dans sa vie privée. Lassé, il décide en 1660 d'abandonner gabelles et fermes, où sa part s'élevait à 400 000 l, moyennant une pension. D'où les notes prises par Nicolas pour soumettre le marché aux traitants. Lionne est un ami, mais Nicolas s'entremet avec autant de complaisance pour d'autres. Comme par exemple en faveur du chancelier Séguier qui lui demande de faire de même pour ses chères filles, croupiers dans les fermes des Gabelles et les Cinq Grosses Fermes[32]. Ne retenir dans ce genre de transaction que les noms de ses proches, et en déduire qu'il ne sert que les intérêts de cette bande, c'est donc témoigner d'une mauvaise foi punique.

En fait, tous ceux qui se déclarent prêts à confier leur argent à la couronne attirent sa sollicitude. Aussi ne faut-il point imaginer que n'importe quel individu ayant relation d'argent avec lui représente un élément de son lobby. Bien des traces montrent le contraire. Lorsque le duc de Guise, par exemple, cède sa charge de grand chambellan, en 1657, aussitôt se constitue un conseil de famille, incluant Mademoiselle de Guise et le comte de Montrésor, tout frémissant à l'idée de trouver comment placer une partie du prix de la vente[33]. Nicolas est consulté sur ce grave problème. Certes, dans la liste de ceux auxquels il emprunte, sur son crédit, pour le monarque, apparaissent maints financiers, et des plus notables de ce temps.

C'est le cas des fermiers généraux des entrées, qui lui avancent environ 414 000 l. C'est aussi le cas de Claude Girardin, créancier pour 3 500 000 l, de Monnerot le jeune pour 409 000 l, de Gruyn pour 214 000 l, de Jacquier, Gruyn et Monnerot l'aîné pour 90 000 l, de Jeannin de Castille pour 1 416 000 l, de Charles Bernard pour 470 000 l, de Bruant pour 500 000 l et de P. Pellisson-Fontanier, pour 460 000 l. Forment-ils une association visant à financer la surintendance ? Il faut nuancer la réponse. Bernard, Jeannin de Castille, Bruant et Pellisson, parce que parents, familiers ou commis de Fouquet l'aident de leur crédit personnel. Cela se vérifie de façon très nette avec le trésorier de l'Épargne, Jeannin de Castille, cousin de la seconde épouse de Nicolas. Le public n'ignore pas cette parenté, et celle-ci lui sert dans les emprunts qu'il lance afin de réunir les 1 416 000 l prêtées par lui[34]. Quant aux autres — la majorité —, ils ne lui sont pas liés, même Claude Girardin, encore que l'on ait souhaité faire croire l'inverse lors du procès.

Ce qui vaut pour ces financiers s'applique aussi aux simples particuliers en relation avec Fouquet. Pour des membres de sa famille, tels ses frères François, Basile et Gilles, son épouse, son cousin Chalain, son gendre Charost, ses amis Bruc de Montplaisir ou ses proches les Boylesves, combien sont des étrangers, des protagonistes œuvrant dans l'indifférence et pour le profit, comme le maréchal de La Ferté, le doyen du Conseil Monsieur de Lezeau, des parlementaires comme Monsieur de Roquette, Monsieur Rouillé ou le président Tambonneau ? Devant les nécessités pressantes, Nicolas fait feu de tout bois. Il s'appuie donc sur toutes les personnes disposant d'argent frais, prêtes à l'investir du moment qu'il accorde sa garantie.

En revanche, le programme économique du ministre dépend, lui, de clients de ce dernier. La société pour la vente de toiles aux Indes que Nicolas met sur pied avec les financiers Faverolles et Le Fevre, ainsi qu'avec Claude Boylesvre, intendant des Finances, et, en tant que tel, un de ses proches collaborateurs, comporte aussi Madame Du Plessis-Bellière et Bruant, tous deux devenus croupiers de Faverolles[35]. De même, Chalain participe à toutes ses entreprises navales et coloniales. Nicolas, pour affermir ses établissements en Bretagne méridionale, n'hésite pas à renflouer la marquise d'Asserac, ou du moins, à lui en procurer les moyens. Les biens qu'elle possède ne se situent-ils pas sur la côte, entre Auray et Nantes, là où précisément se bâtit son domaine maritime ? Toute la politique foncière de Nicolas dérive d'ailleurs de ce projet et des opportunités que l'amitié de Madame d'Asserac lui offre. Il est donc logique qu'il ait cherché à se rendre maître des petits ports de cette côte. C'est dans cette optique qu'il faut concevoir l'achat des gouvernements de Concarneau, de Guérande, du Croisic, ces deux-là passant au fils mineur de Madame d'Asserac, qui domine seigneurialement toute la contrée. Il est normal qu'il se soit préoccupé de s'installer à l'île d'Yeu, avant d'acquérir Belle-Île, qui ne pouvait que le conforter dans son projet d'une aire économique, centrée autour du golfe du Morbihan.

Ce contrôle d'une région, direct mais bien tardif, joint à l'achat des offices de général des galères et de vice-roi d'Amérique, serait-il le prélude à une faction militaire, visant à s'assurer l'empire des mers ? On l'a dit, ce qui montre que le ridicule ne tue pas. Que les ennemis de Fouquet aient répandu pareille chimère, on le comprend : la calomnie porte d'autant mieux qu'elle se fonde sur des arguments plus grossiers. Que de nos jours, ceux-ci n'aient pas encore été reconnus périmés, cela révèle l'esprit routinier et léger de la gent historienne. Comment penser que Nicolas dirige un puissant parti naval, avec une charge de vice-roi, la moitié du gouvernement de Concarneau, des amis qui règnent sur Le Croisic, Guérande et le Mont-Saint-Michel et par-dessus tout cela, un général des galères, galères basées en Méditerranée où les Fouquet ne détiennent ni bien ni influence ? L'accusation fait rire : Nicolas n'est pas les Vendôme ; la Bretagne, pas un bastion qu'il commande.

Ce sont les Mazarin, et non Fouquet, qui tiennent la province. N'est-ce pas la reine mère qui en est gouverneur ? Le maréchal de La Meilleraye, dont le fils est promis à une des nièces de Son Éminence, la dirige de fait, en vertu de sa charge de lieutenant général. Lui-même représente une puissance économique et maritime de taille, laquelle, par ses entreprises, cotoie, voire concurrence celle de Nicolas. Avant 1661, l'année terrible, Fouquet ne possède aucun pouvoir sur la marine royale, et son amitié avec le commandeur de Neuchèze, dignitaire de l'ordre de Malte, ne suffit pas à modifier cet état de choses. De fait, en oubliant le rôle qu'assume Nicolas, depuis plus de vingt ans, auprès des compagnies de commerce, avec, en toile de fond, la référence permanente aux leçons de Richelieu, on néglige un ensemble primordial d'explication.

Nicolas, une fois la paix rétablie et Mazarin enterré, espère tenir une place encore plus éminente dans le royaume que celle qu'il occupe pour lors. Dans cette conjoncture nouvelle, il pourra enfin reprendre la politique du grand cardinal. L'acquisition de la vice-royauté d'Amérique marque à cet égard une étape intéressante, car elle lui permet de surveiller toutes les sociétés désireuses de travailler aux Indes occidentales. Il renoue donc le fil tissé dans les années 1630 et que la guerre a rompu. Son rachat de Sainte-Lucie, son installation à la Martinique, ses navires de commerce faisant route de Belle-

Île vers les Antilles et Terre-Neuve constituent l'autre versant d'une politique maritime cohérente. Ce dessein pour la marine, Richelieu ne le renierait pas.

Colbert sait travestir cette activté inlassable et efficiente. Il veut s'en attribuer la paternité. Il veut surtout montrer que là réside le renouveau de la France. Ce que Nicolas pratiquait depuis des années à petit bruit sera donc objet de fanfares. Cependant, Nicolas ne développe pas seulement une politique personnelle outre-mer ; la politique coloniale reflète l'idéologie dévote. Tous ses projets portent l'empreinte de la volonté d'une conquête — ou d'une reconquête — catholique. Et, en ce sens, Fouquet s'avoue homme de faction. Non, il n'est pas un séditieux, ni même l'instrument d'un lobby. En revanche, il défend, avec beaucoup de souplesse, les intérêts du monde de la contre-réforme. La famille Fouquet, véritable puissance religieuse, ne s'épanouit que dans le parti dévot.

FOUQUET ET LES DÉVOTS

L'essor du parti dévot s'inscrit dans un vaste mouvement de renouveau du catholicisme au début du XVIIe siècle. La contre-réforme souffle dans un royaume tout entier ébranlé par les guerres de Religion et les luttes politiques de la Fronde. La lutte contre le protestantisme et les abus nés d'une dégénérescence d'un catholicisme « pur » ont engendré des réformateurs tels François de Sales, Bérulle, Vincent de Paul, Mme Acarie, Jeanne de Chantal qui prêchent un retour à une foi et une pratique en accord avec l'Écriture.

A côté de ces grandes figures, des chrétiens moins éminents ressentent également le besoin d'une restauration catholique. Entre 1627 et 1630, quelques âmes ferventes se sont ainsi regroupées pour réaliser le pieux dessein. Le duc de Ventadour et son épouse travaillaient déjà aux bonnes œuvres, mais leur foi profonde les conduit bientôt à embrasser l'état ecclésiastique : elle se fait carmélite en Avignon, lui religieux dans la capitale. Rapidement, on le remarque pour son zèle et pour son attachement au saint sacrement, déjà fort en honneur dans les milieux oratoriens. A partir de 1627, le duc de Ventadour s'ouvre auprès de quelques confidents, le capucin Philippe d'Angoumois, l'abbé de Grignan et le jésuite Suffren, de son désir de constituer une société chargée de propager la foi et d'en défendre les intérêts. Le but primitif, fixé par ce petit cénacle, ne vise qu'« à pratiquer l'oraison, à être dévots au saint sacrement et zélés pour le vrai bien du public ». Cette association, qui se nomme seulement Compagnie, se place sous la dévotion au saint sacrement, d'où le nom qui va la rendre célèbre : la Compagnie du Saint-Sacrement[36].

Dès l'origine, la compagnie se veut secrète. Elle se dote de statuts qui écartent les réguliers pour éviter de tomber sous la coupe d'un ordre. Elle souhaite rassembler des particuliers de tous horizons, nobles, robins, bourgeois, qui travaillent chacun dans leur pouvoir à l'œuvre pie. Mais ce secret, qui doit la protéger et la rendre plus efficace, s'explique surtout par son objectif réel. Car, au-delà de son action spirituelle, elle tend rapidement, sous couvert de charité et d'observation scrupu-leuse des sacrements, à établir dans tout le royaume une espèce d'ordre moral, sorte de contre-pouvoir catholique, en lutte contre tous les scandales, qui supplée un gouvernement jugé laxiste ou inopérant. Par l'intermédiaire de filiales, créées sur le modèle de la compagnie mère parisienne, avec laquelle elles se trouvent en étroite liaison, en l'espace de vingt ans, la Compagnie a couvert tout le royaume d'un réseau discret de gardiens vigilants de l'orthodoxie, dans la stricte obédience de la contre-réforme la plus pure.

On ne s'étonnera point de retrouver les Fouquet, dévots militants, mêlés de fort près à la pieuse compagnie. Certes, rien ne permet d'affirmer que François Fouquet, le père, ait été un confrère, mais ses relations et le commerce que ses fils vont entretenir avec celle-ci rendent plausible cette hypothèse. Très tôt la famille a fréquenté des personnalités éminentes de la Compagnie du Saint-Sacrement, à commencer par Monsieur Vincent, que son idéal charitable et son esprit missionnaire ont rallié aux entreprises de la Compagnie, avec bon nombre de ses collaborateurs et de ses disciples des conférences du mardi. Lorsque Madeleine Elisabeth de Maupeou cherche un directeur de conscience, elle s'adresse au père Suffren, l'un des fondateurs de la Compagnie ; plus tard, elle va nouer des relations étroites avec Jean Eudes, lui aussi un confrère, ce qui renforce la présence des dévots dans l'entourage des Fouquet.

Ceux-ci entrent bientôt dans la Compagnie en la personne de François Fouquet, disciple fervent de Vincent de Paul[37]. Les annales de la Compagnie témoignent à maintes reprises du zèle déployé par le jeune homme dans les activités de la société. Quand en 1636, les paysans des environs de Nancy sont accablés par la famine, la Compagnie les secourt, et à cette occasion, le nouvel évêque de Bayonne intervient en leur faveur auprès de Mangot, alors intendant en Lorraine, un proche de sa famille[38]. L'année suivante, François Fouquet est désigné par la Compagnie pour faire cesser le scandale occasionné par des prêtres indignes qui officient dans diverses églises parisiennes, en particulier à Notre-Dame[39]. En 1658, il se signale encore dans les assemblées de la Compagnie en proposant de mettre un sacristain plein de vertu à l'église des Quinze-Vingts, pour tacher de réformer les abus de cette maison[40]. En août 1661, quelques jours seulement avant la tourmente qui va emporter toute sa famille, il propose de procurer à la suite de la cour de plus grands secours spirituels, ce qui conduit à établir à Fontainebleau une maison de la Mission[41].

Cette activité débordante de François Fouquet a été récompensée par un avancement rapide à l'épiscopat, auquel la discrète mais influente société n'est peut-être pas étrangère. On peut remarquer en effet que les trois nouveaux évêques (Godeau, Pavillon, François Fouquet) dont Vincent de Paul annonce avec satisfaction l'élévation, tous habitués des conférences du mardi, appartiennent également à la Compagnie du Saint-Sacrement[42]. Dans ses différents postes, tant à Bayonne, Agde que Narbonne, François Fouquet défend les desseins de la Compagnie et s'appuie sur des collaborateurs qui y sont affiliés, comme Louis Abelly, grand vicaire et official de Bayonne, Noël Perriquet, et un proche parent de François Fouquet, Arnould de Saint-Amant, archidiacre d'Agde, lequel contribuera à l'établissement de la Compagnie à Montpellier[43]. Dans la foulée, Louis Fouquet, digne successeur de son frère à Adge, semble lui aussi avoir adhéré comme son aîné à la pieuse société, qui a établi, sans doute avec l'accord de l'évêque, une filiale florissante à Pézenas[44].

Mais avec Nicolas Fouquet les dévots et la Compagnie du Saint-Sacrement trouvent un protecteur des plus influents. Tout concourt à nouer entre le ministre et le parti catholique des liens profonds. Son éducation, son environnement familial, son tempérament, sa carrière enfin, le poussent à s'intéresser à cette faction, influente et riche. Nicolas n'ignore nullement l'aide qu'il peut retirer de la protection de ce microcosme. Il sait la place, le prestige moral et le potentiel financier et politique du milieu catholique. Dans un mouvement dialectique subtil, il utilise donc les relations privilégiées que sa famille s'y est ménagées, soutenant les projets du parti dévot, et en attendant, en retour, un appui politique et sans doute financier important. Mais sa démarche n'est pas dictée que par le seul opportunisme, car sa piété profonde, qui va éclater de façon évidente quand sa disgrâce le plonge dans l'adversité, l'engage à embrasser l'idéal de la contre-réforme. Son étroite liaison avec le parti dévot est confirmée par le témoignage de Vincent de Paul avec qui le surintendant entretient un commerce suivi et empressé : « Je crois, ma chère mère, que vous ne doutez pas qu'il y ait personne sur la terre qui soit plus affectionné au service de Monseigneur le procureur général et celui de Mademoiselle votre sœur que moi. Il y a vingt-cinq ans que je suis à eux et à leur famille, et je suis dans l'espérance que Dieu me fera la grâce d'y mourir[45]. »

Dans le développement de son réseau d'amitiés, Nicolas s'est toujours appuyé sur les dévots, et en particulier sur les membres de la Compagnie du Saint-Sacrement. Si rien ne permet de dire qu'il en a fait partie, tout démontre qu'il connaissait parfaitement la société, beaucoup de confrères, et qu'il sut se concilier son influence, occulte mais puissante, en favorisant plusieurs de ses membres et en protégeant bien des entreprises qui lui tenaient à cœur. Dans sa carrière, Nicolas a eu maintes fois l'occasion de se prévaloir des dévots. L'acquisition de sa charge de procureur général et son second mariage ne sont peut-être pas étrangers à leur influence. Le prédécesseur de Fouquet, Méliand, appartient à ce milieu, et son frère, trésorier de France à Bourges, avait été membre de la Compagnie du Saint-Sacrement. L'union de Nicolas avec Marie-Madeleine de Castille se trouve placée sous le même patronage, puisque son beau-père est également un confrère[46]. Parmi les témoins de la mariée qui signent son contrat, on trouve d'ailleurs la veuve du baron de Renty, l'une des figures les plus illustres de la Compagnie[47].

Ce commerce régulier de Fouquet avec les milieux les plus engagés de la Contre-Réforme se manifeste également au niveau des relations qu'il noue avec des personnalités, membres de la pieuse association. On les retrouve parmi ceux sur lesquels il pense s'appuyer dans son « projet de Saint-Mandé ». On note ainsi la présence du président Guillaume de Lamoignon, dont il a favorisé la carrière, et qui appartient à une famille dévote, liée depuis longtemps aux Fouquet, et qui milite à leurs côtés dans les mêmes institutions religieuses, du comte de Brancas, du maréchal Fabert[48].

Ses relations avec les dévots ne se limitent pas cependant à des liens de parenté ou à des relations amicales. Nicolas n'hésite pas à soutenir de son crédit politique, et de ses deniers, des entreprises ou des institutions que la Contre-Réforme défend, et que la Compagnie du Saint-Sacrement patronne. En digne fils d'une des dames de piété du royaume, vouée, sous la houlette de Monsieur Vincent, au service des pauvres, des malades et des déshérités, il ne rechigne pas à protéger les intérêts du saint. A la prière de ce dernier, il intervient de nombreuses fois en faveur des prêtres de la Mission et leur fait accorder des avantages financiers[49]. Il favorise aussi la création et le financement de l'hôpital des galériens de Marseille[50]. Il préside à toute l'assistance apportée, dans le cadre des hôpitaux généraux, pour soulager la misère du temps et encadrer les nécessiteux. Sans doute le politique double-t-il le chrétien en cette occasion, car il trouve là le moyen de répondre à ses exigences morales, tout en ramifiant et en diversifiant son influence. A ce titre, il supervise la création, en 1656, de l'Hôpital général de Paris, institution très largement suscitée et contrôlée par l'omniprésente Compagnie du Saint-Sacrement[51]. Il n'hésite pas, en outre, à ouvrir libéralement sa bourse, multipliant les aumônes aux hôpitaux, allant jusqu'à donner 60 000 l à l'Hôpital général[52].

Poursuivant l'effort familial pour la reconquête catholique, on le voit également soutenir l'effort missionnaire. Déjà dans le cadre des compagnies de commerce et des entreprises coloniales, on a pu le voir œuvrer à l'évangélisation de l'Amérique. Dans un esprit proche, il apporte son obole à la Compagnie de Chine et du Tonkin, pseudo-société de commerce qui sert de couverture aux dévots, notamment à la Compagnie du Saint-Sacrement, pour financer l'établissement de missions en Extrême-Orient[53]. D'une façon plus générale, Nicolas sait habilement mélanger les genres et combiner l'attrait qu'il porte aux choses de la mer, à la colonisation et aux compagnies de commerce avec les impératifs de la religion. Son intérêt pour le généralat des galères et la vice-royauté d'Amérique le montre bien. Le contrôle des affaires de la mer, utiles à ses intérêts particuliers, passe par ses relations avec les dévots, qui veulent une action militante outre-mer, par l'entremise de la colonisation. En acquérant la vice-royauté, Nicolas ne fait que poursuivre une politique entamée bien avant lui, et dont il veut tirer habilement profit pour conforter son projet économique, en s'appuyant sur toutes les forces capables de l'épauler. Cette charge était jadis la propriété du duc de Ventadour, le fondateur de la Compagnie du Saint-Sacrement, qui, une fois religieux, est devenu directeur des séminaires capucins de l'Amérique, façon de concilier son élan évangélique et son intérêt pour le nouveau monde[54]. La vice-royauté est passée ensuite au duc Damville, son frère, qui a poursuivi dans le même sens l'action de son aîné, avant de le rejoindre à son tour chez les capucins. En recueillant leur charge, Nicolas reprend le flambeau, poursuivant leur objectif spirituel, mais en profitant pour insuffler sa propre politique, plus laïque, tournée vers le développement économique.

Ce mélange d'idéalisme, de foi profonde, de calculs personnels politiques et économiques donne un extérieur très particulier au lobby Fouquet. Il illustre sa capacité à concilier les contraires, à s'insinuer avec souplesse, à recueillir les appuis les plus divers, y compris les plus secrets sinon les plus inattendus. Incontestablement, toutefois, s'il se révèle bien homme de faction, ce n'est point comme un suppôt de la finance, mais plutôt comme l'un des fers de lance d'un puissant courant religieux, social et politique. En cela, il se trouve alors placé devant le pouvoir, dans une position en porte-à-faux, car proche des dévots dans la mesure où ceux-ci sont conduits à affronter le gouvernement, inquiet de leur influence qui ne cesse de grandir, il prête le flanc aux attaques de ses rivaux. L'irritation croissante du pouvoir devant les agissements publics ou souterrains des dévots finit par nuire à Nicolas. Les dissensions qu'il a eues avec Mazarin au sujet de la conduite financière des affaires, et, maintenant, ses liens avec le parti catholique, risquent d'affecter son image de marque d'homme de pouvoir, d'autant que les mauvaises langues ne manquent pas pour souffler la défiance aux oreilles du cardinal ! Dans les toutes dernières années de son existence, Mazarin n'a de cesse de dénoncer l'activité sourde des dévots, leurs assemblées secrètes et leur propension à vouloir créer, sous couvert de défense de la foi et de l'orthodoxie, un contre-pouvoir, bref, de s'ériger un état dans l'État. Devant cette hostilité du premier ministre, Fouquet est obligé de prendre ses distances[55].

En fin de compte, plus que le maniement des deniers publics, plus que les pratiques acrobatiques auxquelles le grand argentier est contraint de se livrer pour remplir son ministère, ce sont ses relations privilégiées avec une faction puissante qui pèse le plus aux yeux du pouvoir. Fouquet, pour arriver aux affaires, s'est comporté en « Mazarin » zélé. Il a servi aveuglément son patron, aux côtés d'autres, mais au fur et à mesure que l'entourage de Son Éminence gagne, dans son sillage, en importance et en influence, des rivalités commencent à naître entre les principaux fidèles du premier ministre. Plus ce dernier, vieillissant, approche de sa fin, plus ses créatures s'agitent, se jalousent, se déchirent, pour sa succession. Fouquet ne va pas tarder à faire la cruelle expérience de la lutte

impitoyable pour le pouvoir que le cardinal déclinant paraît
sur le point de libérer. Toutes les apparences les plus trom-
peuses de richesse, de puissance, d'influence, que son extérieur
autorise, sont alors autant d'armes que ses rivaux brandissent
pour tâcher de le perdre.

Les infortunes du pouvoir

CHAPITRE VIII

Le requin et le rémora

« La gloire des grands hommes se doit toujours mesurer aux moyens dont ils se sont servis pour l'acquérir. » Cette constatation désabusée d'un ancien frondeur, reconverti dans l'analyse morose des petitesses humaines, s'applique fort bien à Jean-Baptiste Colbert, lui aussi grand énonceur de maximes. Ainsi les grands hommes ont souvent besoin d'une légende pour consolider leur œuvre et perpétuer leur mémoire. Le contrôleur général ne s'y est point trompé. D'abord à petit bruit, puis à grand fracas, il s'est créé patiemment, de toutes pièces, une aura d'administrateur efficace et sourcilleux. A maintes reprises, il a proclamé son credo, fait briller son éthique, écrasant son maître, ses contemporains, puis les historiens sous la masse de sa pesante littérature. Ce professeur de morale publique, grand pourfendeur de concussionnaires, a déversé doctement son enseignement atrabilaire et sentencieux, si bien que ses concitoyens, émerveillés ou médusés devant un tel flot d'autosatisfaction, ont fini par ratifier son propre jugement. La postérité, bonne fille, a suivi au point de faire de l'insinuant domestique de Mazarin, transmuté en impérieux ministre réfrigérant, un mythe.

A la fois trop et mal connu, Colbert exerce, au moment même où Fouquet jouit du pouvoir, un rôle déterminant qui influence l'avenir politique du surintendant, sans que ce dernier s'en rende pleinement compte. La débordante activité de Nicolas le conduit à considérer l'intendant du cardinal comme un rival, puis bientôt comme un adversaire exécré. Dans la mesure où Colbert gagne en audience, Fouquet voit son étoile menacée. Bien que « Mazarins » l'un et l'autre, tout les conduit à devoir s'affronter. L'ascension de Colbert et son service auprès du cardinal portent ainsi en germe la machination qui va emporter Fouquet.

UN ENFANT DE LA FINANCE

Le successeur de Fouquet pouvait apparaître aux yeux des contemporains comme un homme nouveau, que la chance et la protection d'un cardinal-ministre avaient projeté sur le devant de la scène politique. Très tôt, la légende ou les ragots, vite colportés par des mémorialistes et des historiens amoureux de tous les conformismes, ont accrédité l'image du vil bourgeois fils de marchand drapier, qu'un labeur acharné, un esprit méthodique et un programme économique complet ont élevé au pinacle. Un beau livre a fait justice de cette vision traditionnelle et simpliste[1]. Comme Jean-Louis Bourgeon l'a bien montré, la tribu Colbert, au début du XVIIᵉ siècle, est loin d'être une famille de modestes mercantis ; au contraire elle constitue un des grands lignages patriciens de la cité champenoise qui monopolisent, avec quelques autres (les Bachelier, les Lespaignol, les Coquebert) les honneurs urbains. Grands marchands nationaux et internationaux, ils se situent alors dans l'élite négociante.

Mais dans le premier tiers du XVIIᵉ siècle, la famille s'est orientée vers une autre activité, fort éloignée de la marchandise, qui va conditionner définitivement son avenir : les affaires de finances. Déjà Colbert de Vandière, père du ministre, grâce à un office de receveur des Consignations acquis en 1631, s'est introduit dans les milieux parisiens des manieurs d'argent[2]. Il n'est pas le premier de la famille à se jeter dans la finance. Par leurs activités, leurs charges, leurs alliances, leurs amitiés, la plupart des Colbert baignent dans le petit monde des partisans. Le grand-père de Jean-Baptiste, Jean V, était contrôleur général des Gabelles, et deux de ses frères, Simon et Oudart II, conseillers secrétaires du roi (signe caractéristique de l'appartenance au monde de l'argent).

Les Colbert s'agrègent aussi à la finance par leurs alliances : Marie Colbert, fille de Gérard III, grand-oncle de Jean-Baptiste, épouse un secrétaire du roi, Nicolas Camus, l'un des grands financiers de son temps, intéressé dans la ferme générale des Gabelles[3] ; une de leurs enfants épousera le grand affairiste Particelli d'Hémery, qui aura l'honneur de la surintendance des Finances. Deux sœurs de Marie épousent, la première Jean Courtin, receveur des Aides et des Tailles en l'élection de Beauvais, et la seconde un trésorier des gardes du corps de Sa Majesté, Pierre Ollins. Gérard Colbert, leur frère, par son mariage avec une Pollalion, fait entrer sa famille dans l'alliance des grands de la finance et de la banque italo-lyonnaise (les Pollalion, les Lumagne, les Mascrany). Quant à Nicolas II Colbert, receveur des Aides et des Tailles du Forez, c'est un partisan connu sur la place de Paris[4].

Bien avant la consécration de son illustre rejeton, la famille Colbert touche également aux plus grands manieurs d'argent de l'époque, les fermiers des Gabelles. C'est ainsi qu'une autre fille de Gérard III Colbert épouse Robin, contrôleur général des Décimes de Touraine ; cette alliance fait d'elle la cousine germaine des frères Thomas et Jacques Bonneau, illustres représentants de la finance du pays de Loire[5]. Ces derniers, en compagnie de leurs parents, amis et associés, B. Quentin de Richebourg, Pierre Aubert, Claude Chatelain (allié aux Pollalion), Germain Rolland et Pierre Merault, forment un groupe financier qui contrôle la ferme générale des Gabelles pendant près de trente ans. C'est d'ailleurs dans cette ferme que Nicolas Camus, l'époux de Marie Colbert, se trouve intéressé en sous-part de Germain Rolland. Il y eut d'autres relations entre les Colbert et les membres de ce puissant groupe : quand Colbert de Vandière acquiert en copropriété un office de receveur des Consignations, c'est précisément celui de Mérault père[6]. Une cousine de Jean-Baptiste épouse en premières noces Jacques Merault, trésorier de France à Soissons et frère du fermier des Gabelles[7]. Devenue veuve, elle se remarie avec une belle persévérance dans le même milieu pour épouser Denis Marin, un gros financier associé du fermier Thomas Bonneau. A son exemple, une autre Colbert convole suivant la même inclination endogamique avec un partisan qui sévit à Rouen et à Paris : Louis Béchameil[8].

Ainsi le futur ministre grandit-il dans un univers des plus fermés, mais aussi des plus aptes à lui ouvrir l'avenir et à satisfaire la promotion d'un jeune ambitieux. On ne peut que souscrire à la conclusion de Jean-Louis Bourgeon qui souligne que, bien avant que Colbert ait fait la fortune de sa famille, c'est plutôt sa famille qui a fait la sienne[9]. Une constatation s'impose, qu'il faut tout de suite mettre en relief : l'importance des liens familiaux et amicaux. Nous avons souligné par ailleurs combien ils sont déterminants dans le fonctionnement et la structuration du monde des partisans. Colbert, cela est capital, se trouve au contact de gens dont les alliances sont fort utiles et qu'une fois au pouvoir il saura bien mettre à profit pour constituer l'embryon de son lobby : Marin, Béchameil, Bachelier (un autre de ses cousins) sont des noms que l'on retrouvera en bonne place dans l'avenir.

Les premières étapes de la formation du jeune Jean-Baptiste, bien qu'assez mal connues, sont révélatrices et confirment la vision que l'on peut avoir de ce fils de partisan (médiocre d'ailleurs), lui-même partisan en herbe. A la fin de ses études à Reims, il est envoyé en 1634 en apprentissage à Lyon chez le banquier Mascrany, l'associé de Lumagne. Puis, après un passage assez bref chez un notaire[10] et chez un procureur, il entre comme commis subalterne chez un des autres grands noms de la finance de cette première moitié du XVIIe siècle, François Sabathier, trésorier des parties casuelles[11]. Enfin, il acquiert dans des conditions inconnues un office de commissaire des guerres. Initié à toutes les connaissances des affaires par cette formation pratique, le jeune Colbert, pourvu de son office, entreprend le cursus typique de « l'apprenti partisan », couronné en 1655 par l'achat d'une charge de secrétaire du roi. La promotion de l'allié Le Tellier est un événement heureux pour le clan Colbert, mais il n'influe en rien sur l'activisme financier de la famille.

Tout naturellement, quand sonne l'heure du mariage, c'est dans la finance, conformément à la carrière du partisan modèle, que Jean-Baptiste prend femme : Marie Charron lui apporte en pleine crise politique et financière une dot de 100 000 livres[12]. Mais, surtout, elle le fait entrer dans l'alliance de contrôleurs et de trésoriers de l'Extraordinaire des guerres, exemples de ces gros manieurs d'argent enrichis dans les affaires militaires qui joueront toujours un rôle particulier dans la vie de Jean-Baptiste[13]. Son passage chez Mazarin, contre-coup de la faveur de Le Tellier et de son beau-frère Saint-Pouange, lui permet de s'introduire encore plus dans les milieux d'argent.

L'INTENDANT DU CARDINAL

Le service de Mazarin, en juin 1651, marque pour Colbert l'étape décisive de sa carrière. La direction des affaires privées du cardinal lui donne l'occasion de pénétrer dans les contre-allées du pouvoir et lui offre la chance, qu'il ne manquera pas de saisir, de songer aux plus hautes responsabilités. Pour l'heure, malgré les circonstances pénibles pour les « Mazarins », la jonction de ces deux destinées scelle la plus remarquable association d'affairistes que l'Ancien Régime ait connue. Grâce à leur tempérament et à leurs appétits communs, le royaume hérite d'un couple particulièrement actif, résolu, que rien ne rebute ni n'effarouche, et prêt à satisfaire ses passions.

Mazarin et Colbert sont en effet étonnamment complémentaires. Malgré son exil, et le bouleversement de ses affaires privées — tous ses biens sont saisis ou dispersés par les frondeurs —, le cardinal n'a pas abdiqué toute idée de revanche et de retour au gouvernement. Sa rapide et complète victoire en 1653 l'a rassuré quant à son avenir ; il peut maintenant s'établir dans le royaume sans crainte d'essuyer quelque revers. Il est bien décidé à se refaire, sans la moindre retenue ni pudeur, mais il doit cependant discipliner et planifier sa voracité pour pouvoir donner toute sa mesure. En Colbert, il a trouvé un factotum idéal pour réaliser son ambition. Mais si

Son Éminence est fort intéressée, elle n'aime pas se donner du mal pour régler le détail de ses affaires. Celles-ci, embrouillées et abîmées pendant la Fronde, ont trouvé en la personne de Colbert un intendant réunissant d'éminentes qualités d'administrateur de biens. Jamais on n'a vu une telle puissance de travail que celle déployée par le Rémois. Jean-Baptiste surveille tout, voit tout ; il compte, annote, rédige, suppute, imagine, échafaude, espionne, calcule. Son zèle est d'autant plus brûlant qu'il a compris qu'en se donnant totalement à Son Éminence il assure sa propre réussite. D'une ambition dévorante, prêt à tout pour parvenir à ses fins, il se réalise en servant aveuglément son maître.

L'efficacité de Mazarin et de Colbert est d'autant plus grande qu'ils sont l'un et l'autre dénués de la moindre once de scrupule moral et qu'ils affichent un cynisme désarmant. Autant le premier, fort de son ascendance romaine et de son expérience politique, demeure volontiers retors sous des aspects cauteleux et hypocrites, autant le second paraît brutal et impérieux, se prévalant avec hauteur de la puissance de son patron. Les deux compères influencent, par leur initiative, toute la vie financière et sociale du royaume, l'un soutenant l'autre, le premier abandonnant la gestion de ses affaires, le second agissant avec promptitude en se poussant.

Pendant la Fronde, Colbert a su clarifier les affaires de Mazarin, particulièrement complexes et menacées de ruine par les poursuites judiciaires des frondeurs, qui semblaient devoir anéantir la fortune du cardinal. Grâce au labeur acharné de Jean-Baptiste, ce qui pouvait être sauvé le fut, et ce qui était compliqué fut démêlé. Mais à partir de 1653, l'intendant du premier ministre entame une seconde étape. Non content de raffermir le bien de son maître, il le fait fructifier. Toute la correspondance échangée entre les deux hommes n'est qu'une longue litanie d'affaires d'argent. Quant aux interventions du cardinal, elles ne sont généralement qu'une série de perpétuelles jérémiades sur la détresse de ses affaires. En effet, cet harpagon en soutane donne volontiers dans un style misérabiliste et dégradant, tant il est dénué de toute dignité et rempli d'outrances. A l'en croire, Son Éminence se trouve perpétuellement dans la plus effroyable indigence, toujours pour la noble cause du service royal ! Les surintendants font l'expérience journalière de ses récriminations, de ses demandes insistantes de remboursements, demandes qui trouvent souvent leur origine dans les directives du fidèle intendant du cardinal.

Si Mazarin affiche la volonté de s'enrichir, il demeure plus indécis sur les moyens d'y parvenir et sur les objectifs à atteindre. C'est là qu'intervient Colbert. Jusqu'à son passage au service du cardinal, ce dernier s'était plutôt abandonné à des compatriotes, hommes d'affaires pas toujours heureux, comme Cantarini ou Cenami. En outre, jusqu'à la Fronde, Mazarin, comme s'il n'était pas certain de s'habituer en France, n'a, semble-t-il, recherché que des sources d'enrichissement produisant des capitaux, facilement mobilisables et exportables hors du royaume. En dehors de son hôtel parisien, nul bien foncier, nul office, mais des bénéfices ecclésiastiques générateurs de revenus, ce qui favorise sa passion naturelle pour la thésaurisation monétaire ou pour l'accumulation de joyaux.

Après 1653, et sans doute sous l'influence éclairée de son intendant, Mazarin diversifie ses placements, mais il n'en conserve pas moins un goût pour les bijoux et les espèces précieuses, penchant qu'il partage en partie avec son factotum. Mais ce dernier, sans doute parce que Mazarin est sûr de sa victoire politique et de son avenir, l'a conduit à devenir un grand propriétaire foncier, gorgé de terres de dignité, avec lesquelles il entend doter ses neveux et ses nièces, et assurer la pérennité de son nom. Reprenant la démarche de son illustre prédécesseur, Richelieu, Mazarin s'est proclamé défenseur des intérêts de la monarchie, mais comme bien des puissants et riches contemporains, il s'est attaché à bénéficier des circuits financiers de l'État en guerre. Il jouit de nombreux droits sur le roi, fait des avances à la Couronne, joue les munitionnaires et donne dans les armements maritimes.

L'ensemble de cette intense activité demeure cependant dans l'équivoque et dans le flou suspect. Sous couvert de service du roi, Mazarin joue de son statut de premier ministre tout-puissant pour se livrer à une véritable dictature financière. Colbert lui désigne les proies à absorber, les bénéfices vacants, les terres intéressantes, les droits lucratifs sur le roi, et Son Éminence se charge d'intervenir directement, ou de façon plus détournée, auprès des surintendants ou des financiers pour obtenir les meilleures affaires. Mazarin n'hésite pas, quand il le faut, à prendre les intermédiaires les plus considérables, allant jusqu'à mobiliser la régente comme prête-nom pour s'emparer du domaine d'Auvergne[14]. Sous la houlette de Colbert, il pratique le trafic d'offices, le trafic d'influence, ce qui lui vaut bientôt une réputation notoire d'amateur de pots-de-vin et de sinécures. Son intendant ajoute à cet affairisme une note d'efficacité : il s'attaque aux grosses comme aux petites affaires, tire profit de tout. Cette industrie n'est d'ailleurs pas désintéressée, puisque Colbert bénéficie des reliefs du repas de son maître, soutirant bénéfices, offices ou gratifications, et profitant de l'administration des affaires de son patron pour avancer toute sa famille, au sens le plus large du terme. Une telle activité, menée avec tant de persévérance et d'habileté, engendre finalement une fortune colossale. Celle-ci illustre l'efficacité et la voracité du duo, mais pose également de fâcheuses questions sur sa genèse véritable.

LE PRÉCIEUX MAGOT DU CARDINAL

A sa mort, Mazarin laisse un actif qui s'élève à 35 144 891 l (*cf.* tableau), ce qui correspond à sa masse successorale, différente naturellement du montant total de sa fortune. Pour déterminer celle-ci, il faut comptabiliser les 2 700 000 l[15] de dot, en argent liquide, donnée à quatre de ses nièces, ainsi que certaines dépenses (100 000 l versées à l'hôpital général pour y construire un bâtiment) ou certains investissements, comme les 60 000 l[16] que le cardinal avait placées en association avec le maréchal de La Meilleraye dans la compagnie de Madagascar et qu'il avait perdues, l'affaire s'étant soldée par un échec, sans parler de ce qui n'a pas laissé de trace. En définitive, on peut estimer que la fortune du défunt s'élève à environ 38 000 000 l, ou 39 000 000 l si l'on y englobe des effets problématiques[17].

Par rapport à l'actif, les 1 421 000 l de dettes sont peu importantes : 600 000 l qu'il restait à payer des 1 200 000 l données au duc et à la duchesse Mazarin pour leur mariage, 266 000 l pour achever d'acquitter le reste du prix du duché de Nivernais, et diverses sommes à quelques créanciers (150 000 l à l'évêque de Nevers, 90 000 l à Cenami et 315 000 l à Cantarini)[18].

Dans l'état de nos connaissances, cette fortune est incontestablement la plus considérable qu'un homme ait jamais laissée sous l'Ancien Régime. Le cardinal surclasse de très loin plusieurs de ses illustres contemporains : Richelieu n'avait laissé que 22 400 000 l (avec 6 498 917 l de dettes), le prince Henri II de Condé 14 600 794 l et le chancelier Séguier environ 4 000 000 l[19]. Même au XVIIIe siècle, les fortunes les plus importantes, exprimées en une livre qui a perdu en gros un tiers de sa valeur par rapport à celle de 1661, sont nettement inférieures à celle de Mazarin : les Condé n'ont amassé que pour 31 à 32 millions de biens, et les Conti (en 1752) pour 13 110 206 l ; quant aux fermiers généraux, si l'on ose dire, ils font piètre figure avec une fortune moyenne de 2 707 052 l[20].

Si l'on analyse les biens laissés par le disparu, on est frappé

ÉTAT ET STRUCTURE DES BIENS DE MAZARIN À SA MORT
(mars 1661)

Terres	5 248 700	livres
Maisons	1 495 000	livres
Charges	2 428 300	livres
Droits sur le roi	2 617 657	livres
Créances	9 902 253	livres
Argent liquide	8 704 794	livres
Objets précieux	4 424 102	livres
Effets divers	301 599	livres
Livres et manuscrits	22 486	livres
Total	35 144 891	livres

par la place relativement modeste occupée par les terres, les maisons et les charges qui représentent tout juste un quart des effets du cardinal, alors que ses créances de toute nature et la masse fantastique d'argent liquide, qui forment ensemble la moitié de son avoir global, tiennent une place essentielle. On note également l'importance des objets précieux, surtout les bijoux et l'argenterie.

Ainsi, par sa structure même, la fortune de Mazarin se différencie considérablement de celles de nombreux autres puissants personnages, comme les ducs et pairs, dans les biens desquels la part des terres est prépondérante. Ce type de fortune se rapproche plus, surtout à cause du gros portefeuille de créances et de droits sur le roi, de celui des grands manieurs d'argent, comme les fermiers généraux. La présence d'une quantité à peine croyable d'argent comptant et de joyaux est la marque originale d'une fortune qui n'a pas d'autre exemple, tant par sa masse que par sa composition, sous l'Ancien Régime. L'étude détaillée des divers éléments qui la constituent permet d'en apprécier l'ampleur et la remarquable variété.

Mazarin ne s'est constitué un ensemble foncier confortable que très tardivement : jusqu'en 1654 il ne dispose encore d'aucune terre. Mais il rattrape rapidement le temps perdu : il acquiert alors du duc de Mantoue le duché-pairie de Mayenne pour 756 000 l, duché qu'il ne cessera d'agrandir par des achats de terres limitrophes[21]. L'ensemble ainsi formé est suffisamment important pour qu'il en fasse don, en dot, à sa nièce Hortense, lors de son mariage avec La Meilleraye. La même année, il se fait adjuger, par aliénation du domaine, les comtés et seigneuries de Marle, La Fère et Ham, et la forêt de Saint-Gobain (5 295 arpents de bois), profitant ainsi de la dureté des temps pour la Couronne, qui trouvait dans ce genre de vente un palliatif éphémère à sa détresse financière[22]. A cette première période d'achats succède, à l'extrême fin de sa vie, une seconde phase d'acquisition durant laquelle il achète, toujours à la maison de Mantoue, les duchés de Nivernais et Donziois, que le roi maintient en un seul duché-pairie au profit de Mazarin[23].

La bienveillance de Louis XIV s'est manifestée de façon

plus généreuse encore : par lettres patentes de décembre 1658
et de décembre 1659, le souverain lui a donné, avec possibilité
de les transmettre à ses héritiers, les terres et seigneuries
d'Alsace (comtés de Ferrette et Belfort, seigneuries de Thann,
Altkirch, Delle et Isenheim, avec leurs dépendances) acquises
par la France sur les Habsbourg[24]. Le don incluait également
l'ensemble des droits, de toute nature, attachés à ces possessions. Aucun document n'évalue le montant de ces biens mais,
si l'on applique le denier 30 à leur revenu (66 500 l en 1665),
on obtient pour leur totalité une valeur, en capital, de 2 000 000 l
environ. Le cardinal jouit donc, comme les autres
ducs et pairs, d'une solide richesse foncière qui ne peut
cependant pas se comparer à celle des princes du sang.

Quelques maisons complètent cet ensemble immobilier, en
premier lieu le palais parisien de Mazarin. Acheté au président
Tubeuf en 1649 pour 700 000 l, c'est le bien important, le plus
ancien dont on trouve trace dans sa fortune. Le cardinal n'a
cessé de l'embellir, comme le prouve l'estimation qu'en don-
nait en 1658 Colbert, 1 200 000 l[25]. Cette imposante demeure
était harmonieusement complétée par une série de maisons
qui la jouxtaient, dont celle qu'habitait Colbert et que son
maître lui avait léguée dans son testament : la demeure
romaine de Son Éminence, seul bien important, connu (officiellement) hors du royaume, fait bien pâle figure à côté. Chose
curieuse, à la différence des affairistes de son temps qui
capitalisent beaucoup dans les maisons parisiennes ou rurales,
Mazarin se montre assez peu tenté par ce type de placement,
pourtant fort rentable.

Grand amateur de sinécures, le cardinal collectionne avec
avidité les charges les plus diverses. C'est sans doute dans ce
domaine que le roi s'est montré le plus généreux avec lui et
qu'il a le plus contribué à sa fortune, comme Mazarin l'avoue
avec une fausse humilité mais, pour une fois peut-être, avec
un certain accent de sincérité dans le préambule où il lègue ses
biens au roi. Ce dernier a été très prodigue, surtout en Alsace :
Mazarin et ses héritiers, par la domination terrienne et le poids
politique qu'ils y exercent, font pratiquement figure de vice-

LES BIENS IMMOBILIERS : TERRES ET MAISONS

Terres :

Duché de Mayenne (+ terres dépendantes)........	948 700	livres	(achat en 1654)
Domaines de La Fère, Marle et Ham (+ forêt de Saint-Gobain)	500 000	livres	(achat en 1654)
Duchés de Nivernais et Donziois	1 800 000	livres	(achat en 1659)
Terres d'Alsace : comtés de Ferrette et Belfort, seigneuries de Thann, Altkirch, Delle et Isenheim	(2 000 000)*	livres	(don du roi 1658-1659)
Total.........	5 248 700	livres	

* Évaluation personnelle.

Palais et maisons :

Palais Mazarin (+ 7 maisons dépendantes)........	1 200 000 livres	(achat en 1649)
Une maison à Saint-Germain-des-Prés ...	20 000 livres	
Le palais du cardinal à Rome	275 000 livres	
Total.........	1 495 000 livres	

rois en cette région. Le premier ministre affectionnait énormément les gouvernements de province qui lui donnaient la possibilité d'accroître son contrôle sur le royaume et lui assuraient des revenus substantiels. Un moment, outre les gouvernements d'Aunis et d'Alsace, il avait joui des gouvernement et lieutenance générale de Haute et Basse-Auvergne ; à sa mort, on ne trouve cependant aucune trace de ces deux dernières charges. Certaines, comme celles de la maison de la reine ou celles de gentilshomme du roi, lui étaient échues en paiement de sommes dont il était créancier et que le souverain, toujours désargenté, n'avait réussi à lui acquitter que par ce subterfuge.

LES CHARGES

Charges estimées :
Surintendant de la maison de la reine
   mère .... 200 000 livres
Surintendant de la maison de la reine
Marie-Thérèse...................... 250 000 livres
Charges domaniales dans le ressort des
terres du cardinal .... 318 300 livres
Sénéchal de La Rochelle.............. 10 000 livres

Charges non estimées :
Gouverneur d'Auvergne
Gouverneur de Haute et Basse-Alsace
Gouverneur de Brisach et de Philippsbourg
Grand bailli de Haguenau
Gouverneur et lieutenant général de La Rochelle,
   Aunis, Brouage, îles d'Oléron et Ré
Capitaine et gouverneur de Vincennes
Le reste des charges de la maison de la reine régnante
8 charges de gentilshommes du roi
   Évaluation de ces charges.......... 1 650 000 livres

     Total .... 2 428 300 livres

Comme beaucoup de ses contemporains, Mazarin a acquis bon nombre de droits à prendre sur le roi. Pendant les périodes de difficultés financières, la monarchie se voyait en effet contrainte d'aliéner, à titre d'engagement, certains de ses droits

LES DROITS SUR LE ROI

Aides des élections de Mortagne et de Verneuil	720 000 livres	(achat en 1654)
Aides de l'élection de Mayenne*	180 000 livres	(achat en 1656)
Droit de la ferme du fer et acier du Maine*...	115 000 livres	(achat en 1656)
Domaine du duché d'Auvergne	103 000 livres	(achat en ?)
Domaine du Languedoc..........	270 000 livres	(achat en 1650)
Droits sur le sel de Brouage : 4 sols 3 deniers sur chaque muid de sel ..	147 107 livres	(achat en 1655)
4 sols sur chaque muid de sel	333 816 livres	(achat en 1655)
11 sols sur chaque muid de sel	402 500 livres	(achat en 1657)
Droits divers dans le ressort du duché de Mayenne	70 700 livres	(achat en 1656-1657)
Tailles à recouvrer sur les élections de La Rochelle et Saintes ..	275 534 livres	
Total........	2 617 657 livres	

* droits échangés le 23-2-1661 avec le futur duc Mazarin contre 51 076 l de rentes.

(aides ou octrois, par exemple) vendus au détail, pour une ville, une élection ou une généralité, et qui étaient distraits du cadre fiscal normal (fermes du Domaine, des aides ou des octrois).

Ces cessions temporaires, toujours rachetables, étaient très recherchées par la haute noblesse d'épée et de robe, et il n'est pas étonnant d'en trouver autant parmi les biens du cardinal, toujours à l'affût des aliénations avantageuses. Spécialement attiré par les droits sur le sel, il en avait acheté, à plusieurs reprises, à des traitants (comme Catelan, Baron et Flacourt), mais également au duc d'Orléans qui ne dédaignait pas non plus ce genre de placement lucratif[26]. L'attrait des revenus du sel pour le cardinal explique assez son attachement à l'Aunis qu'il contrôlait en tant que gouverneur et lieutenant général. A l'image de puissants personnages de son temps, Mazarin apparaît comme un intéressé aux affaires du roi, ce qui confirme les accusations que l'on portait contre lui, déjà de son vivant, à ce sujet. Ce n'est pas dans les bienfaits du roi qu'il faut chercher l'explication de sa fabuleuse fortune, mais bien plutôt dans cet affairisme qui se manifeste dans son intérêt pour les impôts engagés par la couronne, et qui se voit très clairement dans l'étude de ses multiples et énormes créances.

Pour le service de la monarchie, le cardinal a fait l'avance d'environ 1 100 000 l, utilisées surtout dans les dépenses de la Marine (armement et entretien des armées navales du roi, entretien de Brouage et des îles d'Oléron et de Ré). Ces prêts étaient récents (1657 à 1661) et sont normaux pour un riche ministre qui se devait d'aider l'État dans une période de difficultés financières. Mais cela montre combien, du point de vue financier, la monarchie se trouvait dépendante d'une situation ambiguë, dans un système où le pouvoir, les intérêts privés et les finances du royaume se mêlaient, et à la limite se confondaient, d'où les abus que la Chambre de Justice va révéler.

Les créances sur particuliers sont intéressantes : elles laissent supposer que Mazarin a joué le rôle d'un véritable banquier qui avançait son argent aux têtes couronnées (le roi d'Angleterre et sa mère, la reine de Pologne, la reine Christine de Suède). On peut penser qu'il utilisait ces prêts autant comme

LES CRÉANCES ET EFFETS DIVERS

Sommes avancées par Mazarin pour le service du roi	1 097 440 livres
Sommes dues à Mazarin par divers particuliers	2 726 843 livres
Créances diverses	127 033 livres
Billets de l'Épargne et autres papiers	5 950 937 livres
Total	9 902 253 livres

SOMMES DUES À MAZARIN PAR DIVERS PARTICULIERS

Le roi d'Angleterre....................	661 566 livres
La reine de Pologne...................	300 000 livres
La reine de Suède....................	14 663 livres
La duchesse de Chevreuse	60 000 livres
Le duc de Guise	83 400 livres
Le duc de Grammont	10 000 livres
Le duc de Candale	17 500 livres
Monsieur Tubeuf	94 000 livres
Les sieurs Tallemant	231 927 livres
Colbert de Villacerf	75 000 livres
Le sieur Saint-Flix	12 000 livres
Le sieur de La Guette	37 439 livres
Le sieur Gravé	21 093 livres
Les sieurs du Pont-Saint-Pierre.........	368 438 livres
Les frères Cenami....................	413 067 livres
Le sieur Boisfranc....................	100 000 livres
Louis Béchameil.....................	218 750 livres
MM. Laure et Lecomte...............	8 000 livres
Total	2 726 843 livres

des armes diplomatiques que comme des placements : il avait vraisemblablement peu de chances de rentrer dans ses fonds, et ses héritiers encore moins. Plusieurs grands seigneurs du royaume étaient également ses obligés : fait curieux, aussi bien le duc de Guise que la duchesse de Chevreuse ou le duc de Grammont, tous appartiennent au petit groupe des puissants, intéressés dans les affaires du roi[27]. Les proches de Mazarin (Villacerf, Tubeuf), les financiers et les banquiers (Béchameil, Tallemant, les frères Cenami et les sieurs du Pont-Saint-Pierre, banquiers lyonnais) constituent le reste de ses débiteurs, tous dépositaires ou reliquataires de sommes, en argent liquide, lui appartenant. La plupart de ces personnes gravitent dans le monde des affaires ou sont membres du réseau financier du cardinal.

Dans tout le portefeuille de créances du disparu, ce sont les papiers royaux qui occupent, de très loin, la place la plus importante et qui sont les plus intéressants, aussi bien par leur ampleur que par leur nature. Si l'on excepte 45 000 l de rentes (capital 810 000 l) constituées en 1657, tout le reste, soit 5 140 000 l environ, est formé de papiers de l'Épargne, assignés sur les recettes générales des Finances de Riom, Poitiers, Guyenne, Montauban, ou sur les fermes des Gabelles des 35 sols de Brouage, ou encore sur la subsistance de Bourgogne. Le cardinal possède donc une masse impressionnante et inexplicable de ces fameux billets de l'Épargne, à l'origine de tant de rapides et suspectes fortunes que l'on va dénoncer lors des poursuites contre Fouquet et les traitants. La majorité de ces billets sont extrêmement récents et atteignent des sommes surprenantes : 1 339 000 l pour 1659 et 3 578 000 l pour 1660. Mazarin a peu de créances anciennes, ce qui peut témoigner à la fois d'une rotation très rapide de ses capitaux et d'une volonté délibérée de se faire rembourser sur le court terme.

D'où le cardinal tirait-il tous ces billets ? Étaient-ils bons ou appartenaient-ils à la catégorie des billets nuls ou hors de cours que l'on achetait à vil prix et que l'on se faisait réassigner sur de bons fonds, à leur montant initial, suivant le trafic bien établi depuis des années et auquel la Chambre de Justice allait mettre fin ? On ne peut être qu'étonné par l'importance du portefeuille de papiers de l'Épargne que détenait le cardinal. Sa volonté de ne pas procéder à l'inventaire de ses titres et effets montre qu'il redoutait quelque chose ; était-ce de voir étaler au grand jour l'agiotage qu'il aurait pratiqué pendant qu'il était aux affaires ? On ne pourrait l'affirmer avec certitude, mais son attitude, pour le moins curieuse, plaide plutôt en faveur de cette hypothèse. Fouquet, pendant son procès, n'a pas hésité à attaquer la mémoire du grand disparu et à dénoncer ses activités, en le désignant comme l'un des plus furieux trafiquants de papiers royaux, commerce qui lui était facilité par son omnipotence de premier ministre[28]. Il faut avouer que les déclarations du surintendant concordent tout à fait avec l'état de la fortune de Mazarin. Aussi bien par ses droits sur le roi que par ses créances, le cardinal apparaît nettement comme l'un des plus actifs partisans de son temps et illustre parfaitement la collusion nécessaire entre pouvoir et argent.

Les héritiers avaient peu d'espoir de recouvrer toutes ces créances, celles sur le roi et celles sur les autres têtes couronnées ; il était également douteux qu'ils puissent se faire reprendre, avec la même facilité que par le passé, les billets de l'Épargne, compte tenu de la remise en ordre des finances de l'État que Colbert allait entreprendre. Mais les masses d'argent liquide, accumulées par Mazarin, permettaient de rattraper ces pertes prévisibles.

Sous l'Ancien Régime, aucun autre particulier que le cardinal n'a laissé autant de numéraire. A sa mort, ses réserves dépassent de très loin les 1 800 000 l qu'Henri II de Condé, autre intéressé aux affaires, avait laissées à son décès en argent liquide pour acquitter ses dettes[29]. Au 1er mars 1661, en tenant compte des 600 000 l payées le 3 mars à sa nièce Hortense et son mari pour moitié de la dot promise aux époux (sans parler de celle de sa nièce Marie qu'il avait peut-être déjà fournie à cette date), Mazarin peut mobiliser près de 9 000 000 l en espèces sonnantes et trébuchantes ; encore avait-il, en faveur de leur mariage, fait présent à ses autres nièces de 2 700 000 l en pièces d'or et d'argent[30] Or, au même moment, les caisses de l'État sont désespérément vides ! Ces économies cardinalices sont largement supérieures à celles que Sully avait laissées à la

Bastille. Mieux, Mazarin, en tant que personne privée, dispose dans ses différentes réserves d'un magot en argent liquide un peu supérieur à l'encaisse métallique de la banque d'Amsterdam (6 131 372 florins en 1661) et sensiblement équivalent à l'ensemble des dépôts de ladite banque (6 776 618 florins)[31].

L'ARGENT LIQUIDE

Paris (la moitié de la dot d'Hortense Mancini)	600 000	livres
Louvre : 69 650 louis et pistoles	766 205	livres
Palais Mazarin	287 000	livres
coffre-fort à Paris	1 930 000	livres
chez Picon	663 766	livres
Vincennes	1 460 000	livres
La Fère : 60 000 pistoles........	660 000	livres
Sedan : 100 000 pistoles et louis d'or	1 100 000	livres
Brouage	1 200 000	livres
Rome	37 823	livres
Total	8 704 794	livres

Comment ne pas s'interroger sur les causes de la si grande richesse en deniers comptants du premier ministre du royaume, quand l'État, après des guerres interminables, se trouve au bord de la banqueroute et qu'un malheureux surintendant est contraint à se livrer à tous les expédients pour se procurer quelques liquidités nécessaires au service ? La question, en elle-même, posait un délicat problème sociopolitique, qui risquait d'atteindre bien des réputations, comme l'avait dit Mazarin dans son testament. Quoi qu'il en soit, la fabuleuse richesse d'un seul n'est pas étrangère aux difficultés de tout un peuple, et Fouquet ne s'est pas privé de le dire[32]. Il est frappant de constater que le cardinal, prudent, avait déposé ses réserves soit tout près de lui (au Louvre, dans son palais, à Vincennes), soit aux frontières du royaume (Sedan, La Fère, Brouage), d'où l'on pouvait les faire sortir rapidement en cas de besoin[33].

Spéculateur dans l'âme, Mazarin avait une propension naturelle à la thésaurisation sous toutes ses formes — deniers et joyaux — qui empêche de faire la part exacte de l'économe et du maniaque. Cet esthète en soutane, grand collectionneur de tableaux et d'antiques, jouit de cette réputation, toujours flatteuse, dont on auréole volontiers les mécènes. Mais, là encore, l'analyse de ses biens précieux fait surtout ressortir un goût physique, et quelque peu morbide, pour le métal précieux et la joaillerie qu'il entassait dans des meubles et des armoires, au Louvre et au palais Cardinal.

Parmi les objets précieux, les bijoux, surtout les diamants que le cardinal affectionne particulièrement, tiennent incontestablement une place prépondérante. Rien de plus étonnant que l'inventaire des deux cabinets d'ébène qui se trouvaient dans la chambre de Mazarin au Louvre : il comprend 248 articles ; y étaient amoncelés des perles, près de 450 des plus belles et des plus grosses, des objets d'or (croix, chaînes) sertis de pierres

LES OBJETS PRÉCIEUX

Objets estimés, légués au duc Mazarin :	
Bijoux et pièces d'orfèvrerie............	417 945 livres
Cristaux	25 501 livres
Vaisselle d'or........................	17 131 livres
Pièces d'argenterie (vermeil ou argent blanc)............	389 518 livres
Vases de marbre ou de jaspe...........	53 785 livres
Cabinets d'ébène et en écaille de tortue...........................	80 209 livres
Tableaux originaux....................	224 873 livres
Tableaux (copies)	3 298 livres
Statues..............................	116 818 livres
Tapisseries...........................	452 566 livres
Objets d'ameublement divers	185 658 livres

Objets faisant partie des legs particuliers
(non estimés. Les évaluations que nous fournissons venant,
soit de sources annexes, soit d'estimations personnelles) :
Au roi, 18 grands diamants nommés

« les dix-huit Mazarin »	1 931 000	livres
deux séries de tapisseries	20 000	livres
deux cabinets précieux	10 000	livres
A la reine mère, un grand diamant appelé la « rose d'Angleterre ».	30 000	livres
un diamant brut de 14 carats	30 000	livres
une bague ornée d'un beau rubis . . .	1 000	livres
trois cabinets précieux.	12 000	livres
A la reine Marie-Thérèse, un bouquet de cinquante diamants taillés en pointe . .	50 000	livres
A Monsieur, 31 émeraudes	30 000	livres
62 marcs d'or	24 800	livres
une belle tapisserie.	3 000	livres
Au connétable Colonna, une épée ornée de diamants	224 800	livres
A plusieurs particuliers, des tapisseries, des pièces d'orfèvrerie, des meubles. . .	90 000	livres
Total	4 424 102	livres

précieuses qui avoisinaient avec une collection impressionnante de bagues. Le cardinal était à ce point amateur de
diamants qu'il n'y a guère de pièce qui n'en soit rehaussée,
comme ces petites boîtes d'or enrichies de gros diamants, l'une
prisée 18 000 l, l'autre 40 000 l. On peut penser que cet amour
des bijoux avait une raison bassement matérielle et était le
pendant « esthétique » des sommes d'argent liquide et des
billets de l'Épargne amassés dans l'ombre. Ces joyaux repré-
sentaient un capital particulièrement important sous un faible
volume, ce qui permettait également de les emporter (voire de
les dissimuler) facilement ; il est probable, sur ce point, que
l'expérience malheureuse de Mazarin pendant la Fronde, où il

avait perdu la majeure partie de ses biens, avait porté ses fruits. Abandonnant pour une fois sa pingrerie coutumière, il a légué ses plus belles pierres à la famille royale, notamment les « dix-huit Mazarin », un des plus beaux ensemble de diamants que l'on pouvait trouver en Europe à l'époque, et qu'il n'avait certainement pas dû payer avec du méchant papier d'État. Quand il fait présent au connétable Colonna d'une épée d'apparat, c'est une merveilleuse pièce constellée de 629 diamants de toutes grosseurs (avec un baudrier garni d'or et semé de 357 diamants) qu'il lui offre[34].

« LES DIX-HUIT MAZARIN »

1. « le Sancy » 53 3/4 carats..........	600 000	livres
2. 33 3/8 carats.....................	260 000	livres
3. « le miroir de Portugal » 25 3/8 carats...........................	150 000	livres
4. 24 1/4 carats....................	100 000	livres
5. 21 5/8 carats....................	120 000	livres
6. 18 1/4 carats....................	80 000	livres
7. 21 carats....................	75 000	livres
8. 18 1/4 carats....................	60 000	livres
9. 15 1/4 carats....................	75 000	livres
10. 17 carats....................	60 000	livres
11. 17 1/4 carats....................	50 000	livres
12. 17 carats....................	50 000	livres
13. 13 carats....................	40 000	livres
14. 11 1/3 carats....................	35 000	livres
15. 10 3/4 carats....................	20 000	livres
16. 8 3/4 carats....................	16 000	livres
17. 21 1/2 carats....................	70 000	livres
18. 22 carats....................	70 000	livres
Total.......................	1 931 000	livres

L'imposante argenterie du cardinal est plus compréhensible,

compte tenu de ses penchants naturels, mais aussi de son rang et de ses fonctions, qui nécessitent un décorum ostensible ; là il peut, avec plus d'élégance, allier les nécessités du service avec son amour de la thésaurisation. Le collectionneur d'objets d'art est plus connu[35] : les 439 tableaux originaux qu'il laisse au duc Mazarin, sans parler des toiles qu'il a léguées au roi et dont nous ne savons rien, représentent assurément la part de ses collections qui lui tient le plus à cœur. Son goût pictural semble très marqué par son origine, et il n'est pas surprenant qu'il ait accordé la place la plus importante à l'école italienne (Le Guide, Carrache, Le Guerchin, Le Bassan, L'Albane, Véronèse, Le Titien). Loin d'être négligeables, les splendides ensembles de tapisseries et de sculptures sont des éléments fondamentaux de ses collections, tout spécialement la belle série d'antiques promises, par un funeste destin, à être victimes des angoisses puritaines du doux maniaque à qui le cardinal les avait imprudemment données.

Pour achever le tour d'horizon de cette fortune, mentionnons certains effets divers, principalement la participation, pour une moitié, que Mazarin avait dans une compagnie maritime constituée avec les marquis Pallavicini, les rentes romaines, et les 60 000 l qu'il avait investies dans une compagnie de commerce, montée avec le maréchal de La Meilleraye, pour trafiquer à Madagascar (capital en réalité perdu après la disparition des bateaux de la compagnie). Bien qu'il n'en soit pas fait état dans l'inventaire après décès, on ne peut passer sous silence la remarquable bibliothèque qu'il destinait au collège qu'il avait fondé dans son testament. Le roi, attiré par l'importance et la qualité des pièces qui la composaient, et désirant les incorporer à sa propre bibliothèque, fit procéder après expertise à une substitution pour les documents les plus intéressants. Ce transfert nous permet de connaître de façon sommaire la composition et la valeur de cette bibliothèque[36] : les manuscrits, latins, grecs et hébreux, au nombre de 2 156, furent prisés 17 248 l, alors que les 3 678 livres furent estimés 5 238 l. L'ensemble, avec 22 486 l, ne représente donc qu'une part tout à fait infinitésimale par rapport à l'avoir global.

Dans l'espace, les biens du cardinal se répartissent autour de quelques grands pôles géographiques, en général dominés par une assise terrienne. En premier lieu, Paris, centre des affaires de l'État mais également de celles de Mazarin, où celui-ci entrepose naturellement son portefeuille de créances et de papiers de l'Épargne, une bonne partie de ses liquidités et son capital en objets précieux. Il dispose ainsi d'une masse monétaire énorme, réelle ou potentielle, facilement réalisable, dont il peut user suivant la conjoncture. La proximité du Trésor royal qui détermine la présence massive de billets de l'Épargne, nécessaire pour qui veut en faire un trafic fructueux, impose d'ailleurs cette répartition.

L'Alsace, grâce aux terres et aux hautes charges que le cardinal y cumule, forme un premier ensemble de possessions, très homogène. Mazarin étend son influence sur la frontière du Nord-Est avec un second foyer d'implantation constitué par les seigneuries de Merle, Ham et La Fère, zones limitrophes qui abritent une partie de ses réserves monétaires (La Fère, Sedan). A l'ouest, le Maine, avec son duché de Mayenne, et les droits qu'il possède dans cette région (droits d'aides des élections de Mayenne, Mortagne et Verneuil ; droit de la ferme du fer et acier du Maine) forme un troisième ensemble cohérent et bien exploité par ses créatures (Colbert, Berryer). L'Aunis et les îles de Ré et Oléron représentent le dernier « bastion » de Mazarin. Puissant politiquement et administrativement dans toute cette région, il y domine aussi fiscalement et économiquement en tant que traitant du sel et c'est tout naturellement qu'il y entrepose des fonds importants (1 200 000 l), dont l'origine ne doit sans doute pas être étrangère à l'impôt sur le sel, sous la garde de son trésorier à Brouage[37].

Après avoir acquis le duché de Nivernais, le domaine d'Auvergne que renforçait la propriété des charges de gouverneur et lieutenant général d'Auvergne, Mazarin envisagea sans doute de s'établir dans le centre du royaume pour y greffer une nouvelle ramification de sa fortune tentaculaire. Assez curieusement, le cardinal ne possède, semble-t-il, que peu de biens en Italie : ses effets romains, au fond très modestes, représentent 400 000 l environ. Aussi peut-on se demander si, à cause

REVENUS DE MAZARIN

Appointements de ministre	20 000	livres
Pension de cardinal	18 000	livres
Appointements du Conseil	6 000	livres
Pension extraordinaire................	100 000	livres
Appointements de surintendant		
de l'éducation du roi	60 000	livres

Émoluments des charges* :

Capitaine et gouverneur de Vincennes ..	8 000	livres
Gouverneur et lieutenant général d'Aunis,		
La Rochelle, Brouage, îles d'Oléron et Ré	?	
Sénéchal de La Rochelle..............	?	
Surintendant des maisons des reines	?	
Les offices seigneuriaux du ressort		
des terres du cardinal	?	
(Gouverneur d'Auvergne)..............	(50 000)	livres

Revenus des terres :

Duché de Mayenne	40 000	livres
Duché de Nivernais..................	60 000	livres
Seigneuries de La Fère,		
Marle et Ham	30 000	livres
Droits sur le roi	238 450	livres
Pension sur les États de Franche-Comté .	100 000	livres
Rentes..............................	45 000	livres
Loyers des maisons de Paris	4 700	livres
Revenus des biens romains	10 450	livres
Revenus des terres et charges d'Alsace**	300 000	livres
Revenus ecclésiastiques...............	572 600	livres
	(+ 1 000	francs barrois)

Total (+ 1 000 francs barrois)	1 613 200	livres
	(50 000)	livres
(+ 1 000 francs barrois)	663 200	livres

* Sauf charges et terres d'Alsace. ** D'après P. CLÉMENT, *op. cit.*, t. 1, p. 520.

Bénéfices ecclésiastiques

Abbaye de Saint-Denis en France.........	140 000 livres
Abbaye de Saint-Germain d'Auxerre......	15 000 livres
Abbaye de Saint-Étienne de Caen.........	38 000 livres
	(+ 1 280 boisseaux de blé et 40 d'orge)
Abbaye de Saint-Benigne de Dijon........	10 000 livres
Abbaye de Cluny	57 000 livres
Abbaye de Saint-Lucien de Beauvais......	19 000 livres
Abbaye de Saint-Pierre de Corbie	35 600 livres
Abbaye de Saint-Honorat de Lérins.......	12 400 livres
Abbaye de Saint-Victor de Marseille......	35 900 livres
Abbaye de Saint-Pierre de Préaux	26 000 livres
	(+ 90 boisseaux de blé)
Abbaye de Cercamp...................	19 300 livres
Abbaye de Saint-Médard de Soissons	17 000 livres
Abbaye de Saint-Seyne	9 200 livres
Prieuré de Chastenoy (francs barrois)	1 000 livres
Abbayes de Saint-Vincent et Saint-Clément de Metz..............	10 600 livres
Abbaye de La Chaise-Dieu..............	20 000 livres
Abbaye de Saint-Martin de Laon	13 000 livres
Abbaye de Saint-Michel en l'Herm	22 000 livres
Métairies et droits dépendants de Saint-Michel en l'Herm................	14 000 livres
Abbayes de Notre-Dame du Grand-Selve et de Saint-Pierre de Moissac	32 000 livres
Abbaye de Saint-Mansuit de Toul	6 600 livres
A prendre, en 1661, sur les fermiers de l'abbaye de Notre-Dame du Gard	8 000 livres
Pension payée par D. de Vic, archevêque d'Auch, sur les fruits de son archevêché .	12 000 livres
Total	572 600 livres
(+1 000 francs barrois + 1370 boisseaux de blé et 40 d'orge)	

des papiers non inventoriés, les sources n'ont pas faussé notre vision et ne nous ont pas dissimulé des biens placés à l'étranger. Fouquet a soutenu pendant son procès qu'on n'avait pas révélé l'existence de sommes importantes que Mazarin aurait cachées hors du royaume[38]. Mais, jusqu'à présent, aucun indice n'a permis de vérifier ces assertions.

Le montant des revenus du cardinal pose un problème identique à celui de sa fortune. Là encore, il est impossible d'avancer un chiffre total précis, tant pour le rapport de ses terres que pour celui de certaines de ses charges, comme celles de gouverneur, qui produisaient en réalité beaucoup plus que les simples émoluments de la fonction. En outre, il est probable que les papiers non inventoriés faisaient état d'autres revenus occultes, comme des pensions sur certaines fermes, dont les contemporains savaient le défunt friand.

A la fin de sa vie, Mazarin, au sommet de sa faveur, dispose donc de revenus très substantiels qui oscillent entre 1 700 000 et 2 000 000 l, compte tenu de tout ce qui nous échappe. Somme énorme qui, en capital, représenterait déjà une honnête fortune de très grand seigneur. Si le rapport de ses terres, de ses droits sur le roi, de ses nombreux appointements à divers titres constituent la majeure partie de ses rentrées annuelles, il faut accorder cependant une place particulière à ses bénéfices ecclésiastiques. Ses vingt et une abbayes, dont les fruits étaient affermés à une de ses créatures, Pierre Girardin, l'un des plus gros traitants de l'après-Fronde, assurent à elles seules un tiers de ses revenus. Dans ces conditions, le cardinal dispose régulièrement d'une masse de manœuvre monétaire, que sa position de premier ministre tout-puissant lui permet d'utiliser au mieux de ses intérêts dans les affaires de finance. Il est évident alors que le pouvoir, source de richesse et moyen de l'accroître efficacement, est lié indissolublement au monde de l'argent dans un dialogue discret, mais toujours renouvelé.

UNE SUCCESSION DÉLICATE

La fortune de Mazarin pose un problème complexe, tant à cause des mécanismes financiers qu'elle met en valeur, que des implications sociales plus générales qu'elle sous-entend. Comment un premier ministre, si puissant soit-il, a-t-il pu, en moins de dix ans, reconstituer sa fortune après ses gros déboires de la Fronde ? On constate avec étonnement que, hormis le palais Cardinal, Mazarin n'a acquis aucun bien avant son retour en France. Ses revenus, même à la fin de sa vie où il accumulait pensions, bénéfices et charges lucratives, ne peuvent expliquer qu'il laisse un tel actif, grevé de si peu de dettes.

Comment justifier cette masse considérable de deniers comptants, de billets de l'Épargne ou de joyaux divers ? Le roi s'est-il vraiment montré aussi généreux à son égard qu'il veut le laisser croire ? En dehors de dons très tardifs des biens d'Alsace, des 1 500 000 l du traité de la neutralité de Franche-Comté ou des charges des maisons de la reine et de Monsieur, on ne voit pas que le souverain l'ait couvert d'or[39]. D'ailleurs ce dernier pouvait-il se montrer bon prince avec un Trésor chroniquement obéré ? Si Mazarin a défendu cette explication, n'est-ce pas plutôt pour éluder des interrogations gênantes que cette réponse simpliste tentait de satisfaire ?

En 1661, la situation est délicate, car il fallait justifier que dans un royaume exsangue, au bord de la banqueroute, son véritable maître ait été à ce point richissime. Certes, il était d'usage, aux affaires, d'augmenter son patrimoine, mais à ce degré, cela dépassait les normes concevables. Toute investigation que peut susciter une pareille succession implique une dimension politique, financière et sociale, lourde de consé-quence. Il devient patent que pouvoir et puissance enrichissent au détriment des peuples et de l'État ; il n'y a donc pas que la responsabilité du cardinal en cause, mais celle de tous ceux qui participent directement ou plus discrètement aux affaires du roi, dans le cadre d'un système clos, et qui en tirent de substantiels bénéfices[40]. Ceci est d'autant plus embarrassant que, au même moment, Colbert veut entreprendre une remise en ordre du monde de l'argent et poursuivre les prévaricateurs. Dans ces conditions, le cardinal ou plus exactement ses héritiers risquent d'être jetés dans de bien fâcheuses affaires, en compagnie des créatures qui ont agi pour le compte du disparu, à commencer, et ce n'est pas le moindre paradoxe, par Colbert lui-même, son fidèle intendant mais aussi son zélé complice. Position inconfortable, quand celui qui veut jouer le rôle du censeur moralisateur et vengeur est également celui qui a bénéficié, avec son maître, du désordre. Colbert, les riches bailleurs de fonds des traitants et la mémoire du cardinal risquaient gros à ce jeu.

Certes, au début de l'année 1661, le cardinal semble au sommet de sa gloire : un traité habile avec l'Espagne a offert à son royal filleul une paix glorieuse et, pour ses peuples épuisés par vingt-cinq ans de guerre, une tranquillité ardemment désirée. Lui-même voit tous ses mérites et ses services consacrés : dons généreux du souverain, confirmation de la pairie accordée pour le duché de Nevers[41]. Cependant sa santé est gravement compromise et décline rapidement. Le ciel ne lui permet pas de jouir de ses triomphes tardifs. Pourtant, encore une fois, il va réaliser ses desseins. Le 28 février 1661, sa chère nièce Hortense épouse le fils du maréchal de La Meilleraye qui devient, grâce à cet heureux hyménée, le légataire universel du cardinal avec obligation de porter son nom et ses armes, à sa mort[42].

Le jeune époux attend peu, car dans les jours qui suivent Mazarin est à la dernière extrémité.

Dès le 3 mars 1661, le cardinal fait connaître ses intentions. Par une curieuse déclaration, où il feint la modestie et la reconnaissance, il proclame que tous ses biens provenant des dons du roi, de quelque nature qu'ils soient, il les lui lègue tous, sans exception ni réserve[43]. Mais, retors et hypocrite jusqu'au bout, il invite Louis XIV à refuser son legs : « ... Voulant que Sa Majesté soit et demeure saisie de tous lesdits biens du jour du décès de Son Éminence qui espère que Sa Majesté aura la bonté de disposer desdits biens suivant les pensées et desseins de Son Éminence que Sa Majesté a bien voulu recevoir de sa bouche, laissant néanmoins Sa Majesté en pleine liberté de ladite disposition[44]... » Sans attendre la réponse du roi, il fait son testament trois jours plus tard, pour répartir ses biens entre divers légataires particuliers et Armand de la Porte de La Meilleraye, institué son légataire universel, en confirmation de son contrat de mariage[45]. Pour accomplir ses dernières volontés, il désigne avec habileté cinq exécuteurs testamentaires : le surintendant des Finances Fouquet, le secrétaire d'État à la guerre Le Tellier, l'évêque de Fréjus Ondedei, le premier président du Parlement de Paris Lamoignon et enfin Colbert, intendant général de ses affaires[46].

Ce testament, que le cardinal avait complété quelques heures plus tard par un premier codicille, est fort intéressant à plus d'un titre, surtout à cause de la conduite très stricte que Mazarin désire que l'on observe vis-à-vis de ses papiers, comptes et biens dont il interdit tout inventaire[47]. Le même jour, le roi, à Vincennes, après avoir pris connaissance du testament et du codicille, renonce officiellement au legs universel que lui a fait le mourant[48] : magnanimité ou dernier acte d'obéissance au cher parrain ? Le roi acceptait de jouer la dernière petite comédie imaginée par le cardinal qui feignait d'abandonner tous ses biens à son maître et qui, en même temps, les partageait cependant entre ses héritiers. Dès le lendemain, Mazarin, complètement rassuré par la renonciation officielle du souverain, fait un second codicille où il allonge la liste de ses légataires particuliers, n'oubliant pas de gratifier toute la famille royale, avant de s'éteindre deux jours plus tard[49].

Dernière phase de toute cette procédure alambiquée, le 18 mars 1661, le roi, après lecture du testament, des deux codicilles et de sa renonciation solennelle du 6 mars, confirme son désistement en présence des exécuteurs testamentaires et du légataire universel, en les invitant au respect scrupuleux des dernières volontés du défunt[50]. Mais comment régler la succession, sans connaître l'état exact des biens et papiers que le cardinal désirait garder secrets ? Le roi, pour arranger l'affaire, ordonne d'effectuer tout de même un inventaire qu'on commence le 30 mars[51]. Pour les papiers, notamment les comptes privés du disparu, qu'il voulait particulièrement tenir cachés, on décide de les répartir en trois catégories : dans la première, ceux qui seront remis après inventaire au duc et à la duchesse Mazarin ; dans la seconde, ceux qui seront déposés entre les mains de Colbert sur ordre du roi, également après inventaire ; dans la troisième, ceux qui seront laissés en la possession de Colbert, sans être inventoriés ni même cotés[52]. Quant aux comptes de Picon, trésorier du cardinal, qui n'avaient pas été apurés, ils le sont très rapidement et succinctement.

Mazarin, mourant, a certainement été très sensible aux problèmes posés par sa succession, ce qui explique l'habileté avec laquelle il s'est efforcé de transmettre sa fortune à ses héritiers et d'en interdire tout inventaire. Son argumentation est de poids et très explicite : son refus se justifie au nom du bien de l'État et de quantité de familles du dedans et du dehors du royaume[53]. L'affaire est à ce point d'importance pour qu'elle obsède le moribond, qui éprouve le besoin de recommander plusieurs fois cette interdiction, qui s'étend même à ses papiers, suppliant le roi et le Parlement d'interposer leur autorité pour faire respecter ce souhait ardent[54]. Sa façon de gérer sa fortune a quelque chose de suspect (il reconnaît lui-même, pour ses affaires personnelles, n'avoir donné à ses commis que des ordres oraux), voire de coupable, et le cardinal embarrassé en est réduit à réclamer un blanc-seing pour tous ses domestiques, à commencer par Colbert que l'on devait croire sur parole[55].

Dans ces conditions, les attaques contre Fouquet acquièrent une tout autre dimension ; la lutte entre le surintendant et le Rémois prend un relief singulier si l'on songe à la lourde succession du cardinal. Colbert, sous couvert de poursuites efficaces, conduit une action ambitieuse avec plusieurs objectifs : d'une part instaurer un nouvel ordre dans l'administration financière qui lui serait avantageux et, d'autre part, établir solidement son lobby de financiers féaux, tout en se débarrassant d'un passé gênant. C'est précisément pour éluder les problèmes épineux que pouvait poser la succession de son maître qu'il va déclencher et mener avec grand tapage l'affaire Fouquet.

CHAPITRE IX

L'affaire Fouquet

Au centre du procès intenté à Fouquet, il y a Colbert. Il a dirigé toutes les attaques contre son prédécesseur, il commande toutes les manœuvres pour le perdre et, à cette fin, a méticuleusement monté toute l'horlogerie de la machination destinée à l'abattre. Fouquet ne s'y est pas trompé, qui l'a nommément interpellé pendant les débats et dans ses défenses, et désigné comme son adversaire, œuvrant depuis longtemps à sa chute[1].

Dans cette hostilité résolue à son égard, Fouquet voit une manifestation d'ambition dévorante et un désir de prendre sa place, dissimulés derrière de vertueux prétextes[2]. Or Colbert, au travers d'une abondante littérature, s'est toujours justifié en arguant de son souci de rétablir les finances de l'État par une réforme de l'administration, et il n'a cessé de dénoncer le surintendant comme le principal responsable des désordres et le complice intéressé, avec ses commis, des voleries de la gent d'affaire[3]. Il faut donc dépasser la simple rivalité entre deux ambitions et s'interroger sur les raisons profondes qui ont conduit à cette situation, dont l'enjeu dépasse de très loin une banale affaire de concussion ou d'impéritie.

LES FONDEMENTS DE LA VERTU

Si l'on retient l'argumentation présentée par le Rémois, l'action néfaste d'un ministre prévaricateur offrirait une explication toute simple, trop simple peut-être, aux maux qui accablent le Trésor royal. Parce que ce mauvais serviteur aurait été la créature des traitants, parce qu'il n'aurait pas mis d'ordre dans les opérations financières, parce qu'il aurait protégé des collaborateurs douteux et, surtout, parce qu'il se serait repu des dépouilles de l'État, les caisses du roi se retrouvent vides. Pas une fois Colbert ne laisse entendre que le système fisco-financier, par nature équivoque et générateur d'altérations en temps de guerre, puisse inéluctablement se détraquer et se pervertir.

L'accusé, de son côté, met discrètement en cause l'ensemble du mécanisme financier du royaume : il en dénude les rouages et, s'il n'en publie pas expressément les tares, par une série d'analyses et avec le plus de retenue possible[4], il en montre le fonctionnement, à charge pour l'observateur ou les juges d'en tirer les conséquences. Il ne le dit pas explicitement, mais ses explications le sous-entendent : ce ne sont pas des financiers véreux, soutenus par un responsable corrompu qui expliquent tous les désordres, mais bien l'action, au plus haut niveau, d'un corps politique doublé d'un groupe social, installé au cœur de l'État. Cette faction est directement ou indirectement, de façon délibérée ou par la force des choses, le responsable ou, plus exactement, l'auteur des heurs et malheurs de la machinerie financière du pays.

De surcroît, dans le débat qui oppose les deux parties plane l'ombre pesante d'un disparu, fraîchement rappelé dans un monde meilleur : elle n'en reste pas moins bien encombrante pour certains vivants ! Le rôle du cardinal dans la gestion des affaires de finance, son comportement vis-à-vis du surintendant posent plus d'une question épineuse. Si son attitude paraît bien au-dessus de tout reproche, comme le soutient Colbert, la thèse de ce dernier aura beaucoup de chance de s'imposer. Mais si sa responsabilité se trouve engagée dans un certain nombre de malversations, comme le proclame Fouquet, le problème se présente sous un jour très grave. Que penser d'un système où l'État et les peuples sont spoliés par ceux qui les gouvernent et qui en même temps doivent veiller sur leurs intérêts ? En outre, comment faire passer cette désagréable constatation par le truchement tapageur d'une vaste opération vengeresse, destinée en partie à calmer les esprits ?

On ne peut donc s'étonner que Colbert cherche à charger au maximum son rival en évoquant avec complaisance la défiance que Mazarin aurait éprouvée de longue date envers ce dernier[5]. En 1663, à une époque où Jean-Baptiste, maître de la situation, raconte ce qu'il veut, il souligne ainsi les hésitations de Son Éminence dans le choix du surintendant : « Car, quoiqu'il le connût pour homme d'esprit, qu'il l'eût même employé en qualité de maître des requêtes dans les armées et à la suite du roi pendant les années 1649 et 1650, qu'il lui eût fait accorder la permission de traiter de la charge de procureur général du Parlement de Paris, néanmoins le connaissant homme de cabales et d'intrigues et dont les mœurs mêmes n'étaient pas assez réglées pour une charge de ce poids, sans la première raison [de la considération de son frère] l'abbé Fouquet, il n'aurait pas jeté les yeux sur lui[6]. » Une fois nommé, comme le surintendant poursuivait ses exactions, le cardinal l'aurait en vain invité à rentrer dans le bon chemin, mais tous ses efforts, empreints de la patience la plus grande, se seraient révélés inopérants[7].

La mort de Servien avait posé une nouvelle fois le problème de l'attitude à adopter vis-à-vis de Fouquet. Fallait-il lui laisser toute la responsabilité des affaires et, par conséquent, lui permettre de continuer ses débordements, ou bien lui donner un collègue qui le dominerait, ou encore placer directement les Finances sous le contrôle de Mazarin qui garderait la signature et le tiendrait ainsi en bride ? Si l'on en croit toujours le Rémois, le cardinal aurait volontiers opté pour cette dernière solution qui présentait pourtant bien des obstacles à surmonter. Partant conclure la paix avec l'Espagne, qu'il pensait régler promptement, cette négociation absorbait toute son attention. Aussi s'était-il résolu à laisser malgré tout au seul surintendant l'administration des Finances du roi, dans l'espoir que la paix serait vite signée et qu'il aurait tout loisir pour réformer les abus.

Hélas, les pourparlers durèrent plus que prévu et il fallut honorer les dépenses de 1660, ce qui entraîna le maintien de Fouquet. Mais ce dernier ne s'amenda point, bien au contraire. Le renouvellement des fermes ne se traduisit que par des augmentations formelles des baux, et le surintendant persista dans sa dispendieuse politique de grosses remises et d'aliénations. Mazarin se serait déterminé à porter remède à cette gestion néfaste, qui menaçait d'abîmer la France entière, dès son retour à Paris. Mais, frappé durant l'été 1660 de la maladie qui devait l'emporter, il n'avait pu agir. Une nouvelle fois, le surintendant, quoiqu'alarmé par cette chaude alerte, s'était encore tiré d'affaire[8]. Colbert, quittant ses fonctions d'intendant du premier ministre, avait alors montré le bout de l'oreille et dénoncé avec vigueur à son patron les noirceurs qu'il prêtait au surintendant, tout en suggérant quelques médications[9]. Ainsi engagea-t-il la guerre, sourde d'abord et bientôt ouverte, contre sa bête noire.

Le surintendant, renseigné par des informateurs, a percé la campagne menée contre lui et, se payant d'audace, a réclamé au premier ministre des explications sur les accusations portées par son domestique[10]. Mais son inquiétude a été de courte durée et sa méfiance s'est rapidement endormie sous les paroles lénifiantes prodiguées par le cardinal. Aveuglé par sa confiance en soi, abandonné à ses chimères de gloire, il resta sourd aux avertissements qui lui parvenaient de toutes parts, à la machination que son opiniâtre adversaire peaufinait à longueur de jour.

Un examen attentif de l'argumentation de Colbert en révèle vite les insuffisances. Comment en effet justifier la conduite d'un premier ministre omnipotent qui, après avoir confié un poste clef à un individu dont il aurait eu quelque raison de se défier, n'intervient pas quand il apprend de diverses sources que ce personnage faillit à sa mission ? Que penser d'une telle attitude lorsque, averti depuis longtemps, il n'en persiste pas moins à le maintenir en poste, en sachant qu'il n'y aura même plus ni contrepoids ni témoin à ses mauvais penchants ?

Comment admettre qu'après huit années et bien avant sa tardive maladie il n'ait jamais sévi en dépit de ses responsabilités ? De toute évidence, si Fouquet est coupable, le comportement du cardinal reste suspect.

Mais sans préjuger du fonds de la cabale développée par le Rémois, il apparaît que ses accusations n'inspirent guère confiance car, pour charger son adversaire, il prend des libertés avec les faits. Contrairement à ce qu'il soutient, nul ne tenait Fouquet pour un être malhonnête ou douteux, impropre à exercer de grandes responsabilités, et Colbert lui-même en donne un témoignage qu'il s'est bien gardé de rappeler dans ses diatribes fielleuses. En 1650, il faisait alors au secrétaire d'État Le Tellier, dans d'autres circonstances, l'éloge du seigneur de Vaux :

« Monsieur Fouquet, qui est venu par ordre de Son Éminence m'ayant déjà témoigné trois fois différentes qu'il avait une très forte passion d'être du nombre de vos serviteurs particuliers et amis, par une estime très particulière qu'il fait de votre mérite, et qu'il n'avait point d'attachement particulier avec aucune autre personne qui lui pût empêcher de recevoir cet honneur, s'étant même expliqué sur beaucoup de choses concernant la pensée publique de quelque mésintelligence entre MM. Servien et de Lionne et vous, quoiqu'il ne sache rien de particulier sur cela et que même je m'en sois fort éloigné, sur quoi je trouve qu'il parle en véritable homme d'honneur. J'ai cru qu'il était bien à propos, étant homme de naissance et de mérite particulier, et en état même d'entrer un jour en quelque charge considérable, de lui faire quelques avances de la même amitié de votre part, puisqu'il n'est pas question d'un engagement qui vous puisse être à la charge, mais seulement d'un accueil favorable et de quelques marques d'amitié dans les rencontres[11]. » En novembre 1658 encore, Colbert de Terron ne rapporte-t-il pas que Jean-Baptiste nourrit « beaucoup d'estime » à l'encontre du surintendant[12] ?

Pour la commodité de ses intérêts, Colbert se montre parfaitement capable de tenir plusieurs langages, et de travestir sciemment la vérité ainsi qu'il le fait pendant tout le procès, sans craindre parfois de tomber dans le grotesque. Quand il se présente en grand pourfendeur de partisans, il dénonce Fouquet comme l'affidé des financiers qui ont pillé les caisses de l'État et ruiné le royaume : le surintendant se serait ingénié à masquer ses méfaits et à ôter au cardinal tout moyen de prendre connaissance de la situation véritable. Et d'ajouter, superbe d'aplomb, que Fouquet avait écarté Hervart, qui « était au vrai un contrôle et une lumière perpétuelle qui éclairait les yeux de son éminence[13] », alors que chacun sait que cette belle conscience, qui officiait comme contrôleur général des Finances pour le compte de Mazarin, n'était autre que l'un des banquiers du cardinal et l'un des plus gros traitants de son temps ! Contrairement à ce qu'affirme Colbert, jamais le premier ministre n'a vraiment craint l'« horrible corruption » du surintendant ni voulu agir contre lui au moment de la paix. Mazarin n'a jamais pensé qu'il ferait cesser tous les débordements en retirant la signature à Fouquet. C'est Colbert qui en a eu l'idée et qui, bien plus tard, dans son mémoire d'octobre 1659[14], a invité le cardinal à agir en ce sens. Mazarin, lui, n'a pas beaucoup hésité puiqu'il a remis toute la finance à Fouquet cinq jours après la mort de Servien. Les attaques de Colbert, bien tardives, s'expliquent en fait par le contexte dans lequel elles s'inscrivent : fin 1659, la santé du cardinal commence à décliner et, au milieu de l'année suivante, la grave maladie qui le frappe laisse présager l'inéluctable issue. Colbert a donc compris très tôt qu'il lui fallait agir avec promptitude.

Mais quels motifs peuvent justifier cette hâte et cette hargne recuite et soigneusement distillée ? Fouquet a soutenu que Jean-Baptiste, dévoré par le désir de lui succéder, avait toujours tout fait pour le desservir auprès du premier ministre, puis du roi : « Le sieur Colbert ne voulait pas qu'un autre homme prit créance auprès de son maître et, d'ailleurs, les choses lui paraissaient en bon état, l'ambition lui faisait élever les yeux jusqu'à ma place ; il me rendait mille mauvais offices secrets, dont je ne pouvais me parer auprès d'un homme défiant, soupçonneux, toujours disposé à croire le mal et quand il ne l'eut pas cru, ravi de l'entendre afin d'avoir matière de parler au roi contre tout le monde pour donner des impressions et confirmer qu'il était seul parfait, seul impeccable[15]. »

Que l'ambition rentrée du Rémois ait joué un grand rôle dans son attitude, cela n'est guère douteux. Mais une autre raison, impérative celle-là, le pousse à éliminer son rival. La disparition du cardinal le prive de son appui le plus sûr et implique, avec la prise en main des affaires par le roi, la nécessité d'un bilan des années passées. Face à un Trésor vide, à une France plongée dans une très grave crise économique, exaspérée par le règne des partisans, il va falloir fournir des explications et rendre des comptes. Or, précisément, si le passif laissé à l'État est lourd, celui de l'Italien surprend et suscite bien des interrogations auxquelles il serait très gênant pour le Rémois de répondre. D'autant qu'il a fallu, pour régler la succession de Son Éminence, dresser un état de ses biens[16].

Cette volonté déterminée d'épurer les prévaricateurs et d'apurer leurs comptes place objectivement Colbert, ainsi que bien des membres de sa famille et de ses amis, tous traitants notoires, dans une fâcheuse posture[17]. Le roi pouvait lui demander de rendre des comptes. Or, comment expliquer que l'actif du cardinal, en juin 1658, estimé par Colbert lui-même à 8 052 165 l, s'élève en mars 1661 à 35 000 000 l environ[18] ? Comment faire admettre que Mazarin — avec des revenus annuels culminant seulement à la fin de sa vie, à 2 000 000 l — ait réussi à amasser en huit ans 35 000 000 l de biens ? Comment justifier, aux yeux d'un monarque démuni, l'origine des pierreries, de l'argent comptant, des créances ? Le fidèle intendant réagit très vite. Aussi dénonce-t-il à Mazarin dès 1659 les prétendus abus du surintendant Fouquet.

Mais peut-il vraiment être sincère alors qu'il connaît mieux que quiconque toutes les affaires du cardinal, leur origine et surtout le mécanisme douteux qui les anime ? A la mort de son patron, il peut reprendre son travail de sape. Recommandé par celui-ci au roi, détenteur de tous ses papiers confidentiels dont personne ne sait ce qu'ils contiennent puisqu'il est le seul à connaître avec Fouquet le secret des affaires d'argent du royaume, il poursuit avec obstination et efficacité ses desseins. Mais il est toujours en droit de craindre que Louis, n'appréciant pas « les économies » de son parrain, ne veuille faire rendre gorge et punir les débordements qui en étaient à l'origine. Or les héritiers directs du cardinal sont tous personnages trop considérables pour être inquiétés : en aucun cas, le roi n'oserait frapper publiquement le duc Mazarin, le prince de Conti, le duc de Nevers, le comte de Soissons, le duc de Vendôme, le prince Colonna, le duc de Mantoue, les uns et les autres légataires du disparu. Par contre, le monarque, dans le cadre d'une poursuite générale, peut se retourner contre toutes les créatures du cardinal qui ont manié son argent et les rendre responsables en tant que comptables. Dans cette hypothèse, les Colbert, Berryer, Picon, Béchameil et leurs acolytes risquent fort le sort, peu enviable, que vont connaître bientôt Pellisson, Bruant, Delorme et Gourville, commis (véritables ou supposés) de Fouquet. Colbert présentait en outre les signes évidents d'une fortune rapide et assez inexplicable, ce qui pouvait avoir des suites fâcheuses, surtout dans une période où la richesse subite était réputée, par essence, suspecte[19].

Dans ces conditions, Colbert doit trouver un responsable pour parer tous les coups : Fouquet devient alors la victime expiatoire idéale. L'orgueilleux, munificent et quelque peu mégalomane surintendant ne peut que paraître coupable à un jeune souverain jaloux de son pouvoir. Responsable des Finances, le seul depuis la disparition de Servien et de Mazarin, à avoir connu toutes les affaires d'État où le pouvoir, la puissance et l'argent s'étaient mêlés, il est un témoin gênant et dangereux. Ne pouvait-il pas, de son côté, briser Colbert dont il connaissait les intrigues et le rôle dans l'édification de la fortune du cardinal ? Il est d'ailleurs frappant de constater que le roi se décide à perdre Fouquet en mai ou juin 1661, juste au moment où l'on fait l'inventaire des biens de Mazarin et que l'on est en mesure de juger de sa voracité. Personne n'a intérêt à une recherche générale contre les financiers montrant les liens entre les puissants et le monde de l'argent.

Un surintendant prévaricateur présente donc, pour beaucoup, bien des avantages. La réponse aux misères d'un royaume, à la détresse des caisses vides de l'État, à l'opulence inexpliquée d'un premier ministre se trouve dans un grand argentier indélicat, acoquiné avec des traitants insatiables, enrichi par eux et insupportable par son luxe ostentatoire et scandaleux.

Que l'on juge en réalité Mazarin au travers de Fouquet, cela n'a plus d'importance puisque l'on ne court plus maintenant de risque. La Chambre de Justice, qui pouvait aboutir à révéler les dessous du véritable système socio-financier de l'Ancien Régime et à dénoncer ce système, ne se présente plus que comme un retentissant mais banal procès. Celui-ci n'est plus qu'un écran qui masque la réalité profonde de la société d'Ancien Régime, où les classes dirigeantes, élite politique autant qu'économique, accaparent à la fois le pouvoir et l'argent, et exploitent à leur profit l'ensemble de la richesse du royaume. L'inventaire de la fortune de Mazarin, que l'on a tant voulu cacher, est sur ce point un document éclairant et accablant.

Le complot de la Couleuvre

Colbert met à profit les six mois qui séparent la disparition du cardinal de l'arrestation de Fouquet pour parfaire sa cabale. Il sait utiliser à merveille les avantages qu'il a acquis et marquer les points nécessaires pour parvenir à ses fins, profitant au maximum des erreurs psychologiques que le surintendant commet vis-à-vis du roi. D'emblée, il comprend la nature profonde de Louis XIV et adopte en conséquence la bonne conduite à suivre, dont il ne va plus se départir.

Pour jouer les premiers rôles, à défaut du premier, dorénavant interdit tant que le monarque vivra, il faut savoir faire semblant de jouer les seconds en se prévalant du bien de l'État et de la gloire du potentat. Il faut agir vite car le roi est encore inexpérimenté, surtout en matière de Finances. Louis ignore ce qui s'est réellement passé dans leur gestion, dont bien des mécanismes et bien des côtés occultes lui échappent. Unique maître des papiers les plus confidentiels de Mazarin, Colbert est le seul à en maîtriser tous les secrets ; il complète son information pour contrecarrer le châtelain de Vaux, seul capable de le confondre et de le perdre, puisqu'il est l'unique témoin embrassant la ténébreuse histoire financière de l'après-Fronde.

En mars 1661, intendant des Finances, il est nommé pour examiner en compagnie de son collègue et parent, Denis Marin, l'ensemble des traités conclus jusqu'en 1659, ce qui lui donne la possibilité de parfaire ses renseignements, outre son expérience personnelle[20]. Toujours insidieusement, il ne manque pas une occasion de distiller chez le roi le poison de la méfiance et le dégoût du surintendant[21]. L'attitude de ce dernier achève de le perdre. La fête de Vaux, donnée le 17 août 1661, étale sa démesure et l'ambition effrénée qui l'ont porté jusqu'au ministériat, alors que le souverain a fait savoir, sans équivoque possible, qu'il ne souffrait plus de partager le pouvoir. Il s'agit là cependant d'un épiphénomène mineur, qui ne décide pas la chute de Nicolas, puisque, de l'aveu même du roi, la disgrâce était résolue depuis plus de trois mois.

Colbert peut alors mettre au point avec Louis les dernières touches à la machination. Le piège qui conduit le procureur général à se défaire de sa charge et à se priver ainsi de tout recours juridique normal fonctionne à merveille[22]. Aveuglé par son tempérament, son besoin de se rendre utile et de plaire, mais aussi manifestant ce désintéressement dont doutait son accusateur, il a donné, tête baissée, dans la trappe. Il s'est immédiatement mis en quête d'un acheteur et, très vite, a accepté l'offre de son ami et allié Harlay : moyennant 1 400 000 l, il lui abandonne alors sa charge[23]. Puis après avoir cédé 400 000 l qui reviennent à son frère Basile, Fouquet porte le surplus en argent liquide pour un prêt au roi. Prêt généreux, mais étonnant, car il a peu d'espoir de le recouvrer un jour et par ailleurs il croule sous les dettes. Il y a là tout Fouquet : le panache, la passion de la gloire, le besoin de se faire valoir l'emportent sur toute autre considération. On est bien loin cependant du prévaricateur qui ne songerait qu'à se repaître sans scrupule des dépouilles de l'État, et du factieux qui se précautionnerait de toutes parts.

Le Rémois doit fignoler un dernier point, décisif dans la réussite de ses plans. Il faut priver Fouquet du moyen de se défendre et, par conséquent, s'emparer de ses papiers. Il étudie donc soigneusement toute une série de mesures visant à la fois à éloigner le surintendant de la capitale et à garder le secret le plus absolu pour éviter que lui, ou ses proches, ne se prémunissent. Attiré loin de Paris, isolé et coupé de ses collaborateurs par une arrestation inopinée, il sera alors dans l'impossibilité de faire disparaître les preuves de ses débordements. On prévoit également l'incarcération immédiate de ses principaux affidés, ou présumés tels, à commencer par Pellisson, Bruant et Bernard.

Pour réaliser ce plan, on décide que le roi, prétextant la tenue des États de Bretagne, fera un voyage à Nantes où Louis se propose de faire sentir sa jeune autorité et d'obtenir quelques subsides. En choisissant cette région, peut-être manifeste-t-on la volonté de rassurer le surintendant, car cette province lui est chère : il y est bien implanté et, par conséquent, s'y sent plus en sécurité. Ces précautions ne sont pas superflues : depuis plusieurs semaines, Nicolas est informé de toutes parts que quelque chose se trame contre lui. Inquiet, frappé par un nouvel et violent accès de fièvre, il se sent menacé. Pourtant, comme si la maladie obscurcissait son jugement et paralysait ses décisions, il ne se méfie pas et reste inactif devant les bruits alarmants qui ne cessent de circuler. Cette espèce de cécité ou de dangereuse inconscience, qui se renouvelle à propos du « plan de Saint-Mandé », démontre que Nicolas, lorsqu'il est accablé par la fièvre et en but à des attaques personnelles, perd son jugement, d'ordinaire si fin, et s'enferme dans un aveuglement presque suicidaire. Il sent le danger confusément, mais ne fait rien, bien au contraire, pour s'en prémunir.

A la fin d'août 1661, Fouquet gagne donc Nantes à la suite du roi. Là il s'installe dans l'hôtel de Rougé, propriété de la famille de Mme Duplessis-Bellière. Secoué par la fièvre, il doit rester alité. Comble de dissimulation, Louis le fait visiter pour prendre des nouvelles de sa santé, tandis que Colbert se rend à son chevet au soir du 4 septembre afin d'obtenir des fonds pour la Marine. L'arrestation de Nicolas, qui a été préparée en détail par le souverain, Colbert et Le Tellier, est prévue pour le lendemain matin. Le 5, à la sortie du Conseil, Charles d'Artagnan, chargé de conduire le surintendant au château

d'Angers, arrête Fouquet. Nicolas, un peu étonné de sa disgrâce, reste calme et offre spontanément de donner les ordres
pour remettre Belle-Île au roi. Toutefois, il peut donner
subrepticement l'ordre à son valet La Rivière de fondre sur
Saint-Mandé pour annoncer aux siens la triste nouvelle. Le
brave garçon réussit à merveille et précède de quelques heures
les émissaires du roi. Pourtant les proches du surintendant
n'utilisent pas ce répit ; ils n'esquissent aucun geste pour mettre
en sûreté les papiers ou les biens du surintendant, qui vont
ainsi tomber en totalité dans les mains de ses adversaires.

L'annonce brutale de la disgrâce de Fouquet a éclaté comme
un coup de tonnerre, ainsi que le rapporte Berryer, non sans
s'étonner de certaines réactions devant l'incroyable événement : « La nouvelle qui est arrivée ce matin ici de la prison
de Monsieur le surintendant a bien surpris du monde et n'en
a pas autant affligé que l'on eut pu croire. Chacun en parle
d'étrange façon[24]. » Tout a bien fonctionné, à une exception
près. Si Mme Fouquet et Mme Duplessis-Bellière ont été
assignées à résidence, si Pellisson et Bernard ont été empri-
sonnés, Bruant, prévenu à temps, a été plus prompt que les
exempts royaux et a réussi à gagner l'étranger[25].

Dans la partie acharnée qui l'oppose à Colbert, Fouquet
vient de perdre la première manche. La machinerie judiciaire
qui doit l'écraser peut maintenant se mettre en branle. Tout
laisse croire que le sort du malheureux est scellé. Un procès
politique retentissant, orchestré avec force publicité, va pouvoir, semble-t-il, répondre à toutes les interrogations, masquer
tous les problèmes, en fournissant la solution satisfaisante d'un
ministre prévaricateur, esclave et complice d'une nuée de
méprisables laquais, sangsues des peuples et dévoreurs insatiables d'or. Mais les espoirs de l'architecte de ce bel édifice
vont-ils être comblés ?

DES JUGES BIEN-PENSANTS

Le procès du surintendant étant englobé dans les recherches conduites contre les traitants, l'accusation espérait que la seconde tâche des magistrats influencerait leur travail vis-à-vis de la première. L'affaire de l'accusé est évidemment liée aux poursuites contre ceux que l'on affecte de considérer comme ses complices : n'est-il pas tentant de les dresser les uns contre les autres ? Rien de plus facile que d'exercer des pressions sur les partisans ou les comptables qui seraient conduits à témoigner, car beaucoup d'entre eux se trouvent décrétés de prise de corps ou menacés de l'être, et tous leurs biens et le sort de leur famille sont à la merci des décisions des magistrats. En outre, pour atteindre le but du complot, ces derniers doivent se comporter en juges aux ordres. Colbert avait déjà tracé dans son mémoire de 1659 le profil idéal qu'il s'en faisait : « Pou[r] la nomination des commissaires, il faut prendre garde qu'i[l] soient habiles, qu'ils ne soient point intéressés ni alliés av[ec] les gens d'affaires ou partisans, passés ou présents, qu'ils n[e] soient point faciles à corrompre, qu'ils n'aient acquis aucu[n] droit sur le roi depuis vingt ans et, en un mot, il faut recherch[er] dans leur vie passée ce que l'on doit attendre d'eux dans un[e] action de cette importance[26]. »

La liste des élus démontre que, deux ans plus tard, le contrôleur général des Finances avait conservé une opinion identique. Le choix pour les postes capitaux de président et de procureur général de la Chambre a été l'objet d'une mûre réflexion. Pour diriger, on a primitivement choisi le président de Nesmond, jugé apte à cette fonction puisqu'il paraît être le seul « qui ait retenu l'ancienne modération de président à mortier du Parlement et qui ne soit, comme on doit, ni allié ni intéressé avec les gens d'affaires, ni ait acquis aucun droit sur le roi[27] ». Pour la place déterminante de procureur général, il fallait un homme efficace, capable de se mesurer à Fouquet — dont on connaissait, dans cette même fonction, la réputation bien établie — et de régler son sort. En désignant Omer Talon, avocat général du Parlement de Paris, à qui il avait déjà pensé en 1659, Colbert espérait que « sa sévérité naturelle, qui souvent lui fait faire des démarches qui portent quelque préjudice au service du roi, serait admirable en cette occasion[28] ». Surtout, ce rejeton de l'une des plus célèbres familles du barreau offre l'avantage, non négligeable, d'une hostilité envers l'accusé connue depuis longtemps.

Les magistrats retenus[29], dont Colbert peut espérer la docilité, laissent au départ bien augurer pour le camp de l'accusation. Soigneusement sélectionnés, on les a fait encadrer par des personnalités dévouées, en particulier le vieux chancelier Séguier, qui préside les débats lorsque ses infirmités le lui permettent : il continue, toujours servile, à faire passer la consigne du roi et surtout de Colbert, et indique à la Chambre les souhaits du pouvoir : « Monseigneur le chancelier a dit qu'il était nécessaire que Messieurs fussent particulièrement informés du mérite des affaires qui se trouvaient en la Chambre. Le roi avait fait choix de Berryer pour les voir et solliciter en particulier et leur faire entendre ce qui était des intérêts de Sa Majesté[30]. » Séguier est secondé par Pussort, oncle de l'accusateur, qui fait du volume parmi ses collègues, donne de la voix et s'agite beaucoup pour défendre avec fougue et une malhonnêteté parfois insigne les intérêts de son neveu.

Leurs efforts rejoignent ceux déployés par Talon, qui soutient l'accusation avec autant de brutalité que de bêtise, dominé totalement par la maréchale de l'Hôpital, son hégérie, une intrigante mêlée au monde de la finance, dont il suit les directives : elle agit en étroite relation avec Colbert qu'elle renseigne[31]. A un niveau plus subalterne, mais néanmoins important, Colbert s'appuie sur le greffier de la Chambre, Foucault, sa créature, un individu suspect qui travaille en liaison avec Berryer et qui va couvrir toutes les manipulations de pièces faites en défaveur de Fouquet[32]. Au moment où le procès débute, il semble que l'appareil répressif doive fonctionner dans le sens souhaité par le pouvoir, sans qu'on puisse craindre de voir quelque obstacle en perturber la marche préétablie.

L'instruction et le travail réalisés après l'arrestation du surintendant ont permis de fournir aux juges un dossier substantiel et fortement étayé, du moins l'accusation le pense-t-elle. Colbert a fait minutieusement examiner les papiers de l'accusé et les comptes de l'Épargne dans lesquels il pense trouver les preuves de sa culpabilité. On a inventorié et coté tous les documents trouvés dans les différentes demeures du surintendant, chez ses commis et son amie, Mme Duplessis-Bellière. Les registres des trésoriers de l'Épargne ont également fait l'objet de soins particuliers. Colbert les fait systématiquement analyser pour y mettre à jour les fraudes dont les comptables se seraient rendus coupables à l'instigation de l'ancien procureur général. C'est donc à la suite d'un long travail de recherche que l'on établit et que l'on signifie à Fouquet les charges qui pèsent contre lui.

LES CRIMES OBSCURS DU SURINTENDANT

On n'a pas lésiné et on a retenu deux crimes gravissimes contre l'accusé : le péculat et la lèse-majesté. Si les faits sont prouvés, Fouquet n'a aucune chance de sauver sa tête. En quoi consiste le péculat ? Sébastien Hardy en fournit une définition parlante : « Crime de péculat, c'est de prêter les deniers du roi, les billonner, bailler à usure, mettre à marchandise, les appliquer à son profit particulier ou les convertir en autres choses que les commissions, les ordonnances et leur office portent. Aussi de lever deniers sur le peuple sans permission du roi et ceux qui sont convaincus dudit crime doivent, non seulement perdre la vie, mais aussi leurs biens suivant les ordonnances du roi François faites ès années 1532 et 1545[33]. » Fouquet connaît trop bien son droit, il est trop averti des soins qu'on a déployés dans toute cette affaire pour ne pas comprendre que ces motifs visent essentiellement à obtenir une sentence de mort. Il sait que son adversaire est résolu à l'éliminer définitivement et qu'il lui faut lutter avec l'énergie du désespoir dans un combat inégal. L'affaire prend un aspect poignant et dramatique et, par son enjeu même, pousse Fouquet à se surpasser pour survivre.

Le surintendant résume fort bien les huit griefs fondamen-

taux retenus contre lui[34] : premièrement avoir fait, sans nécessité, des prêts fictifs, afin d'avoir ensuite un titre pour y prendre
intérêt ; deuxièmement, avoir consenti au roi des avances de
ses deniers, ce qu'il ne pouvait faire étant ordonnateur des
fonds ; ensuite avoir reçu indifféremment les deniers du roi et
les siens, et les avoir employés à des fins personnelles, bref,
avoir fait l'Épargne chez lui et à son profit ; s'être intéressé
dans les fermes et les traités sous des prête-noms et avoir
acquis à vil prix des droits et des biens sur le roi ; s'être fait
donner des pensions et des gratifications par des partisans pour
leur obtenir fermes et traités à meilleur prix ; avoir pratiqué
un trafic coupable de vieux billets financiers surannés, achetés
à bon prix et réemployés dans les ordonnances de comptant ;
avoir réformé sur de bons fonds certains vieux billets provenant d'ordonnances accordées aux publicains pour la remise
de traités révoqués et avoir détourné des sommes considérables, par ce moyen, au préjudice de l'État ; enfin, avoir mené
une méchante gestion en concluant des accords désavantageux
pour le roi et en consommant leurs fruits qu'ils produisaient
par de mauvaises dépenses.

L'ensemble de ces concussions était étayé par quatre-vingt-
seize chefs d'accusation précis que Lefevre d'Ormesson, rapporteur du procès, a réduit après un sérieux examen à une
dizaine. On peut les classer en trois grandes catégories. En
premier lieu, les pensions annuelles que Fouquet aurait prises
sur plusieurs fermes : 120 000 l sur les Gabelles de France,
20 000 l sur celles de Languedoc, 10 000 l sur celles de
Dauphiné, 140 000 l sur les Aides, 50 000 l sur le Convoi de
Bordeaux, 12 000 l sur les Entrées, 10 000 l sur le Pied-
Fourché, sans compter 20 000 l soutirées à la compagnie
affermée de la pêche à la baleine, ni les 9 000 l réclamées par
l'accusé pour Monsieur de Beaufort et les 100 000 l pour Mme
Duplessis-Bellière[35]. En second lieu, son acquisition frauduleuse de divers droits sur le roi, comme les regrats de
Languedoc, les Sucres et Cires et la participation à des traités
comme ceux d'aliénation du parisis des Entrées, des Octrois
ou du Marc d'Or[36]. Enfin, d'avoir réalisé des prêts au roi, sous
des prête-noms, dont une partie, tout comme certains traités,

était fictive, ce qui lui aurait rapporté de gros bénéfices, sans parler du détournement de 6 000 000 l qu'il aurait perpétré et du trafic de fausses assignations qu'il aurait couvert.

Pour soutenir ces allégations, le ministère public s'appuie sur deux types de preuves : d'une part la fortune, le train de vie fastueux, les dépenses outrées, les acquisitions nombreuses de l'accusé et, d'autre part, toute une série de témoignages émanant de gros financiers ou de leurs commis. Les crimes sont prouvés, aux yeux de l'accusation, par les nombreux documents trouvés chez lui ou chez ses créatures. Mais Fouquet, il faut le remarquer dès à présent, conteste la véracité des chefs d'accusation et l'authenticité de maintes pièces à conviction.

Dès le début, Fouquet et ses adversaires s'affrontent sur l'un des points fondamentaux de l'affaire : l'ampleur de son bien et des détournements qui l'auraient alimenté. L'essentiel de l'argumentation de Colbert, par Talon et Séguier interposés, repose sur la réalité de cette prodigieuse richesse, dont l'origine et la genèse ne pouvaient s'expliquer que par des voleries. A l'inverse, le surintendant déploie tous ses efforts pour démontrer le contraire, ce qui, en cas de succès, ferait perdre au procès une grande partie de sa crédibilité.

Par une négligence incompréhensible, qui n'est peut-être pas innocente, les magistrats ne cherchent pas à faire l'inventaire des biens de l'accusé, comme cela avait été fait pour Mazarin. Voilà donc des magistrats bien désinvoltes qui, au lieu d'une information facile à réaliser puisque l'accusé n'a eu ni le temps de mettre ses effets à couvert ni de cacher ses papiers, se contentent d'une documentation fragmentaire et limpide. Fouquet, qui sait bien qu'un inventaire apporterait une réponse irréfutable, en réclame un pour se justifier, mais en vain[37].

Le ministère public préfère partir d'observations générales, d'impressions extérieures qu'on tente d'étayer en s'appuyant sur les comptes nombreux, mais embrouillés, de ses commis et dans lesquels l'on affecte de voir les preuves de ses tripotages. Talon veut absolument que l'ancien procureur général soit entré pauvre dans les affaires, soutenant qu'il avait alors consumé tout son patrimoine et celui de sa première femme au point qu'il avait été contraint d'emprunter 300 000 l pour réussir à acquérir sa charge de procureur général du Parlement de Paris[38]. Il souligne aussi les énormes dépenses qu'il avait été amené à faire pour Vaux, entre 5 000 000 l et 6 000 000 l, alors que cette charge ne lui rapportait que 25 000 l par an[39].

Et l'accusation de s'étonner de la situation présente du prévenu : il est richissime, et l'on ne doit pas se laisser ni abuser par son argumentation ni se laisser tromper par ses cris d'homme ruiné. Il ment, sous-estimant volontairement le volume de son avoir en majorant grossièrement le montant de ses dettes. La preuve, l'accusation la tire par exemple des trente-sept comptes découverts chez Bernard, son commis. Il y apparaît qu'entre janvier 1653 et fin 1656, il a reçu 23 117 391 l, dont 3 318 283 l pour gages et appointements de ministre et 210 066 l pour intérêt de sommes portées au Trésor[40]. Presque tout le reste se compose de billets de l'Épargne, d'ordonnances de comptant et de sommes reçues des gens d'affaires. Sur ces 23 117 391 l, on en a consommé pour 5 147 782 l en amortissement de rentes, arrérages et en remboursements de ce qu'on avait emprunté, 1 512 050 l en divers versements sans justificatif à des particuliers, dont beaucoup de membres de la cour, 2 967 241 l payées à Fouquet et son épouse ou sur leur ordre, le surplus étant allé en achat de meubles, en travaux à Paris, Belle-Île, Saint-Mandé, en dépenses domestiques et en acquisitions diverses[41].

L'accusation, avec le plus grand sérieux, soutient également que Bruant, une des créatures de Fouquet, avait reçu plus de 100 millions par an entre 1658 et 1661, alors que les registres de Taffu font état, sans contestation possible, de chiffres beaucoup plus modérés. Ainsi, du 7 mai 1657 au 14 août 1661, Fouquet aurait touché 16 680 047 l, dont moins de 800 000 l seraient revenues au roi[42]. Le reste aurait été utilisé pour les dépenses de Vaux et les autres charges du surintendant. Ne disait-on pas que les livres de Vatel établissaient qu'on avait dépensé pour plus de 5 000 000 l dans les travaux de Vaux et de Saint-Mandé ?

En fait, les sources citées, les chiffres avancés, divers, contradictoires, en un mot discutables, devaient être maniés avec précaution. Un état, tiré des dossiers de Lefèvre d'Or-messon et bâti d'après les comptes des collaborateurs du surintendant, permet de se faire une idée du volume des maniements exercés pour le service de celui-ci et du niveau de la consommation de ces fonds, mais on ne peut cependant en tirer des conclusions assurées sur la fortune véritable de l'accusé et donc jauger les détournements qu'il aurait réalisés[43].

Le montant des dettes reconnues par l'accusé fait également l'objet d'une âpre controverse, et Talon multiplie les productions pour démontrer que l'actif de Fouquet dépasse largement son passif. L'avocat général voit, en outre, dans la recette, de fortes sommes au profit de Fouquet, la preuve de sa richesse. Son portefeuille ne comprend-il pas des avances, dont 160 000 l sur Colbert, et de nombreux billets financiers, en particulier 150 000 l sur le Convoi de Bordeaux, 198 800 l sur Gourville, 1 725 221 l sur Girardin, 100 000 l sur Pellisson à recouvrer ?

En vérité, toutes ces « preuves », ou ce que l'on voulait être des preuves, témoignent surtout d'une circulation d'effets et d'argent entre les mains de Fouquet ou de ses collaborateurs, chose somme toute naturelle compte tenu de ses responsabilités. Le ministère public sentait d'ailleurs la fragilité des éléments qu'il présentait comme des démonstrations, mises souvent à mal par les réfutations pertinentes de la défense, ce qui conduisait Talon à soutenir une argumentation des plus singulières, détruisant en partie tout le crime de péculat dont on voulait accabler le châtelain de Vaux :

« Mais quand toutes ces prétendues justifications seraient véritables, quand il n'aurait jamais employé les finances du roi pour subvenir à ses dépenses domestiques, quand il aurait consommé ces quatre ou cinq millions dont il se dit redevable au-delà de la valeur de son bien, si par là il évite le crime de péculat, ne tombe-t-il pas dans celui de trompeur et de banqueroutier ? N'est-ce pas le plus doux épithète dont on puisse noter cette ruse frauduleuse qui aurait servi à le faire paraître riche, afin de favoriser par là ses emprunts et ses horribles dépenses, dont il serait réduit à la disette qu'il prétend ? Que pourrait-il conclure de là, capable de justifier sa conduite ? De grands biens ont souvent été de grands indices de concussions et de larcins, mais le peu ne fut jamais une preuve de modération ni d'innocence, sinon lorsque l'on n'est ni soupçonné ni accusé[44]. »

Malgré tout, le ministère public pouvait espérer trouver dans les témoignages des publicains ou dans les papiers du surintendant de quoi le confondre. Les dossiers du procès conservent les nombreux interrogatoires de « témoins » dans les chefs d'accusation retenus contre le maître de Vaux[45]. Ce dernier n'a pas manqué de s'élever contre nombre de dépositions dont il conteste, non sans raison, la sincérité ou la valeur, certaines ayant été à ses yeux fort sollicitées pour être tournées contre lui. Il est en effet facile d'imaginer que la plupart des témoins, se trouvant poursuivis en Chambre de Justice et d'aucuns déjà incarcérés, ont pu subir des « pressions » pour témoigner contre l'ex-surintendant. Parmi les financiers interrogés, on retrouve d'ailleurs des créatures proches de Colbert, et l'on peut croire que leurs déclarations ne contrarieront pas les intérêts du nouveau maître des affaires[46]. Mais, surtout, Fouquet attaque ou réfute les dires de quelques-uns, comme La Bazinière, Tabouret ou Rambouillet, qu'il accuse de faux témoignage[47]. Il rappelle que les uns ou les autres ont eu avec lui un différend, que leurs dépositions sont partisanes et, donc, irrecevables.

Surtout, et les juges ont été sans aucun doute très sensibles à cet élément, l'ensemble du dossier, pièces à conviction et interrogatoires, ne permet pas de prouver un quelconque manquement de Fouquet. Ceux qui apparaissent concernés sont plutôt des personnalités, comme Bruant des Carrières, Gourville, Mme Duplessis-Bellière et sa famille, ou l'entourage de Mazarin. Or l'instruction au cours des débats semble avoir été conduite avec légèreté, c'est le moins que l'on puisse dire : elle a suivi des méandres curieux, voire suspects, et elle fait apparaître des irrégularités très graves.

Fouquet a beau jeu de tirer avantage de ces dernières et de dénoncer le complot fomenté par son adversaire pour l'éliminer définitivement. Non sans raison, il souligne une série de faits singuliers qui, rapprochés les uns des autres, jettent le doute sur toute l'affaire. Comment se fait-il qu'un homme que l'on présente comme un de ses plus intimes complices, Gourville, dont l'instruction a démontré très tôt la participation à des affaires douteuses, n'ait pas été tout de suite arrêté ? L'hypothèse suggérée par l'accusé, selon laquelle on l'a « invité » à fuir, ne peut pas être balayée d'un revers de main. N'est-il pas pour le moins bizarre que celui-ci se soit promené en toute impunité, qu'il ait pu faire son exercice de secrétaire du Conseil des Finances au début de 1662 sans être inquiété[48] ? Il faut avouer que Gourvillé pourtant si bavard dans ses Mémoires, n'est guère prolixe sur le rôle qu'il a tenu dans cette affaire, alors que de toute évidence cet homme de sac et de corde, ami de tout le monde, savait bien des choses et avait participé à bien des opérations oiseuses[49]. Comment interpréter les relations épistolières qu'il entretient avec le contrôleur général, dans lesquelles il fait preuve d'une égale flagornerie et d'une tranquillité désarmante[50] ? Comment expliquer le pardon rapide accordé à un condamné à mort par contumace, qui semblait être poursuivi d'une haine assez tenace pour le priver, avec Bruant, du bénéfice de l'édit de 1665[51] ? En vérité, sur ce point comme sur beaucoup d'autres, tout démontre que l'on a pipé les dés afin d'arranger à coup sûr le sort du surintendant. Colbert n'a pas lésiné sur les moyens, puisqu'il n'a pas hésité à faire falsifier les registres de l'Épargne pour trouver de quoi abattre son rival[52].

Mais c'est peut-être l'affaire de la pension de 120 000 l sur les Gabelles qui résume le mieux les ambiguïtés de ce procès, affaire importante puisqu'elle fournit les « preuves » les plus indubitables, en apparence du moins, réunies contre l'accusé.

En 1656, lors de l'adjudication du bail Lenoir, il s'est produit une lutte entre deux compagnies financières pour son contrôle. Une association dominée par les frères Pierre et Claude Girardin concurrence l'ancienne société des Pierre Aubert, Claude Chatelain, Thomas Bonneau qui dominait depuis vingt-cinq ans les Gabelles. Finalement, le bail est concédé à une compagnie formée de membres de l'un et l'autre des groupes rivaux. Au moment de former légalement la société et de répartir la participation de chacun, Pierre Girardin fait connaître à ses partenaires la volonté d'un mystérieux associé qui entendait se retirer des Gabelles contre une pension annuelle de 120 000 l durant toute la durée du bail[53]. Pour en terminer, les fermiers finissent par accepter et par retirer une promesse de pension remise à Pierre Girardin, qui annonce en même temps sa renonciation à la société, seul son frère Claude y prenant part. Les fermiers ont payé cette pension sans rechigner, tout en ignorant l'identité du bénéficiaire. Cependant, en 1658, Chatelain est convoqué par Fouquet qui lui montre la fameuse promesse et lui demande s'il peut en tirer quelque secours[54]. Ensuite, à la résiliation du bail, la pension a cessé d'être honorée. Mais la promesse va connaître une célébrité tapageuse lors de l'instruction du procès du surintendant, en resurgissant parmi ses papiers dans des circonstances assez curieuses[55]. Fort de cette pièce et des dépositions des fermiers du bail Lenoir, l'accusation pense tenir l'une des preuves les plus convaincantes de la culpabilité de l'ancien procureur général du Parlement de Paris. Celui-ci, sans nier avoir eu entre les mains la fameuse promesse, organise sa défense. Il soutient l'avoir reçue de Mazarin pour le paiement d'une somme que lui devait celui-ci ; il lui avait rendue par la suite le document. Ce qui explique, comme il le souligne avec beaucoup de finesse et d'habileté, qu'ignorant la nature du billet il ait interrogé Chatelain sur sa validité, ce qu'il n'aurait pas fait s'il avait été celui qui l'avait fait souscrire[56].

Fouquet remarque également les conditions dans lesquelles le document a fait sa réapparition, un premier procès verbal des commissaires ne mentionnant nullement son existence. Or comment une pièce de cette importance aurait-elle pu échapper à leur attention ? En revanche, comment croire vraiment qu'il ait laissé traîner un papier aussi compromettant mais caduc depuis plus de deux ans ? Mais il faut aussi s'interroger sur les circonstances de sa découverte, survenue juste après une visite de Colbert, l'unique détenteur de l'ensemble des papiers les plus secrets de Son Éminence, à Saint-Mandé... Fouquet note à juste titre qu'aucun fermier interrogé n'a affirmé à un moment ou à un autre que la pension était pour lui. Il produit même une lettre de Chatelain où ce dernier prétend libérer sa conscience en avouant qu'on lui a fait subir des pressions pour « bien témoigner[57] ».

Même si l'on écarte cet argument — la lettre était douteuse puisque non signée —, Fouquet développe une autre argumentation, bien plus désagréable pour l'accusation : comment se fait-il que l'on ait questionné tous les fermiers qui avaient assisté à la scène de 1656, mais que l'on se soit bien gardé d'entreprendre de questionner sur ce sujet Claude Girardin ? Car s'il y avait quelqu'un de bien renseigné sur les affaires de son frère, ce ne pouvait être que lui. Que peut donc cacher cette omission ? L'accusation paraît d'ailleurs bien timide tout à coup puisqu'elle ne semble pas désireuse au fond de faire toute la lumière. Ainsi, quand l'accusé demande que l'on fasse venir un maître écrivain qui se proposait d'effacer les ratures figurant au dos de la fameuse promesse (ce que Fouquet réclame pour tenter de voir si il n'y a pas là le moyen de découvrir son propriétaire), on constate avec surprise que le ministère public ne donne pas suite à cette requête[58].

En définitive, tout montre que l'on cherche par tous les moyens, même les plus illégaux, à ne pas rechercher la vérité. On veut que Fouquet s'explique, mais on fait en sorte de lui en refuser les possibilités[59]. Pourquoi ne pas interroger les autres bénéficiaires des pensions sur les fermes ? Pourquoi n'attirer l'attention que sur les annotations très elliptiques, trouvées parmi ses papiers, qui font allusion à ses pensions ? D'autres mériteraient tout autant qu'on s'y intéresse et que l'accusé s'explique sur leur signification, mais l'avocat général Talon ne semble pas curieux [60]. En fait, outre l'absence de preuves tangibles des accusations portées contre le surintendant, il y a sous-jacent ce sentiment confus, indéfinissable, mais pourtant toujours présent, d'un autre procès qu'on ne peut entamer au grand jour parce qu'il met trop d'hommes intouchables en jeu et qu'il révèle trop de tares d'un système qui n'est pas défavorable pour tous.

Si le ministère public n'a pas été très heureux avec le péculat, il pense avoir trouvé dans le crime de lèse-majesté un chef d'accusation plus consistant. Incontestablement l'écrit de Fouquet, découvert à Saint-Mandé, place le surintendant en délicate posture[61]. Nicolas le sait, et lorsqu'on lui en lit devant ses juges une copie imprimée, que ses adversaires ont largement diffusée dans le public, il ne cesse de fixer le crucifix placé devant lui. Il ne cherche pas à nier le document, n'ignorant pas l'avantage que ses ennemis peuvent en tirer.

De quoi s'agit-il ? Dans ce texte rédigé au printemps 1657*, retouché en 1658, preuve que ce n'est point un écrit de circonstance, Fouquet explique qu'il lui est nécessaire de se prémunir contre l'esprit soupçonneux de Mazarin et les manœuvres de ses ennemis qui cherchent à le perdre. Aussi met-il en place, avec l'aide de ses parents, de ses amis, de ses commis, de ses obligés, un plan, non pas de soulèvement, mais d'agitation politique, destiné à alarmer le cardinal pour l'amener à négocier, sachant celui-ci toujours prêt à composer pour se sortir d'affaire. Or l'accusation, elle, y voit un plan de soulèvement, rappelant fâcheusement la Fronde. Nicolas se défend avec énergie d'être un factieux ; ce plan correspond à une pensée insensée, une chimère, presqu'un moment de folie, qu'il désavoue avec honte, mais en lui déniant tout esprit de rébellion. D'ailleurs, comment pourrait-il cadrer avec son passé, avec sa fidélité indéfectible à la Couronne et à Mazarin, à une époque où presque tous les avaient abandonnés ?

L'invitation de Nicolas, faite à ses partisans, de se réfugier dans des places bretonnes, peut passer effectivement pour une incitation à la révolte. De là à faire de Belle-Île une place forte contre la monarchie, il n'y a qu'un pas vite franchi par le procureur général de la Chambre de Justice. Déjà on avait vu Colbert de Terron, en des temps où Fouquet n'était point suspect, dénoncer sa tentative d'établissement maritime à l'île d'Yeu comme l'amorce de quelque noir dessein[62]. Les enquêteurs envoyés à Belle-Île après l'arrestation de Nicolas s'efforcent de présenter les travaux de fortification, les entrepôts d'armes et de poudre comme des preuves de sa culpabilité. Le surintendant stigmatise la façon tendancieuse qu'on a eu d'interroger les témoins, pour les conduire à parler de cet établissement comme d'une place forte. En vain[63]. Ne cherchet-on pas à transformer les bâtiments de commerce de Fouquet en une armada menaçante ?

* Voir annexe nº 4.

Incontestablement, le « projet de Saint-Mandé » est une folie, mais constitue-t-il véritablement un crime de lèse-majesté ? Il faut se rappeler les circonstances dans lesquelles Fouquet l'a rédigé et remis à jour. En pleine tension nerveuse, alors qu'il lui fallait trouver à tout prix des fonds pour vaincre, aux prises avec des soucis journaliers pour fournir de l'argent liquide ou les expédients capables d'en produire, Nicolas devait supporter les demandes pressantes, démesurées du cardinal qui, passant sur les difficultés du grand argentier, ne pensait qu'à ses intérêts. Plus tard, il dut affronter la campagne insidieuse et les manœuvres souterraines de ses adversaires, en particulier de Colbert. Ce climat d'angoisse perpétuelle dans lequel il vit développe la peur chez sa nature inquiète. Il se sent entouré de toutes parts d'ennemis, d'embûches, de complots destinés à l'abattre. De surcroît, il est frappé d'accès de fièvre qui altèrent son jugement. Aussi n'est-il pas surprenant qu'il en arrive, dans ces moments de paroxysme, à se délivrer de l'inquiétude par un écrit tel que le « plan de Saint-Mandé ».

Une chose est certaine : il ne parle jamais dans ce document d'un quelconque soulèvement contre le roi ni même contre l'État ; il ne cherche que des manifestations de puissance ou d'agitation pour dissuader des ennemis de l'inquiéter. Quel bien curieux « plan de sédition », valable seulement si une prison rigoureuse lui était imposée : « Si nous étions tous deux prisonniers [Fouquet et son frère Basile] et que l'on eût la liberté de nous parler, nous donnerions encore les ordres de là, tels qu'ils les faudrait suivre, et ainsi *cette instruction demeurerait inutile, et ne pourrait servir qu'en cas que je fusse resserré, et ne puisse avoir commerce avec mes véritables amis*[64]. » Or, dans les faits, jamais l'attitude de Nicolas n'a suscité* la moindre équivoque. Il est resté, malgré quelques tensions passagères, la créature de Mazarin et le serviteur zélé de la monarchie. Sa disgrâce n'est due primitivement qu'à sa gestion financière, et c'est après coup, avec la découverte du plan, que Colbert a monté l'accusation de lèse-majesté.

L'activité du surintendant à Belle-Île ne prête pas à équi-voque. Cette terre a été acquise au grand jour, avec l'aval du premier ministre[65], et tous les témoignages recueillis sur place montrent qu'on ne s'y est livré qu'à des entreprises maritimes, coloniales et marchandes. Tous les vaisseaux qui naviguent pour le compte du surintendant ne se livrent qu'à de paisibles activités[66]. En outre, peut-on vraiment croire qu'en se retranchant dans Belle-Île, dans l'île d'Yeu, dans Concarneau, au Croisic, au Mont-Saint-Michel, on menace vraiment la paix publique et le gouvernement ? Belle-Île est-elle si redoutable ? Il ne le semble pas, puisque le roi, peu après la fin du procès de Nicolas, accepte que sa famille reprenne possession de cette place. De plus, si Nicolas a quelque influence en Bretagne, il est loin de dominer cette province : le gouvernement tient solidement cette région ; la reine mère est gouverneur de Bretagne et le maréchal de La Meilleraye, lieutenant général. Or ce dernier est lié à Mazarin, qu'il a tout intérêt à soutenir, d'autant qu'il existe un projet de mariage d'une nièce du cardinal avec le fils du maréchal, projet réalisé quelques semaines avant la disparition de Mazarin[67].

Enfin, si Fouquet avait de l'influence au Parlement de Paris, peut-on croire pour autant qu'il y ait un parti, alors que bon nombre de parlementaires le jalousent pour sa réussite et lui pardonnent à peine d'avoir été l'homme lige du pouvoir. Peut-on vraiment croire à un danger de guerre civile, alors que Nicolas n'est pas un puissant féodal, entouré d'une clientèle nombreuse et capable de constituer une force militaire de quelque importance ? En réalité, comme il l'explique, son plan procède plus de l'intoxication psychologique pour décourager ses ennemis que d'un appel à la sédition. Et Nicolas utilise un dernier argument imparable : la lèse-majesté ne peut être retenue contre lui puisqu'il n'y a jamais eu la moindre amorce d'exécution de ce projet. Or comment accuser quelqu'un rétroactivement d'un crime qu'il n'a point commis ?

Avec beaucoup d'à-propos, Nicolas réussit à retourner la situation en sa faveur. Attaqué par le chancelier, il riposte en lui assénant un coup qui le désarçonne. Son allusion à la trahison, pendant la Fronde, du duc de Sully, gendre de Séguier, fait mouche et laisse ce dernier sans voix, incapable de poursuivre sur la lèse-majesté : « J'ai toujours bien servi le roi dans tous mes emplois, j'ai rendu les services les plus considérables lorsque les premiers officiers de son État étaient à la tête de ses ennemis et présidaient dans leurs conseils ; j'étais à Pontoise pour des négociations importantes et de telle conséquence qu'elles ont enfin ramené le calme et la tranquillité dans le royaume, cependant qu'un gendre et les plus proches de ces mêmes officiers ouvraient les portes des villes que le roi leur avait confiées pour y recevoir les Espagnols et les faire pénétrer dans le cœur de l'État ; c'était cela que l'on pouvait dire mettre le royaume en proie et attaquer la couronne ; c'était cela qui se pouvait appeler un grand crime d'État[68]. »

Malgré toute son habileté à se défendre, Fouquet ignore s'il a convaincu une cour gagnée, a priori, à ses adversaires. Le verdict ne va pas tarder à lui apporter une réponse, verdict qu'il attend avec sérénité, tout en sachant que le pouvoir espère ardemment sa mort.

UN DÉNOUEMENT INATTENDU

Le 9 décembre 1664, Olivier Lefevre d'Ormesson, rapporteur de l'affaire Fouquet, présente devant ses collègues ses conclusions. Il a préparé son intervention, en prenant un luxe de précautions pour procéder avec un maximum d'équité. Non sans une certaine affectation, il s'est coupé du monde pendant huit jours afin d'échapper aux pressions possibles du pouvoir et aux sollicitations des amis de l'accusé. Ceux-ci, en ce moment crucial, se sont beaucoup agités. Le parti dévot a fait prier pour Nicolas dans toutes les églises de Paris. Pendant cinq jours, à raison de plusieurs heures par jour, Lefevre d'Ormesson analyse méticuleusement l'affaire dans un discours circonstancié, dans l'ensemble assez favorable aux thèses de l'accusé. Le rapporteur, très honnêtement, mentionne tout ce que l'instruction a révélé : la légèreté des preuves, l'irrégularité de certaines procédures, les lacunes dans la conduite de l'instruction, sans parler des témoignages suspects ou des falsifications de pièces. Puis il aborde le fonds du procès. En ce qui concerne le péculat, il repousse ce chef d'accusation pour mettre en valeur les négligences ou les irrégularités de l'administration de Fouquet — touchant d'ailleurs plus la forme que le fonds — qu'il a tolérées certes, ainsi que les pensions abusives ou les profits indus, encore que tout cela soit très difficile à prouver.

Lefevre d'Ormesson se trouve donc obligé de reprendre une partie de la défense de Nicolas et de rendre le cardinal responsable des désordres. Mais, pris dans l'un des pièges fondamentaux du procès, il ne peut aller jusqu'au bout des conclusions évidentes qu'en tirait Fouquet, et qu'il était facile d'imaginer au vu de la fortune incompréhensible de Mazarin[69]. Le rapporteur est donc obligé de biaiser : « M. le cardinal traitait des dépenses de la guerre, de la marine, des munitions, par un bon principe, dont chacun prenait occasion d'abuser. Le surintendant, par l'empressement de fournir de l'argent, croyait être dispensé de l'observation des formes[70]. » En réalité, lorsqu'il fustige l'administration des Finances de Fouquet, Lefevre d'Ormesson met en évidence les blocages et les perversions du système fisco-financier de la monarchie en crise, inéluctable à l'issue d'une trop longue guerre. Nicolas n'est pas responsable de ce système vicié. Il n'a fait que le gérer au mieux, étant données les circonstances, bien que ses ennemis aient voulu lui en faire endosser la paternité. A ce niveau, et à partir du moment où le commissaire ne veut ni ne peut mettre en accusation Mazarin, il est contraint de s'aventurer sur un terrain bien meuble, puisqu'il lui faut dénoncer les dépenses insensées du surintendant, dont l'origine doit être suspecte.

Singulière argumentation, car ces dépenses ne peuvent soutenir une accusation de péculat ; elles ne sont pas un crime en soi, elles ne regardent que la vie privée de Fouquet, et non le roi. D'ailleurs, rien ne prouve leur source coupable, comme on le veut a priori, d'autant qu'on s'est refusé à faire l'inventaire des biens de Nicolas comme celui-ci le réclamait et qu'on ne s'est pas préoccupé de la façon dont chacun d'entre eux avait été acquis, ainsi que Fouquet se proposait d'en administrer la preuve[71]. Quant au chef d'accusation de lèse-majesté, Lefevre d'Ormesson tranche sans équivoque : le « projet de Saint-Mandé », pensée « fort méchante », n'ayant pas eu le moindre commencement d'exécution, on ne peut retenir contre l'accusé un crime qu'il n'a pas commis.

Au terme d'un rapport où aucun chef d'accusation n'est fondé sur des preuves formelles, le magistrat en arrive à son jugement : « L'accusé sera-t-il donc déclaré innocent ? Nullement. Mais les preuves n'étant pas entières, les temps de sa surintendance étant considérables, pendant l'administration d'un ministre étranger qui ne savait pas les formes et qui a pu, par son exemple, quoique innocent, donner lieu à beaucoup de confusion et servir de prétexte aux défenses de l'accusé sur beaucoup de faits ; lui qui opine estime, par toutes ces considérations, qu'il y a lieu de déclarer l'accusé dûment atteint et convaincu d'abus et malversations par lui commis au fait des finances et en la fonction de la commission de surintendant, pour réparation de quoi, ensemble pour les autres cas résultant du procès, d'ordonner qu'il sera banni à perpétuité du royaume, enjoint à lui de garder son ban sous peine de la vie, ses biens acquis et confisqués au roi, sur iceux préalablement prise la somme de cent mille livres, savoir cinquante mille livres au roi, et cinquante mille livres en œuvres pies[72]. »

Opinion assez surprenante, car Lefevre d'Ormesson, gêné par un procès qu'il sait politique, en vient à prononcer un jugement tout en demi-teinte, dans lequel il absout Nicolas sur le fonds et lui sauve la vie, mais où il le condamne sur la forme afin d'éviter aux instigateurs de l'affaire de trop perdre la face. Opinion illogique car, de deux choses l'une, ou il existe des preuves formelles de la culpabilité de Fouquet, et dans ce cas il y a péculat, ou il n'y en a pas et il faut acquitter l'accusé. Les attaques contre le faussaire Berryer montrent que Lefevre d'Ormesson sait très bien à quoi s'en tenir, mais qu'il n'a pas osé aller au bout de ses idées en dépit des éloges qu'on lui décerne habituellement. Il cherche à ménager la chèvre et le chou, à ne pas attaquer la mémoire du cardinal et, à travers elle, l'action de son ancien intendant.

Cette sentence de clémence améliore la position de Fouquet. Reste cependant à connaître la position des autres commissaires, dont beaucoup sont loin de partager l'avis de leur collègue. A partir du 15 décembre 1661, chacun va tour à tour s'exprimer dans un angoissant défilé où le sort de Nicolas balance. Le second rapporteur, Sainte-Hélène, qui, un peu jaloux de la place prise par son *alter ego*, n'avait joué qu'un rôle effacé, accable Fouquet et opine pour la mort. Seule faveur, pour lui épargner le déshonneur d'une pendaison, il lui accorde d'être décapité ainsi qu'il sied à un homme de condition. Vient ensuite le tour de Pussort. L'oncle de Colbert, qui, à la limite de l'honnêteté, avait soutenu avec passion les intérêts de son neveu, conclut à la culpabilité et réclame la mort, accordant cependant la grâce d'une décapitation. Le 18 décembre, les conseillers Gisaucourt, Ferriol, Noguès et Ayrault concluent tous à la culpabilité et votent la mort. Seul leur collègue Roquesante se rallie à l'avis de Lefevre d'Ormesson. On en est alors à six voix contre deux pour la mort ; la tête de Fouquet semble bien ne plus peser lourd.

Pour le lendemain, chaque camp calcule, suppute, fait des démarches, exerce des pressions ou prodigue des conseils pour obtenir un « bon vote ». La Toison, le premier à s'exprimer, lors de l'audience du 19, se range à l'avis de Lefevre d'Ormesson, de même que La Baume, Mesnaut, auteur d'une nouvelle diatribe contre Berryer, Du Verdier, et enfin Catinat, supplié par ses enfants, dont le futur maréchal, de leur laisser un nom sans tache en ne condamnant point le surintendant. Cette fois, avec sept voix pour le bannissement contre six pour la mort, Fouquet a raffermi sa tête. Poncet, rongé de dépit et totalement inféodé à Colbert, refuse de se prononcer et remet au lendemain sa décision.

Le 20 décembre, journée décisive, le défilé des commissaires reprend. Poncet, comme on pouvait s'y attendre, met les magistrats à égalité, sept voix contre sept, en votant la mort. Mais ses collègues Le Féron, Moussy, Brilhac, Renard et Besnard, se déclarant tous pour un bannisement temporaire ou à vie, permettent à Nicolas de conserver son chef. Voysin, lui, s'en tient à la peine capitale, affectant de ne point céder à la démagogie, tandis que le président Pontchartrain, au nom de sa conscience, choisit le bannissement. Séguier intervient le dernier : il vote la mort pour laisser libre cours à son ressentiment, jouant les parfaits courtisans d'un pouvoir dont il a épousé les intérêts, tout en sachant sa décision sans effet. Par treize voix contre neuf, le surintendant sauve sa vie. Il remporte une victoire éclatante, puisqu'il réussit à surmonter toutes les embûches, à déjouer tous les pièges devant une juridiction d'exception, créée *ad hominem*.

Il ne faut pas cependant s'abuser : ce succès, il ne le doit pas seulement à son talent, ou dans certains moments à son génie, mais également à l'aide efficace de ses amis, qui ont habilement diffusé dans le public ses défenses et retourné l'opinion générale. Dans ce domaine, le parti dévot ne lui a pas ménagé son soutien. Les confrères de la Compagnie du Saint-Sacrement, bien que celle-ci soit officiellement dissoute, ont tenu à montrer qu'ils n'avaient pas perdu la main. Le président de Lamoignon, avant son retrait de la Chambre de Justice et Lefevre d'Ormesson, l'un et l'autre ancien membre de la Compagnie, ont certainement entendu la voix des dévots appelant à la mansuétude en faveur de l'accusé. Le curé de Saint-Nicolas-des-Champs, proche de la Compagnie, s'est beaucoup démené et a sollicité la clémence pour Nicolas. De leur côté, les religieuses de la Visitation-Sainte-Marie ont cherché à influencer le chancelier, connu pour sa piété, mais resté inflexible[73]. La façon dont on se réjouit à l'annonce du verdict dans les institutions des jésuites et, plus généralement, dans tous les milieux de la contre-réforme, s'explique par l'hostilité que Colbert a toujours manifestée au parti dévot, qui trouvait là le moyen de prendre sa revanche sur un homme qui les desservait depuis quelque temps.

Mais, surtout, la cause véritable du succès remporté par Nicolas réside dans son innocence foncière. Jamais l'accusation n'a été en mesure d'apporter la moindre preuve tangible à ses allégations. Bien au contraire, les irrégularités de procédure, les témoignages suspects, les falsifications de pièces démontrant l'innocence de l'accusé indisposent la majorité des juges, au départ plutôt prévenus contre Fouquet, et finalement contraints de reconnaître, en conscience, l'inanité des crimes imputés au surintendant.

Le pouvoir, Colbert en tête, instigateur de toute les machination, et par contrecoup, le roi, tous deux désavoués par les

commissaires, subissent un rude camouflet. La réaction violente de Louis qui disperse en province la famille Fouquet,
écarte ses amis et poursuit d'une animosité indéfectible. Lefèvre
d'Ormesson, Roquesante et Pontchartrain, tenus pour responsables du verdict inattendu, et pour cela disgraciés, démontre
sa rage impuissante. Louis est furieux de voir sa proie lui
échapper : tous les témoignages concordent — ceux de Guy
Patin, de Condé, de Racine —, en cas de condamnation à
mort de Fouquet, le souverain l'aurait laissé exécuter.

Le 22 décembre, on lit à Nicolas le jugement de la Cour.
Mais il est dit qu'il ne serait pas sorti d'affaire. Dépité, le roi
décide de commuer sa peine. Or, décision sans exemple, il
l'use à l'envers du droit de grâce. Au lieu du bannissement à
vie, Fouquet est condamné à la prison perpétuelle ! N'ayant
pu obtenir sa tête, le pouvoir veut en faire un mort-vivant.

CHAPITRE X

L'écureuil en cage

Le 27 décembre 1664, après avoir ouï l'arrêt, Fouquet quitte Paris sans espoir de retour. Flanqué de son gardien, d'Artagnan, il gagne en carrosse la prison lointaine que lui destinent ses adversaires. Impitoyable, le pouvoir, craignant sans doute quelque évasion et soucieux d'éloigner le surintendant déchu, lui interdit de revoir sa famille. Seul, le fidèle La Forêt, qui naguère a brûlé les étapes, devançant ainsi les courriers du roi, pour annoncer aux proches la chute de son maître, lui témoigne encore son indéfectible attachement. Il se tient sur le passage du condamné afin de le saluer une dernière fois. D'Artagnan, plein de mansuétude, ne s'oppose pas à ce que le prisonnier lui manifeste sa reconnaissance : « Je suis ravi de vous voir, je sais votre fidélité et votre affection. Dites à nos femmes qu'elles ne s'abattent point ; que j'ai du courage de reste et que je me porte bien. »

Fouquet, on le voit, conserve toute sa pugnacité et son désir d'affronter l'adversité. C'est sous une solide escorte — cent mousquetaires — qu'il entame ce long voyage qui, par la route de Lyon, le mènera en plus de trois semaines à Pignerol, où Louis XIV veut l'ensevelir. En quittant la capitale, il a eu la satisfaction de s'entendre acclamer par le populaire, qui l'aurait volontiers lynché lors de son arrestation. Il peut ainsi se rendre compte de la versatilité des foules, mais aussi constater, ce qui est plus rassurant pour lui, l'efficacité de ses défenses et de celles de ses amis. La forteresse qui l'attend sera un tout autre obstacle, bien plus difficile à surmonter que cette garde qui le cerne pour l'heure.

Le choix de Pignerol, situé aux marches du royaume, en plein pays piémontais, montre que le pouvoir, redoutant toujours le ministre déchu, souhaite le soustraire à l'influence de ses amis. Cependant, si la place se trouve au bout du monde, de par sa position elle peut aussi faciliter la fuite du prisonnier, celui-ci n'ayant besoin que de quelques heures pour atteindre les États du duc de Savoie. Ce risque est cependant atténué par le fait que tout étranger circulant en pays de langue piémontaise serait promptement démasqué, fût-il observateur, espion ou organisateur d'enlèvement. Les consignes entravant tout déplacement — il est interdit à quiconque de la ville de pénétrer dans la citadelle, à personne de la citadelle d'accéder au donjon qui la domine, et dans lequel se trouve Fouquet — doivent normalement restreindre pareille éventualité. D'autant que le geôlier, Saint-Mars, désigné sur les recommandations de son ancien chef, d'Artagnan, présente toutes les qualités requises pour remplir, avec zèle et bonheur, une mission de confiance.

Bénigne d'Auvergne, seigneur de Saint-Mars, doit en effet sa fortune à l'infortune de son prisonnier. Rien pourtant ne semblait le destiner à la carrière de gardien de prison, laquelle lui procurera le maréchalat des geôles, le gouvernement de la Bastille, et une réussite matérielle et sociale, que ne lui laissait certes pas espérer son obscure origine.

On ignore presque tout de sa famille. Il serait né vers 1626, dans l'Orne, ou bien près de Montfort-l'Amaury, d'un père ancien capitaine, réformé d'infanterie. Assez tôt orphelin, il est recueilli par une de ses tantes, épouse d'un seigneur de village, Zachée de Byot, sieur de Blainvilliers. Il est donc élevé avec ses cousins germains dont il fera plus tard ses lieutenants : Corbé, futur major de la Bastille, Blainvilliers, deuxième lieutenant du donjon de Pignerol. A douze ans, séduit par les boniments prometteurs de quelque sergent recruteur, le voilà dans l'armée. Mais là, point d'éclatants services, point de grades avantageux : seulement le cheminement besogneux d'un médiocre. Mousquetaire en 1650, il devient brigadier dix ans plus tard, et maréchal des logis quatre ans après. Sa réussite finale tient justement à cette appartenance aux mousquetaires. Servant dans la compagnie de d'Artagnan, il fait partie de l'escorte chargée de garder Fouquet, tant à Vincennes qu'à la Bastille. Son chef l'a jaugé et a su déceler en lui ses qualités de geôlier. Aussi le recommande-t-il pour la surveillance du prisonnier à Pignerol.

Saint-Mars a l'habitude de Fouquet. Il pourra donc mieux le garder. N'offre-t-il pas toutes les garanties ? D'une discipline absolue, il ne s'étonne d'aucun ordre et les exécute tous sans la moindre hésitation. Il veille sur Nicolas et sur ses compagnons de captivité avec une ardeur sans faiblesse, peut-être non exempte, parfois, de quelque sadique délectation. Bref, soldat insignifiant, il se révèle un geôlier remarquable. Il observe tout, épie tout, vérifie tout. Il rend compte avec empressement de ce qu'il constate ou apprend de ses informateurs. La perfection ! Une si belle compétence lui assure le succès. Anobli par lettres patentes en 1676, il sera nommé trois ans plus tard sous-lieutenant. A cet avancement s'ajoute l'aisance, car le roi lui accorde de substantielles gratifications[1]. Celui qui a la charge des prisonniers d'État particulièrement précieux reçoit ainsi le prix d'un mutisme absolu et d'une obéissance qui ne l'est pas moins.

Habilement, notre homme sait mêler les liens de l'alcôve au pouvoir. N'a-t-il pas épousé la belle-sœur de Damorezan, commissaire des guerres à Pignerol, lequel travaille au profit de Louvois, secrétaire d'État à la Guerre ? Damorezan le renseigne régulièrement, y compris sur Saint-Mars. Et ce dernier en fait autant, même aux dépens de Damorezan. Le ministre bénéficie donc de leur contrôle réciproque. Cette alliance a encore un autre mérite. Les épouses de ces deux sbires sont en effet sœurs de la toute-puissante maîtresse de Le Tellier junior ! Le filet se resserre autour de la personne du surintendant. La surveillance de Fouquet figure ainsi au centre d'intérêts familiaux, ce qui en renforce l'étroitesse et, par conséquent, la sévérité.

Tous les contemporains notent que les clans Colbert et Le Tellier, unis jadis dans la clientèle de Mazarin, se heurtent dès

1661. La haine de Fouquet est alors leur seul point d'entente. Le procès fini, celui-ci échappe donc à la couleuvre pour tomber sous le contrôle du lézard. En tant que secrétaire d'État à la Guerre, Louvois, l'ex-commissaire à la Chambre de Justice, devient le gardien de son adversaire : la forteresse dans laquelle ce dernier est enfermé relève de son département. Durant près de quinze ans, avec ponctualité et précision, il va entretenir une correspondance des plus officielles avec Saint-Mars, l'exécutant des consignes gouvernementales relatives à Fouquet. Le prisonnier ne fait ainsi que changer d'ennemi. Il ne saurait tabler sur la moindre tolérance, le moindre relâchement. Il lui faut donc s'adapter à la vie carcérale, en sachant qu'à défaut de la grâce royale ces conditions ne cesseront que par la mort.

LA PRISON

Le roi a assigné le donjon de la forteresse pour prison au condamné. Là commande en maître absolu Saint-Mars, à la tête d'une solide garnison. Le fastueux propriétaire de Vaux, l'heureux locataire du doux havre de Saint-Mandé se voit confiné maintenant dans une grande chambre de vingt-six pieds sur douze (environ 24 m²) et une plus petite, qu'agrémente une garde-robe. Quant à ses deux valets, qui acceptent cet enfermement par fidélité, ils disposent d'une vaste pièce de vingt-quatre pieds sur vingt-deux et demi.

Des instructions précises, fixées par écrit, ont été données à Saint-Mars[2]. Certes, le souverain s'en remet à la prudence de celui-ci, et lui rappelle le bon exemple fourni par d'Artagnan, tant à Vincennes qu'à la Bastille. Il lui indique néanmoins quelques-uns des principes fondamentaux à tenir à l'égard de Fouquet. On lui interdit formellement toute communication, orale ou écrite, avec le monde extérieur. Aucune visite n'est admise. Le prisonnier n'est pas même autorisé à se promener dans l'enceinte de la forteresse. S'il exprime l'envie d'écrire, plume, encre et papier doivent lui être refusés. Tout au plus a-t-il la possibilité de lire, mais seulement un livre à la fois, et

Saint-Mars est invité à examiner de près chaque ouvrage récupéré, au cas où le prisonnier y aurait inscrit quelque message ou glissé quelques mots. Sa Majesté prend à sa charge le vêtement du prisonnier, et, ainsi, au rythme des saisons, Fouquet reçoit des habits d'hiver et d'été. Le roi lui a ôté son médecin Pecquet. En cas de maladie, on se servira du médecin ou du chirurgien de Pignerol. A Saint-Mars de recruter un valet ! Le sort du volontaire n'est guère enviable : moyennant 600 écus et sa nourriture, ne doit-il pas subir une captivité aussi rigoureuse que celle du maître ?

Et cependant, malgré cette volonté d'isoler le prisonnier, un point pose problème. C'est qu'on ne peut priver Fouquet des secours de la religion. Et trouver un bon confesseur est chose délicate. Ne pourrait-il lui permettre de rentrer en contact avec ses amis ? Ne pourrait-il pas lui fournir quelques nouvelles sur l'évolution de la conjoncture ? Le roi a vivement recommandé de changer fréquemment d'officiant afin d'empêcher toute liaison entre le pasteur et son ouaille, ce qui complique encore la situation[3].

En définitive, on accepte le ministère d'un prêtre français, demeurant chez le commissaire Damorezan et précepteur de ses enfants. Le bonhomme, doublement surveillé, s'acquitte à merveille de sa tâche. Ne lui a-t-on pas fait miroiter les effets de la satisfaction que tire le roi de son ministère ? Il s'est laissé ainsi entraîner fort loin en insinuant auprès de Saint-Mars que le prisonnier ne demandait à se confesser que pour glaner quelque information. Aussi décide-t-on de limiter les confessions aux grandes fêtes religieuses, Noël, Pâques, l'Ascension, l'Assomption et la Toussaint. En un mot, le prisonnier est enseveli vivant dans un tombeau, dont le pouvoir entend qu'il ne s'évade point, ne serait-ce que par l'esprit. On a même refusé à Fouquet toute lunette d'approche, dans la crainte de quelque noir dessein. Au secret dans une citadelle perdue, dans un climat rude, flanqué d'une garde de quatre-vingts personnes, constamment espionné, privé de tout exercice physique et intellectuel, Fouquet, déjà de santé précaire, se sait poussé vers une existence végétative. Celle-ci ne témoigne-t-elle pas qu'une disparition prématurée ne serait pas jugée regrettable en haut lieu ? Un accident faillit bien répondre à ce vœu discret.

En juin 1665, lors d'un violent orage, la foudre s'abat sur le donjon de Pignerol, mettant le feu à un dépôt de poudre. Une bonne partie de la tour est pulvérisée par l'explosion, qui laisse dans la garnison maintes victimes. On croit Fouquet mort sous les décombres, le plancher de sa chambre s'étant écroulé. Espoir déçu ! Le prisonnier et son valet se sont précipités dans l'embrasure d'une fenêtre faisant saillie au dehors. Ce réflexe les a sauvés[4].

L'accident fournit l'occasion cherchée pour tenter de fléchir l'ire du monarque. A peine la nouvelle atteint-elle Paris que tout le monde crie au miracle, à commencer par le parti dévot, qui voit dans ce « prodige » une manifestation de la Providence. Olivier d'Ormesson note ainsi avec plaisir que « la première chose qui a été dite là-dessus a été que le Ciel avait été de mon avis pour la conservation de M. Fouquet, et cet accident se tourne à mon avantage[5] ». Ses partisans mobilisent donc l'opinion publique par quelque texte bien senti, même sous forme de mauvaise poésie[6] :

Quel objet plein d'horreur se présente à ma vue ?
Des morts et des mourants pêle-mêle écrasés,
D'un château foudroyé les restes embrasés,
Sont les tristes effets du courroux d'une nue.

Tout cède à sa fureur, qui renverse et qui tue,
Les murs les plus épais et battus et rasés,
Et la pierre et le fer confusément brisés
Marquent l'horrible effet d'une rage imprévue.

Fouquet, que la justice avait là confiné,
Dans ce débris fatal reste seul épargné ;
Ainsi nous nous trompons ici tant que nous sommes.

Il était par cent maux criminel à nos yeux ;
Mais ce coup fait bien voir que le Conseil des Dieux
N'est pas toujours d'accord avec celui des hommes.

La voix des Muses est ainsi sollicitée afin d'obtenir la clémence du roi. Ménage, dûment chapitré par Madame de Sévigné et Mademoiselle de Scudéry, s'adresse avec ferveur à Louis, mais ne récolte pas le résultat escompté. A cet appel, le souverain demeure sourd, sinon hargneux, et le malheureux intercesseur, foudroyé à son tour, se voit rayé de la liste des pensions.

Fouquet, d'abord transféré dans la maison du commissaire des Guerres Damorezan à Pignerol, puis dans la forteresse de La Pérouze, réintègre un an plus tard son donjon, les réparations nécessaires à sa remise en état s'achevant enfin[7]. Ainsi le pouvoir dédaigne-t-il les injonctions du Ciel : les amis du surintendant ont présumé de leurs forces. A l'été 1665, l'air du temps ne se prête point encore aux accommodements. Les dévots qui soutiennent la cause de Fouquet sont loin d'avoir l'audience suffisante pour la faire progresser. Quant à la Compagnie du Saint-Sacrement, officiellement dissoute, elle n'ose s'engager davantage. En outre, la Chambre de Justice entre au même moment dans une phase nouvelle. Colbert l'utilise pour une ample entreprise fisco-judiciaire frisant le rackett, où les places se redistribuent à son profit[8]. L'instant n'est guère favorable à la libération de Fouquet, car elle réduirait à néant tous les efforts du nouveau contrôleur général. Il faut donc attendre.

Furieux du verdict rendu contre Fouquet, se défiant des magistrats de la Chambre de Justice qui ont manifesté en l'occurrence une indépendance désagréable, mécontent des assauts procéduriers que tentent les financiers désireux d'échapper aux amendes les frappant, ulcéré, enfin, des réactions de certains manieurs d'argent qui contre-attaquent sur le plan judiciaire, Colbert choisit d'orienter les poursuites engagées dans une nouvelle direction. L'édit de juillet 1665 accorde ainsi l'amnistie à tous les publicains sur la sellette depuis 1661, en échange du paiement de taxes individuelles[9]. Le montant en est fixé par le Conseil des Finances du roi, c'est-à-dire par Colbert lui-même.

Habile mesure ! Celle-ci ne prend-elle pas tous les traits de la clémence ? Les financiers et leurs biens échappent en effet aux poursuites criminelles entamées, les magistrats de la Chambre de Justice étant renvoyés dans leur corps d'origine. Cette générosité n'est pourtant que d'apparence. Fouquet, Bruant, Gourville et Claude de Guénégaud, l'ex-trésorier de l'Épargne ne bénéficient pas de cet édit salvateur. En outre, tous ceux qui avaient à comparaître devant la Chambre figurent sur les listes que le nouveau grand argentier a soigneusement concoctées : sur ces rôles, tel ou tel maltôtier se découvre nominalement frappé, ses biens répondant de l'acquittement de la taxe. La méthode permet à Colbert de remettre en ordre le monde de la finance.

Dans ces conditions, malheur à ceux que le ministre estime être de ses adversaires, malheur à ceux réputés liés au surintendant déchu — ce qui revient d'ailleurs au même ! Leurs condamnations s'alourdissent de façon à les conduire vers une ruine inéluctable. Pour régler ces taxes écrasantes, il leur faut se dessaisir de la meilleure partie de leur patrimoine, et notamment de leurs charges comptables. Cela assure en peu de temps une redistribution des cartes, et donc un remodelage de l'univers fisco-financier du royaume.

Ainsi, par le jeu des taxes, en allégeant celle de ses amis et créatures, en aggravant celle de ses ennemis réels ou supposés, Colbert réalise un véritable *spoil system*[10]. Voilà enfin constitué un groupe de pression qui réunit des féaux, prêts à soutenir de leurs deniers le programme et les desseins de leur patron. Le contrôleur général des Finances, ne craignant pas que son action contredise de façon flagrante ses discours virulents contre les pratiques du prédécesseur, s'engage dans la même voie. Lui qui dénonçait les partisans conclut le recouvrement des taxes sur les gens d'affaires par un traité s'élevant à 110 millions de livres, le plus gros jamais passé sous l'Ancien Régime[11] ! Comble de cynisme, parmi les taxés se rencontrent certaines de ses créatures financières, auxquelles est confiée l'opération ! Dans un tel contexte, il ne fait pas bon se ranger aux côtés du vaincu. Le prisonnier de Pignerol ne saurait donc compter sur aucun mouvement en sa faveur. Le Ciel l'a épargné une première fois, la mort l'a ignoré une seconde fois, mais il ne peut se soustraire au sort que ses adversaires lui ont tracé.

Il le peut d'autant moins que la détermination de ceux-ci se renforce des constats faits à la suite de l'accident de juin. Fouquet, au lieu d'être abattu par une incarcération rigoureuse, déploie toute son énergie, toute son intelligence, pour survivre à l'épreuve. Saint-Mars, pourtant confiant dans l'efficacité des précautions prises, doit en effet avouer à Louvois que, dans les meubles brisés du surintendant, ne manquent pas les traces de son oisiveté industrieuse[12]. Fouquet a développé des trésors d'ingéniosité pour correspondre avec le monde extérieur et rompre son isolement. On montre au roi les billets écrits de sa main, les os de chapon et le vin mêlé de suie qui lui ont servi de plume et d'encre. Fouquet est même parvenu, à la vive stupeur de Le Tellier junior, à confectionner une encre sympathique, visible dès que l'on chauffe son support ! On a aussi découvert des papiers dans une cache aménagée dans le dossier de sa chaise. De toute évidence, celui-ci a su obtenir des complicités. Et ses valets n'acceptent pas d'être des « moutons », au grand mécontentement de Saint-Mars, qui fustige pareille conduite. Il faut donc resserrer la surveillance autour du prisonnier. On le fouillera s'il persiste à vouloir écrire, quotidiennement si nécessaire. On essaiera aussi de détacher les serviteurs du maître. Entre celui-ci et son geôlier s'engage donc une lutte sourde et journalière où le dérisoire le dispute au pathétique.

Pourtant, le quotidien prend peu à peu le dessus. Fouquet, dont la santé reste mauvaise, doit s'en accommoder. Il cherche dans l'étude un exutoire à l'univers carcéral, et accepte des divertissements peut-être futiles, mais indispensables à la conservation de son équilibre. Il reçoit une Bible, une Histoire de France, puis des livres italiens. Bientôt, on lui accorde un dictionnaire nouveau des rimes françaises et les œuvres de saint Bonaventure, mais on lui refuse celles de saint Jérôme et de saint Augustin[13] ! Plongé dans l'adversité, il renoue ainsi avec ses passions de jeunesse, la poésie, en particulier, qu'il goûtait tant lorsqu'il était au faîte de sa splendeur et qu'il fréquentait les cénacles littéraires, en compagnie de son épouse ou de Madame Du Plessis-Bellière. La confection des bouts rimés le distrait maintenant. Elle faisait fureur jadis, et ses talents en la matière lui valaient une flatteuse renommée. Cela trompe l'ennui, moins toutefois que l'enseignement. Fouquet décide d'apprendre le latin et la pharmacie à l'un de ses valets, témoignant par là son profond attachement aux valeurs culturelles que les bons pères jésuites lui avaient révélées dès ses premières humanités[14].

Ce retour forcé sur lui-même, cette longue introspection, ce pesant isolement, qui le conduisent à s'interroger sur sa destinée, à la fois brillante et singulière, et finalement tragique, le poussent vers Dieu. En dépit des apparences, durant sa vie dans le monde, Fouquet, à cause de l'éducation qu'il a reçue, et de son environnement familial, ne s'est jamais éloigné de la foi. Ce n'est donc pas une conversion qu'opère la captivité, mais bien plutôt une reprise du dialogue avec le divin, dialogue qui, au fond, n'avait jamais totalement cessé. Fouquet se met à rédiger des traités de piété, « digne de l'approbation du monde », qui allient le besoin intellectuel aux exigences chrétiennes, ravivant de la sorte culture et spiritualité, deux axes fondamentaux chez les Fouquet[15].

Cet apaisement n'invite cependant pas Saint-Mars à se départir de sa méfiance. Aiguillonné par Louvois, qui redoute toujours de voir le prisonnier mettre en échec son geôlier et communiquer avec l'extérieur, celui-ci ne relâche pas l'attention. Il n'a pas tort. Les activités pieuses et intellectuelles de Fouquet ne signifient pas que sa volonté de briser la solitude s'estompe. N'a-t-il pas réussi à écrire sur des rubans, faute de disposer de feuilles[16] ? En représailles, on l'informe que, dorénavant, il n'en touchera plus que des noirs. Quant à la doublure de son pourpoint, elle sera d'identique couleur. Le linge de table sera compté puisqu'il le transforme en papier. Les valets posent toujours problème, Saint-Mars rejetant sur leur absence de collaboration les tours de leur maître. Les pauvres bougres, qui n'ont pourtant rien à espérer en aidant celui-ci, ne le renient pas. Ils prennent des risques pour lui, preuve que sa capacité de séduction reste intacte. Le roi et son ministre en arrivent même à accepter la solution préconisée par Saint-

Mars : placer auprès du captif des serviteurs également assujettis à une détention perpétuelle[17]. Le confesseur, en revanche, donne toute satisfaction. Celui-ci semble parfaitement répondre aux vœux de Louvois qui lui fait dire tout le plaisir qu'il en ressent. La suspicion du ministre à l'égard de Fouquet est telle qu'il expédie au gardien de Pignerol des autographes de lui et de son père[18]. Un faux ne pourrait-il conduire Saint-Mars à le mettre en liberté ou à assouplir ses conditions de détention ?

Cette peur quasi obsessionnelle n'est pas vaine puisque, vers la fin de 1669, une tentative vise à faire évader le captif. Une nouvelle fois, La Forêt montre qu'il n'oublie pas son maître. Il monte l'entreprise avec un certain Valcroissant, dissimulé sous le pseudonyme, empli de promesse et de poésie, d'Honnête. La conception de l'affaire, faute de témoignage précis, demeure mystérieuse. Qui en est à l'origine ? La famille ? Des amis ? A moins que La Forêt n'ait agi de son propre mouvement. Mais alors d'où viennent les fonds ? On ne peut l'élucider.

Quoi qu'il en soit, les deux hommes, arrivés en cachette à Pignerol, n'ont pas tardé, grâce à des espèces sonnantes et trébuchantes, à se ménager des intelligences sur place, en particulier auprès des soldats de la garnison. Mais dans cet univers confiné où l'atmosphère est étouffante, où tout étranger devient suspect, Saint-Mars remarque vite les deux individus. Ils s'enfuient alors, en toute hâte, vers les États du duc de Savoie. Ce départ précipité est inutile. Le gouverneur du donjon intervient en effet à Turin, au nom de Sa Majesté : les deux hommes lui sont livrés[19].

La répression correspond aux frayeurs occasionnées. On fit prompte et sévère justice. Les soldats compromis, déférés en conseil de guerre, sont condamnés à mort et exécutés illico. Le malheureux La Forêt, après un interrogatoire dont aucune trace ne subsiste, est pendu haut et court. Valcroissant, présenté devant le conseil souverain de Pignerol, est condamné à cinq ans de galères. Mais, plus chanceux que son compagnon, protégé par des amies sûres, Madame de Sévigné, Mademoiselle de Scudéry, lesquelles font intervenir, l'une Monsieur de

Grignan, l'autre, Monsieur de Vivonne, général des galères, un ordre du roi le libère dès l'année suivante[20].

Quant au prisonnier, cet essai malencontreux n'aboutit qu'à rendre plus pénible encore sa détention. Il perd ses deux valets, qui se voient retirer leurs gages pour lui être restés fidèles. L'enquête révèle que Fouquet et eux ont pu correspondre avec les comploteurs, au moins par gestes, au travers des fenêtres. Pour supprimer à l'avenir cette possibilité, des jalousies viennent les obturer[21]. Désormais Fouquet ne peut plus voir le monde extérieur. En juillet 1670, pour plus de sûreté, Louvois en personne inspecte Pignerol, afin d'observer la qualité de la garde. Peu à peu, l'émotion suscitée s'apaise. La routine réapparaît dans la forteresse. Fouquet ne semble plus maintenant qu'absorbé par l'étude et la méditation. Sa santé ne s'améliore pas, et ses moindres maladies sont suivies avec attention. En décembre 1670, on n'hésite pas à consulter Pecquet, son ancien médecin, pour qu'il fasse un mémoire contenant la recette d'un emplâtre déjà employé[22]. Le temps coule lentement.

A la cour, cependant, le climat évolue bien que Colbert, devenu secrétaire d'État, soit à l'apogée de sa gloire et conserve la haine du rival terrassé. Les parents, les amis du condamné peuvent se faire entendre et usent de cette possibilité nouvelle. Arnauld de Pomponne, un de ses fidèles, ne vient-il pas lui aussi d'être nommé secrétaire d'État ? Turenne, Créqui, Bellefonds et Charost parlent en sa faveur. Il le faut, car ses affaires exigent qu'il soit consulté. Aussi, en octobre 1672, le roi autorise-t-il Mme Fouquet à lui écrire[23]. On accorde même au prisonnier la faculté de répondre, à condition que sa lettre ne sorte pas des sujets discutés. Au reste, le souverain se réserve la possibilité de la communiquer ou non, après en avoir pris connaissance. C'est peu, mais c'est beaucoup. Cette concession n'ouvre-t-elle pas la première brèche dans l'invisible muraille bâtie autour du prisonnier ? Une espérance naît. Et pour l'immédiat, Fouquet va enfin contempler l'état de sa fortune, et mesurer l'ampleur du désastre provoqué par sa chute.

L'ESPOIR DE LA LIBERTÉ

A la fin de novembre 1671, une nouvelle d'importance secoue la léthargie régnant à Pignerol. On attend un prisonnier de marque, le comte de Lauzun, capitaine des gardes du corps du roi[24]. Saint-Mars hérite ainsi d'un pensionnaire fort encombrant, haut en couleur et de l'espèce la plus détestable qui soit pour un geôlier, celle des aventuriers impudents et audacieux, que rien ne rebute et n'inquiète, capables de tout, en particulier de s'évader.

Un bien curieux personnage que cet Antonin Nompar de Caumont : Saint-Simon, devenu plus tard son beau-frère, ne disait-il pas de lui : « On ne rêve pas comme il a vécu » ? Sa vie, ses retournements de fortune, son caractère en font un personnage de roman. Ce Gascon, né vers 1632, est un pauvre cadet de famille, qui monte à Paris comme bon nombre de ses semblables pour y faire fortune. Il porte alors le titre de marquis de Puyguilhem. Son parent, le maréchal de Grammont, l'introduit dans la société parisienne, notamment chez la comtesse de Soissons, nièce de Mazarin. Le jeune roi s'entiche de lui, et le voilà promu favori. Les bienfaits pleuvent. Nommé gouverneur du Berry, il devient maréchal de camp et colonel général des dragons, un début remarquable.

Las ! l'homme est insatiable. Lorsqu'en 1669 vient à vaquer la charge de grand maître de l'artillerie, sur démission du duc Mazarin, Lauzun obtient du roi l'assurance de succéder à ce dernier, mais le secret devra, dans un premier temps, être observé. C'était exiger beaucoup du Gascon bon teint, pétulant et m'as-tu-vu. La nouvelle s'ébruite et vient aux oreilles de Louvois, lequel supplie le monarque de reconsidérer la promesse. Comment imaginer que cette charge, en soi importante et dans l'obédience du ministère de la Guerre, incombe à un individu dont l'arrogance égale la sienne ? Louis XIV hésite. Lauzun, avec son aplomb coutumier, le somme de respecter son engagement. Toujours excessif, il casse même son épée devant lui, jurant que plus jamais il ne servirait un prince manquant à sa parole. La coupe déborde, et le présomptueux couche le lendemain à la Bastille. Cependant, le comte de

Guitry, son ami, plaide habilement sa cause et désarme la
royale colère. Sa Majesté consent même à négocier avec le
prisonnier la charge de capitaine de ses gardes afin de le
dédommager de sa déception. Lauzun a la coquetterie de
résister ; il condescend pourtant à l'accepter... lorsqu'il apprend
que la maîtrise d'artillerie, tant convoitée, vient d'être attribuée
au comte du Lude !

Enfin libéré et rentré dans les bonnes grâces du souverain,
Lauzun poursuit son chemin, mettant à profit une autre facette
de ses multiples talents : le charme des séducteurs. Cela
fonctionne à merveille. Mademoiselle de Montpensier, petite-
fille d'Henri IV, en reste subjuguée. Lauzun a visé juste, car
cette princesse du sang, à la quarantaine replète et mûrissante,
supplée l'ingratitude de son physique par une impressionnante
fortune, l'une des plus notables d'Europe. Elle semble donc
charmante aux yeux intéressés. L'année 1670 n'est pas terminée
que Louis XIV consent à cet incroyable mariage : sa cousine
et son favori ! L'amour aveugle que l'ancienne frondeuse voue
à l'audacieux prétendant la conduit même à lui offrir trois
duchés !

Et pourtant, le Gascon, sur le point de réussir, est encore
une fois perdu par sa vanité. Ne retarde-t-il pas imprudemment
les épousailles parce qu'il tient à ce qu'elles se fassent « comme
de couronne à couronne » ? Cela laisse le temps aux princes
du sang et à la maîtresse du roi, Madame de Montespan, en
tant que mère de ses bâtards, de mener la contre-attaque. La
mésalliance choque, non pas par son caractère scandaleux,
mais par ses conséquences : avec cet hyménée intempestif,
adieu le bel héritage de la vieille fille ! La Montespan a
suffisamment de crédit pour que son royal amant révise le
consentement donné. Fureur de Lauzun ! Il refuse même
sèchement une indemnité compensatoire : le bâton de maréchal de France. Il poursuit la Montespan de sa colère, multipliant injures et avanies, que celle-ci feint de supporter patiemment. En dépit de cette vindicte librement exhalée, l'année
1671 le voit commander l'armée, accompagnant le roi et la
cour en Flandre. Le pardon est donc possible à condition de
cesser une vengeance mesquine. Aussi orgueilleux qu'entêté,

Lauzun n'y renonce pas. Louvois, las de trop d'exigences, et Madame de Montespan, exaspérée des propos rapportés, s'unissent pour perdre l'inconscient. Ils dénoncent au roi un sujet que l'insolence rend dangereux et obtiennent gain de cause. Lauzun, arrêté, est expédié pour un temps indéterminé à Pignerol.

Louvois, qui sait à quoi s'en tenir sur le personnage, recommande de traiter le prisonnier avec la plus grande prudence. Le mettre au secret absolu lui paraît de la plus élémentaire prudence. Il conseille ainsi à Saint-Mars de ne point « se relâcher des précautions qu'il prend pour la sûreté de Monsieur Fouquet. Il faut qu'il soit beaucoup plus alerté pour la garde de ce prisonnier-ci qu'il n'a été besoin qu'il le fût pour l'autre, parce qu'il est capable de tout autre chose pour se sauver, par force ou par adresse, ou par corrompre quelqu'un, que Monsieur Fouquet[25] ».

L'avertissement porte. Le régime carcéral auquel est soumis Lauzun ressemblera étrangement à celui de ce dernier. On l'installe donc dans un appartement au-dessus du sien, que Saint-Mars estime très sûr. On grillage, et les fenêtres, et la cheminée, afin que le nouvel arrivant ne puisse commercer avec son devancier. Saint-Mars constate d'ailleurs bien vite que la garde de Lauzun n'est pas une sinécure. Tempêtant, vitupérant, le prisonnier simule la maladie ou la folie, enchaîne les tentatives d'évasion. A peine arrivé à Pignerol, ne met-il pas le feu au donjon ? Une poutre de la chambre où loge Fouquet est même consumée dans l'affaire ! Saint-Mars se lamente à juste titre lorsqu'il explique à son correspondant : « Tant que je n'ai pas eu Monsieur de Lauzun, je croyais que Monsieur Fouquet était l'un des plus méchants prisonniers à garder qu'on pût trouver. Mais à présent, je dis qu'il est un agneau auprès de l'autre[26] ! »

Et cependant, cette arrivée de Lauzun et son agitation vibrionnaire vont grandement améliorer le sort de son compagnon d'infortune. Lauzun, en effet, déjoue la vigilance de Saint-Mars et joue les « perce-murailles ». Par un trou creusé, les deux hommes peuvent enfin communiquer : le stratagème n'apparaîtra qu'après la mort du surintendant, quelques mois

avant que Lauzun ne respire l'air de la liberté[27]. Fouquet
entend les nouvelles du monde, et quelles nouvelles ! surtout
dans cette bouche qui conte tant de choses incroyables.
Comment ne pas douter, parfois, de la raison de l'interlocuteur ? Fouquet a connu le petit gentilhomme de Gascogne à
ses débuts obscurs, et voilà qu'il écoute à présent le capitaine
des gardes du roi, un général d'armée, avec lequel la première
princesse du sang a osé se compromettre ! Ces dialogues
réjouissants, joints aux premiers échanges épistolaires avec son
épouse, même si ceux-ci demeurent exceptionnels et contrôlés,
raniment la confiance du surintendant.

Certes, l'état physique laisse à désirer. L'esprit, en revanche,
ne faiblit pas. Fouquet discute avec son gardien, et Louvois
s'enquiert de tout ce qu'il dit, y compris sur lui. En janvier
1673, bien qu'ignorant la situation générale, n'annonce-t-il pas
qu'il est prêt à faire parvenir au roi des avis pour le bien de
son service[28] ? Sait-il alors que la France, en se lançant dans
une guerre contre la rivale batave, s'expose à connaître des
jours financiers difficiles ? Cela est possible, et devient certain
trois mois plus tard. Dès mars 1673, un livre qui lui est prêté
lui apprend en effet les hostilités entamées contre la Hollande.
Et au mois de juillet de la même année, Saint-Mars reçoit
l'autorisation de l'informer laconiquement quant aux succès
militaires de Sa Majesté[29]. L'atmosphère se détend. On le voit
dans le ton des missives que Louvois expédie à ce dernier.
« Dites à Monsieur Fouquet, écrit le ministre, que vous ne
m'avez point envoyé son compliment, ayant bien compris que,
quoique je vous ai toujours paru avoir intention de le servir
en ce qui me serait permis, je ne serais pas bien aise que vous
vous en fussiez chargé sans ordre[30]. »

Ainsi, sous l'exquise politesse, le propos concilie la volonté
de rester vigilant et celle de ne pas froisser un prisonnier dont
les lumières peuvent se révéler fort utiles dans les turbulences
qui s'annoncent. C'est pourquoi, ayant sauvé les apparences,
Louvois ajoute : « Je vous écris une autre lettre ci-jointe,
laquelle vous lui pourrez montrer. Et s'il veut mettre par écrit
ce dont je parle par madite lettre, vous lui donnerez du papier
par compte, comme vous avez déjà fait, afin qu'il le puisse

écrire. Je vous renvoie le susdit compliment afin que vous puissiez le lui remettre entre les mains, ou le brûler devant lui[31]. » Qu'en est-il de ces discrètes ouvertures ? Si discrètes que Louvois ne saurait être compromis dans leur offre, au cas où l'évolution tournerait court.

Le surintendant expédie à Louvois deux mémoires, sans doute des conseils financiers, ce qui, pour le captif, n'était pas une mince revanche et représentait un formidable réconfort moral[32]. Fouquet, par ce biais, tente de rentrer en grâce auprès du roi, ou du moins, comme Louvois le lui laisse entendre, d'obtenir de lui un adoucissement de peine. Le ministre, lui, n'est peut-être pas fâché, en sortant des oubliettes le prisonnier de Pignerol, de donner quelques angoisses à son concurrent, le cher Colbert. Avec ces opuscules, que d'alarmes pour la Couleuvre... et quelle satisfaction pour l'amour-propre de l'Écureuil !

Croire cependant en un retournement de situation demeure prématuré. Sans doute s'agit-il pour Louvois d'un coup de publicité. On ne donne point suite aux avis de Fouquet. Louvois lui fait rendre les textes, en déclarant n'y avoir rien vu d'intéressant pour le service du roi[33]. Il n'a donc pas jugé bon de les lui présenter. Les deux mémoires finissent au feu. Mais l'épisode n'en démontre pas moins la possibilité d'un dialogue.

VERS LA LIBERTÉ ?

Il faut être patient, très patient, les choses bougeant lentement. En avril 1674, le roi consent à ce que les époux Fouquet échangent deux lettres par an[34]. Une fois de plus, c'est le règlement des affaires privées du prisonnier qui exige cette mesure. Dix ans pour l'obtenir ! Elle marque un premier pas dans la voie d'une détention adoucie. Le processus semble alors irréversible. Le mari et la femme entreprennent ainsi une correspondance dont malheureusement ne subsiste plus qu'une lettre, datée du 5 février 1675, recopiée et abondamment diffusée dans le public[35]. Comme toujours, les amis du surintendant s'appuient sur la *vox populi* pour défendre sa cause et, peut-être, attendrir le cœur du monarque. La soumission de Fouquet à son destin, sa sérénité, sa dignité font encore mieux ressortir, dans ce corps abattu, la grandeur d'âme, sa dimension quasi mystique, occultée durant les années triomphantes.

Bientôt, les relations épistolaires de Fouquet ne se limitent pas qu'à sa seule compagne. En août 1675, il reçoit un mémoire de son ancien commis, Bruant, celui-là même que la Chambre de Justice[36] avait condamné à mort par contumace. Après un exil de plusieurs années, il est donc pardonné, et ayant repris du service, il réclame à Fouquet quelques éclaircissements sur une opération importante. Le prisonnier reçoit la permission de répondre. Le ton des missives concernant Fouquet — Lauzun aussi, d'ailleurs — ne cesse de s'humaniser. Voilà que Louvois recommande à Saint-Mars, au nom du roi, « d'avoir pour Monsieur Fouquet et pour Monsieur Lauzun toutes les honnêtetés et les complaisances qui ne pourront point nuire au service[37] ».

Les bonnes dispositions que manifeste, semble-t-il, Sa Majesté s'étendent maintenant à toute la famille du surintendant. Basile Fouquet peut enfin rejoindre son abbaye de Barbeau, Marie de Maupeou, séjourner quelques jours dans la capitale, Mme Fouquet, s'installer en Bourgogne. Ses membres deviennent donc à nouveau « fréquentables ». Les autorités religieuses, la bonne société rendent leurs devoirs à la femme du disgracié.

Plus important que cette reconnaissance mondaine est, pour l'avenir du clan, le commerce direct noué avec la Montespan aux eaux de Bourbonnais. Le fils légitime de celle-ci passe même quelques semaines dans une propriété que possède la mère de Fouquet, près de Moulins. Les intérêts de tout le groupe progressent ainsi grandement. Le fils aîné de Fouquet est-il appelé dans l'armée du roi ? Louvois en informe le captif et lui précise, très courtoisement, « que Monsieur son fils fait bien son devoir et se distingue fort dans toutes les occasions[38] ».

De même, la santé du prisonnier devient l'objet d'une sollicitude marquée. On lui communique le rapport d'un médecin parisien, consulté sur son cas par Marie Madeleine de Castille[39], Pecquet, le praticien habituel de Nicolas, étant mort. Nicolas obtient enfin le thé réclamé, denrée bien rare à l'époque. Et surtout, à partir de novembre 1677, il est autorisé à prendre l'air quelques heures par jour. Louis XIV, à l'instigation de Louvois, accepte là une demande importante, qui vaut pour Fouquet comme pour Lauzun, à condition que la promenade s'effectue sous l'œil de Saint-Mars et indépendamment l'un de l'autre. Le ministre prend bien soin d'avertir les deux hommes que toute tentative pour correspondre au-dehors provoquerait leur enfermement au secret, mais, cette fois, « pour toujours[40] ».

Malgré cette menace, on sent que Louvois s'efforce d'améliorer l'ordinaire des deux prisonniers. Il accorde ainsi la faculté à leur geôlier de leur octroyer tous « les jeux honnêtes » qu'ils souhaiteront dans leur enclos, soit pour s'y donner de l'exercice, soit pour y trouver quelque dérivatif. Les détenus pourront jouer avec les officiers, mais en présence et sous le contrôle de Saint-Mars. Dépassant même les intentions du monarque, le ministre, prétextant la perte de temps que représente pour Saint-Mars la surveillance alternée des deux hommes, suggère de les faire aller et venir de concert, leur gardien recueillant, comme de bien entendu, la moindre parole échangée[41]. Le détail prête à sourire : depuis longtemps, les prisonniers ne se privaient pas de converser en cachette !

Fouquet continue d'être informé des faits et gestes de chacun. Louvois lui fait annoncer, avec une pointe d'orgueil, l'élévation de son père à la dignité de chancelier[42]. Fouquet connaissait bien celui-ci pour avoir travaillé avec lui aux temps de la régence. Tout cela est maintenant bien loin, mais l'ancien surintendant se rappelle combien cette fonction l'avait tenté. Un autre que lui l'a endossée. On l'informe aussi des succès militaires de Sa Majesté, notamment lorsque Gand se prépare à capituler[43]. Il reçoit d'ailleurs le *Mercure galant* et, d'une manière générale, toutes les nouvelles courantes.

Fouquet se montre sensible aux marques d'intérêt que lui témoigne Le Tellier junior et aux efforts déployés pour alléger sa détention. Il l'en remercie, lui expédiant même une pièce en vers, produit de sa distraction. Un échange de remèdes s'établit entre eux. Louvois ordonne de lui remettre tout ce qui est nécessaire au recouvrement de la santé et lui offre trois livres de thé, que le prisonnier emploie comme médicament. Celui-ci envoie au ministre, malade des yeux, de « l'eau de casse-lunette », fabriquée de ses mains et expérimentée sur l'aide-major de Pignerol[44]. On retrouve là le témoignage des talents de chimiste et de pharmacien propres à Nicolas, et le goût familial pour les remèdes charitables, si bien illustré par Marie de Maupeou. Ainsi, après vingt ans d'emprisonnement, se dessine le tableau chrétien du pécheur expiant ses fautes et offrant à l'un de ses ennemis les plus acharnés, devenu son intercesseur, les marques édifiantes du pardon et de l'amour du prochain.

Les changements apportés à la détention de Fouquet, très lents mais réguliers, s'accélèrent à partir de décembre 1678. Louvois prévient Saint-Mars que, désormais, le prisonnier correspondra à son gré avec lui[45]. Les lettres seront cachetées, le geôlier n'ayant plus qu'à s'occuper de leur acheminement. Le mois suivant, un mémoire royal précise les conditions applicables dorénavant à Fouquet (et à Lauzun)[46]. Le surintendant peut communiquer comme il l'entend avec les siens, en passant naturellement par l'intermédiaire de Saint-Mars. Il peut rencontrer Lauzun, deviser et se promener avec lui, non seulement dans l'enceinte du donjon, mais encore dans toute la citadelle. Les deux hommes ont le droit de s'entretenir avec les officiers de la garnison, lesquels sont autorisés, si les captifs le souhaitent, à leur tenir compagnie en leurs appartements, durant le jour. L'un et l'autre obtiennent la liberté de lire ce qu'ils désirent.

Louvois, commentant la philosophie de cette mansuétude, ne se départ pas cependant de sa vigilance : « Monsieur de Saint-Mars comprendra de tout ce que dessus que Sa Majesté, ayant eu compassion de la longue punition de ces Messieurs, elle veut bien leur accorder une prison plus douce, mais qu'elle veut toujours qu'ils ne puissent sortir de prison que par son ordre. Et ainsi, ledit sieur de Saint-Mars, dans tous les plaisirs qu'il leur accordera, aura toujours égard avant toutes choses à la sûreté de leurs personnes[47]. » Mais, fait essentiel, le ministre laisse entendre que, d'ici quelques mois, le roi va permettre à des visiteurs de se rendre à Pignerol : l'épouse et les enfants du surintendant, en particulier, pourraient enfin le voir.

En attendant ces retrouvailles, Fouquet reçoit et rédige un nombre appréciable de lettres. Sa femme lui écrit. Son frère Basile aussi, preuve que tous deux étaient moins brouillés qu'on ne le prétend habituellement[48]. L'esprit de famille, qui a tant servi le clan, persiste donc. Mieux : il lui permet de surmonter une situation qui paraissait compromise à tout jamais. Gourville, l'ancien factotum, lui aussi gracié, parvient même à faire parvenir directement au prisonnier un message[49]. Celui-ci y répond, sans passer par l'intermédiaire obligé. Louvois ne paraît pas s'émouvoir de cette double entorse à ses instructions.

Fouquet, tout à la joie de ces ouvertures, multiplie les contacts. Il n'oublie pas sa mère. La vieille femme n'a pas à rougir de lui et peut être satisfaite de « la conversion » de son fils qu'elle avait tant espérée et réclamée au Ciel[50] :

« Madame, je ne puis pas mieux user de la liberté d'écrire que la bonté du roi m'a octroyée qu'en vous rendant, par cette lettre, une partie des respects que je vous dois, en attendant que la même clémence royale, laquelle, à l'exemple de celle de Dieu, se montre quelquefois peu à peu et s'avance par degré, juge à propos de me permettre d'aller consommer le surplus de mon devoir à vos pieds.

« C'est là, Madame, que mon cœur, ma bouche et peut-être mes yeux par leurs larmes, vous expliqueront plus au long ce que vous verrez ici maintenant en deux mots, c'est-à-dire le sensible regret des déplaisirs dont ma mauvaise conduite a troublé le repos de votre honnête vieillesse et donné un pénible exercice à votre vertu ; c'est là que je vous demanderai très humblement pardon d'avoir mal pratiqué vos saints enseignements, et pris un chemin tout contraire à celui de vos saints exemples ; et c'est là que je vous rendrai les grâces que je suis tenu de vous rendre pour celui que votre dévote prière m'ont attiré du Ciel, et pour les maux dont elles m'ont préservé ; mais c'est dès à présent et sans différer que je vous conjure d'employer ces mêmes efficaces prières envers Dieu pour en impétrer les bénédictions les plus désirables sur la sacrée personne de Sa Majesté, en reconnaissance de la charité que j'en viens de recevoir, sans oublier de m'obtenir les vertus qui me sont nécessaires pour mon salut et pour être digne de la qualité de... »

En mai 1679, le fils aîné de Fouquet, le vicomte de Vaux, arrive à Pignerol, bientôt suivi par sa mère, à laquelle on accorde la grâce de partager l'appartement de son époux. Il a été autorisé, ainsi que ses frères et sœur et que son oncle Gilles Fouquet, à accompagner Marie Madeleine de Castille[51]. Ainsi, il a fallu vingt ans pour que le prisonnier retrouve sa famille et mesure combien chacun a changé. Le petit enfant qu'il avait laissé à Paris est devenu un jeune homme qui lui est pratiquement inconnu. Il découvre aussi sa fille Marie Madeleine, dont il ignore presque tout. Quant à la jeune femme, dont il gardait en mémoire les charmes et l'allure, elle fait place à une quadragénaire, mûrie par les épreuves, par les responsabilités, et soutenue par une foi profonde. Et elle, reconnaît-elle vraiment en ce sexagénaire blanchissant, prématurément vieilli, aux dents gâtées, le politique subtil, élégant et fastueux qui l'a quittée un matin d'été, il y a si longtemps ?

Louvois, toujours prévenant, permet à la famille réunie de rattraper de si longues années de silence et, bien évidemment, d'évoquer la fin du cher François Fouquet dans son exil d'Alençon. On parle aussi des difficultés que rencontrent les affaires du condamné. Elles donnent lieu à d'innombrables procédures qu'il faut débrouiller, sans parler des actions à mener pour récupérer les actifs du surintendant, captés frauduleusement à la faveur de sa disgrâce. A la requête de celui-ci, afin de parer au plus pressé, le roi admet que Louis Fouquet se rende à Pignerol et y séjourne durant quatre mois[52]. Cette décision s'inscrit avec d'autres dans le cadre d'un règlement de la situation matérielle des Fouquet. Salvert, l'homme d'affaires de Mme Fouquet, venu avec elle, n'a-t-il pas la faculté de discuter librement avec Nicolas[53]. Tout démontre à l'envi que le moment approche où s'ouvriront les portes de la citadelle. Le rêve a cessé d'être insensé.

Au milieu des siens, Fouquet raisonne sur la gestion de ses biens, conseille sur la marche à tenir, espère un retour en grâce. Aucun écho ne renseigne sur la teneur de ses propos, de ses directives. Il n'est cependant pas bien difficile d'imaginer la conversation des Fouquet. Seul l'importun Lauzun, point amendé par la prison et insatiable coureur de jupons, gâte un peu cette idyllique réunion. Il s'empresse tant auprès de Mlle Fouquet que ces excessives galanteries entraînent la rupture avec le surintendant. Louvois s'en réjouit. La mésintelligence entre les captifs encourage la suspicion réciproque, ce qui devrait faciliter l'espionnage de l'un par l'autre[54].

Quoi qu'il en soit, au début de 1680, l'idée d'un élargissement chemine, comme l'indique Bussy-Rabutin, rapportant que Fouquet vient d'obtenir la liberté de prendre les eaux en Bourbonnais pour le bien de sa santé[55]. Cela semble annoncer une issue heureuse. Les temps ont évolué. Le front des ennemis se disloque. Le clan Le Tellier s'oppose à la faction Colbert. Les libéralités dont profite le prisonnier constituent sans doute l'un des épisodes de cette guerre que se livrent Louvois et Colbert. L'étoile du contrôleur général des Finances ne brille plus d'un éclat aussi vif. La lutte économique contre la Hollande s'embourbe. Les finances royales se trouvent fort incommodées par six années d'un dur conflit. Louis XIV constate que le prétendu administrateur intègre ne réussit pas mieux que son malheureux prédécesseur. Les mêmes causes engendrant les mêmes effets, le Rémois ne peut faire autrement que d'adopter les recettes, bonnes ou douteuses, de Fouquet.

Mais, comme tout au long d'une existence jalonnée de succès éclatants qui appellent d'âpres revers, ces jours heureux, ces espoirs de libération, Fouquet ne les savoure pas longtemps. A la fin de mars 1680, la nouvelle de son décès subit se répand dans la capitale.

UNE FIN À ÉQUIVOQUE

Par une lettre du 23 mars 1680, malheureusement non conservée, Saint-Mars apprend à Louvois la mort de son protégé. C'est fâcheux, mais ce qui l'est encore davantage, c'est la découverte qu'il vient de faire, particulièrement douloureuse à son amour-propre de geôlier : le trou par lequel Fouquet et Lauzun ont communiqué durant des années[56]. Il faut se rendre à l'évidence : Lauzun a pu connaître, tout comme La Rivière, domestique de Fouquet, les secrets de celui-ci. Le mal est fait.

Louvois, avec sagesse, recommande à Saint-Mars de ne pas alerter Lauzun par des questions inopportunes à ce sujet. Il convient au contraire de banaliser la situation, en laissant croire au Gascon que La Rivière vient d'être relâché — alors que le pauvre bougre moisit dans une prison dont, pour son malheur, il ne sortira pas. Le ministre déplore que, vu les circonstances, Saint-Mars ne se soit pas opposé à ce que le comte de Vaux ait emporté les papiers et les poésies de son père[57]. Il aurait été bon de les remettre au roi. Faute de les avoir, Louvois se contente de ceux trouvés dans les habits du défunt, qu'il a fait expédier la semaine d'après. Le pouvoir craindrait-il des révélations concernant les désordres financiers de la régence, des confidences sur Anne d'Autriche et Mazarin, quoi d'autre encore ?

En fait, tout cela s'estompe dans l'esprit des contemporains. Fouquet, de plus, n'était pas homme à se confier imprudemment, surtout en sachant qu'il compromettait ainsi pour toujours les perspectives de son élargissement, à défaut de son retour dans l'affection du monarque. Louis lui a suffisamment exprimé sa volonté de silence et d'oubli pour qu'aucune illusion ne demeure sur ce point. Fouquet savait qu'il devait se taire. Il n'a rien dit. Du reste, le bavard, le fantasque Lauzun, dont Saint-Simon souligne qu'il poursuit de sa vindicte tout ce qui porte le nom de Fouquet[58] depuis sa stupide querelle, ne colporte aucune indiscrétion émanant du prisonnier. Même réserve du côté de la famille de celui-ci. Sauf découverte de documents nouveaux, rien, dans les témoignages laissés par les descendants de Nicolas, ne fait seulement allusion à une quelconque histoire, ou même à des ragots qui se transmettraient par tradition. Partout le mutisme. Si Fouquet était dépositaire de quelque précieux renseignement politique, financier ou familial, celui-ci a été enterré avec lui. Ni Louis XIV ni Louvois ne semblent d'ailleurs s'être émus outre mesure, et on a informé Mme Fouquet qu'elle pouvait emporter le corps de son époux là où bon lui semblait[59].

Jusqu'à présent, tout paraît limpide, la disparition du surintendant ne suscitant aucune question. La *Gazette* l'a annoncée en termes laconiques le 26 mars : « On nous mande de Pignerol que le sieur Fouquet est mort d'apoplexie. » La nouvelle circule donc, car le public n'a pas oublié la personnalité et les malheurs du surintendant. Bussy-Rabutin, dans une lettre à Madame de Montjeu, confirme un détail : mort d'apoplexie[60]. Malade, Fouquet l'était depuis longtemps. En fait, il a toujours été soumis à de brutales poussées de fièvre. Bussy-Rabutin insiste sur le caractère brutal de la disparition, sans pour autant exciter la curiosité. La famille n'émet aucun doute quand à la réalité des circonstances l'entourant : Fouquet est mort dans les bras de son fils, le comte de Vaux, qui résidait alors dans la place. Son corps est déposé provisoirement dans un caveau de l'église Sainte-Claire, à Pignerol[61]. Ce qui donne raison à la vieille amie du surintendant, Madame de Sévigné, estimant qu'il fallait laisser le malheureux reposer là où le destin l'avait fait s'échouer[62].

La dépouille du surintendant n'avait pourtant pas fini ses tribulations. Un an après, Marie de Maupeou mourait à son tour. Profitant de son inhumation dans la chapelle des Fouquet, au couvent de la Visitation-Sainte-Marie, rue Saint-Antoine, on rapatrie le corps du pauvre exilé de Pignerol afin qu'il dorme aux côtés des siens. Singulier spectacle que ce retour du fils prodigue. La mère ramène auprès de son époux, non pas le « haut et puissant seigneur Nicolas Fouquet, chevalier, vicomte de Vaux, conseiller du roi en ses conseils, procureur général de Sa Majesté au Parlement de Paris, surintendant des Finances et ministre d'État », celui qui avait comblé tous les vœux de François Fouquet, mais un vieil homme, vêtu de son habit d'hiver, qui avait depuis longtemps renoncé aux chimères du siècle pour les félicités de l'au-delà. L'ambitieux avait assuré jusqu'à s'en perdre l'élévation du clan familial dans la voie tracée par François Fouquet. Près de celui-ci reposait maintenant le chrétien, en paix avec sa conscience, conforme à l'exemple pieux et charitable hérité de ses parents. Les survivants de la famille ne s'y sont pas trompés. Sans doute ses sœurs, religieuses à la Visitation Sainte-Marie, ont-elles inspiré la notice explicite qui figure sur le registre du couvent[63].

Rien ne semble obscur dans cette fin sereine. Et pourtant, des versions contredisant cette limpidité des faits ne manquent pas d'apparaître dès l'époque. Les historiens s'en sont emparés, échafaudant maintes hypothèses, toutes plus surprenantes les unes que les autres. Fouquet apparaît à tous comme un personnage si hors du commun par sa carrière, son éclat, sa tragédie, qu'ils ne se résignent pas à une mort banale, anonyme pour ainsi dire. Comment résister à l'envie d'y mêler du merveilleux, de l'étrange, mieux : du sensationnel ?

Gourville est le premier, mais non le dernier, à céder à ce penchant. Or ce familier du surintendant, un des protagonistes du procès, rédige ses *Mémoires* bien après les événements. Lorsqu'il relate la fin de Nicolas, il précise : « Monsieur Fouquet, ayant été quelque temps après *mis en liberté*, sut la manière dont j'en avais usé avec Madame sa femme, à laquelle j'avais prêté jusqu'à cent mille livres pour sa subsistance, son procès, et même pour gagner quelques juges, comme on lui avait fait espérer[64]. » La notation est rapide, on en conviendra, pour quelqu'un qui parle de son patron et protecteur, sur lequel il sait beaucoup de choses, y compris dans la période du procès. En tout cas, Gourville se montre formel : même s'il ne fournit pas d'indication sur les circonstances de son élargissement, Fouquet est mort libre.

Voltaire reprend la thèse dans son *Siècle de Louis XIV* : « Gourville assure dans ses *Mémoires* qu'il sortit de prison quelque temps avant sa mort. La vicomtesse de Vaux, sa belle-fille, m'avait déjà confirmé ce fait. Cependant, *on croit le contraire dans sa famille.* Ainsi, on ne sait pas où est mort cet infortuné, dont les moindres actions avaient de l'éclat quand il était puissant[65]. » Les doutes qu'émet Voltaire se réfèrent

donc à la déclaration d'un témoin indirect. Voilà renforcé le
mystère suscité par Gourville. Certes, Voltaire utilise les propos
de ce dernier et ceux de la veuve de celui qui a assisté aux
derniers instants du moribond. Tous deux s'inscrivent en
contradiction avec les documents officiels.

Cette position est-elle crédible ? On peut en douter, ce que
fait l'ensemble du clan, comme le reconnaît Voltaire. La
vicomtesse de Vaux n'a pas, en effet, connu son beau-père.
Son mariage, qui ne remonte qu'à 1689, est largement poste-
rieur au décès de Nicolas. Dans ces conditions, soit sa mémoire
l'égare, soit sa raison travestit la vérité. On ne voit pas quel
motif l'inspirerait dans ce cas, la médiocrité de ses rapports
avec la famille de son premier mari, surtout après la disparition
de celui-ci, ne pouvant suffire à expliquer l'insinuation.

De même, faut-il faire justice des dires de Gourville ? Le
personnage est trop complexe pour être cru sur parole, et ses
Mémoires sont plus d'une fois sujet à caution. D'une manière
générale, lui, qui s'étale volontiers, ne se montre pas très disert
sur tout ce qui a trait à l'affaire Fouquet et son rôle exact lors
du procès. Revenu en grâce, il a correspondu avec le prisonnier,
on l'a vu, par l'intermédiaire de Louvois. Ses relations avec la
famille l'ont certainement mis en état de connaître les conditions sévères de sa captivité, puis les retouches ultérieures
apportées. Gourville soit se trompe dans ses affirmations, soit
farde ce qu'il sait. Le mobile demeure invisible. Et si, en fin
de compte, on avait tout simplement dénaturé sa pensée ?
Lorsqu'il mentionne la mise en liberté du surintendant, peut-
être n'a-t-il en tête que le moment où Fouquet peut s'exprimer,
se promener dans l'enceinte de Pignerol et recevoir les siens.

Cependant, un autre texte de la même époque reprend cette
version en lui donnant un éclairage neuf et inquiétant. Dans
ses *Mémoires*, Robert Challe, commis au ministère de la
Marine, soutient que la dauphine obtint la grâce du condamné.
Il poursuit en ces termes : « Il s'embarqua sur le soir, mais,
on ne sait par quelle destinée, il trouva la mort à Chalon-sur-
Saône. Il avait mangé le soir, à son souper, d'une poitrine de
veau en ragoût. Il en avait même beaucoup mangé, et, soit que
son estomac ne put pas tout digérer, soit que la joie de son

rappel, qu'il avait jusque-là renfermée dans lui-même, ne put plus se contenir sans éclater, il appela sur les deux heures du matin et mourut une heure après, dans une grande tranquillité. Ce qu'il y eut d'étonnant, c'est que son corps ne fut pas ouvert, et qu'*on ignore encore s'il a été empoisonné* ou si sa mort a été naturelle[66]. »

Ainsi, Challe n'abandonne pas, lui non plus, la thèse d'une libération du surintendant. Il est même précis, tant sur le lieu que sur les circonstances du décès. Sa version retient l'attention, par les détails fournis, certes, mais aussi par l'atmosphère dépeinte. Ce n'est plus un triste prisonnier sur le point d'être élargi qui meurt subitement, victime d'un sort vraiment contraire, mais un voyageur qui défuncte le plus trivialement du monde, par excès de nourriture et de joie ! La présentation sent la volonté de ridicule : la belle fin que voilà pour le fastueux propriétaire de Vaux que de trépasser, victime d'un abus de ragoût...

Challe constitue un témoin encore moins sérieux que les autres. Les lettres qu'échangent alors Louvois et Saint-Mars le réfutent pourtant. Leur existence montre la précarité de ces informations. Le ragot mérite cependant de s'y attarder car Challe, en qualité de commis de la Marine, dépend des Colbertides, et cela se sent. Sa prose reflète ces « contes jaunes » qui se propagent depuis la disparition du surintendant. La couleuvre, que ne rebute ni un mensonge ni une manipulation, se délecte en les essaimant d'un salon à l'autre. Challe se borne à répercuter en l'occurrence un « bruit de coursive ».

Il est aussi possible que ces plumes, qui frémissent à imaginer Nicolas libre, n'aient fait au fond qu'anticiper sur une décision attendue dans les milieux bien informés. Tout laisse penser en effet que Louis envisage d'ouvrir au prisonnier la cage. Nul ne sait quand la chose deviendra réalité, mais aucun ne doute qu'elle se produira. Avec un tel postulat, la mort inopinée de Fouquet transforme du coup le drame en tragédie. Challe donne ainsi, en posant le problème d'un éventuel emploi du poison, une tout autre dimension à ce qui n'était finalement qu'un fait divers assez vulgaire.

Cette attitude reflète-t-elle les questions que se posent certains sur les causes du décès ? Il est vrai que celui-ci tombe à point. La libération de Fouquet menace le clan Colbert de lendemains délicats. Or l'astre entre sur son déclin. Et il n'y a rien de bon à attendre des procédures pour escroquerie à l'encontre de Berryer — ce complice de toujours de Colbert —, procédures inévitables dans la perspective d'un recouvrement de ses actifs, sans parler des règlements de la succession[67]. Dans un semblable climat, il est évident qu'un décès brutal, salvateur parce que préparé, ne relève pas de la folle hypothèse. C'est qu'autour du Rémois tous peuvent appréhender les retombées judiciaires, politiques et sociales qu'implique l'intrusion du maître de Vaux, lequel ne devait jamais ressurgir pour troubler leur quiétude. Depuis 1672, la Brinvilliers alimente la chronique avec l'affaire des Poisons. Le royaume tremble en découvrant l'étendue de ses ramifications. Impossible de mourir vite et fort à propos sans laisser ses héritiers en proie à la suspicion générale ! Et la disparition de Fouquet s'inscrit durant les travaux de la chambre ardente, chargée d'instruire la trop fameuse affaire : la coïncidence se fait tentation...

La correspondance de Louvois avec Saint-Mars signale en effet la présence, dès juillet 1669, d'un mystérieux personnage, Eustache Dauger, enfermé dans le donjon de Pignerol. Selon le ministre, il ne s'agirait que d'un domestique, arrêté sur ordre du roi, et conduit là par le sergent-major de la citadelle de Dunkerque. Pourtant, le luxe de précautions qui doivent être prises pour sa garde laisse planer le doute sur l'identité du nouvel arrivant :

« Monsieur, écrit Louvois à Saint-Mars, le roi, m'ayant commandé de faire conduire à Pignerol le nommé Eustache Auger [sic], il est de la dernière importance à son service qu'il soit gardé avec très grande sûreté, et qu'il ne puisse donner de ses nouvelles en nulle manière ni parler à qui que ce soit. Je vous en donne avis par avance, afin que vous puissiez faire accommoder un cachot où vous le mettrez sûrement, observant de faire en sorte que les jours qu'aura le lieu où il sera ne donnent point sur les lieux qui puissent être abordés de personne, et qu'il y ait assez de portes fermées les unes sur les autres pour que vos sentinelles ne puissent rien entendre. Il faudra que vous portiez vous-même à ce misérable, une fois le jour, de quoi vivre toute la journée, et que vous n'écoutiez jamais, sous quelque prétexte que ce puisse être, ce qu'il voudra vous dire, le menaçant toujours de le faire mourir s'il vous ouvre jamais la bouche pour vous parler d'autre chose que de ses nécessités. Je mande au sieur Poupart de faire incessamment travailler à ce que vous désirerez, et vous ferez préparer les meubles qui sont nécessaires pour la vie de celui que l'on vous mènera, observant que, comme ce n'est qu'un valet, il ne lui en faut pas de bien considérables[68]. » Un valet ?

Que Saint-Mars doive ainsi prendre soin en personne de ce nouveau venu, la chose surprend s'il n'est que domestique. Quel grave motif justifie une attitude qui conviendrait fort bien en face d'un prisonnier d'État aussi considérable que Fouquet ? Là encore, mystère. Les causes de son incarcération ne filtrent pas. Les conditions en revanche sont connues et ressemblent fort à celles régissant l'existence du surintendant. Être soustrait au moindre regard et ne parler à quiconque, bref, subsister à l'état de mort-vivant. Pourtant, la santé du nouveau prisonnier est assez précieuse pour qu'on s'en inquiète. Louvois ordonne qu'à la moindre alerte on lui donne des médicaments sans attendre l'ordre de Paris. L'isolement dans lequel il est tenu demeure toutefois la préoccupation essentielle. Ainsi, lors de la tentative faite par La Forêt et Valcroissant pour enlever Fouquet, le ministre apprend que les comploteurs ont eu quelque commerce avec Dauger. Aussitôt, il demande à Saint-Mars de doubler ses précautions :

« L'on m'a donné avis que le sieur Honeste [Valcroissant], ou un des valets de Monsieur Fouquet, a parlé au prisonnier qui vous a été amené par le major de Dunkerque, et lui a entre autre chose demandé s'il n'avait rien de conséquence à lui dire. A quoi il a répondu qu'on le laissait en paix. Il en a usé ainsi, croyant probablement que c'était quelqu'un de votre part qui l'interrogeait pour l'éprouver et voir s'il disait quelque chose. Par là, vous jugerez bien que vous n'avez pas pris assez de précautions pour empêcher qu'il n'eût quelque communication que ce pût être. Et comme il est très important au service de Sa Majesté qu'il n'en ait aucun, je vous prie de visiter soigneusement le dedans et le dehors du lieu où il est emprisonné, et de le mettre en état que le prisonnier ne puisse voir ni être vu de personne, et ne puisse parler à qui que ce soit ni entendre ceux qui voudraient lui dire quelque chose[69]. » Aveugle, muet et sourd, voilà l'idéal en ce qui concerne cet homme.

Or, au début de 1675, quand il faut recruter un nouveau valet pour Fouquet, le roi accepte la proposition de Saint-Mars : placer ce Dauger auprès du surintendant. Louvois paraît réticent. Ne note-t-il pas en marge que Dauger n'aura à servir Fouquet que dans le cas exprès où son valet lui ferait défaut[70] ? Le gardien de Pignerol est en outre prévenu de ne jamais placer Dauger près de Lauzun. Finalement, Saint-Mars donne à Fouquet cet étrange Dauger, lequel fera toujours l'objet d'un traitement spécial, à la différence de ce qui s'observe pour son camarade La Rivière. Par exemple, en janvier 1679, alors que Louvois modifie les conditions d'emprisonnement concernant Lauzun et Fouquet, il veille à ce que la vigilance ne faiblisse pas au sujet de ce Dauger :

« Toutes les fois que Monsieur Fouquet descendra dans la chambre de Monsieur de Lauzun, ou que Monsieur de Lauzun montera dans la chambre de Monsieur Fouquet, ou quelqu'un d'autre étranger, Monsieur de Saint-Mars aura soin de retirer le nommé Eustache [Dauger], et ne le remettra dans la chambre de Monsieur Fouquet que lorsqu'il n'y aura plus que lui et son ancien valet. Il en usera de même lorsque Monsieur Fouquet ira se promener dans la citadelle, faisant rester ledit Eustache dans la chambre de Monsieur Fouquet, et ne souffrant point qu'il le suive à la promenade que lorsque mondit sieur Fouquet ira seul, avec son ancien valet, pour se promener dans le lieu où Sa Majesté a trouvé bon depuis quelque temps que Monsieur de Saint-Mars lui fît prendre l'air[71]. » Or, un mois après cette curieuse lettre, le ministre annonce à ce dernier qu'il peut prendre, de concert *avec* Fouquet, les dispositions requises pour garder Dauger au secret absolu[72].

L'attitude du pouvoir à l'égard de Dauger surprend tout particulièrement en raison des inquiétudes suscitées par la présence de Lauzun dans les murs de la citadelle. Il est clair que Louis XIV et Louvois redoutent tout contact entre les deux hommes. Qu'est-ce que cela cache ? Lauzun connaît-il cet homme, les causes de sa détention ? Y a-t-il quelque lien entre un aussi puissant personnage et celui qui n'est qu'un simple laquais ? Nouvelle obscurité ! On ne sait rien du service de Dauger auprès de Fouquet. Après la disparition de ce dernier, Louvois fournit des consignes très nettes à Saint-Mars relatives à la domesticité :

« ... Que vous *persuadiez* à Monsieur de Lauzun que les nommés Eustache d'Augers [*sic*] et ledit La Rivière ont été mis en liberté, et que vous en parliez même à tous ceux qui pourraient vous en demander des nouvelles. Que, cependant, vous les renfermiez tous les deux dans une chambre, où vous puissiez répondre à Sa Majesté qu'ils n'auront communication avec qui que ce soit de vive voix ni par écrit, et *que Monsieur de Lauzun ne pourra point s'apercevoir qu'ils y sont renfermés*[73]... » Il s'agit donc bien d'égarer Monsieur de Lauzun sur le sort véritable des deux hommes.

Cette lettre est d'importance puisque, outre l'indication du décès de Fouquet, elle fait référence à l'avis de Saint-Mars, mentionnant que Lauzun et La Rivière savent la plupart des choses que connaissait le surintendant. On a vu que, devant l'aveu d'échec fait par Saint-Mars, Louvois ordonne d'affecter l'indifférence face à Lauzun. Le vieux La Rivière, par contre, ne bénéficie pas d'un tel comportement. La prison sera pour lui définitive. Il a appris ce qu'il n'aurait pas dû savoir. A moins qu'il ne soit condamné au nom de ce que Saint-Mars pense qu'il a appris ! A y bien réfléchir pourtant, si quelques désagréments doivent en résulter, ce n'est pas de ce pauvre bougre qu'il faut les attendre, mais de Lauzun, imbu de lui-même et indiscret par nature. Certes, minorer par un feint détachement les informations que ce dernier peut détenir semble la solution la mieux appropriée à son caractère. Pourquoi, alors, montrer tant de rigueur vis-à-vis de La Rivière ? Par le passé, d'autres serviteurs de Fouquet, qui pouvaient en savoir aussi long, ont bien été libérés.

C'est peut-être que les « fuites », cette fois, sont plus graves. La Rivière a contre lui non seulement d'avoir servi jusqu'à la fin le surintendant, mais encore d'avoir côtoyé le « pestiféré » Dauger, lequel a pu lui faire quelques confidences. De plus, malgré les dispositions prises, il semble, après la lettre de Louvois, que Lauzun ait eu vent de la présence d'Eustache Dauger, qu'il a même pu la constater *de visu*. Les bévues de Saint-Mars scellent le destin des deux valets. Il faut qu'ils disparaissent. Ce n'est pas si simple. Comment rendre crédible leur départ tout en les retenant ? Les faits venaient de démontrer que, dans l'univers clos de la citadelle, tout finit par transpirer. L'escamotage projeté ne vise en réalité que Lauzun, dont la sortie se négocie à la cour, et qui ne va pas tarder à quitter Pignerol. Une fois le trublion parti, qui se souciera des deux victimes ? Personne.

Les deux valets perdent alors leur identité comme par enchantement. En mai 1681, le roi nomme Saint-Mars gouverneur d'Exiles. Seront transférés dans cette forteresse les prisonniers que celui-ci gardait à Pignerol, « qui seront d'assez de conséquence » pour n'être point mis en d'autres mains que les siennes[74]. Louvois pense que Sa Majesté ne vise par là que les prisonniers « de la tour d'en bas », c'est-à-dire La Rivière et Dauger. Le premier se trouve donc bien enchaîné aux secrets de son maître et à ceux de son compagnon d'infortune. Louvois profite de l'occasion pour demander à Saint-Mars de lui dresser une liste de tous les renfermés à Pignerol, en notant les motifs de leur incarcération. Le ministre a donc besoin de se rafraîchir la mémoire sur des condamnés, qui devaient être bien insignifiants pour qu'il ne se rappelât point leur crime. Il ajoute : « A l'égard des deux de la tour d'en bas, vous n'avez qu'à les marquer de ce nom sans y marquer autre chose[75]. » Ainsi, ceux-là n'ont plus de patronyme, mais la cause de leur incarcération est parfaitement connue. Louvois sait en effet que tous deux ont assisté aux derniers jours de Nicolas, sinon à ses derniers instants. Il sait aussi, d'après ce que lui a dit Saint-Mars, qu'ils peuvent être dépositaires de quelque renseignement ne devant être ébruité à aucun prix.

Saint-Mars a trouvé des papiers dans les poches de feu le surintendant. Il en informe le roi. Celui-ci les lui réclame par le truchement de Saint-Pouange, qui remplace en la circonstance son neveu, Louvois, alors en cure à Barèges[76]. Or Saint-Mars, toujours si ponctuel, ne s'exécute point. Cinq semaines plus tard, le ministre, revenu des eaux, lui redemande les fameux papiers. Satisfaction lui est donnée. Il en accuse réception d'une manière assez abrupte et inhabituelle : « J'ai reçu, avec votre lettre du quatrième de ce mois, ce qui y était joint, *dont je ferai ce que je dois*[77]. » Une réponse sèche, pour le moins évasive, sur des documents que le geôlier modèle a bien tardé à expédier. Celui-ci a dû les découvrir dès la fin mars puisqu'ils étaient dans les habits du disparu, mais il n'en parle que dans la première quinzaine de mai 1680, comme s'il avait souhaité différer au maximum l'annonce d'informations désagréables. Le ministre, de son côté, observe un complet mutisme. A la fin d'une très courte lettre, rédigée par un secrétaire, ce qui caractérise toute correspondance officielle, il exprime cependant par un mot autographe son étonnement inquiet : « Mandez-moi comment il est possible que le nommé Eustache ait fait *ce que vous m'avez envoyé*, et où il a pris les drogues nécessaires pour le faire, ne pouvant croire que vous les lui ayez fournies[78]. »

Cette remarque sibylline est à l'origine de toute une littérature envisageant l'hypothèse d'un assassinat de Fouquet. Il faut admettre qu'il y a de quoi s'interroger. La dernière fois que Louvois mentionne La Rivière et Dauger, c'est dans la missive du 8 avril 1680, dans laquelle il commande que l'un et l'autre soient placés dans l'isolement absolu. Brusquement, ceux-ci désertent sa correspondance. A partir de la lettre du 10 juillet, il n'est plus question que des habitants de « la tour d'en bas », et le ministre sait pourquoi ils y sont. Ce subit anonymat pour des hommes vivant dans un cachot, avec les secours minima de la religion, les enveloppe d'un mystère sans précédent, et qui n'a de comparable que celui cernant l'inconnu au masque de fer. Leur ensevelissement correspond aux découvertes faites par Saint-Mars dans les poches de Fouquet et dans cet acte, grave mais indéfini, imputé à Dauger. De là à penser que ce dernier a empoisonné le surintendant, il y a peu. Est-ce concevable ?

Reprenons le témoignage de Challe sur la fin de Fouquet :

« Ce qu'il y eut d'étonnant, c'est que son corps ne fut pas ouvert, et qu'on ignore s'il a été empoisonné, ou si sa mort a été naturelle. » Lorsque Challe écrit ces lignes, il ignore tout de l'existence « des deux prisonniers de la tour d'en bas », il n'exclut pas cependant le meurtre de Nicolas au moment où celui-ci venait d'être libéré. Cette noire vision a plus d'une fois été reprise par les contemporains, impressionnés par le déroulement du procès du surintendant, dont Louis, Colbert et Le Tellier voulaient la mort. Que le poison puisse suppléer à la clémence des magistrats de la Chambre de Justice, Guy Patin, peu suspect de sympathie à l'égard de Fouquet, y pensait dans une lettre du 25 décembre 1664[79]. Madame de Sévigné, l'amie de la famille, ne raisonne pas autrement puisque, apprenant la maladie du surintendant au cours de son voyage vers Pignerol, elle s'écrie : « Quoi, déjà[80] ? »

Songer à ce procédé expéditif est encore plus naturel dans l'ambiance des années 1675-1680, alors qu'on ne parle que des horreurs commises par la Brinvilliers et la Voisin. Les informations livrées paraissent éclabousser tout le corps social. L'instruction de l'affaire ne dévoile-t-elle pas que des adversaires de Colbert ont fait appel aux puissances infernales et au poison pour se débarrasser du ministre ? Cette fois, les mêmes moyens auraient permis d'envoyer vers un monde meilleur celui dont il avait décidé la perte. Sa disparition inattendue accrédite cette thèse. Ni l'apoplexie dont parlent, et Bussy-Rabutin, et la *Gazette*, ni l'indigestion, qui ne serait peut-être pas que de poitrine de veau pour Challe, ni la fluxion de poitrine évoquée par Madame de Sévigné d'après ce que lui en aurait dit le fils du défunt, rien ne contredit absolument pareille hypothèse.

La famille ne met pas en doute les causes de cette disparition. Cela rend superflue une autopsie. En fait, à ce moment-là, il n'y a aucune raison d'obtenir quelque éclaircissement. C'est le 9 avril que le roi informe les Fouquet qu'ils peuvent procéder à la levée du corps. Compte tenu des délais requis pour acheminer le courrier, Fouquet ne sera inhumé provisoirement à Pignerol que dans la seconde moitié du mois. Or Saint-Mars n'avertit Louvois de sa trouvaille que dans la quinzaine qui suit, soit deux mois après le décès et deux ou trois semaines après l'enterrement ! Il a donc beaucoup tergiversé avant de faire part de ses soupçons, voire des fruits de son enquête. Étant donnée la documentation subsistante, il est vraisemblable qu'il craignait que Fouquet n'ait été dépêché dans l'autre monde par l'entremise de ce Dauger. En acceptant cette idée, plusieurs questions se posent. Et d'abord, ce poison, d'où vient-il ?

C'est très exactement la question qui surgit à l'esprit de Louvois. Il la pose de façon assez discrète pour ne pas éveiller les soupçons, ne pouvant évidemment pas imaginer que Saint-Mars se soit prêté à un tel complot. Que le poison ait été préparé à Pignerol n'est pas à exclure. Fouquet s'est toujours passionné pour l'alchimie ou, plus exactement, pour la chimie et la pharmacie. L'affaire des Poisons vient même de révéler qu'en 1655 ou 1656 il avait envoyé à Florence le célèbre chimiste Glaser, ami de Sainte-Croix, et convaincu de complicité avec la Brinvilliers[81] ! En prison, il s'adonne d'ailleurs, avec l'aval du pouvoir, à la chimie et confectionne des remèdes pour lui et les autres. A l'instar de sa mère, réputée pour ses recettes médicinales maintes fois rééditées au cours du XVIIᵉ siècle, il élabore des élixirs, fabrique des emplâtres, invente des liqueurs. Ne distille-t-il pas de l'eau de la reine de Hongrie et de l'eau de chicorée amère ? Ne fait-il pas aussi du sirop de fleurs de pêcher pour soulager ses maux ? Louvois n'ignore pas ces détails, lui qui a bénéficié du savoir du prisonnier, auteur de l'« eau de casse-lunette ». Il sait aussi que Fouquet trompe son ennui et meuble en partie son désœuvrement en enseignant ses domestiques à qui il inculque latin et pharmacie. Il n'est donc pas inconcevable que Dauger, tirant expérience de ces malencontreuses leçons, ait pu mettre au point quelque drogue.

Or tout ceci s'est fait par-devant témoin : La Rivière n'est-il pas l'observateur quotidien de Fouquet et le collègue de travail de l'assassin ? Le pauvre garçon cumule les handicaps. On le pense au courant des secrets du surintendant. Il devient le compagnon d'un personnage apparemment dépositaire de faits gravissimes. Enfin, le voilà qui assiste à un crime lourd de conséquences. Dans ces conditions, on comprend mieux la réaction de Louvois à son égard. Puisque Fouquet est mort et enterré, personne ne saura rien en dehors de lui et de Saint-Mars. Dauger et La Rivière sont enfermés ensemble pour toujours, et dans un anonymat qui évite à jamais que soient évoqués les motifs de leur présence.

Quant à Saint-Mars, lui aussi, en un sens, est un témoin. Il s'est fourvoyé plus d'une fois. Il porte sa part de responsabilité dans la disparition de Fouquet. Désormais, il sera le prisonnier de ses prisonniers. A lui la garde perpétuelle des deux hommes ! D'où ses pérégrinations, d'abord à Exiles, où La Rivière meurt en 1687, puis aux îles Sainte-Marguerite, enfin à la Bastille, où son dernier captif s'éteindra en 1703. Dauger était alors devenu ce personnage étrange, celui qui n'a plus de nom, et qui, condamné à une solitude perpétuelle, n'a pour interlocuteur que Saint-Mars. Le valet au passé chargé, le meurtrier de Fouquet, s'est évanoui pour faire place au Masque de fer[82]. Saint-Simon, qui a su bien des choses sur l'existence de Fouquet, soutient assez bizarrement qu'il serait mort après trente-quatre ans de prison[83]. Une erreur grossière sous la plume du mémorialiste, qui n'ignore pas que le décès se place en 1680 ? Ce *lapsus calami* s'explique peut-être par la confusion avec le long emprisonnement de Dauger : 1669-1703. Cette interprétation cadre également avec la réponse de Chamillart : celui-ci, interrogé par Voltaire sur l'identité de l'homme au masque, rétorque qu'il s'agit de quelqu'un « qui savait les secrets de Monsieur Fouquet[84] ». Le contrôleur général fait-il là allusion à la vie publique et privée du surintendant, ou bien aux circonstances de sa mort ? Nul ne l'apprendra plus maintenant.

L'hypothèse de l'empoisonnement de Fouquet est donc plausible, l'assassin et l'arme du crime étant évidents. Mais à peine cela est-il admis qu'un autre problème surgit aussitôt. Pourquoi ce meurtre ? Là, il faut avouer que la réponse est beaucoup moins facile à trouver, ou même à concevoir. Fouquet disparaît au moment où le pouvoir s'engage sur la voie irréversible du pardon. A court terme, Fouquet aurait vraisemblablement été élargi, comme le sera Lauzun en 1681, un an après. N'est-ce pas d'ailleurs ce qui lui était promis, à en croire Bussy-Rabutin ? La libération aurait eu lieu une fois qu'il serait allé prendre les eaux en Bourbonnais.

Seuls les ennemis de Fouquet avaient à appréhender cette libération, à commencer par les architectes de sa chute, Colbert et Le Tellier. Tous deux pouvaient-ils se livrer à une élimination préventive ? L'idée est absurde en ce qui concerne les Le Tellier en 1680. Depuis longtemps, ils sont en lutte sourde contre le Rémois. Louvois a même intérêt à ce que Fouquet soit élargi car, dans ce cas, c'est Colbert qui a tout à perdre, et non lui. N'a-t-il pas cherché, dans l'étroite marge de manœuvre que lui laissait le roi, à rendre la vie meilleure au prisonnier ? N'a-t-il pas échangé avec celui-ci une correspondance d'ordre privé ? Fouquet doit sans doute quelque chose à ses bons offices dans l'apaisement de la colère royale. Il a été très sensible tant à ses attentions qu'à ses services, et le lui a exprimé.

En fait, la mort violente du surintendant constitue une catastrophe pour Louvois. Elle marque l'incurie du ministre et de son collaborateur, Saint-Mars. Elle va à l'encontre des volontés de Louis, qui peut l'interpréter dans le sens d'une insubordination. Les retards de Saint-Mars s'expliquent alors. Ayant par la découverte du crime fourni la preuve de son incapacité, il cherche à en limiter les effets. Il n'avertit donc son supérieur qu'une fois Fouquet en terre. Louvois est ainsi obligé de couvrir son subordonné et d'étouffer une affaire aussi désagréable pour lui que pour Saint-Mars. Le dossier est classé. On détourne les éventuels soupçons de Lauzun. On escamote ceux qui en savent trop. Soupirs de soulagement.

Reste Colbert. Certes, en 1680, avec la réapparition des difficultés financières liées à la guerre, sa position n'est guère confortable. Le financier si sûr de lui en 1661 n'a pas fait mieux, ni autrement, que son prédécesseur exécré. Et voilà que celui-ci revient à la surface ! Qui plus est, le règlement des affaires privées du surintendant entraîne des procès contre ses créanciers, contre des créatures de Colbert aussi, qui l'ont dépouillé avec sa bénédiction, sinon avec son aide. Il y a de quoi ruiner l'image de ministre intègre que s'est bâtie Colbert !

Ne peut-il, à son tour, être traduit en justice pour malversations diverses et répétées ? Il prendrait ainsi une nouvelle fois la place de son rival, à plus juste titre, d'ailleurs, que jadis. Oui, les mobiles ne manquent pas au contrôleur général pour se débarrasser de Fouquet. La marge est grande, cependant, entre former des vœux et passer à leur exécution. Colbert aurait bien voulu sa tête à l'issue du procès et les scrupules ne l'ont pas étouffé pour l'obtenir. Mais Fouquet l'ayant sauvée, il a eu le temps de se résigner. N'est-il pas trop lucide, trop calculateur pour envisager seulement un tel expédient ? De plus, comment aurait-il pu agir dans le département de Louvois ? Cela demandait trop de complicités, et cette multiplicité favorise les fuites.

En fin de compte, il est totalement absurde et matériellement impossible que Colbert se soit hasardé à commanditer pareille entreprise. Si Fouquet est mort empoisonné, cela ne peut être que sur l'initiative de Dauger. Et, dans cette éventualité, le mobile du crime demeure inconnu. Peut-être vaut-il mieux s'en tenir à l'hypothèse d'un décès naturel du prisonnier. Tout en sachant que continue à flotter un parfum de mystère autour de cet homme étonnant qu'un destin curieux a installé successivement, par ses fonctions, par ses goûts, par son procès, hors du commun.

Les Fouquet après Fouquet

Nicolas Fouquet est mort deux fois, juridiquement en 1664 et biologiquement en 1680. La première, du fait de sa condamnation en Chambre de Justice, le raye du monde des vivants et entraîne non seulement l'effondrement politique du clan, mais encore son effacement économique, financier et social. Les Fouquet deviennent des pestiférés, les uns et les autres exilés, qui hors de son évêché, qui démis de sa charge de premier écuyer, qui relégué dans un bénéfice.

La colère royale n'épargne même pas les femmes. Marie Madeleine de Castille et sa belle-mère, pourtant universellement respectée mais qui ne peut même plus compter sur la magnanimité du prince, doivent gagner Montluçon. La parentèle, notamment les cousins Chalain et Maupeou, subit aussi la tourmente. Quant aux amis les plus proches, les Bruc, Madame Duplessis-Bellière, ils sont réduits au silence et dispersés. Les créatures du surintendant, tous ses commis, se retrouvent, soit en fuite comme Bruant ou Gourville, soit en prison comme Bernard, Lépine ou Pellisson. Les parents du surintendant qui conservent les grâces du monarque, comme son gendre, le duc de Charost, ou son cousin, Bellefonds, ne doivent cette faveur qu'à leur nom et à leurs services. Mieux vaut pour eux oublier certain lien familial devenu des plus dangereux. La seconde mort, celle de 1680, efface tout espoir de voir revenir celui qui est demeuré, malgré tout, le chef de famille. Il faut songer à l'avenir et préparer la relève.

En fait, le problème se pose dès 1661. Pour que la nouvelle génération puisse prospérer un jour, la nécessité qui s'impose alors est de sauver ce qui peut l'être encore. La ruine menace et hypothéquerait à jamais la survie du groupe. Dans ces conditions, c'est aux femmes, et d'abord à Marie Madeleine de Castille, assistée de sa belle-mère, qu'il incombe d'être les hommes de la famille : les mâles du lignage sont absents ou mis hors d'état d'agir. La frêle et insouciante jeune femme qu'était la surintendante a été comme transformée par les malheurs qui se sont abattus sur son époux. Avec une rare force d'âme, elle fait front, menant de pair un combat tout à la fois inégal et sans pitié pour défendre Nicolas et préserver sa fortune. Elle fournit bientôt, à l'instar de Suzanne de Bruc et de la veuve du financier Girardin, un exemple remarquable de ces femmes de tête que connaît le Grand Siècle, fort éloigné de l'image caricaturale de ces épouses qui, sous l'Ancien Régime, n'auraient été que d'éternelles mineures ou de tendres demeurées.

Appuyée par sa belle-famille, encadrée par d'émérites hommes d'affaires, Marie Madeleine se rappelle qu'elle est fille de la finance et de la robe. Depuis sa plus tendre enfance ne baigne-t-elle pas dans un milieu où le droit, la chicane et l'argent forment l'air que l'on respire ? Elle ne se sent pas désarmée dans la bataille juridico-financière qui s'annonce, bien au contraire. Elle est de taille à lutter pour son mari et ses biens.

COMBATS POUR LES DÉBRIS D'UNE FORTUNE

Les chefs d'accusation de péculat et de lèse-majesté retenus contre Fouquet, les poursuites lancées contre lui dans le cadre d'une Chambre de Justice ne laissent aucun doute sur le but recherché. C'est la tête du coupable que le pouvoir désire. Mais en même temps, parce que le principal responsable des Finances est censé s'être enrichi des dépouilles de l'État, c'est à sa fortune que l'on en veut.

Louis fait donc saisir l'ensemble des biens du surintendant, tant mobiliers qu'immobiliers. On commence par déménager Vaux de ses richesses artistiques, meubles, statues, livres précieux. On s'empare des sommes d'argent liquide que le prisonnier possédait au moment de sa chute, y compris ce fameux « million de Vincennes » qu'il avait lui-même mis à la disposition du monarque[1] ! Quant aux biens immobiliers, terres et maisons, le receveur de la Chambre de Justice procède à l'adjudication de leurs baux judiciaires. Les droits sur le roi sont en partie réunis, pour les Domaines notamment, aux Fermes générales, que Colbert étoffe dans ces années 1661-1664[2]. Ce qu'il en reste fait également l'objet de baux judiciaires. L'épouse de Fouquet n'entretient aucune illusion : la bataille sera dure à gagner.

Il va falloir mobiliser toutes les ressources disponibles pour assurer la défense de l'accusé, mais aussi pour honorer une de ces procédures longues et complexes comme les aime l'Ancien Régime. Mme Fouquet ne peut guère compter, pour l'instant, sur l'aide de ses beaux-frères, les deux évêques et l'abbé étant exilés et, de surcroît, par trop liés financièrement à leur malheureux frère. Quant à Gilles Fouquet, dans la dépendance de son aîné, de quel secours peut-il être ? Marie Madeleine n'a donc à espérer que de l'assistance pécuniaire de sa belle-mère, et surtout, de sa propre fortune. Or la saisie des biens du surintendant représente de ce point de vue une catastrophe : la majorité de ses actifs est gelée. Certes, la jeune femme constituait un beau parti, d'autant que ses avoirs s'étaient accrus de maints héritages substantiels. Mais son époux en a disposé, et les a largement utilisés, on l'a vu, dans ses affaires personnelles. Terres achetées et emprunts gagés l'ont en partie été grâce à eux. Le surintendant a vendu certains de ces effets, réemployant l'argent en placements fonciers ou immobiliers. Contrairement à la thèse du ministère public, ce qui est traité comme fortune de l'accusé est en vérité la fortune du ménage.

Mme Fouquet lutte donc autant pour préserver les débris de la fortune de son mari que pour l'ensemble de ses propres, que l'affaire menace d'anéantir. Le roi peut s'emparer des biens de Nicolas si sa culpabilité est reconnue. Il ne saurait, par contre, annexer ceux de l'épouse. Le contrat de mariage, passé selon la coutume de Paris, prévoyait la communauté de biens, mais, comme toujours, seule y entrait une partie de la dot à laquelle la surintendante pouvait renoncer. Tout ce qui était échu de son côté, par successions et donations, figurait dans ses propres. Il n'est donc pas étonnant que Marie Madeleine de Castille introduise auprès du Châtelet de Paris une demande de séparation de biens. Celle-ci est acquise en décembre 1661[3]. En même temps Mme Fouquet réclame le paiement de ses conventions matrimoniales et la liquidation des biens patrimoniaux aliénés par son époux. Le 14 mars 1665, Fouquet doit restituer à sa femme, pour toutes ses prétentions, la somme de 1 219 921 l, ce qui est loin du compte[4]. Or la situation se complique par l'entrée en lice d'un troisième protagoniste : le syndicat de ses créanciers.

Le ministère public a beau fonder toute son accusation sur la fabuleuse richesse du surintendant — ce qui le conduit à minimiser ses dettes —, les créanciers s'émeuvent. Ils sont fort nombreux à s'agiter, du petit fournisseur au puissant bailleur de fonds[5]. Les créances portent sur des biens fonciers, acquis par Nicolas mais incomplètement réglés. Elles concernent surtout ces riches particuliers qui ont prêté à la Couronne, emprunts garantis par les biens de Nicolas et ceux de sa femme, celle-ci s'étant même portée caution commune pour certains ! La perspective d'une condamnation du surintendant, assaisonnée d'une confiscation de ses biens, trouble donc fort les créanciers qui forment un groupe assez hétéroclite. Parmi ses membres, ne rencontre-t-on pas des familiers de Fouquet (ses frères, ses cousins Chalain et Maupeou, les Bruc), des parlementaires aisés et affairistes (le président Tambonneau, le maître des requêtes Rouillé), des financiers de haut vol (N. Monnerot, C. Girardin, Jeannin de Castille), eux-mêmes poursuivis en Chambre de Justice et donc également sous le coup d'une saisie ? C'est peu de dire que leurs intérêts divergent. D'où une surcharge procédurière : les uns veulent récupérer leur créance ; Mme Fouquet entend sauvegarder une fortune en péril ; le pouvoir songe à rafler toute la mise.

Marie Madeleine détient cependant un avantage sur ses concurrents, celui d'être créancière privilégiée, du fait de ses conventions matrimoniales qui lui donnent l'antériorité sur tous les autres. Néanmoins, cet atout reste fragile. Le roi peut en effet, en cas de condamnation, faire triompher son bon vouloir. De plus, Mme Fouquet est solidaire de son mari en ce qui concerne plusieurs emprunts hypothécaires. Aussi son intérêt est-il plutôt de s'arranger avec les créanciers de son mari afin de contrarier le royal appétit ! Les créanciers du surintendant ne sont-ils pas directement ceux de Sa Majesté ? Il faut bien les ménager quelque peu si l'État souhaite conserver du crédit dans le public. Forte de leur appui, Marie Madeleine s'efforce donc de reprendre le contrôle des biens familiaux, en se faisant adjuger, sous des prête-noms, les baux judiciaires. Malgré cette victoire, la guerre n'est pas gagnée. L'issue dépend du verdict rendu au procès. Le sort des biens que détenait le surintendant lui est subordonné.

La sentence semble ruiner tout le travail accompli par Mme Fouquet. La fortune du condamné n'est-elle pas confisquée au profit de la Couronne, moins 180 000 l qui reviendront au roi et aux œuvres pies ? Déception du pouvoir : son attitude à l'égard des biens du condamné montre clairement le caractère politique du procès. Ceux-ci l'intéressent moins que sa tête ! On a affecté de le croire richissime, gavé de voleries, et, maintenant qu'on détient les fruits de ses « rapines », on découvre qu'ils sont empoisonnés. Les faits démontrent que l'accusé a renversé sa fortune en servant le maître, et que sa situation personnelle est des plus précaire. Aussi Colbert, qui agit au nom du roi, ne s'empresse-t-il pas de cueillir l'héritage. Impossible en 1665, dans l'ère d'accommodement qu'inaugure le renvoi des magistrats de la Chambre, de spolier les créanciers de la Couronne et de bafouer les légitimes prétentions de Mme Fouquet.

Le roi s'est emparé de tout l'argent en possession du surintendant, de ses meubles, de ses collections. Une partie a été incorporée aux collections et au mobilier du souverain, et le reste, vendu. Il en va de même des tapisseries, métiers à tisser, étoffes et ustensiles, enlevés de la manufacture de Maincy, pour un montant de 40 000 l. Louis XIV garde également les droits sur le roi appartenant à Fouquet : le comté et la vicomté de Melun, les regrats de Melun et droits joints, les impôts et billots de Bretagne, les droits de Marc d'Or, le domaine de Rosporden, les offices des notifications de Champagne. Il conserve aussi les billets de l'Épargne, les rentes sur l'Hôtel de Ville, quelques-unes des sommes dues à la succession de Nicolas pour la recette des propriétés de Vaux et de Belle-Île, ainsi que les six navires et la frégate achetés par le surintendant et incorporés à la marine royale. Enfin, lui reviennent l'essentiel des charges de Nicolas, celle de garde des Sceaux et de chancelier des ordres du roi, celle de gouverneur de l'Amérique, ainsi que les gouvernements de Concarneau et du Mont-Saint-Michel, enfin le greffe des commissions extraordinaires du Conseil. La valeur totale n'est pas mince : 10 257 1880 l.

Reste le capital immobilier, un ensemble difficilement monnayable car il s'agit, ou de biens importants, ou de biens dispersés, ayant beaucoup souffert de leur manque d'entretien ou de l'abandon dans lesquels ils sont tombés après la disgrâce du maître. Les maisons et châteaux, comme Vaux et Saint-Mandé, ont été pillés et privés des richesses artistiques qui en faisaient le prix. Les créanciers de Fouquet dénoncent ainsi un « ferrailleur », un certain Jolly, qui, sans plus de formalité, enlève dans les deux propriétés toutes les pièces de plomb et de cuivre[7]. Il déterre même les tuyaux d'adduction d'eau à Charonne et Saint-Mandé, qui avaient coûté 20 000 l au surintendant ! Ces vols déprécient considérablement ces demeures — la perte brute est estimée à 40 000 l — puisque leur valeur tenait en partie à ces installations hydrauliques. Certes, le pouvoir entame une timide mise en vente des biens fonciers et immeubles, mais sans grands résultats. Les candidats au rachat des dépouilles ne se bousculent pas en raison de la nature et de l'état de ces biens, trop considérables et fort dégradés, mais aussi parce que les posséder signifie s'exposer à des complications judiciaires du fait des créanciers.

Marie Madeleine de Castille profite de cette conjoncture morose pour se faire adjuger la terre de Montreuil en septembre 1667[8]. Elle se bat surtout pour récupérer le revenu des biens fonciers de son mari. Lui reviennent ainsi, en juillet 1669, les baux judiciaires de leurs domaines bretons[9]. Il est intéressant de noter à cette occasion qu'en dépit de tout ce qui a été écrit sur le danger de voir Belle-Île aux mains d'un séditieux le roi ne cherche pas, alors qu'il peut tout, à garder cette soi disant place forte. Apparemment, elle a perdu l'importance stratégique que lui prêtait, hier, le procureur général de la Chambre de Justice... Là encore, la facilité avec laquelle le pouvoir renonce à s'en emparer montre combien les chefs d'accusation n'étaient que des prétextes, destinés à perdre un homme condamné par la raison d'État et non pour crimes.

La liquidation de la fortune du surintendant s'annonçant délicate et peu rentable, le monarque préfère passer la main aux créanciers. A eux de se débrouiller avec le pensum et de retrouver leur mise. Dès février 1669, le roi accepte le principe de leur verser les sommes provenant du mobilier conduit au garde-meuble de la Couronne. C'est chose accomplie en août. Le montant s'élève à 94 766 l[10]. Enfin, par arrêt du Conseil, désormais seul habilité à statuer sur le règlement de la succession, le 7 septembre 1669, le souverain leur accorde la vente à l'amiable des biens et effets ayant appartenu au surintendant[11]. A partir de là, le syndicat procède donc au recouvrement de ces derniers afin de les transformer. Entreprise pour le moins ardue : ainsi, ce n'est qu'après la chute de Fouquet que les créanciers découvrent l'existence de certains de ces biens, comme sa part dans la société constituée pour la vente de toile en Amérique. Il faut donc batailler ferme pour les obtenir, notamment ceux concernant l'exploitation des bois en Normandie ou relatifs aux intérêts coloniaux.

C'est que, profitant de son arrestation, du vide créé par la fuite ou l'incarcération de ses commis, de l'exil de sa famille, les associés et les employés du surintendant ne se sont pas fait faute de détourner bon nombre de ces effets. Aux Antilles, ses commissionnaires, qui s'étaient précipités sur tout ce qui lui appartenait, doivent les remettre aux créanciers et présenter leur compte[12]. Ceux-ci n'obtiennent pas si facilement gain de cause pour la société des toiles ou pour les bois de Normandie. Des créatures de Colbert, Berryer notamment, sont passées avant eux et ne se décident pas à lâcher le morceau. Ne

jouissent-elles pas de la protection du patron ? Les délibérations et actes passés par le syndicat des créanciers permettent
cependant, dans la mesure où ces papiers ont été conservés, de
suivre comment est liquidée la fortune du surintendant. L'œuvre
est de longue haleine. Encore au milieu du XVIIIᵉ siècle bien
des procédures demeurent en cours[13] !

Mme Fouquet ne reste pas non plus inactive. Elle affine ses
prétentions. Outre ses propres, aliénés, et ses conventions
matrimoniales, impayées, elle compte les sommes déboursées
— et qu'elle réclame à la succession par provision — pour
l'entretien de ses enfants et la défense de son époux. Le
montant est coquet : 167 500 l. Au total, elle réclame sur les
biens de Fouquet environ 1 300 000 l à 1 400 000 l. Et surtout,
elle a obtenu de se faire reconnaître officiellement comme
première et principale créancière hypothécaire de son mari.
Elle se place ainsi au cœur du processus de liquidation, et peut
imposer un mode de règlement que rendent quasiment inévitables les premiers essais de vente des effets du surintendant,
par trop médiocres.

Les créanciers sont maintenant en situation de recouvrer
tous les effets du condamné. Ils obtiennent également que la
vicomté de Melun, bien patrimonial de Fouquet, soit distraite
du bail de la Ferme générale des Domaines[14]. Ils tentent de
réaliser certains biens, mais les résultats consternent. Ainsi, la
maison de Saint-Mandé est mise en vente durant les poursuites
en Chambre de Justice. Un acquéreur propose 90 000 l en
1667. Faute d'une autre offre, les créanciers se résignent à
l'accepter. Hélas, en août 1670, ils apprennent qu'il s'agit là
d'une folle enchère[15] ! Il faut en rabattre et se contenter de
gérer cette terre, bonne en soi, mais dont le bâtiment, dégradé
par le pillage des meubles et des ornementations, ne ressemble
plus qu'à une méchante maison édifiée en hâte. Champs et
bois conservent par contre leur valeur et vont être lotis en
conséquence. L'office d'huissier au Parlement de Paris est cédé
pour 25 000 l[16]. Idem un peu plus tard de celui d'huissier
conseiller en l'Hôtel de Ville, qui fera le bonheur du fils
Berryer[17]. On laisse cependant à Jacques Jannard les cinq
maisons et le jeu de paume, sis rue Neuve-Saint-Augustin,

qu'il avait acquis pour le compte du surintendant[18]. On s'attache aussi à récupérer les créances du condamné, notamment sur les époux Brancas et sur le duc de La Rochefoucauld[19]. Ses avoirs ne donnent pourtant pas tout ce qui en était escompté. Quant aux effets, ils se déprécient à mesure que le temps s'écoule, et d'autant plus que les intérêts des sommes dues s'élèvent à un niveau respectable. Il convient, si l'on veut éviter la faillite, de s'accorder au plus vite sur un arrangement général.

Trouver rapidement une solution devient urgent du fait des problèmes que pose le complexe terrien de Nicolas. Profitant de l'ampleur des poursuites et des délais d'adjudication, plusieurs seigneurs, prétextant l'absence d'acte d'hommage et le non-paiement des droits requis, ne procèdent-ils pas à des saisies féodales ? Vendre ces fiefs s'impose donc sans tarder davantage, car ils ne sont protégés que par un sursis royal. Le remède est difficile à appliquer. Les candidats sont rares car la plupart de ces propriétés, trop longtemps abandonnées, ne sont pas en état de susciter la convoitise. Il s'agit en outre de biens fort onéreux, particulièrement Vaux et Belle-Île, terres établies en une époque de fastes, et dont la valeur était intimement liée à la puissance politique de leur maître. Et qui voudrait, si près de la sentence le condamnant, chausser les bottes du paria ? Celui-ci est d'ailleurs encore en vie. Quels ennuis n'aurait-on pas si, revenu en grâce, il se mettait en état de reprendre son bien ! Enfin, s'insinuer dans une liquidation aussi compliquée, n'est-ce pas s'exposer aux chicanes, aux déboires ? Il y a là de quoi décourager tout prétendant à une vie paisible.

C'est pourquoi peu nombreux sont ceux qui s'offrent à se charger d'un pareil capital foncier. Au début de 1670, seule la terre de Cortenton a été vendue tandis que le château et la forêt de Trédion étaient récupérés par le duc d'Elbeuf[20]. Cette réintégration s'est faite moyennant une somme correspondant à celle que le surintendant n'avait pas acquittée lors de l'achat de ces biens ! Quant aux autres propriétés, Fouquet de Chalain ne rencontre pas de concurrent. Il propose 400 000 l pour Belle-Île, et 700 000 l pour les terres de Bretagne, celles d'Auvers, des Moulins-Neufs et de Vaux-Maincy, augmentées de la vicomté de Melun[21]. Or, à cette date, les Chalain, emportés par la disgrâce de leurs cousins, ne sont pas en mesure de financer une affaire de cette envergure. Ils agissent donc, selon toute vraisemblance, comme prête-nom et dans le cadre d'une stratégie préétablie. Ne constituent-ils pas en quelque sorte l'avant-garde de l'offensive menée par Marie Madeleine ?

En mai 1671, Mme Fouquet démasque ses batteries. Au terme d'une analyse lucide, elle invite les créanciers à s'accommoder du règlement préparé par ses soins : «... Elle ne prévoyait pas qu'il ne se trouverait pas des enchérisseurs des biens dudit sieur Fouquet, et c'est la raison qui, joint à l'intérêt qu'elle avait d'être payée en argent pour l'employer partie en paiement de ses dettes passives, et le reste en acquisition de quelque bien qui lui fût plus propre et plus commode que les terres dudit sieur Fouquet, lui a fait jusqu'à présent résister aux sollicitations que lui ont faites messieurs les directeurs et plusieurs autres créanciers de prendre lesdites terres dudit Fouquet en paiement, et non point pour reculer la conclusion des affaires, n'y ayant personne qui ait tant d'intérêt qu'elle d'en sortir. Et pour être bien persuadé en sa faveur sur ce point on n'a qu'à faire réflexion sur la qualité des terres dudit sieur Fouquet, et de considérer que, si l'on ôte la terre de La Guerche, celle de Largoüet et quelques autres petites terres de peu de considération qui sont dispersées en diverses provinces, éloignées les unes des autres, et à cent et six vingt lieues de Paris, tout le reste consiste à deux pièces qui sont Vaux et Belle-Île, lesquelles deux dernières terres, chacun jugera bien n'être pas propres à une personne en l'état auquel est ladite dame Fouquet. Car dire (comme font ceux qui la portent à prendre les deux terres de Vaux et de Belle-Île en paiement) que, lorsqu'elle en sera propriétaire incommutable, il se trouvera des personnes qui les achèteront d'elle, qui ne veulent pas s'embarquer à un traité avec les créanciers, parce que de tels traités sont toujours pleins de longueurs et de difficultés et ne sont jamais sans affaires dans la suite, c'est une chose que l'on pourrait espérer, mais pourtant on ne doit pas tout à fait s'y attendre comme étant incertain[22]. »

Aussi, pour éteindre les difficultés, Mme Fouquet suggère au syndicat de la désintéresser avec ce capital foncier. Elle aurait donc, en paiement de ces conventions matrimoniales et comme remploi de ses propres aliénés, les terres de Bretagne (Belle-Île, La Guerche, le Largoüet, Elven, Trévérac, Cantisac, Lannaux, Kerraoul), les terres d'Anjou (le Grand-Auvers et les Moulins-Neufs), la terre de Bouy-le-Neuf, la vicomté de Melun, les terres de Vaux et de Maincy avec leurs dépendances. L'ensemble est estimé à 1 250 000 l, ce qui dépasse l'offre faite par Chalain et représente sans doute moins que ce à quoi elle a droit. En contrepartie, elle se charge d'acquitter les dettes privilégiées, ainsi que les créanciers envers qui elle s'est engagée aux côtés de son époux[23]. De cette façon, Marie Madeleine entend récupérer ce qui reste, malgré tout, la composante la plus solide de la fortune familiale, et assurer à ses enfants la possibilité de s'établir et de surmonter la disgrâce de leur père. Le risque existe pourtant de ne pouvoir maîtriser ce capital lourdement hypothéqué, mais avec une gestion saine, avec l'appoint financier d'amis sûrs, l'affaire semble viable.

Sa proposition, les créanciers ne l'acceptent pas d'emblée, comptant encore pouvoir tirer davantage des avoirs du surintendant. La fortune de celui-ci leur apparaît maintenant comme moins consistante qu'ils ne se le figuraient. Les effets détenus, liés à son rôle politique, la rendent en fait artificielle et fragile. De même, la valeur intrinsèque des terres se révèle très inférieure à celle de l'achat, correspondant à une situation particulière et éphémère. Fouquet a conduit une politique d'acquisitions tapageuse pour se conférer une apparente aisance sans laquelle meurt le crédit. Les faits démontrent donc a posteriori tout ce qu'il y avait de factice dans cette richesse-là. La réticence des créanciers devant le projet de Mme Fouquet s'explique par les illusions qu'ils entretiennent encore à ce sujet. Aucun n'est certain d'avoir épuisé toutes les possibilités d'attirer des acquéreurs pour un meilleur prix que celui qu'elle offre. Et puis, avant de rétrocéder ce capital foncier à la famille, ne leur faut-il pas l'aval du pouvoir ?

Marie Madeleine, pressée, a donc beau jeu de dénoncer la pusillanimité des créanciers, qui, en retardant la signature d'un accord, compromettent chaque jour un peu plus leurs chances de retrouver leur dû. Elle fait défendre, avec beaucoup de bon sens, sa position au Conseil du roi, auquel elle demande de lever les obstacles que lui opposent les créanciers. Les terres doivent lui être vendues :

« ... Mais ce qui marque avec évidence que le dessein de ceux desdits sieurs directeurs [...] n'est que d'éluder ladite adjudication, c'est que par le même discours, par la conclusion duquel ils sont contraints de donner les mains à ce que l'adjudication qu'ils refusent de faire soit faite par Sa Majesté, n'osant pas, contre leur propre connaissance, alléguer précisément que la somme à laquelle ladite dame a enrichi lesdites terres ne soit pas à leur juste prix et valeur dans le temps présent en l'état où elles sont, [ils] tâchent pourtant de s'insinuer ingénieusement, en disant que la somme qu'offre ladite dame n'approche pas de celle que lesdites terres ont coûté audit sieur Fouquet.

« Il est vrai que lesdites terres lui ont coûté beaucoup davantage, mais il est vrai aussi que ce qu'en offre ladite dame, ou plutôt celle dont ils sont convenus avec elle (car ce sont eux qui l'ont fixée) est un prix qui excède ce que lesdites terres valent aujourd'hui. Lesdits sieurs directeurs le savent. Ç'a été eux qui les ont offertes à ladite dame pour ce prix. Mais pour en convaincre tout le monde, il ne faut que deux considérations, dont l'une est que depuis six ou sept ans que lesdites terres sont exposées et mises en vente, tant en Chambre de Justice que par lesdits directeurs, il ne s'est présenté aucun plus haut enchérisseur ; et la seconde que lesdites terres, enchéries à 1 250 000 l, ne rapportent pas en revenu net 30 000 l par an ainsi que ladite dame l'a montré par la requête du 11 juillet 1671 [...].

« Il ne faut donc pas prendre garde à ce que lesdites terres ont coûté, le temps est différent de celui des acquisitions ; et même l'état des terres dont il est question est aussi différent de celui auquel elles étaient lors des acquisitions que le prix qu'on en offre aujourd'hui l'est de celui qu'elles ont coûté, joint que les sieurs directeurs ont si bien reconnu qu'il ne fallait pas prendre un fondement sur le prix des acquisitions dudit sieur Fouquet. Que même pour ce qui regarde les maisons dans Paris, qui est un bien qui constamment a souffert bien moins de diminution de la campagne et dans l'acquisition desquelles maisons ledit sieur Fouquet pourra moins être trompé, lesdits directeurs, après avoir employé tous leurs soins et leur industrie pour faire valoir cinq maisons situées dans la rue des Vieux-Augustins, quartier maintenant en crédit, lesquelles ledit sieur Fouquet a fait achetées plus de cent cinquante mille livres, ont été obligés de les adjuger pour quatre-vingt-dix mille livres seulement. Il y a eu encore une plus grande diminution sur les terres de Fouquet, qui ont été adjugées en Chambre de Justice. Celle de Cortenton, que ledit sieur Fouquet avait achetée deux cent mille livres, y compris le domaine de Rosporden qui est de peu de conséquence, a été adjugée pour cinquante mille livres seulement, sur quoi il y a les deux tiers de perte. La forêt de Trédion, qui avait été acquise deux cent vingt mille livres, a été adjugée pour cent vingt mille livres seulement.

« Ainsi, c'est inutilement que lesdits sieurs directeurs veulent alléguer cette différence pour traverser ladite dame, et si la valeur desdites terres, enchéries par elle, excédait si fort le prix qui en est offert, pourquoi lesdits sieurs directeurs ne trouvent-ils pas d'enchérisseurs ? Il y a tant de gens qui cherchent à gagner ! Et pourquoi eux-mêmes n'enchérissent-ils pas[24]... ? »

C'est dans ce contexte que, devant les problèmes, les obscurités qui exigent des éclaircissements, Marie Madeleine est enfin autorisée à correspondre avec son époux. Le règlement des affaires de celui-ci entrouvre donc le secret absolu dans lequel on le murait jusque-là : le premier pas dans la voie d'une libéralisation de sa prison. Quoi qu'il en soit, le pouvoir accordant son aval, et les créanciers comprenant la sagesse de l'offre faite, le 19 mars 1673 voit la transaction conclue[25]. Pour 1 250 000 l, montant proposé par Madame de Castille, ces derniers lui abandonnent Belle-Île, le Largoüet, Elven, Trévérac, Cantisac, Lannaux, La Guerche, Kerraoul, le Grand-Auvers, les Moulins-Neufs, Bouy-le-Neuf, la vicomté de Melun,

Vaux et Maincy, avec leurs dépendances, à charge d'honorer les créances privilégiées et celles contractées solidairement par les deux époux.

Marie-Madeleine œuvre désormais pour remettre à ses enfants un patrimoine assaini. Elle se le promet, tablant sur la rentabilité de cet ensemble. Une gestion rigoureuse, la remise en état progressive et, surtout, l'investissement de ses propres qui n'avaient point été aliénés : le pari peut être gagné. Et puis, cet adoucissement de prison, n'est-ce pas le signe qu'un jour Nicolas reverra ses chères propriétés de Vaux et de Belle-Île ?

Les fruits de ces terres devraient déjà permettre d'éponger le gros des dettes. Adjudicataire des baux judiciaires les concernant, elle entreprend donc de leur faire rendre davantage. Lorsqu'elle ne peut faire autrement, elle se résout à vendre. Elle cède ainsi, en 1677, la terre de La Guerche, moyennant 60 000 l, à un ancien membre du lobby Fouquet, René de Bruc, seigneur de Montplaisir, le frère de Madame Duplessis-Bellière[26]. Le grand orage de 1661 n'a donc balayé ni les relations d'intérêts ni les sentiments amicaux. Malgré leur revers, les Fouquet conservent leurs fidèles des beaux jours. C'est d'ailleurs cette bonne tenue de l'entourage qui permet à Marie-Madeleine de faire front. Elle sait que sa belle-famille, pour ses composantes encore en état d'agir, ne la néglige pas, et ses amis d'autrefois, non plus.

Le clan de Fouquet conserve ainsi une capacité de survie économique, à défaut de survie politique et sociale. Les uns et les autres n'ont-ils pas assisté Mme Fouquet lors de la défense de son époux ? Gourville ne lui a-t-il pas avancé, durant les années 1661-1662, au plus noir de sa détresse, alors qu'elle n'avait plus de quoi subvenir aux dépenses, même courantes, diverses sommes d'argent ? Le financier Pellisson, qui avait trouvé la faveur royale dans sa conversion au catholicisme, ne l'oublie pas, lui qui a eu Fouquet pour patron. Créancier privilégié pour près de 89 000 l sur Vaux, il lui cède cet avantage, dès qu'il apprend l'accord de mars 1673. Le geste est élégant, « par respect extrême que ledit sieur Pellisson a pour ladite dame, et se sentant obligé par toutes sortes de raisons de lui procurer et à ses enfants, tout le bien et avantage qui dépendra, plutôt que de leur apporter aucun préjudice pour ses intérêts particuliers[27] ».

Le soutien matériel le plus précieux est néanmoins le fait de la famille, en particulier des deux frères de Nicolas, Basile et Louis. Bien qu'exilés, les deux hommes jouissent des revenus de leurs bénéfices ecclésiastiques, et peuvent donc aider leur belle-sœur. L'esprit de solidarité, qui a tant compté pour l'ascension du clan, joue derechef, cette fois, dans l'adversité. Basile, qui avait eu quelques différends avec son frère le surintendant, donnant bien des tracas à celui-ci, appuie Marie-Madeleine autant qu'il le peut. Deux mois à peine après le compromis de mars 1673, il lui fournit 50 000 l, puis, à nouveau, 40 000 l qui s'ajoutent aux deux prêts consentis en mai 1672 et janvier 1673[28]. Hélas, il meurt le 31 janvier 1680. Nicolas le suit de peu. Leur mère, enfin, disparaît à son tour, au début de 1681.

Voilà le clan amputé de ses éléments les plus actifs. Son avenir ne repose plus que sur les enfants du surintendant, et l'aide se limite maintenant à leurs oncles, l'évêque d'Agde et le premier écuyer. Marie-Madeleine, cependant, veille toujours.

UN CLAN SANS AVENIR

La perte de Basile est un coup cruel. Avec lui disparaît un riche bailleur de fonds. L'abbé de cour, hardi et téméraire, le policier, l'intrigant, avait été transformé, comme son frère, par ses longues années de disgrâce. Relégué d'abord à Tulle, puis à Bazas, en 1676 à Mâcon et, deux ans plus tard, dans son abbaye de Barbeaux, l'homme s'était bien assagi. Lui aussi s'était tourné vers la religion. Il conservait cependant une activité de rentier, riche de ses bénéfices et, sans doute, de capitaux provenant de ses avoirs liquidés après la chute. Le voilà désormais banquier de ses parents et obligeant prêteur de maintes institutions religieuses. Il garde aussi, penchant atavique chez les Fouquet, son goût pour les œuvres d'art et

les Belles-Lettres, comme en témoignent son mobilier somptueux, sa bibliothèque et sa collection de miniatures qu'il lègue
à son neveu, le comte de Vaux, fils aîné du surintendant[29]. Il
ne renonce pas pour autant au bien-vivre, au confort, au
service d'une abondante domesticité, tout ce qui rend l'existence agréable.

Pourtant, la fin est proche. En 1679, malade, il s'installe
dans sa maison, rue des Saints-Pères, tout près de Saint-
Germain-des-Prés. C'est là qu'en novembre, sentant la mort
venir, il rédige son testament[30]. A la lecture du document, on
constate que le chrétien, ami des pauvres, qui sommeille dans
chaque Fouquet, réapparaît. Il affirme à cette occasion les liens
très profonds qu'il entretient, comme toute sa famille, avec la
Visitation-Sainte-Marie. Il demande donc à y être inhumé,
dans la chapelle des Fouquet, rue Saint-Antoine. Il n'oublie
pas cependant de faire dire une messe journalière, durant deux
ans, chez les visitandines du faubourg Saint-Germain, dont sa
sœur est la supérieure. Son autre sœur, Marie, s'y est également
retirée. Lui-même a déposé là une partie de sa belle argenterie
ainsi que ses abondantes réserves monétaires.

Ses aumônes, nombreuses, vont tout particulièrement aux
visitandines, qu'il s'agisse de celles du faubourg Saint-Germain,
de la rue Saint-Antoine ou de Toulouse chez lesquelles une
autre de ses sœurs est entrée. En bénéficient aussi l'abbaye du
Parc-aux-Dames, dont une de ses sœurs est abbesse, les
barnabites de Paris, son abbaye de Barbeaux, des couvents de
la capitale, qui seront, eux, désignés par les exécuteurs testamentaires. Il pense encore aux pauvres de la paroisse Saint-
Sulpice, auxquels il lègue 1 000 l, et, surtout, à l'Hôpital
Général qui reçoit sa propriété de Saint-Mandé. La domesticité
n'est pas oubliée non plus. Il songe aussi à faire remise des
créances qu'il détient à ses parents, le maréchal de Bellefonds,
la marquise de La Boulaye.

Cependant, Basile Fouquet, dans ses dernières volontés,
marque son affection toute particulière à ses neveux, les enfants
de Fouquet, par qui continue le lignage. Peut-être, dans ce
geste ultime, y a-t-il comme une réparation, l'effacement d'un
remords pour tout ce qui l'avait opposé à Nicolas, dont il ne

souffle mot. La duchesse de Charost obtient sa belle demeure de Saint-Cloud, une tapisserie de 12 000 l et 5 000 l en argent liquide. Aux enfants du second lit, il donne les 30 000 l que leur mère, Marie Madeleine de Castille, lui devait. Quant à l'aîné des mâles, il lui laisse sa collection, fort remarquable, de livres enluminés, notamment les *Belles Heures de la reine Anne de Bretagne*. Le surplus de ses biens est partagé entre ses autres héritiers, à savoir sa mère, ses frères Louis et Gilles, Marie Madeleine enfin. Le défunt leur abandonne ainsi un substantiel avoir formé de meubles, de créances, de rentes et d'argent liquide (46 714 l). Même divisé en quatre, il n'en représente pas moins une aide financière non négligeable pour Marie Madeleine et ses enfants.

L'apport est d'autant plus important que, quelques mois après la disparition de Basile, la mort de sa mère, Marie de Maupeou, entraîne une redistribution des biens de l'abbé. Le patrimoine des Fouquet se concentre aux mains des survivants. Marie de Maupeou, qui teste en juillet 1678, dispose alors des ressources accumulées au soir d'une longue vie, faite d'aumônes, de services rendus et de dévouement à la cause familiale[31]. Cet acte prolonge donc après sa mort tout ce qui constituait son existence : l'amour de Dieu et de son prochain. Elle consacre plus de 6 000 l à des legs pieux auprès d'institutions religieuses qu'elle a toujours soutenues et donne aux pauvres. Le message de son directeur de conscience, Vincent de Paul, ne quitte pas sa mémoire. Reçoivent ainsi ses dons les malheureux de sa paroisse, les galériens, les esclaves d'Alger, mais aussi les filles de la Providence, maison fondée par feu Mlle Pollaillon, les Enfants trouvés, l'Hôpital général et l'Hôtel-Dieu de Paris, les religieux et religieuses de la Charité, les filles de l'Ave-Maria, les pénitentes de la rue Saint-Denis, les capucins de la rue Saint-Honoré, et « à toutes les maisons à qui elle a coutume de donner à la Toussaint ». Elle distribue également des aumônes aux Filles nouvelles catholiques de Paris, ainsi qu'aux institutions religieuses de Moulins (les sœurs de la Croix, les capucins, les sœurs de la Charité) et à l'Hôpital général de cette ville. Elle n'oublie pas, non plus, l'œuvre pieuse et coloniale commencée par son époux et continuée par son fils, le surintendant. Aussi recommande-t-elle à ses hériters de remettre aux jésuites ce qui leur appartient tant au Canada qu'aux îles d'Amérique, et qui à présent, ne vaut plus guère.

Pour le reste, la sainte femme remercie de leurs bons traitements ses enfants et petits-enfants, en particulier Marie Madeleine. Elle lègue à celle-ci deux tableaux de piété conservés dans sa chambre, avec une châsse, enfermant des reliques, déposée à la Visitation-Sainte-Marie. Elle rend également un dernier et discret hommage au surintendant, « priant [Marie Madeleine] de remercier pour elle Monsieur son mari de l'amitié qu'il lui a toujours témoignée, lorsqu'il aura plu à Dieu de les mettre ensemble, si elle n'a pas la consolation de les y voir ». En mère attentive, elle laisse finalement tout ce qui lui appartient à Anne d'Aumont, épouse séparée de biens d'avec Gilles Fouquet, l'ex-premier écuyer, totalement ruiné par la chute de Nicolas. Elle marque ainsi sa joie de la réconciliation des deux époux et sait que de la sorte les enfants à naître seront pourvus. L'expérience lui a appris que l'entente familiale, déterminante dans l'ascension du clan, conditionne sa survie dans l'adversité. Son testament porte donc l'empreinte de cette dure leçon.

Malheureusement, la perte coup sur coup de ses deux fils, Basile et Nicolas, déjoue ses calculs. Une nouvelle fois, il faut assurer la pérennité du groupe en favorisant le maintien économique des jeunes générations. C'est dans cette optique que Marie de Maupeou procède a un autre partage de ses biens, incluant ce qui lui vient de ses propres et ce qui dérive de l'héritage de l'abbé[32].

En 1681, les perspectives d'avenir semblent bien sombres pour le clan Fouquet. Le petit troupeau n'a plus de chef pour le guider dans cette traversée du désert qui menace de durer encore. Gilles Fouquet, assez falot, le plus faible de tous, ne saurait assumer pareille responsabilité. Il reste écrasé sous le poids de sa disgrâce. C'est sa mère qui lui procure alors de quoi vivre. Comment pourrait-il prendre en main les destinées des Fouquet, lui qui se débat dans les difficultés matérielles, et n'a même plus l'espoir de trouver appui auprès de son épouse ?

Celle-ci l'a abandonné dès l'orage de 1661. Elle ne se soucie pas davantage de lui ensuite, et, malgré les efforts que déploie Marie pour réunir les deux conjoints, leur entente demeure factice. Sans descendance, Gilles, devenu une ombre, végète dans la gêne et l'obscurité[33]. Il disparaît en 1694, mais cela ne compte guère : Marie Madeleine, depuis longtemps, sait qu'elle n'a de réconfort à attendre que de son beau-frère Louis, évêque d'Agde. Cependant, il ne faut pas s'illusionner. Ce dernier est loin d'être l'idéal pour assurer le retour de la famille dans les faveurs royales.

Louis, dernier représentant du lobby religieux qui servait son frère, n'a pas abdiqué[34]. En dépit de tout, il conduit, avec fermeté et constance, l'administration de son diocèse. Son intransigeance n'est d'ailleurs pas exempte d'un certain esprit d'opposition. Durant près de trente ans, sur ordre du roi, le voilà écarté d'Agde. D'abord relégué à Vézelay, puis à Embrun, il s'installe à Villefranche-de-Rouergue. Il y réside pendant vingt années, exception faite d'un court exil à Tournus, en 1675-1676, avant de s'établir à Issoudun jusqu'en 1690. Dans toute cette période, que d'entraves sur lui ! Une surveillance policière de tous les instants, des restrictions quant à sa liberté pastorale, et cependant aucune faiblesse de sa part. Comme tous les Fouquet, loin de se décourager, il accomplit une œuvre considérable tout en menant une vigoureuse action polémique.

Élevé dans un milieu ultracatholique, formé auprès de dévots et proche de la Compagnie du Saint-Sacrement, la mise en place de la réforme tridentine lui paraît aller de soi. Son frère, François Fouquet, ne l'a-t-il pas déjà esquissée en créant un séminaire à Agde ? Lui-même, s'appuyant sur les oratoriens de Pézenas, en fait autant dans cette ville. Au séminaire est même joint un collège clérical, lequel témoigne de l'ampleur de son projet pédagogique. La formation du clergé se voit d'ailleurs complétée par des conférences ecclésiastiques. Sous l'influence du rituel d'Alet, en usage dans le diocèse, une discipline sacramentaire stricte est exigée et la pénitence publique se répand. Il encourage de même la maison des filles de l'Enfance, fondée par Madame de Mondonville, à l'instar de ce qu'avaient fait les régentes d'Alet pour éduquer les jeunes filles, s'occuper

des « nouvelles converties » et visiter les malades. Louis,
suivant en cela l'exemple familial, dévoué à Vincent de Paul,
multiplie les œuvres dans tous les bourgs de son diocèse. Il
favorise aussi les confréries de Charité. En 1676, il publie à
nouveau le célèbre *Recueil de recettes choisies ... contre quantité
de maux...*, maintes fois édité, dû à sa mère. Tous ces gestes
marquent donc bien son attachement aux principes que développe le parti dévot.

C'est pourquoi d'assez bonne heure son entreprise acquiert
une dimension littéraire et propagandiste. Cela transparaît non
seulement dans les conférences d'Agde, dans ses lettres et
mandements, mais aussi dans le *Règlement pour la conduite
d'un diocèse et Conférences ecclésiastiques*, Louis Fouquet
précise la place que doit tenir l'évêque dans la réforme
tridentine. La grande influence qu'il accorde à l'Oratoire, ses
références explicites à la doctrine de Pavillon, lui aussi un
ancien de la Compagnie du Saint-Sacrement, lui confère une
incontestable couleur janséniste. Or l'opposition à ce courant
se renforce dans les années 1680, mettant à profit l'éloignement
du prélat. Celui-ci durcit alors ses positions. Il s'engage ainsi
dans une voie dangereuse pour lui et les siens.

Dès 1686, Louis Fouquet, répudiant toute prudence, combat
donc aux côtés de ses amis de Port-Royal. Il interdit aux
oratoriens de son diocèse de signer le formulaire imposé par
leur assemblée générale de 1684, lequel entendait laver leur
congrégation de l'affreux soupçon de jansénisme. Il proteste
contre la dispersion des filles de l'Enfance, accusées d'être des
créatures de Saint-Cyran et de faciliter dans le midi de la
France la propagande contre la régale. Il protège même ses
confrères, atteints par cette mesure, et qui se trouvent expulsés
de leur diocèse, privés de revenus. Il va jusqu'à les accueillir
chez lui ! Une telle attitude reflète certes des convictions
profondes. Elle souligne aussi l'aspect contestataire de sa forte
personnalité. La lutte contre le pouvoir, entamée lors du procès
de Nicolas, s'épanouit ainsi dans le domaine de la spiritualité.

Cette belliqueuse humeur trouve à s'épancher avec la manière
originale dont Louis diffuse ses thèses. Entre 1673 et 1698, une
gazette, faite à la main, les *Nouvelles Ecclésiastiques*, véhicule

des informations glanées aux quatre coins de la France, par le truchement des oratoriens, ses fidèles correspondants, rapportant échecs et réussites de la contre-réforme. Par leurs récits des lâchetés ou des infidélités que commettent les prélats peu zélés, par la chronique des avanies qu'endurent « les amis de la vérité », à l'instigation des jésuites, derrière lesquels se profilent les conseillers du roi, Colbert, Louvois, La Chaize, on sent l'opposition religieuse nourrie, consciemment ou inconsciemment, du conflit opposant l'Écureuil à la Couleuvre et au Lézard. Ces feuilles semi-clandestines ne rappellent-elles pas les *Défenses* imprimées et répandues dans le public pour soutenir la cause du surintendant lors de son procès ? Les *Nouvelles Ecclésiastiques* se classent sans aucun doute dans la presse d'opinion. Elles suivent avec sollicitude les efforts de l'Église universelle pour réformer, avec ferveur, l'activité missionnaire en Orient, la lutte contre l'islam, tous les thèmes revendiqués naguère par le mouvement dévot ! Elles s'en servent pour stigmatiser les retards imputables à la bureaucratie romaine et à l'excessive emprise du pouvoir séculier sur l'Église. Ces feuilles défendent donc une idéologie gallicane et janséniste, dans laquelle opposition spirituelle et opposition temporelle ne font qu'un. Telle est la figure principale du clan Fouquet dans ces années 1680, douloureuses et incertaines à tous égards.

Il est clair que cette domination d'un prélat rebelle, assigné à résidence dans son diocèse, avec défense absolue d'en sortir après tant d'années d'exil, n'aide pas au renouveau social et politique des derniers rejetons. Elle l'encourage d'autant moins que ces derniers ne sont point riches. Marie Madeleine s'en rend compte lorsqu'elle doit faire appel à Louis Fouquet pour qu'il lui permette de rembourser les créanciers de son époux, sans amputer la partie la plus intéressante du patrimoine foncier délaissé par l'accord de 1673. L'affaire ne s'effectue pas commodément, le beau-frère montrant en l'occurrence autant d'esprit entier que sur le terrain de la spiritualité ! La transaction aboutit cependant en septembre 1680[35]. Marie Madeleine lui laisse l'usufruit des terres de Vaux et de Maincy, avec toutes leurs dépendances, en échange du versement de 200 000 l aux créanciers privilégiés sur ces terres. Moyennant quoi, celles-ci, les plus chères au cœur du surintendant, ne quittent pas le giron familial.

Ainsi, dans ces années 1680-1681, les espérances du clan se limitent à celles des cinq enfants survivants. L'aînée, Marie Fouquet, duchesse de Charost, paie, elle aussi, son tribut aux malheurs paternels. Son époux, écarté du service par une grave blessure de guerre, ne prend-il pas fait et cause pour le prisonnier ? Louis XIV salue d'ailleurs ce courage et cette dignité qui lui ferment la brillante carrière qui s'ouvrait à lui. Colbert, prudent, envoie le couple à Ancenis, puis à Montargis[36]. Les Charost doivent patienter.

L'exil persiste jusqu'à la mort du surintendant. A peine est-il revenu en grâce que le duc subit un autre désagrément. Il est en effet gouverneur de Calais quand y débarquent la reine d'Angleterre et le prince de Galles. Or c'est Lauzun, enfin libéré, ayant récupéré tout son ascendant auprès du roi, qui les accueille ! Et l'insupportable personnage garde rancune au surintendant. Il ne lui pardonne pas de s'être formalisé de ses galanteries devant Mlle Fouquet et a en horreur tous les Fouquet. Le pauvre duc le découvre à ses dépens. Lauzun insinue dans l'oreille du roi que la place de Calais souffre d'une mauvaise administration. La perfidie porte. Sa Majesté dépêche un lieutenant afin de rétablir l'ordre en ce lieu. Cet incident, joint aux problèmes matériels que rencontrent les Chérost, conduit le duc à s'effacer.

Armand de Béthune, leur fils, devient lieutenant général de Picardie et places fortes du Hainaut, et par survivance, gouverneur de Calais. Son père se démet en sa faveur du titre ducal. Il renonce même à sa charge de capitaine des gardes du corps du roi ! Séparé de biens avec sa femme, il mène à ses côtés une existence qui peut paraître étriquée, mais est tout entière vouée à l'étude et à la dévotion[37].

Marie repousse maintenant le monde dont elle a appris la dureté. Le silence et la méditation, voilà ce qu'elle demande à la vie. Héritière du tempérament profondément religieux des Fouquet, elle choisit la voie du mysticisme. Refusant l'agitation futile, on la retrouve donc aux premiers rangs de ceux qui entourent Monsieur de Cambrai.

La seconde des filles de Nicolas, Marie Madeleine, elle non plus, ne saura pas faire briller de nouveau l'étoile des Fouquet. En mai 1683, par contrat passé chez son oncle l'évêque d'Agde, elle épouse à Villefranche Emmanuel Balaguier de Crussol d'Uzès, marquis de Montsales[38]. Union flatteuse avec une illustre maison, mais qui ne semble pas avoir rempli d'aise cette dernière, car l'alliance des Fouquet n'est pas précisément prometteuse. Pourtant Marie Madeleine de Castille a transmis à sa fille une partie du capital de la famille : 30 000 l et les terres de Kerraoul et d'Auvers[39]. D'ailleurs l'époux, sans grand relief, ne favorise pas un hypothétique retour en grâce de sa belle-famille. Au bout du compte, seuls les mâles paraissent en mesure de rendre un lustre aux Fouquet. Mais le peuvent-ils ?

Le surintendant a eu trois fils : Louis Nicolas, Charles Armand et Louis. On ne peut rien attendre du puîné : répondant comme tant de membres de son lignage à la vocation religieuse, il a embrassé l'état ecclésiastique et est entré en 1680 à l'Oratoire. Prêtre remarquable, d'un grand savoir, bien que d'un naturel modeste, il est devenu l'une des personnalités de l'institution et, sans doute au contact de son oncle dont il a été vicaire général, un janséniste convaincu[40]. Supérieur de Saint-Magloire, on le nomme en 1705 assistant du général de l'Oratoire. Ce bon directeur de conscience, au demeurant assez riche, bon parent qui ne va cesser d'entourer sa mère et ses neveux de son aide et de son affection, ne peut à l'évidence redresser le destin familial.

C'est donc à ses deux frères qu'il échoit de l'assumer. L'un et l'autre se sont tournés vers le service du roi, mais avec un égal insuccès. Le comte de Vaux et le marquis de Belle-Isle, chevalier non profès de Malte, ont beau se distinguer, ils sont irrémédiablement barrés dans leur carrière par le souverain qui englobe dans son ressentiment les enfants du surintendant. N'ayant aucun espoir d'avancement, ils en tirent les conséquences et rentrent dans la vie civile en acceptant stoïquement de vivre dorénavant comme de simples particuliers. Tout au plus cette retraite forcée leur donne-t-elle la possibilité de satisfaire le goût familial pour la culture et l'étude, d'assouvir une passion de collectionneur d'antiques, de gravures et de sacrifier aux joies de la bibliophilie et de la numismatique[41]. Malgré tout, peuvent-ils espérer dans un établissement heureux une compensation à leurs déboires sociaux et trouver dans une descendance nombreuse l'espoir de lendemains plus radieux pour leur lignage ?

Louis Fouquet, qui habitait auprès de sa mère, soit dans la propriété familiale de Pomay, soit à Moulins, soit à Bourbon, convole en juin 1686. Il a séduit Catherine Agnès de Lévis, fille du marquis de Charlus, lieutenant général du Bourbonnais. La liaison a été si intime que la famille de Lévis, malgré toute sa répugnance, n'a pu s'opposer à cet hymen[42]. Les Fouquet ne peuvent cependant rien espérer de ce mariage de sentiment. Certes l'alliance est illustre, mais la belle-famille, devant ce mariage forcé, a rejeté le jeune couple qui va endurer avec patience pendant de longues années un pénible ostracisme.

Quant au comte de Vaux, ce n'est qu'en août 1689 qu'il se décide à prendre femme[43]. L'heureuse élue, Jeanne Marie Guyon, représente un riche parti car sa famille est liée au monde des affaires, son grand-père ayant été le constructeur du canal de Briare. Pourtant cette union, politiquement et socialement, ne semble pas des plus judicieuses car la belle-mère de Louis Nicolas Fouquet n'est autre que la célèbre Mme Guyon, esprit bizarre et mystique. Cette alliance, qui peut surprendre, s'explique par les liens anciens et étroits que les Fouquet entretiennent avec celle-ci. C'est chez les Bouvier de La Motte que Mme Fouquet et sa belle-fille ont trouvé un moment refuge à Montargis. La dévotion commune des Fouquet et de Mme Guyon pour l'idéal salésien et la Visitation-Saint-Marie a noué des liens profonds entre les deux familles. L'évolution spirituelle de Mme Guyon a suscité chez la duchesse de Charost, âme d'une grande élévation et d'une profonde piété, des échos, et les deux femmes se témoignent une amitié inaltérable. C'est chez cette dernière que Fénelon a rencontré l'apôtre du quiétisme. Ainsi, l'union entre le comte de Vaux et Jeanne Marie Guyon ne traduit-elle en réalité sur le plan mondain que les affinités profondes existant sur le plan spirituel. Mais on ne peut s'empêcher de voir dans cette alliance comme la manifestation sourde d'un esprit d'opposition au pouvoir. En effet, on retrouve les Fouquet dans tous les courants religieux — le jansénisme avec l'évêque d'Agde et le père Fouquet, le quiétisme avec les Charost — en désaccord avec l'orthodoxie défendue par le gouvernement. Aussi n'est-il pas surprenant de voir le clan s'enfermer dans un anonymat irrémédiable, d'autant que Vaux n'a pas d'enfant de son mariage. Pire, il est à craindre que les Fouquet soient voués à une inéluctable disparition.

Au fur et à mesure que les années passent, la famille s'amenuise, alors qu'il faut encore batailler dur pour régler la succession du surintendant. En 1694, Gilles Fouquet, disparaît aussi discrètement qu'il a vécu, ne laissant aucun descendant. En 1702, c'est le tour de l'évêque d'Agde, puis trois ans plus tard, de son neveu, le comte de Vaux[44]. Il faut alors honorer les conventions matrimoniales de sa veuve et se sortir du règlement des dettes et des accords liés à la propriété favorite de Nicolas Fouquet. On doit se résoudre à vendre le domaine de Vaux au maréchal de Villars, moyennant 500 000 l[45].

Petit à petit, l'activité du clan se rétrécit. Marie Madeleine de Castille, suivant l'exemple jadis donné par sa belle-mère de Maupeou, partage son temps entre la gestion de son portefeuille, les œuvres charitables et les exercices de piété. Elle s'est installée dans une maison dépendant du Val-de-Grâce, où viennent souvent lui tenir compagnie sa fille, la marquise de Montsales, et son fils le père Fouquet, son voisin à l'Oratoire[46]. Avant de disparaître, en décembre 1716, Marie Madeleine de Castille éprouve encore la douleur de perdre sa belle-fille, la duchesse de Béthune, morte en avril de la même année[47]. Dans son testament, la veuve de Nicolas donne une ultime recommandation, en forme de morale de toute une existence promise à ses débuts à un si brillant avenir, et sans cesse assombrie dans son déroulement par des circonstances contraires : « ... Et je prie Dieu, de mon cœur de les [ses enfants] bénir et de leur donner son amour et sa crainte qui vaut plus que toutes les richesses du monde, avec la paix et l'union de ma famille[48]... »

Qu'espérer maintenant d'un clan dont le seul rameau subsis-

tant, celui du marquis de Belle-Isle, est dirigé par un misan-
thrope, replié sur lui-même dans un exil intérieur imposé par
son maître ? Pourtant toute l'énergie de la famille n'a visé qu'à
assurer l'avancement des deux fils de Belle-Isle, derniers mâles
de la famille du surintendant, sur lesquels reposent toutes les
espérances de sa survie.

Le triomphe dérisoire

Une fois de plus, l'avenir des Fouquet appartient à deux
jeunes hommes ayant pour seul avantage leur valeur. Par un
recommencement de l'histoire, habituel dans la famille, Louis
Charles Auguste et son cadet, Louis Charles Armand, tirent,
grâce à leur talent, leur lignage de la médiocrité anonyme à
laquelle il semblait promis. Mais avant que d'efforts, que de
persévérance pour surmonter le handicap d'un patronyme trop
lourd à porter. Cependant les deux frères, puisant dans les
qualités ancestrales, bravent l'adversité. On retrouve chez eux
les caractéristiques ataviques de leur race : l'intelligence, l'ambition, la souplesse, l'esprit de famille. Saint-Simon, qui les a
fort bien connus — il fut leur parent —, en brosse un portrait
dans son style coutumier, particulièrement pénétrant[49] :
« Jamais le concours ensemble de tant d'ambition, d'esprit,
d'art, de souplesse, de moyens de s'instruire, d'application, de
travail, d'industrie, d'expédients, d'insinuation, de suite, de
projets, d'indomptable courage d'esprit et de cœur, ne s'est si
complètement rencontré que dans ces deux frères, avec une
union de sentiments et de volontés, c'est trop peu dire, une
identité entre eux inébranlable : voilà ce qu'ils eurent de
commun. L'aîné, de la douceur, de la figure, toutes sortes de
langages, de la grâce à tout, un entregent, une facilité, une
liberté à se retourner, un air naturel à tout, de la gaieté, de la
légèreté, aimable avec les dames et en bagatelles, prenant
l'unisson avec hommes et femmes, et le découvrant d'abord.
Le cadet, plus froid, plus sec, plus sérieux, beaucoup moins
agréable, se permettant plus, se contraignant moins, et parais-

sant moins aussi, peut-être plus d'esprit et de vue, mais moins juste, peut-être encore plus capable d'affaires et de détails domestiques, qu'il prit plus particulièrement, tandis que l'aîné se jeta plus au dehors : haineux en dessous et implacable, l'aîné glissant aisément et pardonnant par tempérament ; tous deux solides en tout, marchant d'un pas égal à la grandeur, au commandement, à la pleine domination, aux richesses, à surmonter tout obstacle, en un mot, à régner sur le plus de créatures qu'ils s'appliquèrent sans relâche à se dévouer, et à dominer despotiquement sur gens, choses et pays que leurs emplois leur soumirent, et à gouverner généraux, seigneurs, magistrats, ministres dont ils pouvaient avoir besoin, toutes parties en quoi ils réussirent et excellèrent jusqu'à arriver à leurs fins par les puissances qui les craignaient et qui même les haïssaient. »

Pour prendre place dans le spectacle du monde, les deux frères se sont tournés vers le métier des armes. Ce faisant, ils accomplissent l'ultime mutation du clan. En dépit de la catastrophe qui a frappé leur aïeul et rejailli sur leurs parents, ils abandonnent la robe où leur nom s'est illustré pour s'intégrer à la noblesse militaire, quintessence du second ordre. Mais les circonstances leur imposent de faire la carrière de pauvres cadets de famille, et de suivre la voie périlleuse du soldat de fortune, dont le courage et le sang versé sont les seuls avantages capables de triompher des préventions d'un souverain envers un nom abhorré. Louis Charles Auguste, le premier, trace la voie qu'emprunte dans son sillage son cadet, chacun faisant assaut de bravoure sinon de témérité, s'épaulant l'un l'autre, se poussant en avant avec passion et obstination.

En 1701, à dix-sept ans, le comte de Belle-Isle a pris du service comme mousquetaire dans la première compagnie de la garde du roi[50]. L'année suivante, il obtient une commission de capitaine dans le régiment Royal-Cavalerie. La guerre de Succession d'Espagne lui donne l'occasion de se faire remarquer. Dans les années 1702-1704, il sert en Allemagne, participant à de nombreux combats, à la bataille de Höchstaedt, au siège d'Augsbourg, campagnes durant lesquelles il est plusieurs fois blessé. En janvier 1705, il est nommé maître de camp d'un régiment de dragons et expédié en Italie. Il se distingue maintes fois sur ce nouveau théâtre d'opérations, avant de passer en 1707 à l'armée du Rhin, puis l'année suivante à celle de Flandre, où il s'illustre de nouveau, en particulier dans la défense de Lille. Cette valeur étalée avec constance a fini par toucher le monarque qui regarde alors Belle-Isle d'un œil plus favorable. En décembre 1708, en considération de ses services, il est promu au grade de brigadier des armées du roi, et, l'année suivante, à celui de maître de camp général des dragons. De 1709 à 1712, il continue à servir sur le Rhin, puis accompagne le maréchal de Berwick au secours de Gironne, avant de revenir faire campagne en Allemagne jusqu'à la paix.

Son cadet, né en 1693, bien qu'ayant été tonsuré comme il était de tradition dans sa famille, embrasse à son tour le métier de militaire et chausse les bottes de son frère. A quatorze ans, le voilà mousquetaire, puis cornette, enfin capitaine dans le régiment de son aîné. Avec lui, il combat en Flandre, participant également à la défense de Lille, avant d'être nommé maître de camp d'un régiment de dragons, à la tête duquel il combat à l'armée du Rhin en 1712 et 1713[51].

Avec la disparition de l'évêque d'Agde, en 1702, dernier témoin d'une époque douloureuse, puis celle du comte de Vaux, singulier exemple d'une génération sans illustration, le ressentiment du vieil astre de Versailles décline à son tour. Pourquoi faire payer aux petits-fils, qui montrent tant de valeur en des temps si durs pour le royaume, les « fautes » passées que leur père a déjà si dignement expiées ? La parentèle des deux jeunes gens, puissante avec les Lévis, les Maupeou, les Bellefonds, les Béthune et leurs alliés s'est certainement entremise pour leur retour en grâce. L'établissement de Louis Charles Auguste, appelé à être le chef de sa maison, donne l'occasion d'une union prestigieuse, et de la manifestation publique de la faveur recouvrée du lignage. En mai 1711, on ratifie en effet en grande pompe le contrat de mariage entre le comte de Belle-Isle et Henriette de Durfort de Civrac[52]. Alliance flatteuse, inespérée même pour un Fouquet, car si la future est très laide et bien folle, elle est riche et appartient à l'une des plus antiques et puissantes maisons féodales du royaume[53]. Outre sa belle dot, elle apporte tout l'appui d'une cohorte de parents aussi influents qu'illustres. Les Durfort, récemment illustrés par les maréchaux-ducs de Duras et de Lorge, jouissent d'alliances prestigieuses qui seront utiles à Belle-Isle. La mariée n'est-elle pas cousine des ducs de Duras, Lorge, La Meilleraye, Lesdiguières, Saint-Simon, Lauzun ?

La cérémonie donne l'occasion aux Fouquet de réapparaître dans le monde. Toute la famille au grand complet est présente, y compris les parents ou les alliés qui n'ont plus à craindre ou à taire leur alliance : les Béthune, les cousins Pontchartrain, le chancelier en tête, et son fils Jérôme, secrétaire d'État à la Marine, le maréchal de Bellefonds, les Castille, les Lévis, sans parler d'un ami du marié, le ministre et secrétaire d'État à la Guerre, Voysin[54]. Preuve éclatante du pardon des Fouquet, le roi et toute la famille royale ont honoré de leurs signatures le contrat. L'auguste paraphe met ainsi fin à un demi-siècle de rigueur impitoyable envers un lignage meurtri. A cet instant, Louis songe-t-il à un malheureux mort-vivant, dépouillé de son honneur et de ses biens, enfermé dans une forteresse perchée sur les confins du royaume ? Pense-t-il au ministre industrieux dont il peut juger plus sereinement l'habile activité au regard des difficultés financières qui accablent présentement le royaume ? Songe-t-il que Nicolas, avec le recul et la sagesse que donnent l'expérience et la vieillesse, n'était peut-être pas le concussionnaire et le factieux qu'un fourbe et une vanité de jeune paon couronné ont fait injustement condamner ?

Une vieille femme peut contempler également le spectacle, sans doute non sans un certain effarement. Marie Madeleine de Castille, comme dans une tragédie classique, retrouve beaucoup de protagonistes, ou leurs fantômes, du drame de sa vie. Non sans satisfaction, dans cet acte signé par le monarque, elle a dû afficher sa qualité de veuve de « haut et puissant seigneur, Messire Nicolas Fouquet, chevalier, marquis de Belle-Isle, vicomte de Vaux, ministre d'État, surintendant des Finances de S.M. et procureur général du Parlement ». Elle a vécu assez pour obtenir le pardon du maître, et entrer dans l'alliance du duc de La Meilleraye, Paul Jules Mazarin, petit-neveu du cardinal, et de l'ineffable Lauzun, compagnon d'infortune de son pauvre époux, et soupirant malheureux et rancunier de sa fille ! Acte étrange, en vérité, où communient dans un glorieux acte mondain les survivants d'un grand drame politique et humain.

Pendant la régence, l'étoile de Belle-Isle continue de briller. Il est créé maréchal de camp en 1718 et participe aux sièges de Fontarabie, Saint-Sébastien et Urgel. Sa faveur, notamment l'aide de son allié Saint-Simon, lui permet de réaliser en octobre 1718 un accord pour son domaine de Belle-Île, conclusion de tractations entamées depuis longtemps. En échange d'une série de terres et de droits, le petit-fils de Nicolas rétrocède à la Couronne la terre qui avait pesé si lourd dans le destin familial[55]. Cependant, il est dit que cette terre serait fatale aux Fouquet puisque, la Chambre des Comptes ayant élevé des difficultés, la procédure traîne en longueur et le contrat ne prend pas pleinement effet.

Bientôt, des nuages s'amoncellent sur les Belle-Isle et les plongent au cœur d'une affaire politico-financière qui rappelle fâcheusement l'atmosphère des années 1661. Les deux frères se trouvent impliqués dans des malversations, que mènent le ministre de la Guerre Leblanc et le trésorier des Guerres La Jonchère. Les deux Belle-Isle connaissent alors en 1723 la Bastille et la Chambre de Justice siégeant à l'Arsenal. L'histoire bégaierait-elle ? Comme leur aïeul, les deux frères démontrent le plus grand sang-froid, et font une défense si convaincante, les accusations n'ayant pas plus de solidité que celles portées contre le surintendant, qu'il faut les mettre hors de cour. Tout au plus sont-ils condamnés solidairement dans l'amende de 600 000 l infligée à Leblanc, et surtout exilés à Nevers. Là, profitant de leurs loisirs forcés, ils s'adonnent à l'étude et à la défense de leurs affaires privées, ce qui débouche sur le règlement, à leur avantage, de l'échange de Belle-Île. La disgrâce de Monsieur le Duc, en 1726, dont l'inimitié à leur encontre avait été la source véritable de leurs déboires, leur permet de revenir en service. A partir de ce moment, ils ne cessent de voler de succès en succès et d'être comblés des marques les plus insignes de la faveur royale.

En 1727, Belle-Isle reçoit divers commandements en Moselle

et en Haute-Meuse, et surtout dans les Trois-Évêchés. Son
œuvre à Metz frappe par son ampleur et sa diversité. Comme
son grand-père, il réunit les aptitudes les plus larges : il fonde
dans sa ville une Société des sciences et des arts, fait agrandir
l'enceinte de la cité, assainit des quartiers, installe des adduc-
tions d'eau, édifie une salle de théâtre, développe enfin les
écoles. Pendant les campagnes de 1734 et 1735, il se distingue
à l'armée du Rhin dans la guerre de siège. En 1741, débute
l'une des périodes les plus brillantes de son existence : il est
nommé ambassadeur extraordinaire en Allemagne pour appuyer
l'élection à l'empire du duc de Bavière. Il démontre dans cette
mission difficile, là encore, des qualités et des traits de caractère
que l'on trouvait déjà chez Nicolas. Il sait séduire les princes
allemands et les rallier aux thèses françaises, tout en frappant
les populations, au premier abord hostiles, par une pompe
presque royale qui rappelle le goût du faste de l'ancien
surintendant. L'année suivante, le diplomate heureux revient
aux jeux de Mars, comme commandant des troupes françaises
sous l'électeur de Bavière. A ce titre, il fait campagne en
Bohême, où il prend Prague. Mais la défection de Frédéric II
le place bientôt dans une position stratégique intenable. Ne
pouvant défendre la ville devant les forces ennemies supérieures en nombre, il opère une retraite, admirée de toute
l'Europe, qui lui vaut autant de lauriers qu'une victoire. En
1746, il est placé à la tête de l'armée de Piémont et réussit à
empêcher l'invasion de la Provence. Au moment où est signée
la paix, en 1748, il dirige l'armée d'Italie. La fin des hostilités
ne ralentit pas ses activités, puisqu'il poursuit les fortifications
de Toulon et qu'il échafaude un projet pour agrandir Marseille.
Cette activité de bâtisseur, jointe à l'intérêt pour la fabrique
de savon et à l'amour de la littérature (qui lui vaut l'Académie
française), rappelle les passions diverses auxquelles son aïeul
avait tant sacrifié.

Tous ces services éminents lui procurent de nouvelles pro-
motions : Belle-Isle supervise les côtes de l'océan, nouvel
exemple de l'influence du monde marin sur le destin des
Fouquet, puis, en mai 1756, devient ministre, enfin en mars
1758, secrétaire d'État à la Guerre. Quel triomphe éclatant

pour les Fouquet! Presque un siècle après avoir perdu le pouvoir, voilà que le petit-fils du surintendant déchu le retrouve et qu'il porte haut le lustre d'un nom trop longtemps oublié ou tenu en suspicion.

De son côté, Louis Charles Armand n'est pas demeuré inactif : dans le sillage de son frère, il s'est illustré tant en Allemagne et en Bohême qu'à l'armée de Piémont, ce qui lui a valu d'être fait lieutenant général des armées du roi. Mais c'est bien entendu son aîné qui a accumulé les marques nombreuses de la faveur royale. Avec lui l'ambitieuse devise de l'Écureuil a été parfaitement réalisée, et Nicolas trouve dans ses petits-fils de dignes émules.

Belle-Isle collectionne les distinctions : lieutenant général des armées du roi (juin 1734), gouverneur de Metz (mars 1733), chevalier des Ordres du roi (juin 1734), il reçoit le bâton de maréchal de France en février 1741. Ses services en Allemagne et en Bohême lui procurent des honneurs tout aussi considérables : il est fait prince d'empire et chevalier de la Toison d'or (1742), tandis que Louis XV, faveur insigne, le crée duc (mars 1742), et que le roi de Pologne le nomme lieutenant général des duchés de Lorraine et de Bar (1744). Enfin, consécration suprême, sommet de la fortune des Fouquet, le maréchal-duc de Belle-Isle est élevé à la pairie (avril 1749).

Que de chemin parcouru en deux siècles depuis le marchand d'Angers ! Quelle satisfaction posthume pour les mânes de François Fouquet, le robin-commissaire, quelle revanche pour l'ombre martyrisée de Nicolas et de ses fils sacrifiés ! De toutes les familles de grands commis de la monarchie, celle qui fut la plus disgraciée connaît maintenant la réhabilitation la plus glorieuse. Ni les Colbert ni les Le Tellier ni les Pontchartrain, malgré toute leur puissance, n'ont jamais pu obtenir la consécration ducale. Or voilà qu'elle échoit, par un piquant retour des choses, à la famille qui moins que toute autre pouvait l'espérer. Mais, comme tout au long de leur histoire, il est dit que les Fouquet ne pourront savourer leur réussite, car ce triomphe total, par l'effet d'un sort funeste, va se révéler inutile.

A quoi bon tant de gloire, tant de faveurs, pour une famille qui tombe en quenouille ? Le maréchal de Belle-Isle demeure le dernier mâle d'une race qui a payé fort cher son amour de la gloire et de la puissance. Or le Ciel, dans sa volonté inflexible, n'a pas voulu ratifier les dons que le monde lui a prodigués si généreusement. Veuf sans enfant, Belle-Isle s'est remarié en 1729 avec Marie-Thérèse de Béthune, dont il a eu un fils unique, Louis Marie, né en mars 1732.

Digne descendant d'une lignée fertile en hommes de talent, le jeune homme est destiné à un brillant avenir. Son union avec Hélène Mancini, une riche héritière, fille du duc de Nevers et arrière-petite-nièce de Mazarin, illustre l'étroitesse du monde du pouvoir, et renoue entre les deux familles des liens qui rappellent, à l'une comme à l'autre, bien des choses. La carrière du jeune Belle-Isle semble toute tracée : colonel du régiment de Champagne, gouverneur de Metz sur la démission de son père, il est promis à un avancement rapide dans l'armée. Malheureusement, une blessure mortelle à Crefeld anéantit toutes les espérances et éteint la descendance de Nicolas. Car Louis Charles Armand, resté célibataire, est mort lui aussi à la poursuite chimérique de la gloire. Ce soldat intrépide, lors d'une tentative d'invasion du Piémont, sur la promesse du bâton de maréchal en cas de réussite, s'est jeté témérairement sur des fortifications inexpugnables, au col de l'Assiette, où il a trouvé la mort en juillet 1747.

Ainsi, Belle-Isle se retrouve-t-il solitaire, et héritier de toute une saga familiale, faite d'habileté, de persévérance et de drames. Le *Quo non ascendet* débouche finalement sur le néant. Le destin refuse aux Fouquet la gloire et les renvoie à l'humilité, que la « sainte » Marie de Maupeou avait tant prônée à ses enfants. Lorsque Belle-Isle meurt, en janvier 1761, c'est un homme brisé qui s'en va. Mais plus que la disparition d'un politique accompli ou d'un militaire de talent, c'est la plus triste destinée qui s'accomplit : la fin d'une famille. La gloire et la réussite d'un François Fouquet, d'un Nicolas Fouquet, ou de Belle-Isle n'en apparaissent alors que plus dérisoires devant les décisions cruelles des Parques imprévisibles.

Pour une épitaphe imaginaire

Aucun monument ne marque le tombeau de Nicolas Fouquet[1]. Enseveli vivant à Pignerol, le surintendant a quitté la conscience collective française. Point de fastes d'une commémoration comme pour son illustre rival, point de saga historique encensant son œuvre. Le rêve ardent de gloire s'achève dans l'oubli. Celui qui s'est tant voulu le serviteur empressé de la monarchie finit dans le lot anonyme des concussionnaires et des factieux. La machination de Colbert a échoué en 1661, mais elle a triomphé rétroactivement. Jean-Baptiste n'avait pu convaincre les juges de la noirceur du surintendant, mais il y a réussi pour la postérité, le peignant sous les plus sombres couleurs. Vaincu politique, Nicolas est devenu surtout un vaincu de l'histoire. L'image du ministre léger et prodigue s'est imposée comme une évidence. Pourtant, au terme de cette enquête, sa personnalité, privée et publique, semble bien différente du poncif habituellement propagé.

Nicolas, par son attitude et son caractère, a certes renforcé l'équivoque. Mais le prix payé pour ses passions est suffisamment élevé pour que l'on dépasse le pauvre niveau des apparences. Il a sacrifié son bien, celui de sa famille, joué le destin de son clan, hypothéqué l'avenir de ses enfants, avant de perdre sa liberté et son honneur. Vingt ans de prison, pour huit années de vertiges, mais aussi de bons et loyaux services. Un homme capable de tout sacrifier à ses chimères et à son devoir mérite qu'on lui rende justice et qu'on l'observe, avant de le condamner, si cela est nécessaire.

Le portrait habituel du surintendant correspond-il à la réalité ? On peut en douter. Son comportement glorieux, extériorisé dans son goût du faste, dans ses joies de collectionneur et ses plaisirs de mécène, se justifie par ses fonctions. Pour obtenir du crédit, il lui a fallu inspirer confiance, et comment mieux y réussir si ce n'est en paraissant opulent, donc crédible ? Son obsession de la bâtisse n'est pas en soi perverse. Vaux-le-Vicomte et Saint-Mandé, malheureusement disparu, ne sont point des crimes ni même des erreurs. Est-ce sa faute si son goût est des plus sûrs ? Est-ce sa faute si, en distinguant Perrault, Le Nôtre, Le Brun, La Fontaine, Vatel et tant d'autres qui ont embelli le règne du nouvel astre couronné, il s'est révélé l'annonciateur des splendeurs de Versailles ? Au XVIIᵉ siècle, surtout au « premier XVIIᵉ siècle », à l'âge baroque, la forme fait partie intégrante du fonds. Nicolas illustre cette dualité.

En attaquant l'homme privé, sa volupté, on vise l'homme public. Cependant, pourquoi prêter attention à des on-dit, qui perpétuent une vision partisane, si l'existence de Fouquet démontre le contraire ? Rapidement et précocement veuf, il est resté dix longues années solitaire, à un moment où l'on est dans la force de l'âge et des passions. Pourtant, à cette époque, on ne trouvera nul témoignage d'une quelconque liaison. Son remariage avec une toute jeune fille, presqu'une enfant, jolie et riche, prélude à son arrivée aux affaires. Or voilà que sourdent tout à coup les conquêtes : Madame Duplessis-Bellière, Madame de Sévigné, Madame d'Asserac, Mademoiselle de Menneville. Toutes sont femmes de tête, point de cœur : on a confondu l'homme séduisant avec le séducteur. La rumeur publique, toujours prompte à médire, amplifie ou déforme, à dessein, ses liens amicaux. La cinquantaine mûrissante de Madame

Duplessis-Bellière ne pèse pas bien lourd face aux jeunes et belles années de Marie Madeleine de Castille. Les marquises de Sévigné et d'Asserac, amies fidèles, sont des cruelles, point des conquêtes. Quant à Mademoiselle de Menneville, comme Jules Lair l'a bien montré, c'est une ambitieuse qui compte sur le surintendant pour la bien caser[2]. N'est-il pas singulier qu'un témoin aussi attentif à tous les ragots que Tallemant des Réaux n'ait jamais distillé quelque anecdote croustillante sur celui en qui l'on voit un Don Juan patenté, peu délicat sur les moyens de triompher ? Comme pour d'autres aspects de sa personnalité, on dénature l'image véritable du surintendant.

Malgré toutes les apparences, l'homme de plaisir, l'esthète, pour ne pas dire le sybarite, cachent le chrétien. Sa conversion en prison ne peut surprendre, si conversion il y a. Il s'agit plutôt de la poursuite d'un dialogue avec la divinité, qu'il a entamé depuis sa jeunesse et n'a jamais interrompu. La confrontation journalière du sensuel et du chrétien illustre la dualité baroque de sa personne, et le conflit intérieur permanent qui en découle. Cet affrontement se trouve accentué, presque transcendé, par l'ampleur de ses dons, son intelligence subtile, son activité prodigieuse, sa séduction et sa finesse qui lui font comprendre et dominer les hommes aussi bien que les choses.

Mais la démesure du baroque point alors, le rendant fascinant et vulnérable. Sa passion de la gloire et du pouvoir obscurcissent un jugement habituellement net, et son ardeur se transforme insensiblement en fébrilité, en angoisse, quand la fièvre qui l'habite périodiquement n'en accélère pas le processus. Elle le conduit dans ce cas au bord de l'instabilité et le rend capable de « folies », comme le plan de « Saint-Mandé », ou lors de son aveuglement, pendant l'été 1661, devant les manifestations évidentes de sa proche disgrâce. Son émotivité, son hypersensibilité font de lui un protecteur des arts averti, qui ne travaille pas seulement à sa propagande personnelle, mais qui accorde une liberté aux talents qui le servent, rare en son temps. Si l'image du chrétien sensuel et libéral doit remplacer le portrait du mégalomane jouisseur, il en va de même pour celle de l'homme d'État. Plus que tout autre,

Nicolas est un fils spirituel de Richelieu. Comme administrateur, il se range parmi les financiers les plus distingués de l'Ancien Régime, aux côtés de Desmarets et de Law. Même placé dans les conditions les plus délicates, il manifeste une aptitude sans égal à tirer le maximum du système fisco-financier. Car il ne faut point s'y tromper, sans sa virtuosité — et sans le génie de Turenne —, toutes les belles combinaisons de Mazarin et tout l'héritage de Richelieu courraient grand risque de périr. La guerre victorieuse sur l'Espagne est en grande partie son œuvre, et non celle d'un cardinal-ministre, dont on ne souligne pas assez l'influence néfaste en politique intérieure. Plus que tout autre, Nicolas a sacrifié son bien et ses forces pour réparer les débordements nés des contingences du système fisco-financier, débordements auxquels le premier ministre et son valeureux factotum, pas encore professeur de morale politique, ont largement contribué. Cet engagement absolu se retourne paradoxalement contre Nicolas : un jeune monarque ingrat et malencontreusement inspiré lui accorde pour toute récompense la disgrâce.

Pourtant, par son attitude pendant la Fronde, et malgré tout, sa fidélité constante à Mazarin, Nicolas démontre qu'il a bien retenu les leçons de Richelieu. Sa vision de l'économie prouve qu'en ce domaine également il est fidèle disciple du grand Armand. Pendant presque trente ans, il ne cesse de poursuivre avec acharnement, et en payant largement de sa personne, une politique maritime dynamique. L'armateur et le colonisateur qu'il fut anticipent le programme proposé, sous couvert de nouveauté, par son successeur. Ainsi, dans les domaines économique et financier, Fouquet reprend et amplifie, dans la mesure où la guerre le lui permettait, tous les thèmes mercantilistes de l'âge baroque, développés par les milieux politiques et dévots. Son action préfigure en tout point la politique de Colbert qui, par contrecoup, ne paraît plus novatrice, ainsi que ce dernier le répète complaisamment. Aussi faut-il réviser l'attitude de Colbert vis-à-vis de son prédécesseur.

Jean-Baptiste s'est créé de toutes pièces une réputation sur les décombres de celle de Nicolas. L'objectif poursuivi par le Rémois ne réside pas seulement dans la nécessité de se dédouaner et de se refaire une virginité sur le dos de Fouquet, mais de faire croire qu'il existe entre lui et le surintendant une profonde différence dans l'art de conduire les finances royales. Prétention singulière car, tant dans les objectifs que dans les méthodes, ils procèdent de semblable façon. En dépit de ce que soutient le Rémois, la maltôte ne disparaît pas avec lui, bien au contraire. Colbert renforce dans tout le royaume l'influence des partisans, dont bon nombre s'étaient déjà illustrés sous Fouquet. Il continue à recourir aux affaires extraordinaires : ainsi le contrat pour la perception des amendes de la Chambre de Justice de 1661 demeure le plus important traité conclu sous l'Ancien Régime[3].

En vérité, l'action de Fouquet et de Colbert s'inscrit dans une continuité, ce qui ne surprendra pas puisque ni l'un ni l'autre n'ont cherché à modifier le système fisco-financier français. D'ailleurs l'auraient-ils pu ? Mais en affectant d'introduire, à des fins polémiques, une dimension morale dans la conduite des finances, Colbert cherche à enfoncer son prédécesseur en le chargeant de toutes les tares inhérentes aux affaires du roi. Cette explication simpliste satisfait tout le monde, au premier chef le roi, qui pense pouvoir diriger la finance d'une main ferme, et surtout chasser les souvenirs amers d'une régence qui l'a tant traumatisé. En frappant Fouquet, Louis exorcise tout un passé récent, où la couronne avait été à la merci de groupes financiers qui la tenaient en otage. L'affirmation d'une monarchie à prétention absolutiste trouve donc un moyen de se concrétiser dans la chute du pécheur et dans le programme mirifique de son successeur. La personnalité encombrante de Fouquet, jointe à l'ombre qu'il fait à son maître, scellent son destin.

Mais est-ce à dire que l'administration d'un Fouquet souffre de la comparaison avec celle d'un Colbert ? Un parallèle entre les deux hommes, tel que Colbert l'a pratiqué, n'est pas équitable, car jamais Nicolas n'a disposé de la marge de manœuvre dont a bénéficié son successeur. Ce dernier, en outre, est intervenu dans de nombreux domaines qui n'avaient pas été dévolus au surintendant. Enfin, Fouquet a œuvré presqu'entièrement en période de guerre, donc dans un contexte bien plus difficile que celui connu par Colbert, même durant les hostilités avec la Hollande. Finalement, d'un point de vue financier, comme l'a bien démontré Michel Morineau, le passif laissé par le Rémois reste supérieur à celui laissé par Nicolas[4]. L'action économique, notamment maritime et coloniale, si elle s'est déroulée sur une échelle différente de celle entreprise par Nicolas, est loin d'être une réussite. Quant à la vision du grand commis compétent et tout entier consacré au bien public, elle ne correspond pas tout à fait à l'image véritable de Colbert. Là aussi, la propagande de ce dernier a influencé les esprits et faussé les perspectives. Et si l'on juge Colbert à l'aune de Colbert, il n'en sort pas grandi[5].

On ne manquera pas de souligner qu'il s'agit d'un jugement moral, qui n'a pas lieu d'être en histoire. Cela serait exact, mais à partir du moment où Fouquet a été jugé sur ce critère, choisi par son adversaire, pourquoi ne pas le retenir à son encontre, quitte à chagriner les thuriféraires du « grand ministre » ? D'un côté, nul n'a jamais pu avancer la moindre preuve des prétendues rapines du surintendant. L'État n'a jamais été pour lui source d'enrichissement, bien au contraire. De tous les grands serviteurs de la monarchie, il est bien le seul à s'être ruiné à son service, et pourtant, on en a fait l'archétype du concussionnaire ! De l'autre, on passe volontiers sous silence quelques faits, inquiétants pour l'aura du gestionnaire vertueux et efficace que serait Colbert. N'est-ce pas sous son administration que s'est produit le seul cas de fausse monnaie dans des ateliers royaux, scandale où son neveu Desmarets et son collaborateur Bellinzani[6] se trouvent impliqués ? N'est-ce pas sous son ministère que se sont réalisés le pillage et les trafics sur les bois de Bourgogne, avec la complicité de celui-là même qui devait les protéger et qui avait été nommé par Colbert[7] ? Cette affaire rappelle fâcheusement l'exploitation coupable des forêts de Normandie où l'on retrouve bien des créatures de Jean-Baptiste, à commencer par Berryer, le distingué faussaire de l'affaire Fouquet[8]. En choisissant Colbert, il n'est pas du tout certain que Louis ait fait le choix le plus judicieux.

Certes, la disgrâce de Nicolas marque la fin de l'âge baroque en France. Le grand roi peut bâtir alors avec ses « grands » ministres le « Grand Siècle ». Mais en s'enfermant dans le théâtre splendide de Versailles, avec le ballet servile de la cour, Louis a-t-il trouvé véritablement la solution au problème, majeur pour la monarchie, posé par les finances ? Croire, ainsi qu'on l'affirmait avec une mauvaise foi punique, que la réponse résidait dans les vices d'un surintendant prévaricateur semble puéril. Les mêmes causes engendrant les mêmes effets, le vieux prince, qui supporte avec dignité les épreuves de la guerre de Succession d'Espagne, a peut-être compris, un peu tard, que le sacrifice de Nicolas n'était qu'un acte propitiatoire aux mânes d'un premier ministre vénal. La monarchie n'a rien gagné à la chute de Fouquet, si ce n'est d'abandonner un univers excessif et passionné. En quittant le monde baroque, toutes ses outrances, mais aussi tous ses fruits, pour la fadeur empesée de l'âge classique, elle s'aventure sur une voie qui est loin de l'avantager. En faisant du surintendant le négatif d'un homme de système, faux et sentencieux, le royaume s'avance sur une route périlleuse où l'apparence des choses l'emporte bien souvent sur les réalités profondes.

Fouquet ne connaîtra donc jamais la gloire posthume qui encense le « grand homme ». Il a été chassé ignominieusement de l'Histoire par la fureur des méchants. Il ne survit plus que par une petite merveille architecturale, née d'une passion funeste et d'un goût distingué. Il a payé le prix le plus élevé pour ses défauts, mais le Ciel lui a accordé une grâce en compensation. Il n'a pas eu comme son rival, à Saint-Eustache, ce destin qui conduit immanquablement à un vain cénotaphe. Il repose en paix, oublié et anonyme. A tout prendre, il n'est pas sûr que Nicolas ait eu la plus mauvaise part.

Annexes

Les ascendants
de Nicolas Fouquet

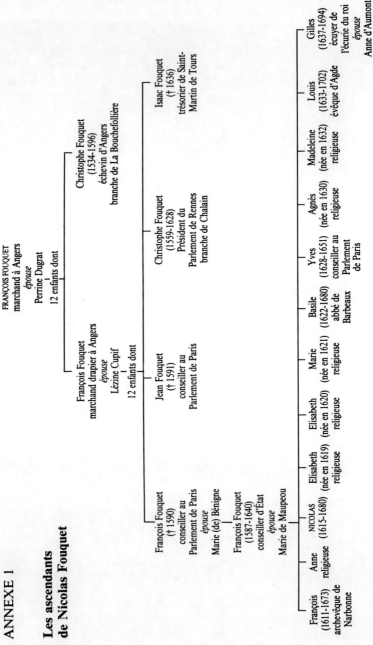

FRANÇOIS FOUQUET
marchand à Angers
épouse
Perrine Dugrat
12 enfants dont

François Fouquet
marchand drapier à Angers
épouse
Lézine Cupif
12 enfants dont

Christophe Fouquet
(1534-1596)
échevin d'Angers
branche de La Bouchefollière

Jean Fouquet
(† 1591)
conseiller au
Parlement de Paris

Christophe Fouquet
(1559-1628)
Président du
Parlement de Rennes
branche de Chalain

Isaac Fouquet
(† 1636)
trésorier de Saint-
Martin de Tours

François Fouquet
(† 1590)
conseiller au
Parlement de Paris
épouse
Marie (de) Bénigne

François Fouquet
(1587-1640)
conseiller d'État
épouse
Marie de Maupeou

François
(1611-1673)
archevêque de
Narbonne

Anne
religieuse

NICOLAS
(1615-1680)

Elisabeth
(née en 1619)
religieuse

Elisabeth
(née en 1620)
religieuse

Marie
(née en 1621)
religieuse

Basile
(1622-1680)
abbé de
Barbeaux

Yves
(1628-1651)
conseiller au
Parlement
de Paris

Agnès
(née en 1630)
religieuse

Madeleine
(née en 1632)
religieuse

Louis
(1633-1702)
évêque d'Agde

Gilles
(1637-1694)
écuyer de
l'écurie du roi
épouse
Anne d'Aumont

Les descendants de Nicolas Fouquet

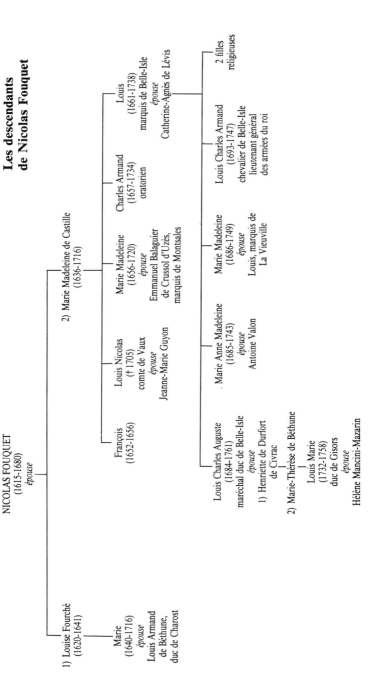

NICOLAS FOUQUET
(1615-1680)
épouse

1) Louise Fourché
(1620-1641)

2) Marie Madeleine de Castille
(1636-1716)

Marie
(1640-1716)
épouse
Louis Armand
de Béthune,
duc de Charost

François
(1652-1656)

Louis Nicolas
(† 1705)
comte de Vaux
épouse
Jeanne-Marie Guyon

Marie Madeleine
(1656-1720)
épouse
Emmanuel Balaguier
de Crussol d'Uzès,
marquis de Montsales

Charles Armand
(1657-1734)
oratorien

Louis
(1661-1738)
marquis de Belle-Isle
épouse
Catherine-Agnès de Lévis

Louis Charles Auguste
(1684-1761)
maréchal duc de Belle-Isle
épouse
1) Henriette de Durfort
de Civrac
2) Marie-Thérèse de Béthune

Louis Marie
(1732-1758)
duc de Gisors
épouse
Hélène Mancini-Mazarin

Marie Anne Madeleine
(1685-1743)
épouse
Antoine Valon

Marie Madeleine
(1686-1749)
épouse
Louis, marquis de
La Vieuville

Louis Charles Armand
(1693-1747)
chevalier de Belle-Isle
lieutenant général
des armées du roi

2 filles
religieuses

ANNEXE 2

État des biens de Nicolas Fouquet en septembre 1661[1]

ACTIF

TERRES
Vaux-le-Vicomte
(+ les terres qui en dépendent) .... 506 500 livres[3]
Belle-Ile................................. 1 300 000 livres
La Guerche .... 126 000 livres[4]
Largouët .... 160 000 livres[5]
Cortenton .... 200 000 livres[6]
Trédion................................ 220 000 livres[7]
Trévérac .... 41 000 livres[8]
Lanvaux .... 7 000 livres[9]
Château et parc d'Elven.................. 71 000 livres[10]
Kerraoul .... 85 000 livres[11]
Cantisac................................ 30 000 livres[12]
Les Moulins-Neufs....................... 7 500 livres[13]
Auvers................................. 75 000 livres[14]
Montreuil .... 30 000 livres[15]
Bouy-le-Neuf........................... 25 500 livres[16]
« Bois de Normandie».................... 124 584 livres[17]

      Total......................... 3 009 084 livres

MAISONS
Hôtel d'Hémery .... 372 660 livres[18]
Deux maisons jouxtant l'hôtel d'Hémery ...... 85 000 livres[19]
Cinq maisons et un jeu de paume,
  rue des Vieux-Augustins................ 130 000 livres[20]
Une maison à Saint-Mandé .... 90 000 livres[21]
Une maison à Montreuil .... 9 800 livres[22]
Une maison à Melun[23] ....
Une maison à Concarneau[24]...............

      Total......................... 687 460 livres

CHARGES

Chancelier et garde des Sceaux des Ordres du roi	450 000	livres[25]
Gouverneur de l'Amérique.	90 000	livres[26]
Gouverneur de Concarneau	45 000	livres[27]
Gouverneur du Mont-Saint-Michel	36 000	livres[28]
Aumônier du roi.	60 000	livres[29]
Conseiller de l'Hôtel de Ville de Paris.	6 800	livres[30]
Greffier des commissions extraordinaires du Conseil	6 000	livres[31]
Huissier au Parlement	25 000	livres[32]
Total	718 800	livres

DROITS SUR LE ROI

Vicomté de Melun	42 000	livres[33]
Domaine du comté de Melun	187 558	livres[34]
Regrats de Melun	310 413	livres[35]
Domaine de Rosporden[36]		
Impôts et billots de Bretagne	1 283 688	livres[37]
Une partie de l'augmentation et doublement du Marc-d'Or	660 000	livres[38]
Notifications de la généralité de Champagne. . . .	88 950	livres[39]
Total	2 572 609	livres

PORTEFEUILLLE

1) *Créances sur des particuliers*

La marquise d'Asserac	30 000	livres[40]
Le comte de Brancas	60 000	livres[41]
Charnacé	120 000	livres[42]
François Fouquet, évêque d'Agde	250 000	livres[43]
Le président de La Bouchefollière	24 000	livres[44]
M. de La Haye Saint-Hilaire	18 000	livres[45]
Le duc Mazarin.	120 000	livres[46]
Le duc de La Rochefoucauld	10 000	livres[47]
Aymond de Poissieux, comte du Passage	20 000	livres[48]

2) *Créances sur le roi*

Billets de l'Épargne.	5 330 000	livres[49]
Rente sur l'Hôtel de Ville.	19 000	livres[50]
Total	6 001 000	livres

ARGENT LIQUIDE
A Fontainebleau, chez Lépine,
   commis de Fouquet .... 14 055 livres[51]
A Vincennes .... 1 000 000 livres[52]
Chez Me Clément .... 113 274 livres[53]
Chez Chanut........................... 305 000 livres[54]
Au château de Vaux...................... 27 607 livres[55]
A Belle-Ile............................. 35 033 livres[56]

    Total.......................... 1 494 969 livres

MEUBLES .... 308 551 livres[57]

EFFETS DIVERS
Navires .... 300 000 livres[58]
Intérêts dans une société pour
   le commerce des toiles .... 350 000 livres[59]

    Total.......................... 650 000 livres

    TOTAL GÉNÉRAL DE L'ACTIF .... 15 442 473 livres

PASSIF

Sommes restant à payer
   sur le prix des terres .... 678 750 livres[60]
Sommes restant à payer
   sur le prix des maisons................. 511 000 livres[61]
Sommes restant à payer
   sur le prix des charges.................. 30 000 livres[62]
Emprunts à divers particuliers............. 11 700 000 livres[63]
Propres de Mme Fouquet aliénés........... 1 200 000 livres[64]

    Total.......................... 14 119 750 livres

Intérêt des créances sur Fouquet .... 1 411 975 livres[65]

    TOTAL GÉNÉRAL DU PASSIF.............. 15 531 725 livres

NOTES

1. Il s'agit d'une reconstitution de la fortune de Fouquet établie à partir d'actes notariés, des papiers de son procès et des pièces relatives au règlement de sa succession entre son épouse et ses créanciers. Les chiffres fournis correspondent soit au prix d'acquisition lorsqu'on a pu les retrouver, soit à des prix de vente quand certains de ses biens ont été vendus après sa chute. Enfin, dans un certain nombre de cas, on a proposé des estimations.

2. *Cf.* tableau p. 156.

3. A.N., M.C., CXIII, 41, 5 août 1658.

4. A.N., M.C., LI, 545, 30 avril 1658.

5. A.N., A.P., 156, Mi 6, fol. 13 et v°.

6. A.N., M.C., XVI, 419, 11 août 1657 ; LI, 544, 30 novembre 1657.

7. A.N., X³ᴬ, 116, 14 décembre 1661 ; E 437ᴮ - 438ᴬ, fol. 306, 23 mars 1671.

8. A.N., E 444ᴮ, fol. 292, 26 octobre 1671.

9. A.N., M.C., LI, 550, 28 juin 1660.

10. A.N., M.C., LI, 549, 26 décembre 1659.

11. A.N., M.C., XLIV, 263, 23 septembre 1720, inventaire de la marquise de Montsalès (cote 14 des papiers : contrat de vente du 29 août 1646 devant Pinaut, notaire à Rennes).

12. A.N., M.C., LI, 550, 5 mai 1660.

13. A.N., M.C., LI, 534, 8 avril 1654, déclaration d'achat du 9 août 1653.

14. A.N., M.C., LI, 542, 11 février 1657.

15. A.N., M.C., LI, 536, 21 octobre 1654.

16. A.N., M.C., LI, 552, 25 mars 1661.

17. B.N., Réserve, Thoisy 158, fol. 610-618.

18. A.N., M.C., CV, 748, 1ᵉʳ et 2 août 1661.

19. A.N., E 351ᴮ, fol. 160, 16 février 1662.

20. Catalogue Clavreuil, n° 309, 1980, pièce 560.

21. A.N., E 431, fol. 649, 25 août 1670.

22. A.N., M.C., LI 541, 29 septembre 1656.

23. Le prix en est inclus dans celui de la vicomté de Melun.

24. Le prix de la maison est inclus dans celui de la terre de Cortenton.

25. B.N., Réserve, Thoisy 158, fol. 595. C'est le prix que réclament les créanciers de Fouquet à l'archevêque de Paris, en faveur de qui le roi a accordé cette charge.

26. B.N., ms. fr., 6720, fol. 33. Cette charge avait été placée sous le nom de Feuquière.

27. A.N., M.C., XCIX, 266, 17 octobre 1675, inventaire de Fouquet de Chalain : l'estimation est fournie par la cote 7 des papiers. B.N., ms. fr. 7620, fol. 3 v°.

28. B.N., Réserve, Thoisy 158, fol. 595 et v°.

29. B.N., ms. fr., 7620, fol. 31 et v° ; A.N., M.C., LI, 548, 8 mars 1659.

30. A.N., M.C., XCIX, 253, 4 décembre 1672, contrat de vente par les créanciers de Fouquet.

31. B.N., ms. fr. 7620, fol. 230 et v°.

32. A.N., M.C., XCIX, 247, 21 juin 1671, contrat de vente par les créanciers de Fouquet.

33. A.N., M.C., LI, 511, 1ᵉʳ juillet 1643, inventaire de Louise Fourché (cote 3 des papiers).

34. B.N., Réserve, Thoisy 158, état des effets qui sont entre les mains du roi, appartenant aux créanciers de monsieur Fouquet, fol. 592 v°.

35. *Ibid.*, fol. 592 v° et 593.

36. Le prix est compris dans celui de la terre de Cortenton.

37. *Ibid.*, fol. 593.

38. *Ibid.*, fol. 593 v°, ms. fr. 7620, fol. 33 et v°, droits placés sous le nom du comte de Montrésor.

39. *Ibid.*, fol. 593.

40. A.N., 156 Mi. 6, papiers Lefèvre d'Ormesson, interrogatoire de Fouquet, fol. 17.

41. A.N., E 437ᴮ-438ᴬ, fol. 75, 16 mars 1671.

42. A.N., 156 Mi 6, papiers Lefèvre d'Ormesson, interrogatoire de Fouquet, fol. 16 v°.

43. *Ibid.*, fol. 17.

44. *Idem.*

45. *Idem.*

46. *Ibid.*, fol. 16 v°.

47. A.N., E 437ᴮ-438ᴬ, fol. 63, 16 mars 1671.

48. A.N., E 485ᴮ-486ᴬ, fol. 598, 28 juin 1675. Le comte du Passage, lieutenant général des armées du roi, avait emprunté cette somme par obligation du 16 septembre 1655 au profit de Charles Bernard, qui servait de prête-nom à Fouquet.

49. B.N., Réserve, Thoisy 158, *op. cit.*, fol. 594 v°. Il s'agit de billets donnés au surintendant pour les avances qu'il avait faites au roi.

50. *Ibid.*, fol. 593 v°, rente placée sous le nom d'un commis.

51. B.N., ms. fr. 7620, fol. 5-6, 17-18.

52. *Ibid.*, fol. 592 v°. Cette somme provient de la vente de l'office de procureur général du Parlement de Paris. Fouquet est allé en porter le montant, sous forme de prêt, au roi, à Vincennes.

53. A.N., 156 Mi. 25, papiers Lefèvre d'Ormesson, dossier n° 4, fol. 71. Sur cette somme, 31 000 l devaient être utilisées à l'achat de l'île de Sainte-Lucie.

54. *Ibid.* Cette somme (27 636 louis d'or) était déposée chez cet ami de Fouquet sous le prête-nom d'un ecclésiastique, un certain Porlier.

55. A.N., E 349ᴬ, fol. 119, 11 octobre 1661.

56. A.N., E 362ᴬ, fol. 453, 19 mars 1663. Il y avait 1 000 louis d'or, 2 003 pistoles d'Espagne et 2 000 l. en écus.

57. B.N., Réserve, Thoisy 158, fol. 592. Il s'agit certainement d'une sous-estimation, car le prix et le volume des meubles de Fouquet demeurent inconnus.

58. B.N., Réserve, Thoisy 158, fol. 594 v°.

59. A.N., E 359ᴮ, fol. 309, 9 octobre 1662 ; E 360, fol. 19, 14 décembre 1662 ; E 566ᴮ, fol. 304, 22 février 1687 (Fouquet détenait cet intérêt sous le nom de L. Bruant).

60. Les terres du Largouët, de Cortenton et de Cantisac, les propriétés voisines de Vaux, trois fermes et une partie des terres de La Guerche et de Trédion n'étaient pas payées (*cf.* A.N., 156 Mi 6, papiers Lefèvre d'Ormesson, fol. 13 à 14 v°, fol. 16 ; A.N., X³ᴬ 116, 14 décembre 1661 ; A.N., M.C., LI, 545, 30 août 1658 : cession de la terre de La Guerche).

61. A.N., E 351ᴮ, fol. 160, 16 février 1662 ; A.N., X³ᴬ 116, 23 septembre 1661 ; X³ᵃ 117, 7 février 1662, 156 Mi 6, papiers Lefèvre d'Ormesson, fol. 15 et v°.

62. B.N., ms. fr. 7620, fol. 36 et v°. Fouquet devait la moitié du prix de la charge d'aumônier du roi.

63. Il s'agit d'un chiffre minimum, car certaines dettes de Fouquet ne peuvent être évaluées précisément, d'autant qu'il n'y a pas de liste complète de ses créanciers. Les noms de ceux-ci peuvent cependant se retrouver à partir de : B.N., Réserve, Thoisy 158, fol. 604-609 v°, ordre de distribution au sol la livre entre les créanciers de Fouquet, et fol. 619-621. B.N., Cinq Cents Colbert, n° 235, pp. 22-26 ; A.N., E 354ᴬ, fol. 35, 3 mai 1662 ; E 357ᴮ, fol. 8, 23 août 1662 et fol. 268, 23 août 1662 ; E 394ᴬ, fol. 185, 6 janvier 1667 ; E 402ᴮ, fol. 172, 20 octobre 1667 ; E 435ᴬ, fol. 308, 15 janvier 1671 ; E 444ᴮ, fol. 280, 26 octobre 1671 ; A.N., X³ᴬ 116, 3 et 22 septembre 1661, 19 et 28 novembre 1661, 14 décembre 1661 ; X³ᴬ 117, 21 janvier 1662.

64. A.N., 156 Mi 18, papiers Lefèvre d'Ormesson, fol. 8 ; A.N., Y 8802, 14 mars 1663, condamnation de Fouquet envers son épouse. Il doit lui restituer ses conventions matrimoniales et ses biens aliénés. En tant que créancière privilégiée sur son mari, Mme Fouquet récupère donc les terres de Melun, Vaux et leurs dépendances, Belle-Ile, Largouët, La Guerche et Kernaval.

65. Dans l'impossibilité de calculer le montant exact de cet intérêt, faute de connaître les divers taux des créances sur Fouquet et le temps depuis lequel cet intérêt court, on l'a évalué forfaitairement : au denier dix du passif total, et sur un an.

ANNEXE 3

Tableau comparatif de la fortune de Mazarin et de Servien à leur mort et de celle de Nicolas Fouquet lors de son arrestation

ACTIF	MAZARIN	FOUQUET	SERVIEN[1]
Terres.	5 248 700 l	3 009 084 l	1 880 909 l
Maisons.	1 495 000 l	687 460 l	44 175 l
Charges	2 428 300 l	718 800 l	59 000 l
Droits sur le roi. . .	2 617 657 l	2 572 609 l	557 630 l
Créances	9 902 253 l	6 001 000 l	1 290 230 l
Argent liquide	8 704 794 l	1 494 969 l	—
Meubles[2]	4 446 588 l	308 551 l	275 000 l
Effets divers.	301 599 l	650 000 l	200 000 l
Total.	35 144 891 l	15 442 473 l	4 306 944 l
PASSIF.	1 421 000 l	15 531 725 l	2 000 000 l

1. D. DESSERT, « Fortune politique et politique de la fortune : à propos de la succession du surintendant Abel Servien », *La France d'Ancien Régime, Études réunies en l'honneur de Pierre Goubert,* Toulouse, 1984, tableau p. 209.

2. Dans les meubles se trouvent compris les livres et manuscrits de la collection du cardinal, estimés 22 486 l.

ANNEXE 4

Projet de Saint-Mandé

Copie figurée de l'écrit trouvé dans le cabinet appelé secret de la maison de Monsieur Fouquet, à Saint-Mandé.

L'esprit de S.E. susceptible naturellement de toute mauvaise impression contre qui que ce soit, et particulièrement contre ceux qui sont en un poste considérable et en quelque estime dans le monde, son naturel défiant et jaloux, les dissensions et inimitiés qu'il a semées avec un soin et un artifice incroyable dans l'esprit de tous ceux qui ont quelque part dans les affaires de l'État, et le peu de reconnaissance qu'il a à des services reçus quand il ne croit plus avoir besoin de ceux qui les lui ont rendus, donnant lieu à chacun de l'appréhender, à quoi ont donné plus de lieu en mon particulier, et le plaisir qu'il témoigne trop souvent et trop ouvertement prendre à écouter ceux qui lui ont parlé contre moi, auxquels il donne tout accès et toute créance, sans considérer la qualité des gens, l'intérêt qui les pousse et le tort qu'il se fait à lui-même, de décréditer un surintendant qui a toujours une infinité d'ennemis que lui attire inévitablement un emploi lequel ne consiste qu'à prendre le bien des particuliers pour le service du Roi, outre la haine et l'envie qui suivent ordinairement les finances. D'ailleurs les commissions qu'il a données à mon frère[1] contre M. le Prince et les siens, contre le cardinal de Retz et tous ceux que S.E. a voulu persécuter, ne pouvant qu'il ne nous ait attiré un nombre d'ennemis considérables qui[2] attendent l'occasion de nous perdre, et travaillent sans discontinuation près de S.E. même en connaissant son faible à lui mettre dans l'esprit des défiances et soupçons mal fondés. Ces choses, dis-je, et les connaissances particulières qu'il a données à un grand nombre de personnes de sa mauvaise volonté, m'en faisant craindre avec raison les effets, puisque le pouvoir absolu qu'il a sur le roi et la reine lui rendent facile tout ce qu'il veut entreprendre ; et considérant que la timidité naturelle qui prédomine en lui ne lui permettra jamais d'entreprendre de m'éloigner simplement, ce qu'il aurait exécuté déjà s'il n'avait pas été retenu par l'appréhension de quelque vigueur en mon frère l'abbé[3] et en moi, un bon nombre d'amis que l'on a servis en toute occasion, quelque intelligence que l'expérience m'a donnée dans les affaires, une charge considérable dans le parlement, des places fortes, occupées par nous ou nos proches[4], et des alliances assez avantageuses, outre la dignité de mes deux frères dans l'Église. Ces considérations qui paraissent fortes d'un côté à me retenir dans le poste où je suis, d'un autre ne peuvent permettre que j'en sorte sans que l'on tente tout d'un coup de nous accabler et de nous perdre ; pour ce que, par la connaissance que j'ai de ses pensées et dont je l'ai ouï parler en d'autres occasions, il ne se résoudra jamais de nous pousser s'il peut croire que nous en reviendrons, et qu'il pourrait être exposé au ressentiment de gens qu'il estime hardis et courageux.

Il faut donc craindre tout et le prévoir, afin que si je me trouvais hors de la liberté de m'en pouvoir expliquer, lors on eût recours à ce papier pour y chercher les remèdes qu'on ne pourrait trouver ailleurs, et que ceux de mes amis qui auront été avertis d'y avoir recours sachent qui sont ceux auxquels ils peuvent prendre confiance.

Premièrement, si j'étais mis en prison et que mon frère l'abbé n'y fut pas, il faudrait suivre son avis et le laisser faire, s'il était en état d'agir et qu'il conservât pour moi l'amitié qu'il est obligé [d'avoir], et dont je ne puis douter[5]. Si nous étions tous deux prisonniers, et que l'on eût la liberté de nous parler, nous donnerions encore les ordres de là[6], tels qu'il faudrait les suivre, et ainsi cette instruction demeurerait inutile, et ne pourrait servir qu'en cas que je fusse resserré, et ne puisse avoir commerce avec mes véritables amis.

La première chose donc qu'il faudrait tenter serait que ma mère, ma femme, et ceux de mes frères qui seraient en liberté, le marquis de Charost et mes autres parents proches, fassent par prières et sollicitudes tout ce qu'ils pourraient, premièrement pour me faire avoir un valet avec moi, et ce valet, s'ils en avaient le choix, serait Vatel ; si on ne pouvait l'obtenir, on tenterait pour Longchamps, sinon pour Courtois ou La Vallée[7].

Quelques jours après l'avoir obtenu, on ferait instances pour mon cuisinier, et on laisserait entendre que je ne mange pas, et que l'on ne doit pas refuser cette satisfaction à moins d'avoir quelque mauvais dessein.

Ensuite on demanderait des livres, permission de me parler de mes affaires domestiques qui dépérissent, ce dont j'ai seul connaissance. On tâcherait de m'envoyer Bruant[8]. Peu de temps après on dirait que je suis malade, et on tâcherait d'obtenir que Pecquet[9], mon médecin ordinaire, vînt demeurer avec moi et s'enfermer dans la prison.

On ferait tous les efforts d'avoir commerce par le moyen des autres prisonniers, s'il y en avait au même lieu, ou en gagnant les gardes ce qui se fait toujours avec un peu de temps, d'argent et d'application.

Il faudrait laisser passer deux ou trois mois dans ces premières poursuites, sans qu'il parût autre chose que des sollicitations de parents proches, et sans qu'aucun autre de nos amis fît paraître de mécontentement qui put avoir des suites, si on se contentait de nous tenir resserrés, sans faire autre persécution.

Mais néanmoins cependant il faudrait voir tous ceux que l'alliance, l'amitié et la reconnaissance obligent d'être dans nos intérêts, pour s'en assurer et les engager de plus en plus à savoir d'eux jusqu'où ils voudraient aller.

Madame du Plessis-Bellière, à qui je me fie de tout, et pour qui je n'ai jamais eu aucun secret ni aucune réserve, serait celle qu'il faudrait consulter sur toutes choses, et suivre ses ordres si elle était en liberté, et même la prier de se mettre en lieu sûr.

Elle connaît mes véritables amis, et peut-être qu'il y en a qui auraient honte de manquer aux choses qui seraient proposées pour moi de sa part.

Quand on aurait bien pris ces mesures, qu'il se fût passé environ ce temps de trois mois à obtenir de petits soulagements dans ma prison, le premier pas serait de faire que M. le comte de Charost allât à Calais ; qu'il mît sa garnison en bon état ; qu'il fît travailler à réparer sa place et s'y tînt sans en partir pour quoi que ce fût. Si le marquis de Charost n'était point en quartier de sa charge de capitaine des gardes, il se retirerait aussi à Calais avec M. son père et y mènerait ma fille, laquelle il faudrait que Madame du Plessis fît souvenir, en cette occasion, de toutes les obligations qu'elle m'a, de l'honneur qu'elle peut acquérir en tenant par ses caresses, par ses prières et sa conduite son beau-père et son mari dans mes intérêts sans qu'il entrât en aucun tempérament là-dessus.

Si M. de Bar, qui est homme de grand mérite, qui a beaucoup d'honneur et de fidélité, qui a eu la même protection autrefois que nous et qui m'a donné des paroles formelles de son amitié, voulait aussi se tenir dans la citadelle d'Amiens, et y mettre un peu de monde extraordinaire et de munitions, sans rien faire néanmoins que de confirmer M. le comte de Charost et s'assurer encore de ses amis et du crédit qu'il m'a dit avoir sur M. de Bellebrune, gouverneur de Hesdin[10], et sur M. de Mondejeu, gouverneur d'Arras. [La phrase est ainsi coupée dans le manuscrit.]

Je ne doute point que Madame du Plessis-Bellière n'obtînt de M. de Bar tout ce que dessus, et à plus forte raison de M. le marquis de Créquy, que je souhaiterais faire le même personnage et se tenir dans sa place.

Je suis assuré que M. le marquis de Feuquières ferait le même au moindre mot qu'on lui en dirait.

M. le marquis de Créquy pourrait faire souvenir M. Fabert des paroles formelles qu'il m'a données et à lui par écrit d'être dans mes intérêts, et la marque qu'il faudrait lui en demander, s'il persistait en cette volonté, serait que lui et M. de Fabert écrivissent à Son Éminence en ma faveur fort pressamment pour obtenir ma liberté ; qu'il promît d'être ma caution de ne rien entreprendre, et s'il ne pouvait rien obtenir, qu'il insinuât de tous les gouverneurs ci-dessus nommés donneraient aussi leur parole pour moi. Et en cas que M. de Fabert ne voulût pas pousser l'affaire et s'engager si avant, M. le marquis de Créquy pourrait agir et faire des efforts en son nom et [au nom] de tous lesdits gouverneurs par lettres, et se tenant dans leurs places.

Peut-être M. d'Estrades ne refuserait pas aussi une première tentative.

Je n'ai point dit ci-dessus la première chose de toutes par où il faudrait commencer, mais fort secrètement, qui serait d'envoyer au moment de notre détention les gentilshommes de nos amis et qui sont assurés, comme du Fresne, La Garde, Devaux, Bellegarde et ceux dont ils voudraient répondre, pour se jeter sans éclat dans Ham[11].

M. le chevalier de Maupeou pourrait donner des sergents assurés et y faire filer quelques soldats, tant de sa compagnie que de celles de ses amis[12].

Et comme il y a grande apparence que le premier effort serait contre Ham[13], que l'on tâcherait de surprendre, et que M. le marquis d'Hocquincourt même, qui est voisin, pourrait observer ce qui s'y passe pour en donner avis à la cour, il faudrait dès les premiers moments que M. le marquis de Créquy envoyât des hommes le plus qu'il pourrait, sans faire néanmoins rien mal à propos[14].

Que Devaux y mît des cavaliers, et en un mot que la place fut munie de tout[15].

Il faudrait pour cet effet envoyer un homme en diligence à Concarneau trouver Deslandes, dont je connais le cœur, l'expérience et la fidélité, pour lui donner avis de mon emprisonnement et ordre de ne rien faire d'éclat en sa province ; ne point parler et se tenir en repos, crainte que d'en user autrement ne donnât occasion de nous faire notre procès et nous pousser ; mais il pourrait, sans dire mot, fortifier sa place d'hommes, de munitions de toutes sortes, retirer les vaisseaux qu'il aurait à la mer, et tenir toutes les affaires en bon état, acheter des chevaux et autres choses, pour s'en servir quand il serait temps.

Il faudrait aussi dépêcher un courrier à madame la marquise d'Asserac, et la prier de donner les ordres à l'île d'Yeu[16] qu'elle jugerait à propos pour exécuter ce qu'elle manderait de Paris où elle viendrait conférer avec Madame du Plessis.

Ce qu'elle pourrait faire serait de faire venir quelques vaisseaux à l'île d'Yeu, pour porter des hommes et des munitions où il serait besoin, à Concarneau ou à Tombelaine[17], et faire les choses qui lui seraient dites et qu'elle pourrait mieux exécuter que d'autres, pour ce qu'elle a du cœur, de l'affection, du pouvoir, et que l'on s'y doit entièrement fier, et qu'elle ne serait pas suspecte. C'est pourquoi il faudrait qu'elle observât une grande modération dans ses paroles.

Il serait important que du Fresne fût averti de se tenir à Tombelaine[18], y mettre le nombre d'hommes, d'armes, et de munitions et vivres nécessaires, et le plus important est d'y faire des fours, d'y mettre de la farine, afin de n'avoir pas besoin d'aller ailleurs chercher des vivres, ledit lieu de Tombelaine pouvant être de grande utilité comme il sera dit ci-après.

Si Madame du Plessis se trouvait obligée de sortir de Paris, il faudrait, après avoir donné ordre à son ménage qu'elle allât dans l'abbaye du Pont-aux-Dames s'enfermer quelque temps[19] pour y conférer et donner les ordres aux gens dont on se voudrait servir.

Prendre garde surtout à ne point écrire aucune chose importante par la poste, mais envoyer partout des hommes exprès, soit cavaliers, ou gens de pied, ou religieux.

Le père des Champs-Neufs n'a pas tout le secret et toute la discrétion nécessaires[20] ; mais je suis tout à fait certain de son affection, et il pourrait être employé à quelque chose de ce commerce de lettres par des jésuites de maison en maison.

Ceux du Conseil desquels il se faudrait servir sur tous les autres, ce seraient M. de Brancas, MM. de Langlade et de Gourville, lesquels assurément m'ayant beaucoup d'obligations[21], et ayant éprouvé leur conduite et leur fidélité en diverses rencontres, et leur ayant confié le secret de toutes mes affaires, ils sont plus capables d'agir que d'autres, et de s'assurer des amis qu'ils connaissent obligés à ne me pas abandonner.

J'ai beaucoup de confiance en l'affection de M. le duc de La Rochefoucauld et en sa capacité ; il m'a donné des paroles si précises d'être dans mes intérêts en bonne ou mauvaise fortune, envers et contre tous, que comme il est homme d'honneur et reconnaissant la manière dont j'ai vécu avec lui et des services que j'ai eu l'intention de lui rendre, je suis persuadé que lui et M. de Marsillac ne me manqueraient pas à jamais.

Je dis la même chose de M. le duc de Bournonville, lequel assurément serait capable de bien agir en diverses rencontres, et je ne doute pas qu'il ne portât avec chaleur toutes les paroles que l'on voudrait au roi, à la reine et à M. le cardinal, pour obtenir ma liberté et représenter les soins que j'ai pris de contenir dans le devoir un grand nombre d'amis que j'ai, qui peut-être se seraient échappés.

M. le duc de Bournonville pourrait encore agir sous main au Parlement près de ses amis pour me les conserver et empêcher qu'il ne se fît rien à mon préjudice.

On peut confier à M. de Bournonville toutes choses sur sa parole.

Je ne serais pas d'avis néanmoins que le Parlement s'assemblât pour me redemander avec trop de chaleur, mais tout au plus une fois ou deux par bienséance, pour dire qu'il en faut supplier le roi et il serait très important que de cela mes amis en fussent avertis au plus tôt, particulièrement M. de Harlay, que j'estime un des plus fidèles et des meilleurs amis que j'aie, et MM. de Maupeou, Miron et Jannart de crainte que l'on ne prît le parti de dire que le roi veut me faire mon procès et que cela ne mît l'affaire en pires termes.

Pour les affaires qui pourraient survenir de cette nature, lesdits sieurs de Harlay, de Maupeou, Miron, Jannart et M. Chanut devront être consultés, étant très capables et fidèles.

Il faudrait que quelqu'un prît grand soin de bien échauffer ledit sieur Jannart, mon substitut, le piquant d'honneur et de reconnaissance, pour ce que c'est un des plus agissants et des plus capables hommes que je connaisse en affaires du palais.

Une chose importante est d'avertir mes amis qui commandent à Ham[22], à Concarneau, à Tombelaine, que les ordres de Madame du Plessis doivent être exécutés comme les miens.

M. Chanut me ferait un singulier plaisir de venir prendre une chambre au logis où sera ma femme pour lui donner conseil en toute sa conduite et qu'elle y prenne créance entière et ne fasse rien sans son avis.

Une des choses les plus nécessaires à observer est que M. Langlade et M. de Gourville sortent de Paris, se mettent en sûreté, fassent savoir de leurs nouvelles à Madame du Plessis, au marquis de Créquy, à M. de Brancas et autres, et qu'ils laissent à Paris quelque homme de leur connaissance capable d'exécuter quelque entreprise considérable, s'il en était besoin[23].

Il est bon que mes amis soient avertis que M. le commandeur de Neuf-Chaise[24] me doit le rétablissement de sa fortune ; que sa charge de vice-amiral a été payée des deniers que je lui ai donnés par les mains de Madame du Plessis, et que jamais un homme n'a donné des paroles plus formelles que lui d'être dans mes intérêts en tout temps, sans distinction et sans réserve envers et contre tous.

Qu'il est important que quelques-uns d'entre eux lui parlent et voient la situation de son esprit, non pas qu'il fût à propos qu'il se déclarât pour moi, car de ce moment il serait tout à fait incapable de me servir ; mais comme les principaux établissements sur lesquels je me fonde sont maritimes, comme Belle-Île, Concarneau, Le Havre et Calais, il est bien assuré que le commandement des vaisseaux tombant entre ses mains, il pourrait nous servir bien utilement en ne faisant rien, et lorsqu'il serait en mer trouvant des difficultés qui ne manquent jamais quand on en veut.

Il faudrait que M. de Guinant, lequel a beaucoup de connaissance de la mer et auquel je me fie, contribuant à munir toutes nos places de choses nécessaires et des hommes qui seraient levés par les ordres de Gourville, ou des gens ci-dessus nommés, et c'est pourquoi il serait important qu'il fût averti de se rendre à Belle-Île[25].

Comme l'argent serait nécessaire pour toutes ces dépenses, je laisserai ordre au commandant de Belle-Île d'en donner autant qu'il en aura sur les ordres de Madame du Plessis, de M. de Brancas, de M. d'Agde[26], ou de M. de Gourville ; mais il le faut ménager, et que mes amis en empruntent partout pour n'en pas manquer.

M. d'Andilly est de mes amis et on pourrait savoir de lui en quoi il peut servir ; en tout cas, il échauffera M. de Feuquières, qui sans doute agira bien.

M. d'Agde, par sous-main, conduira de grandes négociations, et dans le Parlement sur d'autres sujets que le mien, et même par mes amis assurés dans les autres parlements, où on ne manque jamais de matière, à l'occasion des levées [impôts], de donner des arrêts et troubler les recettes ; ce qui fait que l'on n'est pas hardi dans ces temps-là à pousser une violence, et on ne veut pas avoir tant d'affaires à la fois.

Le clergé peut encore, par son moyen et de M. de Narbonne[27], fournir des occasions d'affaires en si grand nombre que l'on voudra, en demandant les états généraux avec la noblesse, ou des conciles nationaux, qu'ils pourraient convoquer d'eux-mêmes en lieux éloignés des troupes et y proposer mille matières délicates.

M. de la Salle, qui doit avoir connaissance de tous les secours qu'on peut tirer par nos correspondances des autres royaumes et États, y peut aussi être employé et donner des assistances à nos places.

Voilà l'état où il faudrait mettre les choses, sans faire d'autres pas, si on se contentait de me tenir prisonnier ; mais si on passait outre et qu'on voulût faire mon procès, il faudrait faire d'autres pas. Et après que tous les gouverneurs auraient écrit à Son Ém. pour demander ma liberté, avec termes pressants comme mes amis, s'ils n'obtenaient promptement l'effet de leur demande et que l'on continuât à faire la moindre procédure, il faudrait en ce cas montrer leur bonne volonté, et commencer tout d'un coup, sous divers prétextes de ce qui leur serait dû, à arrêter tous les deniers des recettes, non seulement de leurs places, mais des lieux où leurs garnisons pourraient courre, faire faire nouveau serment à tous leurs officiers et soldats, mettre dehors tous les habitants ou soldats suspects peu à peu, et publier un manifeste contre l'oppression et la violence du gouvernement.

C'est en ce cas où Guinant pourrait avec ses cinq[28] vaisseaux, s'assurant en diligence du plus grand nombre d'hommes qu'il pourrait, matelots et soldats, principalement étrangers, prendre tous les vaisseaux qu'il rencontrerait dans la rivière du Havre à Rouen, et par toute la côte, et mettre les uns pour brûlots et des autres en faire des vaisseaux de guerre, en sorte qu'il aurait une petite armée assez considérable, retraite en de bons ports, et y mènerait toutes les marchandises dont on pourrait faire argent, dont il faudrait que les gouverneurs fussent avertis pour avoir créance en lui et lui donner retraite et assistance.

Il est impossible, ces choses étant bien conduites, se joignant à tous les mal-contents par d'autres intérêts, que l'on ne fit une affaire assez forte pour tenir les choses longtemps en balance et en venir à une bonne composition, d'autant plus qu'on ne demanderait que la liberté d'un homme qui donnerait des cautions de ne faire aucun mal.

Je ne dis point qu'il faudrait ôter tous mes papiers, mon argent, ma vaisselle et les meubles plus considérables de mes maisons de Paris, de Saint-Mandé, de chez M. Bruant, et les mettre dès le premier jour à couvert dans une ou plusieurs maisons religieuses[29], et s'assurer d'un procureur au Parlement fidèle et zélé, qui pourrait être donné par M. de Maupeou, le président de la première[30].

Je crois que M. le chevalier de Maupeou occuperait dans ce temps-là quelque poste avantageux et agirait comme on voudrait ; mais en tout cas il pourrait choisir à se retirer dans une des places susdites avec ses amis.

Une chose qu'il ne faudrait pas manquer de tenter serait d'enlever des plus considérables hommes du Conseil, au même moment de la rupture, comme M. Le Tellier ou quelques autres de nos ennemis plus considérables, et bien faire sa partie pour la retraite ; ce qui n'est pas impossible.

Si on avait des gens dans Paris assez hardis pour un coup considérable et quelqu'un de tête à la conduire, si les choses venaient à l'extrémité et que le procès fût bien avancé, ce serait un coup embarrassant de prendre de force le rapporteur et les papiers ; ce que M. Jannart ou autre de cette qualité pourrait bien indiquer, par le moyen de petits greffiers que l'on peut gagner, et c'est une chose qui a pu être pratiquée au procès de M. de Chenailles le plus aisément du monde, où, si les minutes eussent été prises, il n'y avait plus de preuves de rien.

M. Pelisson est un homme d'esprit et de fidélité auquel on pourrait prendre créance et qui pourrait servir utilement à composer les manifestes et autres ouvrages dont on aurait besoin, et porter des paroles secrètes des uns aux autres.

Pour cet effet encore, mettre des imprimeurs en lieu sûr ; il y en aura un à Belle-Île.

M. le premier président de Lamoignon, qui m'a l'obligation tout entière du poste qu'il occupe, auquel il ne serait jamais parvenu, quelque mérite qu'il ait, si je ne lui en avais donné le dessein, si je ne l'avais cultivé et pris la conduite de tout, avec des soins et applications incroyables, m'a donné tant de paroles de reconnaissance et de mérite, répétées si souvent à M. Chanut, à M. de Langlade et à Madame du Plessis-Guénégaud et autres, que je ne puis douter qu'il ne fît les derniers efforts pour moi ; ce qu'il peut faire en plusieurs façons, en demandant lui-même personnellement ma liberté, en se rendant caution, en faisant connaître qu'il ne cessera point d'en parler tous les jours qu'il ne l'ait obtenu ; que c'est son affaire ; qu'il quitterait plutôt sa charge que se départir de cette sollicitation, et faisant avec amitié et avec courage tout ce qu'il faut. Il est assuré qu'il n'y a rien de si facile à lui que d'en venir à bout, pourvu qu'il ne se rebute pas et que l'on puisse être persuadé qu'il aura le dernier mécontentement si on le refuse, qu'il parle tous les jours sans relâche, et qu'il agisse comme je ferais pour un de mes amis en pareille occasion et dans une place aussi importante et aussi assurée.

M. Amproux, frère de M. Delorme et conseiller au Parlement est de mes amis ; il m'a quelque obligation. Je ne doute point, étant homme d'honneur, qu'il ne me serve avec affection et fidélité aux occasions ; on s'y peut fier.

Son usage est et [sic] au Parlement[31] pour toutes choses, soit en attaquant ou en défendant : même on le peut consulter sur ce qu'il estimera qui pourrait être fait.

Il peut encore savoir ce qui se passe et agir avec les gens de la religion[32], et voir dans la maison d'Estrée ce que l'on y machine, ayant de grandes habitudes auprès de M. l'évêque de Laon.

Madame la première présidente de la Cour des Comptes de Bretagne, qui est sœur de Madame du Plessis-Bellières et demeure à Rennes, a des parents et amis au Parlement de Bretagne. Je l'ai servie en quelque occasion, et tant à cause de sa sœur que de mon chef je puis m'assurer qu'elle agira avec fidélité et affection en ce pays-là. On peut s'y confier pour tout ce qui concerne la Bretagne, où mes établissements me donnent des affaires ; et il ne faut pas manquer d'écrire à tous mes amis de ces quartiers-là de se réunir, et veiller qu'il ne se passe rien contre mes intérêts pendant mon malheur.

M. de Cargret [de Kergroet], maître des requêtes, est homme de condition qui m'a promis et donné parole plusieurs fois de me servir envers et contre tous. Il peut être d'un grand usage, et pour ladite province de Bretagne où il a des amis et des parents dont il m'a répondu, et dans le Conseil, les jours que l'on apprendra qu'il doit s'y passer quelque chose, et dans le Parlement où il peut entrer quand on voudra, et parmi les maîtres des requêtes, si quelque occasion venait à les émouvoir. M. de Harlay peut le faire agir.

M. Fouquet, conseiller en Bretagne, est celui de mes parents de cette province auquel j'ai eu plus de confiance, qui a eu la conduite de toutes mes affaires domestiques en ce pays, qui connaît mes amis et mes parents, et auquel on peut prendre créance pour ce qui serait à faire de ce côté-là ; même sait l'argent à peu près qu'on y peut trouver.

NOTES

1. Fouquet a ajouté en interligne dans la rédaction de 1658 : « A mon frère l'Abbé, qui s'est engagé peut-être trop légèrement, puisqu'il n'a pas de titre pour cela, contre M. le Prince. »

2. Addition de 1658 en interligne : « qui confondent toute la famille et attendent, etc. »

3. Fouquet a effacé, en 1658, ces mots « en mon frère l'abbé » et y a substitué « mes frères ».

4. Le mot « proches » a été effacé en 1658 et remplacé par « amis ».

5. Fouquet a effacé cette phrase depuis « et que mon frère l'abbé n'y fût pas », et y a substitué la suivante en 1658 : « et que mon frère l'abbé, qui s'est divisé dans les derniers temps d'avec moi mal à propos, n'y fût pas et qu'on le laissât en liberté, il faudrait doubler qu'il eût été gagné contre moi, et il serait plus à craindre en cela qu'un autre. C'est pourquoi le premier ordre serait d'en avertir un chacun, être sur ses gardes et observer sa conduite ».

6. Cette phrase a été remplacée par la suivante : « Si j'étais donc prisonnier et l'on eût la liberté de me parler, je donnerais les ordres de là », etc.

7. Note ajoutée par les commissaires : « Ce La Vallée est le valet de chambre qui sert M. Fouquet à Vincennes. »

8. Bruant des Carrières, un des principaux commis de Fouquet.

9. « Le sieur Pecquet, médecin, est auprès de Fouquet depuis sa détention » (Note des commissaires).

10. Cette phrase, depuis qu'il m'a dit avoir sur M. de Bellebrune, gouverneur de Hesdin, a été rayée et remplacée par celle-ci : « qu'il a sur le commandant du Havre ».

11. Cette phrase a été modifiée dans la seconde rédaction, depuis « comme du Fresne » jusqu'à « dans Ham », et remplacée par la suivante : « dans Belle-Île, M. de Brancas, auquel je me confie entièrement, aurait la principale conduite de tout avec Madame du Plessis. »

12. Les derniers mots de la phrase, depuis « tant de sa compagnie » ont été supprimés.

13. La seconde rédaction porte en interligne « Bellisle et Concarneau » au lieu de « Ham », qui a été effacé.

14. Cette phrase, depuis « et que M. le marquis d'Hocquincourt », a été biffée et remplacée par celle-ci : « et que M. le maréchal de La Meilleraye quoiqu'il m'ait donné parole d'être dans mes intérêts envers et contre tous en présence de M. de Brancas et de Madame du Plessis n'en userait peut-être pas trop bien, il faudrait avertir Deslandes de prendre les hommes le plus qu'il pourrait, sans faire néanmoins rien de mal à propos. » On doit se rappeler que le marquis de Hocquincourt avait remplacé le maréchal, son père, comme gouverneur de Péronne, que le maréchal de La Meilleraye était gouverneur de Bretagne, et Deslandes gouverneur de Concarneau. La substitution de Belle-Île à Ham a rendu ces changements nécessaires dans la suite du projet.

15. Ce paragraphe a été complètement supprimé.

16. Il y avait, dans la première rédaction, « au Croisil » (auj. Croisic).

17. Tombelaine est une petite île située près du Mont-Saint-Michel. Dans la seconde rédaction, Fouquet a remplacé « à Concarneau et Tombelaine » par ces mots : « faire accommoder Saint-Michel et Tombelaine. »

18. Fouquet a remplacé ce membre de phrase par le suivant : « Il serait important que ceux qui commandent dans Saint-Michel et Tombelaine soient avertis de s'y tenir. »

19. Dans la seconde rédaction les mots : « dans l'abbaye du Pont-aux-Dames » ont été biffés et remplacés par cette phrase : « qu'elle allât s'enfermer quelque temps dans la citadelle d'Amiens ou de Verdun. »

20. Cette phrase a été ainsi modifiée : « n'a pas de lui-même toute la circonspection nécessaire ».

21. Fouquet a changé ainsi cette phrase : « M. de Brancas, MM. de Langlade et de Gourville m'ont beaucoup d'obligations. »

22. Ce mot a été effacé dans la seconde rédaction et remplacé par « Belle-Île ».

23. Ici commence la partie du projet écrite en 1658, après l'acquisition de Belle-Île, et où le nom de cette place se trouve dans le corps même de l'écrit.

24. On écrit ordinairement « Neuchèse ».

25. Fouquet avait ajouté « ou au Havre », mais il a effacé ces mots.

26. Ce nom a été ajouté en interligne. Louis Fouquet, alors coadjuteur de l'évêque d'Agde était en même temps conseiller du Parlement de Paris.

27. François Fouquet, qui n'était encore en 1658 que coadjuteur de l'archevêque de Narbonne.

28. Fouquet a remplacé « ses cinq » par « quelques ».

29. Fouquet a ajouté en interligne « et chez M. de Bournonville ».

30. C'est-à-dire « de la première Chambre des enquêtes ».

31. La phrase a été copiée textuellement. Fouquet veut dire sans doute que M. Amproux connaît bien les usages du Parlement et peut y servir pour toutes choses.

32. Les protestants.

ANNEXE 5

Lettre de Nicolas Fouquet à sa femme
(Pignerol, 5 février 1675)

Votre lettre m'a tiré d'une inquiétude plus grande que vous ne sauriez croire. J'avais passé trois mois avec impatience à l'attendre. Elle est enfin arrivée et m'a donné autant de consolation que je suis capable d'en recevoir dans un lieu d'amertume et de douleur.

Vous avez bien fait, madame, de ne pas importuner à contretemps M. de Louvois, lequel peut bien sans doute vous faire la grâce de réparer le temps perdu et au-delà. Je supplie de tout mon cœur la divine Bonté de le récompenser abondamment de toutes les charités qu'il nous fait, et de me donner un moyen de lui faire dire par vous mes sentiments, que je ne puis exprimer par écrit.

Je suis ravi que mon fils lui ait une si grande obligation avant que d'entrer dans le monde ; et si je pouvais lui en avoir encore une autre avant d'en sortir, dites-lui hardiment tout ce que vous pourrez de ma gratitude ; vous n'en direz pas assurément trop.

Rien ne me touche davantage, dans votre lettre, que le pieux exercice que vous avez pris pour notre chapelle, et les sacrements que vous y fréquentez. Il y a longtemps que j'ai besoin et le désir d'en user de même. J'ai souvent importuné le sieur de Saint-Mars et le prêtre qui vient ici me confesser de m'obtenir la consolation de pouvoir me disposer à la mort, que je sens n'être pas éloignée, par l'entretien libre et fréquent d'un très bon religieux ou ecclésiastique non suspect, auquel je puisse ouvrir entièrement et sans précipitation ma conscience sur ma mauvaise vie passée et présente, m'instruire sur plusieurs scrupules bien fondés, me fortifier par les secours ordinaires que Dieu a institués pour la vie et nourriture des âmes chrétiennes, enfin me consoler en mes déplaisirs continuels et échauffer ma froideur trop souvent glacée. Mais je n'ai pu en venir à bout ; de sorte que je ne fais mes confessions et communions qu'à Noël, Pâques, Pentecôte, l'Assomption et la Toussaint. Ainsi je me trouve quelquefois, comme cette année, quatre mois entiers, entre Noël et Pâques, privé d'une assistance que l'on ne croit peut-être pas si nécessaire ici qu'ailleurs, mais qui l'est en effet beaucoup davantage, parce qu'une oisiveté forcée est la mère des désespoirs, des tentations et agitations continuelles, dans un esprit accablé de désirs et d'impuissance, surchargé d'ennuis et de déplaisirs que personne ne prend soin de soulager. On croit être oublié ou abandonné de ses proches, méprisé des autres, inutile et à charge à tout le monde. A cela il n'y a d'autre remède que la patience et la tranquillité qui procèdent ordinairement d'un bon usage des sacrements et de l'entretien journalier d'un homme spirituel et charitable, qui n'ait que Dieu pour but et non point de lâches desseins de faire sa fortune aux dépens d'un affligé.

Je sais bien que, quand c'est pour peu de temps et qu'il y a des considérations de justice qui le requièrent, on se dispense de ces règles, et on ne s'arrête pas à la satisfaction d'un particulier ; mais quand les procès sont terminés et que les choses tirent de longueur, dans un cours ordinaire, les prisonniers peuvent avec respect inspirer des sentiments de christianisme et d'humilité dans le cœur de ceux dont tels secours dépendent ; et moi je ne le puis pas, quoique l'incertitude de ma vie, tous les jours menacée par des faiblesses extrêmes, me fasse sentir très souvent la douleur de cette privation. C'est pourquoi, si vous pouvez obtenir, par vos bonnes prières, que les obstacles qui se rencontrent à l'exécution d'un désir si légitime soient levés, je vous assure, moyennant la grâce de Dieu, qu'en toutes les communions que j'aurai l'honneur de faire tout le reste de ma vie, au moins tous les huit jours, si je le puis, ceux par qui cette permission me sera procurée y auront bonne part, et que je prierai mon Dieu que je recevrai par leur moyen de leur faire la même miséricorde qu'à moi. Cependant faites à mon intention ce que je ne puis pas faire, et me rendez participant de vos solides dévotions.

J'ai regardé le billet de ma mère comme un miracle et comme une relique. Sa main est plus forte que la mienne, et sa bonté est extrême pour un fils qui lui a tant donné de déplaisirs. Ce seront autant d'ornements à la couronne qu'elle a méritée par ses vertueuses souffrances et qui ne lui peut pas manquer. Je la supplie de me pardonner si je prie Dieu encore tous les jours qu'elle lui soit retardée jusqu'à ce qu'il me soit permis d'aller me jeter à ses pieds, et ne plus me séparer d'elle et de vous que par une mort qui ne me sera point désagréable quand j'aurai fait mon devoir.

En attendant, madame, continuez et redoublez vos sollicitations auprès de Dieu et de ceux qui exercent sa puissance en terre pour venir passer ici quelque temps et obtenir la liberté de me voir. Les prières assidues des personnes d'esprit et de vertu ne peuvent à la fin qu'elles ne soient exaucées. Dieu veut être prié et importuné. Quand il sait que le cœur des hommes est touché de compassion, c'est un signe pour lui ; il leur donne occasion de mériter une récompense qu'il sait bien leur payer lui-même. Vous ferez plaisir à ceux auxquels vous donnerez les moyens de faire du bien ; c'est une faveur que vous demanderez, mais c'est une charité que vous faites. Il n'y a rien contre la raison ni contre la justice, qu'après quatorze ans d'absence, une femme voie son mari sur le déclin de sa vie, et j'espère qu'un monarque glorieux, et que Dieu rend triomphant de toute l'Europe, voudra bien, pour l'amour et en l'honneur du même Dieu, pardonner et accorder un peu de soulagement à un de ses sujets dont la personne, le bien et les espérances sont en son pouvoir. Si je me suis mal conduit, j'ai été châtié, et j'ai eu le temps d'en faire pénitence. Le ministre illustre [Louvois] qui voudra bien se charger de votre demande et appuyer vos raisons soutiendra une bonne cause, et en aura du mérite devant Dieu qui aime [à faire] miséricorde à ceux qui la font.

Je loue Dieu de la bonne disposition en laquelle vous me mandez que sont nos enfants, chacun selon son âge. C'est une singulière bénédiction de sa divine Majesté, qui ne veut pas pour les péchés d'un père détruire absolument la famille d'une mère vertueuse. Cultivez bien ce qu'ils ont de bon et tâchez de détourner leur esprit du vice et d'y mettre l'aversion du jeu, qui est une très pernicieuse inclination de plusieurs de notre famille. Gravez dans leur cœur une ferme résolution de gratitude envers ceux dont ils recevront des bienfaits et une inviolable exactitude à garder leur parole ; cela, et la crainte de Dieu surtout, les fera prospérer.

N'employez point vos soins et vos poursuites pour me faire voir leurs portraits, qui ne feraient que me percer le cœur, et ne pourraient profiter de ce que je pourrais leur dire ; mais que votre charité s'emploie à me faire voir les originaux.

Je n'ai pas bien compris comment vous vous êtes chargée des terres, par quelle ferme, pour quel prix, et ce que vous êtes tenue d'acquitter de dettes. J'eusse bien voulu savoir cela en général, et je vous trouve bien accablée.

Si vous pouvez, faites dire à ma fille de Charost quelque amitié de ma part.

Depuis la Notre-Dame de septembre, que mourut devant mes yeux un de mes valets nommé Champagne, je n'ai eu joie ni santé ; c'était un garçon diligent et affectionné et que j'aimais tendrement, que j'affectionnais et qui me soulageait. Je voudrais que son frère fût avec vous pour lui faire du bien. L'autre valet périt ici dans les remèdes, et a autant et plus besoin que moi. Il est chagrin de son humeur, et ainsi n'y ayant que lui et moi à nous entretenir jour et nuit, jugez comment je passe ma vie. Nous avons moins d'assistance, quand la nécessité est plus pressante. Nous pourrions beaucoup mériter, si la vertu répondait à l'affliction : c'est assurément un des moyens les plus efficaces que Dieu nous donne pour nous sauver, si elle pouvait être bien supportée ; mais la peine est à gagner sur soi d'aimer ce qui naturellement n'est point aimable, de sorte qu'après quelques petits efforts on se relâche aisément, sitôt qu'on se sent offensé au corps ou en esprit, et on a recours à des réflexions inutiles.

J'ai ici cette occupation tant que je veux, et je m'étudie à la retrancher non pas de la manière que je voudrais, mais que je puis, n'ayant compagnie de qui que ce soit à me divertir, consoler, assister spirituellement ni corporellement.

M. de Saint-Mars vient quelquefois savoir de mes nouvelles, mais par cérémonie, non pas par entretien, ou pour amener un médecin ; l'air de notre citadelle étant toujours dans quelque excès, et moi infirme et pas assez habile pour savoir ce qui m'est bon, il m'en faudrait un bien expert et sage qui ne me quittât point ou qui me vît deux ou trois fois par jour pour se conduire comme il verrait à propos, et non pas dans un temps que par pudeur je n'ose tout dire ou montrer devant le monde. Apprenez donc à cette fois qu'il n'y a mal en un corps humain que le mien n'en ressente quelque attaque. Je ne me vois point quitte de l'un, que l'autre n'y succède, et il est à croire qu'ils ne finiront qu'avec ma vie. Il me faudrait un assez gros volume pour en écrire ici le détail ; mais le principal est que mon estomac n'est point de concert avec mon foie ; ce qui sert à l'un nuit à l'autre, et de plus vous savez que j'ai toujours les jambes enflées. J'ai des sciatiques, des coliques, et, si vous me permettez de tout dire, des hémorroïdes très fâcheuses. J'ai fait cette année deux petites pierres et Dieu m'a fait la grâce de me donner relâche de cette douloureuse et importune sorte d'infirmité. Envoyez à M. Pecquet, qui sait mon tempérament, un petit mémoire ; M. de Saint-Mars sait tout ce que je dis là et qu'on m'a fait observer pour ma gravelle un régime de bouillon et de sirop qui m'ont soulagé. Si vous n'approuvez pas de consulter M. Pecquet, n'en faites rien.

J'ai cru devoir, par raison de conscience ou autre (car on se flatte aisément), m'abstenir des jeûnes que je faisais sans y être obligé, et Dieu veuille que je ne sois pas obligé de quitter ce carême. Lors du commencement, j'ai eu de la peine à supporter les jours maigres, et je ne vous dis qu'une partie de mes misères, sans les rhumes, les fluxions, maux de tête, bruits d'oreilles. Quand vous m'écrirez, si vous savez un remède à ce mal, mandez-le-moi ; notre médecin n'en sait pas. J'en suis fort incommodé ; mais ne laissez pas de me donner avis sur les autres, si vous pouvez. A la fin, mes yeux sont réduits aux lunettes, et mes dents minées. Le plus sûr est de quitter les soins du corps entièrement et de songer à l'âme. Cela nous est important, et cependant le corps nous touche le plus. Si vous veniez ici, ce serait le moyen que l'un et l'autre se portassent mieux ; vous me communiqueriez de votre vertu, et moi je vous fournirais la matière de l'exercer. Faites mes compliments à mes frères et sœurs, s'il y en a encore en vie. Je ne doute pas que Dieu n'en ait voulu appeler à lui depuis le temps que je n'en ai ouï parler ; et il faut que tout prenne fin, mais non pas ma reconnaissance et mon amitié pour vous. Embrassez ma fille de ma part, et me recommandez aux prières de votre petite communauté.

Notes

Abréviations utilisées pour les sources manuscrites

A.N. : Archives nationales. B.N. : Bibliothèque nationale. A.A.E. : Archives des affaires étrangères. M.C. : Minutier central des notaires parisiens. A.P. : Archives privées. P.O. : Pièces originales. Mi. : Microfilm.

Introduction

1. ABBÉ DE CHOISY, *Mémoires pour servir à l'histoire de Louis XIV*, p. 64.
2. *Ibid.*, p. 77.
3. MADAME DE MOTTEVILLE, *Mémoires*, p. 210.
4. LOUIS XIV, *Mémoires*, p. 47.
5. *Ibid.*, p. 81.
6. J. LAIR, *Nicolas Foucquet.*

Chapitre premier
LES FOUQUET AVANT FOUQUET

1. P. DE FARCY, Les Foucquet d'Anjou, pp. 5-8. B.N., Chérin, 84, 1714, fol. 3 v°, 4 v°.
2. D'après J. LAIR, *op. cit.*, t. I, p. 4. Il s'agit d'un petit domaine, moitié manoir, moitié moulin, sur les bords du Loir, situé dans un hameau de la commune de Lessigné, canton de Seiches, arrondissement de Beaugé (Maine-et-Loire).
3. J. LAIR, *op. cit.*, t. I, p. 5.
4. B.N., P.O. 1219, 27 349, fol. 392, copie mentionnant le contrat de mariage entre François Fouquet, écuyer, sieur des Moulins-Neufs (fils de feu Mathurin Fouquet, écuyer, sieur des Moulins-Neufs et de Marguerite Cuissart) et Lézine Cupif (fille de Jean Cupif, écuyer, sieur de La Tobinaye et de Jeanne Bouquet), passé le 4 février 1552 devant notaire, à Lessigné (J. LAIR, *op. cit.*, t. I, p. 6).
5. A.N., M.C., LI, 505, 20 juillet 1640, L'inventaire de François Fouquet (cotes 78, 79, 102 et 103 des papiers du disparu) comporte des titres des Fouquet des Moulins-Neufs, rassemblés par le père François ; *cf.* également A.N., M.C., LI, 511, 1ᵉʳ juillet 1643, inventaire après décès de la première femme de Nicolas Fouquet, Louise Fourché (cotes 50, 51, 54, 57, 61, 64, 65, 66, 68 et 72) de l'inventaire des papiers de la communauté).
6. P. DE FARCY, *op. cit.*, p. 7.
7. A.N., M.C., LI, 534, 8 avril 1654. Le contrat d'achat est du 9 août 1653.
8. B.N., P.O., 1219, 27 349, fol. 387 et sq.
9. Il faut noter que Jules Lair, dans sa biographie, retient la version selon laquelle les Fouquet descendraient bien de la famille Fouquet des Moulins-Neufs.
10. B.N., dossiers bleus 279, fol. 279.
11. Le véritable contrat de mariage entre François Fouquet et Lézine Cupif date de 1549. Au moment du contrat supposé, les deux époux avaient déjà deux enfants !
12. Cette pièce fait partie des titres inventoriés dans la succession de la première épouse de Nicolas Fouquet ; *cf.* A.N., M.C., LI, 511, 1ᵉʳ juillet 1643 (cote 50 des papiers).
13. B.N., Chérin 84, 1714, fol. 2 et 6.
14. P. DE FARCY, *op. cit.*, pp. 25-35.

15. B.N., Nouveau d'Hozier 142, 3082, fol. 65-66 v° ; B.N., Chérin 84, 1714, fol. 2-4 v° ; P. DE FARCY, *op. cit.*, p. 25 et sq.

16. P. DE FARCY, *op. cit.*, pp. 134-156.

17. *Idem.* J. LAIR (*op. cit.*, t. I, p. 6). En vieux français « *Fouquet* » signifie « écureuil ».

18. Les Fouquet vont porter dorénavant comme armoiries : « D'argent à l'écureuil rampant de gueules. »

19. B.N., M.C., XX, 134, 14 mars 1580, contrat de mariage de François Fouquet, conseiller au Parlement et de Marie de Bénigne.

20. P. DE FARCY, *op. cit.*, pp. 35-46.

21. A.N., M.C., XXXVI, 125, 10 juillet 1600, inventaire après décès de Marie de Bénigne (renseignement aimablement indiqué par Robert Descimon). François Fouquet et son épouse, Marie de Bénigne, ont été inhumés en l'église Saint-Eustache, à Paris. En février 1620, leur fils François, alors maître des requêtes, obtient l'autorisation des marguilliers de la fabrique de Saint-Eustache, moyennant 32 l, de faire apposer une plaque sur le pilier de la grande sacristie, proche de la chapelle du président Forget, à droite, en entrant dans la chapelle de la Vierge (*Cf.* B.N., P.O. 1217, 27 349, fol. 27). On trouve, parmi les pièces généalogiques des Fouquet (B.N., P.O. 1219, 27 349, fol. 417), un dessin représentant l'épitaphe de marbre noir et de pierre, que François Fouquet avait fait graver, avec cette légende :

D.O.M.

Siste viator, deum precare pro salute animae Francis. Fouquet in sup. Paris. curia senatoris integerrimi cujus hic cor. jacet, cum corpore Mariae de Benigne ejus uxoris, qui obiit V non jul. an. red. M.D.C..

Une plaque de marbre marque encore de nos jours dans la chapelle de la Vierge, à l'église Saint-Eustache, le souvenir des grands-parents paternels de Nicolas Fouquet.

22. A.N., M.C., LI, 511, 1ᵉʳ juillet 1643, inventaire de la première épouse de Nicolas Fouquet. La cote 51 des papiers mentionne des lettres de Henri IV, datées du 1ᵉʳ août 1583, adressées au grand aumônier de France, par lesquelles le roi retient comme aumônier ordinaire Isaac Fouquet.

23. A.N., M.C., LI, 505, 20 juillet 1640, inventaire après décès de François Fouquet. Les cotes 78, 79 et 103 des papiers mentionnent des actes relatifs à Isaac Fouquet, sieur de Lournay et trésorier de Saint-Martin de Tours. En particulier, son inventaire après décès dressé le 21 mars 1636 par Hilaire du Verger, bailli de la baronnie de Châteauneuf, à Tours.

24. P. DE FARCY, *op. cit.*, pp. 167-186.

25. B.N., P.O. 204, 4 520, fol. 68 et v° ; B.N., dossiers bleus 61, 1 442, fol. 2, 6, 7, 10, 13 ; *cf.* également J.-F. BLUCHE, *L'Origine des magistrats au Parlement de Paris au XVIIIᵉ siècle*, pp. 77-78.

26. P. DE FARCY, *op. cit.*, pp. 167-186.

Chapitre II
FRANÇOIS FOUQUET, LE PÈRE FONDATEUR

1. F. BLUCHE, *L'Origine des magistrats du Parlement de Paris au XVIIIᵉ siècle*, p. 303.

2. J. DE MAUPEOU, *Histoire des Maupeou*, pp. 127-128.

3. *Ibid.*, p. 129.

4. *Ibid.*, pp. 130-131.

5. Si l'on en croit J. LAIR, l'action de Gilles de Maupeou durant son séjour au parlement de Rennes aurait facilité les relations entre les membres de celui-ci et le clan Fouquet, et débouché sur l'union de François Fouquet et de Marie de Maupeou.

6. A.N., M.C., LIV, 474, 22 février 1610, contrat de mariage entre François Fouquet et Marie de Maupeou.

7. A.N., M.C., LI, 505, 20 juillet 1640, inventaire de François Fouquet. Les livres sont inventoriés sous la cote 76. A la fin du document, entre les cotes 93 et 94, figure un état résumé des propres de François Fouquet, vendus depuis son contrat de mariage.

8. Au total, cela représente un capital d'au moins 156 700 l.

9. J. DE MAUPÉOU, *op. cit.*, 131-132.

10. Transactions citées dans l'état des propres de François Fouquet, aliénés depuis son mariage (*cf. supra*, note 7).

11. J. LAIR, *op. cit.*, t. I, pp. 13-14.

12. *Idem.*

13. *Ibid.*, p. 16.

14. J. BERGIN, *Cardinal Richelieu, Power and the Pursuit of Wealth.*

15. J. BERGIN, *op. cit.*, pp. 53-54.

16. J. LAIR, *op. cit.*, t. I, pp. 39-40.

17. *Ibid.*, t. I, pp. 23-39. *Cf.* aussi M. CARMONA, *Richelieu*, pp. 431-451.

18. Le bourreau ayant été enlevé par des amis du condamné, l'exécution est confiée à un cordonnier de Tours, lui-même promis au gibet, et qui se sauve en acceptant de remplacer l'exécuteur des hautes œuvres. Mais maladroit avec l'épée, il ne peut décoller Chalais, qui tombe ensanglanté près du billot. Le bourreau improvisé réclame alors une doloire, mais se montre avec elle tout aussi malhabile puisqu'il ne réussit à détacher la tête du malheureux condamné qu'au bout de vingt-neuf coups !

19. J. LAIR, *op. cit.*, pp. 51-52.

20. A.N., M.C., XXIV, 321, 25 septembre 1672.

21. J. BERGIN, *op. cit.*, p. 51 et note 56.

22. J. LAIR, *op. cit.*, t. I, p. 57.

23. *Ibid.*, p. 53.

24. N. GOULAS, *Mémoires*, t. I, pp. 126-127.

25. *Cf.* notes 7 et 8. Il possédait deux maisons devant l'église Saint-Eustache, une rue des Arcis, une au village de Saint-Prix, une rue des Menestriers, une autre aux Carrières et une dernière, rue des Écrivains.

26. N. GOULAS, *op. cit.*, p. 127.

27. Cité *in* A. DODIN, *La Légende et l'histoire de Monsieur de Paul dit Saint-Vincent de Paul*, p. 21, note 2.

28. SAINT-SIMON, *Mémoires*, t. V, p. 81 et t. VI, p. 265.

29. J. DE MAUPEOU, *op. cit.*, pp. 130, 134-135.

30. L'une de ses filles, Madeleine-Élisabeth, visitandine, jeûnait tous les samedis afin d'obtenir de la sainte Vierge le retour de son père à la foi catholique.

31. J. DE MAUPEOU, *op. cit.*, p. 143.

32. *Ibid.*, pp. 143-144.

33. La chapelle, située au 17 rue Saint-Antoine, est affectée au culte protestant depuis 1882.

34. A.N., M.C., LI, 488, 4 octobre 1632 et 6 novembre 1632 ; LI, 491, 27 juin 1634 ; LI, 505, 20 juillet 1640. Les cotes 19, 20, 32 et 33 de l'inventaire de François Fouquet désignent des constitutions de rentes passées en sa faveur par des établissements religieux.

35. A.N., M.C., LI, dépôt le 18 septembre 1640 du testament de François Fouquet, rédigé le 20 février 1640.

36. A.N., M.C., LI, 505, 20 juillet 1640, inventaire de François Fouquet, cote 109 dans les papiers.

37. A.N., M.C., LI, 505, 18 septembre 1640, testament de François Fouquet.

38. A.N., M.C., LI, 505, 20 juillet 1640, inventaire de François Fouquet, cote 6.

39. *Ibid.*, cote 5.

40. B.N., P.O., 1219, 27 349, fol. 394.

41. *Ibid.*, fol. 393 v° ; A.N., M.C., LI, 489, 6 juin 1633.
L'office de conseiller au Parlement de Paris, acheté au président du Parlement, Chrétien de Lamoignon, et valant 122 989 l, a été payé par François Fouquet.

42. A.N., M.C., LI, 494, 15 octobre 1635.

43. A.N., M.C., LI, 494, 15 octobre 1635, démission par N. Fouquet en faveur de son aîné ; LI, 495, 10 mai 1636 ; LI, 496, 22 novembre 1636 ; B.N., P.O. 1219, 27 349, fol. 393 v°, 26 juillet 1636.

44. A. DODIN, *op. cit.*, pp. 20-27.

45. C'est dans les années 1635-1636 que François Fouquet s'affilie à la Compagnie du Saint-Sacrement, dont il devient un membre très actif.

46. VINCENT DE PAUL, *Correspondance*, pp. 373-374, 8 janvier 1637 ; B.N., P.O. 1219, 27 349, bulles de l'évêché de Bayonne en faveur de François Fouquet, 2 mai 1637.

47. A.N., M.C., LI, 497, 20 mai 1637 ; LI, 498, 8 août 1637.

48. A. JAL, *Dictionnaire critique de biographie et d'histoire*, p. 593.

49. Guy PATIN, *Lettres*, t. II, p. 403, 5 juillet 1658.

50. J. LAIR, *op. cit.*, t. I, p. 67.

51. B.N., P.O. 1219, 27 349, fol. 393 v°.

52. A.N., M.C., LI, 494, 15 octobre 1635 ; B.N., P.O. 1219, 27 349, fol. 24.

53. *Cf. supra*, note 43.

54. B.N., P.O. 1219, 27 349, fol. 393 v°, 14 mars 1633, provisions de la charge de conseiller au parlement de Metz en faveur de N. Fouquet.

55. *Ibid.*, 23 avril 1638. La charge est payée 41 000 l par Nicolas Fouquet, agissant comme prête-nom, à son cousin.

56. *Ibid.*, fol. 393 v°, 18 janvier 1636, lettres de provision de l'office de maître des requêtes en faveur de N. Fouquet.

57. A.N., M.C., LI, 504, 10 janvier 1640.

58. Vincent de Paul, *op. cit.*, t. I, p. 480, juin 1638 ; p. 519, 8 novembre 1638. Vincent de Paul fait plusieurs fois allusion au mauvais état de santé de François Fouquet, qui souffrait d'hydropisie.

Chapitre III
L'ASCENSION DE L'ÉCUREUIL

1. A.N., M.C., LI, 505, 18 avril 1640, provisions de François Fouquet.

2. *Ibid.*

3. Fortune dressée à partir de l'inventaire qui a suivi le décès de François Fouquet (A.N., M.C., LI, 505, 20 juillet 1640).

4. J. DE MAUPEOU, *op. cit.*, pp. 135-136.

5. A.N., M.C., LI, 511, 1er juillet 1643, inventaire de Marie Fourché. La cote 2 des papiers concerne l'achat par échange de la terre de Vaux contre 6 000 l de rente, le 1er février 1641, cet acte étant passé devant Guyon, notaire.

6. A. JAL, *op. cit.*, article « Fouquet » ; A.N., M.C., LI, 511, 1er juillet 1643, inventaire de Marie Fourché.

7. Cote 26 de l'inventaire des papiers de sa femme. le 27 août 1641, Nicolas Fouquet obtient la garde noble de sa fille. Il est élu son tuteur le 17 décembre 1641, aux côtés de Jehan Fourché, maître des requêtes à la Chambre des Comptes de Bretagne, désigné comme subrogé tuteur.

8. J. DE MAUPEOU, *op. cit.*, p. 144.

9. J. LAIR, *op. cit.*, t. I, p. 81.

10. Y.M. BERCÉ, *Histoire des Croquants*, t. I, p. 377 et t. II, p. 787.

11. Olivier LEFEVRE D'ORMESSON, *Journal*, t. I, p. 50.

12. J. LAIR, *op. cit.*, t. I, p. 84.

13. O. D'ORMESSON, *op. cit.*, t. I, p. 201 ; J. LAIR, *op. cit.*, p. 85.

14. B.N., Dupuy, 631, fol. 249-259 v°. Relation par Nicolas Fouquet de la sédition de Valence.

15. Les documents concernant N. Fouquet pour les années 1644-1645 sont, entre autres, des minutes notariales, hélas muettes en raison de leur très mauvais état de conservation, ce qui caractérise l'ensemble des papiers pour cette époque contenus dans l'étude LI, étude habituelle de Fouquet.

16. J. LAIR, *op. cit.*, t. I, p. 93.

17. *Ibid.*, p. 95.

18. MAZARIN, *Lettres*, t. II, p. 898 et sq., 20 mai 1647.

19. *Ibid.*, t. II, p. 955, 30 septembre 1647.

20. J. LAIR, *op. cit.*, t. I, pp. 109-110.

21. F. BAYARD, « Les Chambres de Justice de la première moitié du XVIIe siècle », *Cahiers d'Histoire*, t. IX, n° 2, 1976, pp. 121-140 ; D. DESSERT, « A propos de la Chambre de Justice de 1661 », *Annales E.S.C.*, n° 6, novembre-décembre 1975, pp. 1303-1336.

22. O. D'ORMESSON, *op. cit.*, t. I, p. 576. D'ailleurs, la Chambre de Justice ne fonctionne pas, et l'on s'en tient à de bonnes résolutions, non suivies d'effets.

23. Registres de l'Hôtel de Ville, t. I, p. 400.

24. J. LAIR, *op. cit.*, t. I, pp. 137-138.

25. MAZARIN, *op. cit.*, t. III, pp. 825-826, 28 mai 1650.

26. Il n'a pas été possible de retrouver le contrat de cession de la charge de procureur général au Parlement de Paris, dont le prix d'élève à 450 000 l (300 000 l, plus 150 000 l, correspondant à la valeur de celle de maître des requêtes). Peut-être le contrat a-t-il été passé sous seing privé.

27. B.N., P.O. 1914, 44 150, fol. 130 ; B.N., Cabinet d'Hozier, 233, 6 145, fol. 2.

28. A.N., M.C., LI, 230, 21 novembre 1650. Dans les biens du futur figure la charge de maître des requêtes que vient de lui abandonner Fouquet.

29. A.N., M.C., LI, 524, 3 mai 1650. Achat par Marie de Maupeou de la charge de conseiller au Parlement de Paris moyennant 127 000 l.

30. A.N., M.C., LI, 526, 3 mars 1651, 28 avril 1651 ; LI, 527, 28 juillet 1651.

31. Il ne semble pas qu'il y ait eu un inventaire après décès, ou alors celui-ci a été effectué sous seing privé.

32. A.N., M.C., LI, 527, 20 février 1652.

33. Marie Madeleine de Castille est âgée de quinze ans.

34. *Cf. supra*, chap. II, pp. 36-43.

35. A.N., M.C., XIX, 443, 4 février 1651, contrat de mariage entre Nicolas Fouquet et Marie Madeleine de Castille.

36. MAZARIN, *Lettres*, t. IV, p. 186, 16 mai 1651.

37. A. CHÉRUEL, *Mémoires sur la vie publique et privée de Fouquet...*, t. I, p. 114.

38. A. CHÉRUEL, *op. cit.*, t. I, pp. 143-135.

39. *Ibid.*, pp. 139-140.

40. Le 30 juillet 1652, deux des chefs de la Fronde, le prince de Beaufort et le duc de Nemours, s'affrontent en duel. Le premier tue le second, qui est son beau-frère !

Chapitre IV

FOUQUET AU POUVOIR

1. R. BONNEY, *The King's Debts*, p. 244.

2. Lettre du 2 janvier 1653 à Mazarin, citée *in* CHÉRUEL, *op. cit.*, t. I, pp. 225-226.

3. Entre 1624 et 1626, Jean Bochart de Champigny et Michel Marillac ont exercé ensemble. Il en a été de même pour Claude de Bullion et Claude Le Bouthillier en fonction de 1632 à 1640, Nicolas Le Bailleul et Claude de Mesmes entre 1643 et 1647, enfin pour Michel Particelli d'Hémery et Claude de Mesmes de 1649 à 1650.

4. VALLIER, *Journal*, t. IV, p. 174.

5. D. DESSERT, « Fortune politique et Politique de la fortune : à propos de la succession du surintendant Abel Servien », *in La France d'Ancien Régime, études réunies en l'honneur de P. Goubert*, p. 207.

6. B.N., factum 23 610 (705), août 1686 ; factum 23 610 (720), 19 mars 1618.

7. B.N., F 23 610 (745), 20 janvier 1621.

8. D. DESSERT, *Argent pouvoir et société au Grand Siècle*, p. 611.

9. A.N., M.C., LI, 505, 20 juillet 1640, inventaire de François Fouquet, cote 62 des papiers : vente le 25 juillet 1634 à François Fouquet — qui a, pour ce, sept associés — des offices de vendeur de cuir des villes de Normandie.

10. A.N., E 184^A, fol. 116, 14 octobre 1643 ; A.N., P. 3225, fol. 108 et v°.

11. Sans compter le méchant billon de cuivre réservé à des paiements médiocres dans le public, notamment rural, et mis en circulation surtout en période de crise.

12. A.N., M.C., LI, 542, 11 février 1657, contrat de mariage entre Armand de Béthune et de Marie Fouquet. La dot, exprimée totalement en argent, soit 200 000 écus, représente un poids de 5 438 kg !

13. M. MORINEAU, *Incroyables gazettes et fabuleux métaux*, Londres-Paris, 1985, pp. 581-583.

14. *Ibid.*, p. 582.

15. D. DESSERT, *op. cit.*, pp. 15-16.

16. *Cf.* R. BONNEY, *op. cit.*, tableau IV, pp. 310-311. Cela reprend les chiffres avancés par MALLET dans ses *Comptes rendus de l'administration des Finances du royaume de France*.

17. Pour ces révoltes, consulter Y.-M. BERCÉ, *op. cit.*, R. PILLORGET, *Les Mouvements insurrectionnels de Provence entre 1596 et 1715*, Paris, 1975 ; B. PORCHNEV, *Les Soulèvements populaires en France de 1623 à 1648*, Paris, 1963.

18. R. BONNEY, *op. cit.*, tableau IV, pp. 310-311.

19. Ceci explique qu'en période de crise la monnaie papier, exprimée en livre tournois, s'impose, car invariable.

20. Fouquet, au contraire, réévalue puisque le louis d'or, qui valait 11 l en 1653 passe à 10 l en 1654, avant de retrouver son cours normal 11 l en 1656. Quant à l'écu, il suit ce mouvement, passant de 3 l 10 s. en mars 1653 à 3 l, son cours normal en avril 1654.

21. On appelle ainsi ces financiers du nom des contrats (traités) par lesquels le roi leur concède l'exploitation d'affaires extraordinaires.

22. D. DESSERT, *op. cit.*, pp. 306-310 et 341-378.

23. B.N., Réserve, Thoisy 399, fol. 1-2, 8 février 1653, lettres de provision pour Servien et Fouquet de la surintendance des Finances.

24. B.N., Réserve, Thoisy, 399, fol. 2-3 v°.

25. C'est le fait des particuliers qui proposent au roi, contre une solide rétribution, des projets d'affaires extraordinaires. Très souvent, ils se recrutent au sein de la bonne société, et se servent, pour obtenir l'agrément gouvernemental, de leurs divers appuis politiques et sociaux.

26. A.L. MOOTE, *The Revolt of the Judges*, p. 175, note 115.

27. Il s'agit de la perception de l'impôt direct, non par des officiers receveurs normaux, les receveurs généraux des Finances de chaque généralité, mais par un consortium de particuliers qui agissent comme traitants.

28. Ces évaluations ne sont possibles que dans la mesure où nous connaissons le montant de certains baux de fermes au début de la surintendance de N. Fouquet (*cf.* D. DESSERT, *op. cit.*, annexe n° 2, pp. 445-456).

29. Cette tension compte pour beaucoup dans la rédaction insensée du *Plan de Saint-Mandé* (*cf.* annexe n° 4).

30. D. DESSERT, *op. cit.*, p. 162, tableau n° 6. Le montant des traités passent de 18 200 000 l en 1653 à 29 625 000 l en 1655 pour culminer à 47 430 000 l en 1657.

31. R. BONNEY, *op. cit.*, p. 252.

32. *Ibid.*, p. 253.

33. L'intérêt habituel tourne pour les prêts autour de 15 %.

34. Fouquet utilise ces termes dans une lettre du 14 juillet 1658 (Archives des Affaires étrangères, France 905, fol. 262 v°).

35. Sur ces financiers de premier plan, *cf.* D. DESSERT, *op. cit.*, notices biographiques, pp. 538, 651-653.

36. FOUQUET, *Défenses*, t. V, pp. 80-81.

37. B.N., Réserve, Thoisy, 399, fol. 3 v°, 4 v°, 21 février 1659.

38. A.N., A.P., 156 mi. 15, fol. 138 v°, 139.

39. A.A.E., France 908, fol. 31 v°, 3 août 1659.

40. FOUQUET, *Défenses*, t. XVI, pp. 87-144 ; A.N., A.P., 156 mi. 6, fol 49. Mais cette politique restera inachevée. Ainsi, les gabelles du Lyonnais et de Languedoc ne sont pas encore intégrées dans les fermes générales des Gabelles.

41. D. DESSERT, *op. cit.*, annexe n° 2, pp. 446, 448, 450, 451, 453, 456.

42. R. BONNEY, *Political Change in France under Richelieu and Mazarin*, pp. 233-234 ; A.N., E 341A, fol. 12, 5 janvier 1661.

43. Il faut se souvenir qu'entre 1653 et 1659 Fouquet avait créé pour 9 000 000 l de rente (J. DENT, *Crisis in Finance*, p. 51).

44. R. BONNEY, *op. cit.*, pp. 342-343.

45. D. DESSERT, *op. cit.*, pp. 240-241.

46. A.A.E., France 910, fol. 72, 20 février 1660.

47. FOUQUET, *Défenses*, t. VI, pp. 38, 39, 144 ; A.N., A.P., 156 mi. 15, fol 6 v°.

48. A.N., M.C., LXII, 209, 25 septembre 1673, inventaire de Claude Boylesve, cote 3ɔ des pàpiers : acte d'association signé le 23 juin 1661 pour toute les affaires faites avec le surintendant.

49. D. DESSERT et J.-L. JOURNET, « Le lobby Colbert : un royaume ou une affaire de famille ? », *Annales E.S.C.*, n° 6, novembre-décembre 1875, pp. 1303-1336.

Chapitre V
L'ÉCUREUIL INDUSTRIEUX

1. A. CHÉRUEL, *op. cit.*, t. II, pp. 544-547.

2. *Ibid.*, p. 546.

3. P. GRILLON, *Les Papiers de Richelieu*, t. I, pp. 303-313, contrat d'association de la Compagnie du Morbihan, 31 mars 1626 ; A.N., Colonies, C¹¹A 1, fol. 31-78 v°.

4. *Ibid.*, t. I, pp. 321-338, 19 mai 1626, contrat d'association de la Compagnie la Nacelle de Saint-Pierre fleurdelisée.

5. *Ibid.*, t. I, pp. 508-510, 31 octobre 1626, contrat d'association de la Compagnie de Saint-Christophe.

6. L. CORDIER, *Les Compagnies à charte et la politique coloniale sous le ministère de Colbert*, reprint, Genève, 1976, pp. 37-39.

7. A.N., Colonies, C¹¹A 1, fol. 107-112.

8. J. BERGIN, *op. cit.* L'auteur démontre avec brio que Richelieu, tout en affectant de restaurer l'économie, de développer le commerce et de contrôler mer et activités navales, travaillait au rétablissement de ses affaires personnelles.

9. *Ibid.*, pp. 82-89 et carte n° 1.

10. *Ibid.*

11. A.N., M.C., LI, 505, 20 juillet 1640, inventaire de François Fouquet. Les cotes 66 et 67 des papiers indiquent l'achat de deux parts dans la Compagnie de la Nouvelle-France.

12. *Ibid.*, cote 72 de l'inventaire des papiers de François Fouquet.

13. *Ibid.*, cotes 68, 73 et 71 de l'inventaire des papiers de N. Fouquet.

14. A.N., M.C., XXIV, 342, 16 janvier 1635.

15. A.N., M.C., LI, 493, 14 février 1635.

16. A.N., M.C., LI, 493, 15 février 1635.

17. A.N., M.C., XIX, 409, 20 et 24 février 1635 ; LI, 499, 1ᵉʳ juin 1638 ; LI, 500, 10 décembre 1638.

18. A.N., M.C., LI, 505, 20 juillet 1640, inventaire de François Fouquet, cote 74 de l'inventaire des papiers.

19. B.N., Dupuys 881, fol. 41, 19 mai 1635.

20. A.N., M.C., LI, 530, 14 octobre 1652 : quittance donnée par les jésuites de la Mission de la Nouvelle-France, à propos des 5 000 l que leur a léguées François Fouquet, et acquittées par sa veuve. A.N., Y 239, fol. 90, 20 juillet 1680 : donation par Gilles Fouquet aux jésuites des Missions de l'Amérique méridionale de la part qui lui appartient dans l'ancienne Compagnie des îles d'Amérique.

21. U.V., CHATELAIN, *Le Surintendant Fouquet*, p. 23.

22. A.N., M.C., LI, 505, 20 juillet 1640, inventaire de François Fouquet.

23. A.N., M.C., LI, 499, 1ᵉʳ juin 1638.

24. A.N., M.C., LI, 511, 1ᵉʳ juillet 1643, inventaire de la première épouse de N. Fouquet. La cote 21 des papiers mentionne l'acte d'association du 30 avril 1642 dans la Compagnie des Indes orientales.

25. *Idem.*
26. A.N., M.C., XLII, 114, fol. 176, 4 septembre 1649.
27. A.N., M.C., LXXXVI, 286, 24 mai 1651.
28. B.N., Nouveu d'Hozier 142, 3082, fol. 64, 15 avril 1646.
29. A. JAL, *Abraham Du Quesne*, t. I, p. 179.
30. A.N., M.C., XCIX, 264, 24 juin 1675.
31. A.N., M.C., LI, 602, 28 mai 1681, inventaire de Marie de Maupeou, cote 46 des papiers. Mme Fouquet mère avait mis 1 000 l dans l'armement d'une frégate à Concarneau.
32. B.N., ms. fr. 7620, fol. 39 et vᵒ.
33. A.N., M.C., LI, 546, 28 juin 1658.
34. B.N., Mélanges Colbert, 101, fol. 191 vᵒ, 2 juin 1658.
35. B.N., Mélanges Colbert 101, fol. 208 et vᵒ, 23 juin 1658.
36. *Ibid.*, fol. 229 et 230 vᵒ, s.d. Cette lettre a dû être écrite entre le 15 et le 19 juillet 1658.
37. *Ibid.*, fol. 233 vᵒ et 234, 19 juillet 1658.
38. *Ibid.*, fol. 244, 28 juillet 1658.
39. *Ibid.*, fol. 290 vᵒ, et 291, 12 octobre 1658.
40. A.N., M.C., LI, 545, 26 mars 1658, vente au roi de deux frégates, moyennant 150 000 l.
41. A.N., E 359ᴮ, fol. 309, 9 octobre 1662 ; E 360, fol. 19, 14 décembre 1662 ; E 566ᴮ, fol. 304, 22 février 1687 ; E 569ᴬ, fol. 333, 2 août 1687 ; A.N., M.C., XCIX, 253, 7 décembre 1672, inventaire de Jean de Faverolles, cote 38 des papiers ; CV, 924, 14 avril 1689, inventaire de L. Bruant, cote 62 des papiers.
42. *Cf.* notice biographique *in* D. DESSERT, *op. cit.*, p. 585.
43. *Ibid.*, p. 548.
44. *Ibid.*, p. 549.
45. A.N., A.P., 156 mi. 7, dossier nᵒ 12.
46. *Idem.*
47. *Idem.*
48. *Idem.*
49. *Idem.*
50. *Idem.*
51. *Idem.*
52. *Idem.*
53. *Idem.*
54. *Idem.*
55. B.N., Réserve, Thoisy 158, fol. 340 et vᵒ ; A.N., A.P., 156 mi. 7, dossier nᵒ 14, fol. 3 et vᵒ.
56. A.N., E 428ᴬ, fol. 395, 21 avril 1670.

Chapitre VI
LES MIRAGES DE LA FORTUNE

1. A. CHÉRUEL, *op. cit.*, t. II, p. 545.
2. P. CLÉMENT, *Lettres, instructions et mémoires de Colbert*, t. II (1), p. 28.
3. L'étude LI est une des principales études du minutier central des notaires parisiens, aux Archives nationales. Elle est utilisée par les Fouquet en général, et par Nicolas en particulier.
4. A.N., M.C., LI, 504, 10 janvier 1640, contrat de mariage de Nicolas Fouquet et de Louise Fourché.
5. A.N., M.C., LI, 511, 3 mai 1641, inventaire de Louise Fourché, cote 2 des papiers.
6. A.N., M.C., XLIV, 263, 23 septembre 1720, inventaire de Marie Madeleine Fouquet, marquise de Montsalès, cote 14 des papiers.
7. A.N., E 184ᴬ, fol. 116, 14 octobre 1643.
8. B.N., ms. fr. 7622, fol. 375-378.

9. B.N., ms. fr. 7622, fol. 373 v°.

10. A.N., M.C., LI, 230, 21 novembre 1650.

11. A.N., M.C., XIX, 443, 4 février 1651.

12. B.N., ms. fr. 7622, fol. 373.

13. Il s'agit d'une reconstitution telle que la permettent à la fois le matériel notarial et les dépositions faites au cours du procès.

14. B.N., ms. fr. 7622, fol. 374 et v°.

15. R. MOUSNIER, *Lettres, et mémoires adressées au Chancelier Séguier (1633-1649)*, t. I, p. 36.

16. B.N., ms. fr. 7622, fol. 373.

17. A.N., M.C., LI, 534, 8 avril 1654.

18. A.N., M.C., LI, 542, 11 février 1657.

19. A.N., M.C., LI, 536, 21 octobre 1654 ; LI, 534, 30 mars 1654.

20. A.N., M.C., LI, 552, 25 mars 1661.

21. A. FRANCE, *Le Château de Vaux-le-Vicomte, suivi d'une étude historique par J. Cordey*, p. 122.

22. Il s'agit d'une reconstitution et d'estimations qui minorent certainement l'importance et la valeur du complexe foncier de Vaux.

23. J. CORDEY, *op. cit.*, p. 122.

24. *Ibid.*, p. 126. A.N., A.P. 156 Mi 25, dossier n° 7, fol. 26 et v°.

25. A.N., M.C., LI, 538, 27 décembre 1655.

26. A.N., M.C., LI, 545, 30 avril 1658.

27. A.N., M.C., XVI, 419, 11 septembre 1657.

28. A.N., M.C., CXIII, 41, 5 septembre 1658.

29. A.N.,M.C., LI, 549, 26 décembre 1659 ; LI, 550, 5 mai 1660 ; LI, 550, 28 juin 1660. A.N., X³ᵃ, 116, 14 décembre 1662.

30. *Cf.* annexe n° 2, notes 18, 19 et 20.

31. *Ibid.*, note 38.

32. *Ibid.*, notes 34, 35 et 39.

33. A.N., M.C., LXII, 330, 26 septembre 1656. Dans cette transaction, Mme Duplessis-Bellière sert de prête-nom à Fouquet. Le bail des droits de Ceinture-la-Reine se trouve dans la liasse LI, 541, 20 décembre 1651.

34. A.N., M.C., LI, 548, 20 mars 1659. La charge seule de chancelier des ordres du roi a été vendue par l'abbé Basile Fouquet pour 300 000 l. Avec celle de garde des Sceaux des ordres, la valeur de l'office s'élève à 450 000 l, estimation fournie par les créanciers de N. Fouquet (*cf.* B.N., Réserve, Thoisy 158, fol. 595).

35. B.N., ms. fr. 7620, fol. 30 et v°, fol. 53, B.N. Réserve, Thoisy, 158, fol. 595 et v°.

36. A. CORVISIER, *Louvois*, p. 125.

37. A.N., M.C., LI, 551, 7 septembre 1660. Encore ne s'agit-il là que d'un chiffre incertain, car on ignore la valeur des droits et tous les baux auxquels ils ont donné lieu.

38. A.N., M.C., LI, 534, 30 mars 1654. En outre, Nicolas Fouquet doit verser 16 000 l de soulte.

39. A.N., M.C., LI, 536, 21 octobre 1654. La terre de Montreuil, d'une valeur de 30 000 l, a été échangée contre 1 666 l de rentes, que Nicolas avait à prendre sur son frère Basile.

40. A.N., M.C., LI, 545, 30 avril 1658. La terre de La Guerche, vendue 126 000 l, est acquittée 74 000 l comptant, le reste (52 000 l) étant payé le 16 juillet 1658.

41. Le 17 juin 1658, les époux Fouquet échangent avec François Jacquier la terre de Belle-Assise contre 15 000 l de rente. Ce qui signifie que cette terre représente un capital avoisinant les 300 000 l (cité *in* A.N., M.C., CXVIII, 605, 15 avril 1684, cote 210 des papiers).

42. A.N., M.C., LI, 546, 28 juin 1658, rétrocession du marquisat d'Asserac par Nicolas Fouquet, moyennant 160 000 l.

43. A.N., M.C., XIX, 537, 4 mai 1687, dépôt d'une déclaration de quittance du 24 juillet 1659 de sommes payées en déduction du prix de Belle-Ile.

44. A.N., M.C., LI, 548, 7 février 1659 ; CII, 86, 11 février 1659.

45. A.N., M.C., LI, 551, 20 octobre 1660.

46. Rappelons que la seule Hortense Mancini reçut de son cher oncle la promesse d'une dote de 1 200 000 l, promesse exécutée à sa mort, du moins en partie. Antoinette Servien, la fille du surintendant, obtient, elle, 600 000 l de dot. *cf.* chap. VIII, note 30.

47. A.N., M.C., LI, 542, 11 février 1657, contrat de mariage de Marie Fouquet et du comte de Charost. Le contrat prévoit que les 600 000 l de dot représentent les droits successifs de la jeune femme sur les biens de ses défuntes mère et grand-mère maternelle. Si ceux-ci se révélaient inférieurs à la dot, la différence serait prise sur les biens de Nicolas Fouquet en avancement d'hoirie.

48. A.N., M.C., CXIII, 43, 7 février 1659. L'emprunt de 45 000 l, souscrit par Fouquet auprès de René de Bruc de Montplaisir, sert, selon toutes vraisemblances, à payer une partie du reliquat à régler pour Belle-Ile.

49. FOUQUET, *Défenses*, t. II, p. 324.

50. B.N., Mélanges Colbert, 106, fol. 133 et 134, 12 septembre 1661. Madame de Motteville partage aussi cette vision, en écrivant : « Dans le vrai, il se trouva que Fouquet était coupable d'une grande profusion, mais qu'il n'était pas riche, et qu'il devait beaucoup plus qu'il n'avait de vaillant. »

51. B.N., Mélanges Colbert, 103, fol. 499, 1ᵉʳ octobre 1661.

Chapitre VII
LE LOBBY FOUQUET

1. P. CLÉMENT, *op. cit.*, t. II¹, p. 28.

2. A.N., M.C., LI, 508, 1ᵉʳ juillet 1641 ; LI, 524, 19 mars 1650, LI, 526, 4 mars 1651 ; LI, 529, 11 février 1652.

3. A.N., M.C., LII, 520, 20 février 1652.

4. A.N., M.C., LI, 497, 20 mai 1637 ; LI, 498, 8 août 1637.

5. B.N., Dossiers bleus 270, fol. 46, 30 juin 1661.

6. A.N., M.C., CXII, 69, 10 décembre 1656.

7. L'acte du désistement, du 31 janvier 1658, se trouve à la suite du contrat de mariage, passé entre Marie Fouquet et Nicolas Méliand.

8. A.N., M.C., LI, 542, 11 février 1657.

9. A.N., M.C., LI, 536, 9 septembre 1654.

10. A.N., M.C., LI, 544, 15 septembre 1657. En octobre 1657, Nicolas Fouquet vend son office de conseiller au parlement de Metz, moyennant 32 000 l (*cf.* LI, 544, 8 octobre 1657).

11. A.N., M.C., LI, 547, 10 décembre 1658 ; XXI, 6, 16 juin 1694, inventaire de Gilles Fouquet, cote 1 des papiers.

12. A.N., M.C., XCIX, 266, 17 octobre 1675, inventaire du président Fouquet de Chalain, cote 7 des papiers.

13. A.N., M.C., XCIX, 266, 17 octobre 1675, inventaire de Christophe Fouquet de Chalain.

14. A.N., M.C., LI, 538, 27 décembre 1655.

15. *Cf.* annexe n° 4.

16. A.N., M.C., LI, 548, 14 avril 1659.

17. A.N., M.C., LXXXIV, 151, 18 mai 1657. Le duché de Penthièvre, acheté sous le nom de Boilesve, restera à ce dernier.

18. B.N., Baluze 149, fol. 172, s.d., et 178, 19 octobre 1660.

19. B.N., Baluze, 149, fol. 176 v°, 28 octobre 1660.

20. A.N., M.C., XI, 246, 13 mars 1674, inventaire de Jean Pecquet ; LI, 522 bis, 19 mai 1649, inventaire de Louis Waroquier.

21. D. DESSERT, *op. cit.*, p. 532.

22. *Ibid.*, p. 549.

23. *Ibid.*, p. 431.

24. Il faut noter qu'autant qu'il le peut Fouquet préserve l'anonymat des prêteurs de la monarchie.

25. B.N., Cinq Cents Colbert, n° 237, fol. 72-73.
26. A.N., A.P., 156 Mi 13, dossier n° 2, fol. 2.
27. A.N., A.P., 156 Mi 8 ; 156 Mi 13, dossiers 1 et 2 ; 156 Mi 20, dossier n° 2.
28. A.N., M.C., LI, 541, 17 septembre 1656.
29. A.N., M.C., LI, 548, 7 février 1659 ; CXII, 86, 11 février 1659.
30. B.N., ms. fr. 7620, fol. 20.
31. B.N., Cinq Cents Colbert, n° 237, fol. 23. Fouquet, *Défenses*, t. V, pp. 95-98.
32. A.N., A.P., 156 Mi 23, dossier 7, fol. 41 v° et 42.
33. A.N., M.C., C, 384, 15 mars 1688, inventaire de Mlle de Guise, cote 108 des papiers.
34. A.N., E 394^A, fol. 185 et v°, 6 janvier 1667.
35. A.N., M.C., CV, 924, 14 avril 1689, inventaire de Louis Bruant, cote 62 des papiers.
36. B.N. ms. fr. 14489, Annales de la Compagnie du Saint-Sacrement. Les meilleurs ouvrages sur l'histoire de la Compagnie sont ceux de Raoul Allier, et en particulier sa très remarquable *Cabale des Dévots* (reprint).
37. L'entrée de François Fouquet dans la Compagnie du Saint-Sacrement doit se situer vers 1635, au moment où il abandonne le monde de la robe pour le sacerdoce.
38. B.N., ms. fr. 14489, fol. 33 et v°.
39. *Ibid.*, fol. 38.
40. *Ibid.*, fol. 103 v°.
41. *Ibid.*, fol. 127 v° et 128.
42. Vincent de Paul, *Correspondance*, t. I, pp. 373-374. R. Allier, *La Cabale des Dévots*.
43. X. Azéma, *op. cit.*, pp. 36-37.
44. *Ibid.*, p. 47.
45. Vincent de Paul, *Correspondance*, t. V, p. 558, lettre du 1er mars 1656 adressée à la mère Élizabeth de Maupeou.
46. R. Allier, p. 249. La Compagnie du Très-Saint-Sacrement-de-l'Oustel, à Marseille annonce ainsi, le 22 février 1652, la mort du président de Castille.
47. A.N., M.C., XIX, 443, 4 février 1651.
48. *Cf.* annexe n° 4.
49. Vincent de Paul, *Correspondance*, t. V, p. 481 ; t.VI, p. 185.
50. *Ibid.*, t. VI, p. 185 ; t. VII, p. 420 ; t. XV, p. 159.
51. B.N., factum 23 612 (279), avril 1656, édit d'établissement de l'Hôpital général de Paris. Nicolas Fouquet est l'un des deux chefs qui assument la direction de l'établissement.
52. B.N., ms. fr. 7620, fol. 307 v° et 308.
53. B.N., ms. fr. 7620, fol. 28 et v°. Fouquet avait donné 15 000 l à la Compagnie en septembre 1660.
54. A.N., M.C., XXIX, 188, 27 mai 1652 ; B.N., factum 23 612 (226). G. Marcel, *Le Surintendant Fouquet vice-roi d'Amérique*, Paris, 1885.
55. B.N., ms. fr., 14 489, fol. 152 et v°, 22 septembre 1660.

Chapitre VIII
Le requin et le rémora

1. Jean-Louis Bourgeon, *Les Colbert avant Colbert*, Paris, 1973.
2. B.N., P.O. 1928, fol. 388 et v°.
3. A.N., 3 AP (Archives *Nicolaÿ*), carton 52, 10 E^15.
4. B.N., Catalogue des partisans, p. 9 ; manuscrits français 18 219, fol. 5, 16, 31.
5. B.N., Dossiers bleus 110, dossier 2731, fol. 19.
6. B.N., P.O. 1928, fol. 388 et v°.
7. *Ibid.*, fol. 492.
8. B.N., P.O. 261, 5610, fol. 5.
9. Jean-Louis Bourgeon, *op. cit.*, pp. 241-242.

10. C'est dans le répertoire n° 4 de l'étude Chapellain (XXIV) que l'on trouve les plus anciens autographes connus de Colbert, alors clerc chez ce notaire.

11. Charles PERRAULT, *Mémoire de ma vie*, P. Bonnefon, Paris, 1909, p. 118.

12. J.-L. BOURGEON, *op. cit.*, pp. 225-227.

13. Marie Charron était la nièce de Guillaume Charron, trésorier de l'extraordinaire des guerres, la petite-nièce de Jean Charron, contrôleur général des guerres, et la cousine de Guillaume Brossier, trésorier de l'extraordinaire des guerres. Tous trois s'étaient enrichis dans les affaires ; ils préfigurent ces munitionnaires des armées qui joueront un très grand rôle dans le lobby Colbert, à l'image de François Berthelot.

14. A.N., CXII, 65, 29 juin 1655. Achat du domaine d'Auvergne par Anne d'Autriche, ce domaine passant ensuite à Mazarin.

15. Le total de ces dots, exprimé en argent, représente 24 tonnes de métal blanc !

16. B.N., Baluze 329, fol. 216.

17. Il nous a été impossible de savoir si le cardinal, à sa mort, avait déjà payé la dot de sa nièce Marie Mancini qui allait se marier avec le prince Colonna peu de temps après. Dans l'affirmative, il faudrait donc majorer le montant de sa fortune, d'un million de livres.

18. B.N., Mélanges Colbert n° 74, fol. 270.

19. Jean-Pierre LABATUT, *op. cit.*, pp. 258-259 et p. 262. Roland MOUSNIER, *Lettres et mémoires adressés au chancelier Séguier (1633-1649)*, Paris, 1964, p. 34.

20. Daniel ROCHE, « Aperçus sur la fortune et les revenus des princes de Condé à l'aube du XVIII° siècle », in *Revue d'histoire moderne et contemporaine*, juillet-septembre 1967, pp. 216-243. François MOUGEL, « La fortune des princes de Bourbon-Conti ; revenus et gestion (1655-1791) », in *Revue d'histoire moderne et contemporaine*, 1971, pp. 30-49. Yves DURAND, *Les Fermiers généraux au XVIII° siècle*, Paris, 1971, p. 133.

21. Pierre CLÉMENT, *op. cit.*, t. I. p. 520. Le cardinal Mazarin a acquis, le 29 mai 1654, le duché-pairie de Mayenne, du duc de Mantoue, pour 756 000 livres.

22. *Ibidem*, p. 522, A.N. E 804ᴮ-805ᴬ, fol. 42.

23. A.N., E 1742, fol. 390. Mazarin a acheté le duché de Nivernais au duc de Mantoue le 11 juillet 1659 par contrat passé devant Levasseur et Le Fouyn, notaires (minute non conservée dans l'étude, XCV).

24. Il s'agissait des terres acquises par la France en 1648 et dont la cession avait été confirmée par le traité des Pyrénées. Nous tenons à remercier M. P. Gouhier et M. Perrichet des renseignements qu'ils nous ont aimablement fournis. *Cf.* A.N., E 405ᴮ, fol. 566, et E 781ᴮ, fol. 37.

25. B.N., Mélanges Colbert n° 75, fol. 650. Contrat de vente par Jacques Tubeuf, président en la Chambre des Comptes, le 30 août 1649 (Parque et Vaultier, notaires), d'un hôtel rue Neuve-des-Petits-Champs, et sept maisons dépendantes.

26. Pierre CLÉMENT, *op. cit.*, t. I, pp. 524-525. A.N., E 735ᴬ, fol. 129.

27. B.N., Cinq Cents Colbert n° 228, fol. 300 et v° ; n° 235, fol. 26 v° à 269 v° ; A.N., E 832ᴮ-843ᴬ, fol. 291.

28. A.N., A.P., 156 Mi 15, dossier 1, fol. 29 v°, 35 v° et 36.

29. Jen-Pierre LABATUT, *op. cit.*, Paris, 1972, p. 259.

30. B.N., Mélanges Colbert n° 75, fol. 749 à 756. Suivant le contrat de mariage du 29 mai 1654 entre Louis de Vendôme, duc de Mercœur, et Laure-Victoire Mancini, le cardinal avait donné à sa nièce 600 000 livres de dot ; il avait donné la même somme à Anne-Marie Martinozzi épouse d'Armand de Bourbon, prince de Conti et à Olympe Mancini, femme d'Eugène-Maurice de Savoie, comte de Soissons ; par son contrat de mariage du 27 mai 1655, Laure Martinozzi, en faveur de la belle alliance qu'elle contractait avec le fils du duc de Modène, Alphonse d'Este, reçut de son oncle 900 000 livres. Rappelons qu'Hortense Mancini s'est vu promettre 1 200 000 livres et que Mazarin avait légué à Marie-Anne Mancini 600 000 livres pour son futur mariage. A tout cela il faut ajouter la dot, dont le montant est inconnu, de Marie Mancini, qui devait s'élever au moins à 600 000 livres.

31. J.G. VAN DILLEN, *Bronnen tot de geschiedenis der wisselbanken*, 1925, t. II, p. 963.

32. A.N., A.P., 156 Mi 15, dossier 1, fol. 5, 16 v° et 29.

33. G. BAPST, *op. cit.*, p. 338. L'inventaire de 1666 ne donne pas le poids des dix-huit

Mazarin, mais seulement leur valeur ; l'inventaire de 1691, par contre, le donne, mais il est possible que certaines de ces pièces aient subi quelques tailles, entre 1661 et 1691.

34. Pour évaluer cette pièce nous avons pris comme point de comparaison une autre épée enrichie de diamants, assez similaire à celle offerte par le cardinal, et qui était estimée en 1691 224 800 l (*cf.* A.N., O¹ 3360, p. 39).

35. G.-J. DE COSNAC, *Les Richesses du palais Mazarin*, Paris, 1884.

36. B.N., Ms Fonds Clairambault n° 499, fol. 365 à 368.

37. B.N., Mélanges Colbert n° 74, fol. 64 v°. Les 1 200 000 livres étaient conservées par le sieur de Seuil, cousin de Colbert, qui grâce à l'ascension de son parent sera intendant de la Marine à Brest, avant de finir sa carrière comme président au Parlement de Bretagne.

38. A.N., A.P. 156 Mi 15, dossier 1, fol. 37 v°.

39. B.N., Mélanges Colbert n° 74, fol. 7 v°.

40. Daniel DESSERT, « Finances et société au XVIIᵉ siècle : à propos de la Chambre de Justice de 1661 », *Annales E.S.C.,* n° 4, juillet-août 1974, pp. 847-881.

41. ANSELME (Pierre DE GUIBOURGS, en religion le P.), *Histoire généalogique et chronologique de la Maison royale de France, des pairs, grands officiers de la couronne, de la Maison du roi et des anciens barons du royaume...,* 3ᵉ éd., Paris, 1726, t. V, p. 443.

42. B.N., Mélanges Colbert n° 74, fol. 46 v°, clauses principales du contrat de mariage entre Armand de La Porte de La Meilleraye et Hortense Mancini. Le contrat passé devant Le Fouyn, notaire au Châtelet de Paris, le 28 février 1661, ne figure plus dans l'étude XCV.

43. B.N., Mélanges Colbert n° 74, fol. 1 et v°.

44. *Ibidem.*

45. B.N., Mélanges Colbert n° 74, fol. 1 v° 30 v°, testament de Mazarin passé le 6 mars 1661 devant Levasseur et Le Fouyn, notaires au Châtelet.

46. *Ibidem,* fol. 28 v° et 29.

47. *Ibidem,* fol. 27 v° à 28 v°.

48. *Ibidem,* fol. 35 v°.

49. *Ibidem,* fol. 36 à 39.

50. *Ibidem,* fol. 39 et 40.

51. B.N., Mélanges Colbert n° 75, inventaire après décès de Mazarin commencé le 30 mars 1661, sur ordre du roi (*cf.* fol. 3 et 4).

52. B.N., Mélanges Colbert n° 74, fol. 60.

53. B.N., Mélanges Colbert n° 74, fol. 27 v°.

54. *Ibidem,* fol. 28 et v°, 34 v°.

55. *Ibidem,* fol. 27.

Chapitre IX
L'AFFAIRE FOUQUET

1. La question n'a pas échappé aux contemporains, ainsi qu'en témoigne l'aphorisme de Turenne, un témoin que l'on retrouve à plusieurs reprises mêlé aux affaires de finances, et qui savait sans doute beaucoup de choses sur la face cachée du procès : « Autant M. Colbert désire que Fouquet soit pendu, autant M. Le Tellier craint qu'il ne le soit pas. »

2. N. FOUQUET, *Défenses,* t. II, p. 79.

3. P. CLÉMENT, *op. cit.,* t. VII, pp. 164-183, mémoire du 1-10-1659 adressé par Colbert à Mazarin où il dénonce les pratiques du Surintendant. *Ibid.,* t. II¹, *Mémoires sur les affaires de finances de France pour servir à l'histoire,* chap. II, pp. 24-39.

4. Ainsi, quand le ministère public fait reproche à Fouquet de ne pas avoir cité les noms des particuliers qui prenaient pension des gens d'affaires, que le fait soit avéré ou bien qu'il y ait seulement des suspicions, Fouquet répond qu'il l'aurait révélé au roi si celui-ci le lui avait demandé, sans rien cacher, et d'ajouter avec cruauté qu'il aurait nommé les gens qui touchaient, sous la protection de Colbert. Mais il ajoute pour expliquer sa pudeur : « Je n'aime pas à faire mal contre mes ennemis sans la nécessité de

me défendre contre ceux qui m'attaquent sans raison.» A.N., 156 Mi 23, dossier 8, fol. 151.

5. Tous les textes des années 1661-1665 collectés par Clément, relatifs au procès du surintendant et à son action, sont partiaux. En effet Colbert y développe une argumentation qui vise, *a priori*, à ternir la réputation de son adversaire et à créditer ses propres thèses.

6. P. CLÉMENT, *op. cit.*, t. II¹, p. 25.

7. *Ibid.*, t. II¹, pp. 30-31.

8. *Ibid.*, t. II¹, p. 33.

9. *Ibid.*, t. VII, pp. 164-183. Dans ce long texte, Colbert oppose, comme il le fera toujours, la maxime de l'ordre (la sienne) à celle du désordre (celle de Fouquet). Il propose un plan d'ensemble qui montre qu'il ambitionne dès cette époque, malgré la modestie feinte de sa démarche, les plus hautes responsabilités dans l'administration des finances du royaume.

10. MONGRÉDIEN, *op. cit.*, pp. 47-48.

11. B.N., ms. fr. 6883, fol. 310 et vᵒ. Lettre de Colbert à Le Tellier, du 9-8-1650.

12. B.N., Mélanges Colbert, 101, fol. 306, 6 novembre 1666.

13. P. CLÉMENT, *op. cit.*, t. VII, p. 165.

14. *Ibid.*, p. 172.

15. N. FOUQUET, *Défenses*, t. II, p. 79.

16. B.N., Mélanges Colbert, 75, inventaire de Mazarin commencé le 30 mars 1661.

17. Ses parents, Béchameil, Marin, ses amis ou ses créateurs, Berryer, Coquille, lui-même, comme fils de traitant, médiocre certes, mais traitant tout de même, enfin la succession de son cousin N. Colbert risquent beaucoup dans le cadre d'une recherche générale contre les gens d'argent, surtout que le cardinal n'est plus là pour offrir une protection absolue.

18. P. CLÉMENT, *op. cit.*, t. I, p. 520, état de la fortune du cardinal en juin 1658.

19. Fouquet, pendant son procès, a dénoncé l'enrichissement de Colbert, enrichissement selon lui très suspect (A.N., 156 Mi 15, dossier 1, fol. 3 vᵒ-4, 16 vᵒ). Le Rémois a toujours eu des signes de richesse assez inexplicables. Déjà, ainsi que s'en étonne J.L. Bourgeon, dès son mariage, il faisait état de 50 000 livres provenant de «son travail», alors qu'il n'est encore à cette époque qu'un subalterne. On ne peut manquer, compte tenu de son environnement familial, de songer à une origine financière de cette «aisance». (*Cf.* J.L. BOURGEON, *op. cit.*, p. 226.)

20. A.N., E 343ᴮ, fol. 376, 31-3-1661. L'arrêt enjoint aux traitants de présenter leurs comptes, avec les pièces justificatives à l'appui, afin que les commissaires du roi statuent sur ces affaires.

21. Colbert n'a pas eu à forcer son talent. L'extérieur glorieux de Fouquet est psychologiquement insupportable à Louis XIV.

22. En vendant sa charge, Fouquet commet une erreur énorme. Il se prive de la seule protection qui lui permettait d'éviter d'être traduit devant une juridiction extraordinaire, dont il était évident qu'elle serait plus «sensible» aux désirs du pouvoir que le Parlement de Paris.

23. Cet acte, semble-t-il, n'a pas été conservé, ou bien alors a été rédigé sous seing privé.

24. B.N., Mélanges Colbert, nᵒ 106, fol. 87, 8-9-1661, lettre de Berryer à Colbert, qui se trouve alors à Nantes auprès du roi.

25. Bruant, pendant le voyage à Nantes de son patron, en avait profité pour passer quelques jours de repos dans une maison de campagne. Cela l'a sauvé car, prévenu à temps de l'arrestation de Fouquet, il a pu gagner les Pays-Bas. (*Cf.* J. LAIR, *op. cit.*, t. II, p. 98.) Fouquet soutiendra qu'on l'avait fait évader. De fait, son absence, comme celle de Gourville, prive le procès de deux protagonistes dont les interrogatoires auraient peut-être été plus gênants pour l'accusation que pour Fouquet.

26. P. CLÉMENT, *op. cit.*, t. VII, pp. 173-174. Toujours aimable, Colbert estime qu'il est difficile de trouver dans le Parlement de Paris plus de cinq ou six magistrats susceptibles de répondre à ces critères. Il faudra chercher ailleurs pour les autres, au Grand Conseil et à la Cour des aides, ou alors dans les compagnies de province.

27. *Ibid.*, t. VII, p. 174.

28. *Ibid.*

29. *Ibid.*, t. VII, p. 198. Colbert a défini avec soin les magistrats aptes à siéger : « Il faut premièrement faire une liste de tous les officiers des compagnies de Paris qui peuvent être propres pour l'établissement proposé et, en marge, mettre l'avis des diverses qualités, de leur esprit et leurs divers intérêts. »

30. B.N., Cinq Cents Colbert, n° 230, 18-3-1664, fol. 155.

31. P. CHANTOME et A. DOYON, *Françoise Mignot, Mareschale de l'Hospital,* Aran, 1879.

32. Foucault a laissé une intéressante relation du procès Fouquet, pleine de détails précis.

33. *Le Guidon général des finances,* nouvelle édition par S. HARDY, Paris, 1644, p. 665.

34. N. FOUQUET, *Défenses,* t. II, pp. 5-6.

35. *Ibid.*, fol. 10 v°, 20, 42, 44.

36. *Ibid.*, fol. 45, v°, 70, 98, 98 v°, 100.

37. Le ministère public le sait également, et c'est la raison pour laquelle il s'obstine à ne pas vouloir dresser un inventaire des biens de Fouquet, qui pouvait être pourtant réalisé facilement.

38. A.N., 156 Mi 18, fol. 15, requête en contredit de Talon ; 156 Mi 27, dossier 3, pièce 5, 23-1-1664, réfutation sur la fortune de Fouquet et sur la réalité de ses dettes par Chamillart.

39. On parlait même de 25 millions de livres dépensées à Vaux, allégation malveillante et dépourvue de tout fondement. (*Cf.* J. LAIR, *op. cit.,* t. I, p. 531.)

40. B.N., Cinq Cents Colbert, n° 237, fol. 123 et v°.

41. A.N., 156 Mi 18, n° 1, fol. 68 v°-69. Les papiers d'Ormesson fournissent d'autres chiffres que ceux avancés par Talon d'après les comptes de Bernard : 804 628 l pour les dépenses domestiques, 327 605 l pour les dépenses de Saint-Mandé, 693 620 l pour celles de Vaux et 226 904 l en deniers comptants, donnés de la main à la main à Fouquet et à sa femme.

42. B.N., Cinq Cents Colbert, n° 237, fol. 127.

43. Cette façon de procéder en utilisant des documents obscurs ou fragmentaires prouve une fois de plus que l'accusation n'a pas un dossier solide pour confondre l'inculpé.

44. A.N., 156 Mi 18, n° 1, fol. 13 et v°.

45. B.N., Cinq Cents Colbert, n° 235. A.N., 156 Mi 7, dossiers n° 5 et sq.

46. C'est le cas en particulier pour C. Coquille, G. Pellissari, H. Bibaud ou N. de Frêmont.

47. A.N., 156 Mi 7, n° 3, fol. 40 et sq. Cinq Cents Colbert, n° 235, fol. 297 v° à 311, interrogatoire de Tabouret et confrontation de ce dernier avec Fouquet ; n° 235, fol. 106-108 v°. Le surintendant conteste fortement le témoin et ses déclarations, soutenant notamment que celui-ci est un de ses ennemis depuis qu'il l'a fait arrêter et poursuivre ainsi que son gendre.
A.N., 156 Mi 22, dos. 5, fol. 15 v°-25 v° ; 156 Mi 23, dos. 7, fol. 162. Fouquet mettait aussi en cause la liberté du témoignage des Rambouillet, qui se trouvaient à la merci de Colbert, qu'ils ne pouvaient désobliger sous peine d'être ruinés par la Chambre de Justice.

48. Pourquoi avoir laissé une telle liberté d'action à un homme où l'accusation voit une des créatures les plus proches du surintendant ? On peut penser, sans gros risque de se tromper, que Gourville a joui d'une large marge de manœuvre et que, à partir du moment où il devenait clairement impliqué dans certaines affaires, comme des pensions sur les fermes, on l'a « invité » à s'enfuir, afin d'éviter des confrontations qui n'auraient peut-être pas tourné au désavantage de Fouquet.

49. Gourville n'accorde au procès de Fouquet, dans ses *Mémoires,* que peu de place. Cette discrétion chez un homme assez prompt à se mettre en valeur reste quelque peu mystérieuse, et a de quoi surprendre.

50. B.N., Mélanges Colbert, 108, fol. 446, 8-5-1662 ; Mélanges Colbert, 131, fol. 111, 2-8-1665, lettres de Gourville à Colbert. Gourville, en fuite dès 1662, avait été condamné à mort par contumace en avril 1663.

51. Dès avril 1671, Gourville a obtenu des lettres du roi qui lui permettaient de jouir des édits de juillet 1665 et de juillet 1669, et de rentrer ainsi dans la possession de ses

biens. Ce rapide retour en grâce d'un « complice » du Surintendant laisse perplexe sur la gravité des faits qui lui étaient reprochés.

52. C'est Berryer, factotum de Colbert pour tout ce qui concerne le procès du surintendant, qui s'est chargé, avec la complicité de Foucault, greffier de la Chambre de Justice et créature du Rémois, de falsifier des registres de l'Épargne dont l'accusation voulait se servir, en même temps que du témoignage de Tabouret, contre Fouquet. Ce dernier a pu administrer la preuve de ces faussetés et confondre Pussort, qui les avait couvertes et qui a dû battre piteusement en retraite. (*Cf.* A.N., 156 Mi 21, dossier 4, fol. 23-24. B.N., Cinq Cents Colbert, n° 236, fol. 211 v°-212, fol. 281, fol. 287 v°-325 ; F. DORNIC, *Louis Berryer, agent de Mazarin et de Colbert,* pp. 95-102 ; J. LAIR, *op. cit.,* t. II, pp. 249, 317-324.)

53. B.N., Cinq Cents Colbert, n° 235, fol. 240 v° 242 v°, déposition de P. Aubert ; *ibid.,* fol. 231 v° 232 v°, déposition de Thomas Bonneau ; *ibid.,* fol. 242 v°-244 v°, déposition d'Yves Mallet.

54. B.N., Cinq Cents Colbert, n° 235, fol. 237-240 v°, déposition de C. Chatelain.

55. En effet, ce papier n'est découvert chez Fouquet qu'après la visite méticuleuse de la maison par Colbert en personne, alors que normalement le Rémois n'a aucune raison de se trouver là. Or, un premier procès-verbal réalisé avant l'arrivée de ce dernier ne fait aucune mention de cet acte capital, dont on a peine à croire qu'il ait pu échapper à l'attention des commissaires. Fouquet n'a pas manqué de relever cette anomalie et d'accuser Colbert d'avoir introduit dans ses papiers un document tiré des archives du cardinal. Il faut avouer que l'argumentation du surintendant est assez cohérente, surtout quand on considère le peu d'empressement du ministère public à identifier le propriétaire véritable de la pension. (*Cf.* B.N., Cinq Cents Colbert, n° 236, fol. 282-283 v°. A.N., 156 Mi 22, fol. 43 et v° ; J. LAIR, *op. cit.,* t. II, pp. 37-83).

56. Dans son réquisitoire, d'Ormesson reprendra cette argumentation, qui justifie la thèse de Fouquet, selon laquelle la pension appartenait en fait à Mazarin.

57. A.N., 156 Mi 29, dossier 4, fol. 17-18, lettre du 15-8-1664 ; copie d'une lettre autographe que Fouquet a produite et qu'il présente comme étant de la main de C. Chatelain.

58. B.N., Cinq Cents Colbert, n° 236, fol. 383 et v°.

59. Dans une certaine mesure, cette façon de procéder avantage Nicolas, car il est obligé de dire la vérité sous peine d'être perdu.

60. Parmi les pièces trouvées dans les papiers de l'accusé figurent des écrits sur lesquels on peut lire des annotations très abrégées, sinon obscures, et parmi lesquels figure la mention des pensions données à l'accusé ou à certains particuliers de ses proches, et dont l'accusation fait grand cas pour confondre le surintendant. Pourtant, elles restent le plus souvent énigmatiques, et elles ne font pas toutes l'objet d'une attention de la part du juge, ce qui est dommage. Pourquoi ne pas interroger Fouquet sur les notes de sa main, au dos du papier où figurent les pensions sur les fermes, et où l'on peut lire les mots suivants : « Langlade, Palatine, M. le Prince, cardinal de Retz, d'Aubigny, Turenne, Laon, M. Montagu » ? Voilà bien des noms connus, des témoins considérables, sur lesquels Fouquet pouvait s'expliquer. Mais le ministère public, pas plus que les magistrats, ne disent mot. Une fois de plus, on ressent nettement l'impression que l'accusation ne veut pas véritablement faire toute la lumière, elle se satisfait de la simple croyance en la culpabilité du Surintendant. (*Cf.* A.N., 156 Mi 29, dossier 4, copies de pièces importantes produites par le procureur général ou par Fouquet sur les différents chefs d'accusation, pièce B.)

61. *Cf.* annexe n° 4.

62. *Cf.* chapitre V, p. 136.

63. A.N., A.P., 156 Mi 7, dossiers n° 12 et 14.

64. *Cf.* annexe n° 4.

65. Fouquet a soutenu que Mazarin avait voulu l'acheter par son intermédiaire, et s'étant ravisé, Belle-Ile était resté au surintendant.

66. A.N., A.P., 156 Mi 7, dossier n° 12, fol. 2 à 10 v°.

67. Le mariage a été célébré le 28 février 1661.

68. *Cf. in* G. MONGRÉDIEN, *op. cit.,* p. 182.

69. Il faut reconnaître que peu de personnes connaissent alors l'étendue de la fortune de Mazarin, en dehors de Fouquet et de l'accusateur de ce dernier, Colbert : l'un et l'autre n'avaient-ils pas été les exécuteurs testamentaires du cardinal ?

70. *Cf. in* G. MONGRÉDIEN, *op. cit.*, p. 185.

71. La volonté constante de Fouquet de revenir sur l'état de sa fortune montre qu'il est bien conscient que là réside le point faible de l'accusation.

72. *Cf.* G. MONGRÉDIEN, *op. cit.*, pp. 186 et 187.

73. P. CLÉMENT, *op. cit.*, t. I, p. 135.

74. Roquesante a été exilé à Quimper-Corentin ; Lefèvre d'Ormesson doit abandonner tout espoir de carrière et se voit contraint à une retraite prématurée. Quant à Pontchartrain, il se heurte au refus obstiné d'accepter le transfert de sa charge à son fils...

Chapitre X
L'ÉCUREUIL EN CAGE

1. Saint-Mars reçoit 12 000 l en 1667, 2 000 l en 1668, 6 000 l en 1972, 30 000 l en 1676, enfin 25 000 l en 1679.

2. A.N.,K 120, n° 1, lettre du roi, 24 décembre 1664.

3. *Ibid.*

4. G. MONGRÉDIEN, *op. cit.*, p. 213.

5. O. d'ORMESSON, *op. cit.*, t. II.

6. Cité *in* G. MONGRÉDIEN, *op. cit.*, p. 213 ; B.N., ms. fr. 22517, fol. 164, v° ; Bibl. de l'Arsenal, ms. 5420. fol. 547.

7. A.N., K 120 A1, n° 12 ; n° 13, lettre du roi à Saint-Mars, 29 juin 1665 ; n° 14, lettres de Louvois à Saint-Mars, 29 juin et 10 juillet 1665.

8. D. DESSERT et J.-L. JOURNET, art. cit., pp. 1303-1336.

9. D. DESSERT, « A propos de la Chambre de Justice de 1661 », *Annales E.S.C.*, n° 4, juillet-août 1974, annexe n° 1, pp. 872-881.

10. *Ibid.*, pp. 867-869.

11. D. DESSERT et J.-L. JOURNET, art. cit., p. 1303 et annexe n° 1, p. 1330.

12. A.N., K 120, n° 16, 26 juillet 1665, lettre de Louvois à Saint-Mars.

13. A.N., K 120, n° 46, 23 octobre 1668, lettre de Le Tellier à Saint-Mars.

14. G. MONGRÉDIEN, *op. cit.*, p. 215.

15. *Idem.*

16. *Idem.*

17. A.N., K 120, n° 50, 14 février 1667, lettre de Louvois à Saint-Mars.

18. A.N., K 120, n° 37, 4 juin 1666, lettre de Louvois à Saint-Mars.

19. A.N., K 120, n° 72, 17 décembre 1669, lettre de Louvois à Saint-Mars.

20. A.N., K 120, n° 73, 1er janvier 1670 ; n° 78, 26 mai 1670 ; n° 80, 9 mai 1670, lettres de Louvois à Saint-Mars. *Cf.* G. MONGRÉDIEN, *op. cit.*, pp. 221-223 ; Madame DE SÉVIGNÉ, *Correspondance*, t. I, pp. 126, 136, 241, 959 (note n° 5).

21. A.N., K 120, n° 73, 1er juillet 1670 ; n° 75, 28 janvier 1670, lettre de Louvois à Saint-Mars.

22. A.N., K 120, n° 87, 8 décembre 1670, n° 88, 10 décembre 1670, lettre de Louvois à Saint-Mars.

23. A.N., K 120, n° 112, 18 octobre 1672, lettre de Louvois à Saint-Mars.

24. A.N., K 120, n° 92, 25 novembre 1671, lettre du roi à Saint-Mars sur l'emprisonnement de Lauzun, celui-ci devant être mis au secret absolu.

25. A.N., K 120, n° 93, 26 novembre 1671, lettre de Louvois à Saint-Mars.

26. Cité *in* G. MONGRÉDIEN, *op. cit.*, p. 225.

27. A.N., K 120, n° 306, 8 avril 1680, lettre de Louvois à Saint-Mars.

28. A.N., K 120, n° 135, 2 juillet 1673.

30. A.N., K 120, n° 131, 1er mars 1673.

31. *Ibid.*

32. G. MONGRÉDIEN, *op. cit.*, p. 227.

33. A.N., K 120, n° 132, 29 mars 1673.

34. A.N., K 120, n° 154, 10 avril 1674.

35. *Cf.* annexe n° 5 ; A. CHÉRUEL, *op. cit.*, t. II, pp. 452-460.

36. A.N., K 120, n° 170, août 1675.

37. A.N., K 120, n° 198, 11 janvier 1677. En juillet 1678, Louvois donne l'ordre de fournir à Fouquet tout ce qui pourra lui être nécessaire pour recouvrer une bonne santé (Cf. K 120, n° 238, 29 juillet 1678).

38. A.N., K 120, n° 205, 6 mai 1677.

39. A.N., K 120, 3 juillet 1677 ; n° 220, 28 octobre 1677.

40. A.N., K 120, n° 221, 1er novembre 1677.

41. *Ibid.*

42. A.N., K 120, n° 224, 22 novembre 1677.

43. A.N., K 120, n° 231, 5 mars 1678.

44. A.N., K 120, n° 235, 13 juin 1678 ; n° 237, 5 juillet 1678.

45. A.N., K 120, n° 245, 23 décembre 1678.

46. A.N., K 120, n° 253, 20 janvier 1679.

47. *Ibid.*

48. A.N., K 120, n° 257, 15 février 1679.

49. A.N., K 120, n° 260, 13 mars 1679.

50. *Cf.* lettre du 20 février 1679, cité *in* J. LAIR, *op. cit.*, t. II, p. 467.

51. A.N., K 120, n° 272, 28 mai 1679, n° 272, 29 mai 1679 ; n° 275, 18 août 1679 ; A.N., Q n° 370, 10 mai 1679.

52. A.N., K 120, n° 287, 28 novembre 1679. Il ne semble pas que l'évêque d'Agde ait profité de cette autorisation, Nicolas étant mort avant son arrivée.

53. K n° 370, 10 mai 1679.

54. K n° 295, 24 janvier 1680.

55. G. MONGRÉDIEN, *op. cit.*, p. 241.

56. A.N., K 120, n° 302, 8 avril 1680.

57. *Ibid.*

58. SAINT-SIMON, *Mémoires.*

59. A.N., K 120, n° 203, 9 avril 1680.

60. G. MONGRÉDIEN, *op. cit.*, p. 241.

61. *Ibid.*

62. Madame DE SÉVIGNÉ, *Correspondance*, t. III, p. 897, lettre à Guitaut du 5 avril 1680.

63. « Le 28 mars 1681 fut inhumé dans notre église en la chapelle de Saint-François de Sales, messire Nicolas Fouquet, qui fut élevé à tous les degrés d'honneur de la magistrature, conseiller du Parlement, maître des requêtes, procureur général, surintendant des finances et ministre d'État. Il fit éclater dans les fonctions des grands emplois une extraordinaire capacité et suffisance, des inclinations si nobles et si belles avec des sentiments si justes et si généreux, que les siècles passés n'ont presque rien vu y approcher d'un mérite si accompli. Mais Dieu, qui en voulait faire un prédestiné, renversa par un coup de providence ces grands établissements de la terre. Il fut disgracié après ses importants services ; on lui fit son procès et on le tint en prison plus de dix-huit ans. Ce fut dans ce bannissement que, dépouillé de toutes ses dignités, revêtu de sa seule vertu et épuré des plus pures lumières de la foi, il commença d'ouvrir les yeux pour reconnaître le néant des grandeurs humaines, qu'il renonça aux vanités pour se remplir l'esprit et le cœur des vérités éternelles et des plus pures lumières de l'Évangile. Il prit ses importantes occupations dans la lecture, la prière et la fréquentation des saints sacrements. Enfin, d'un homme entêté de ce qu'il y a de plus grand et vain dans le monde, il devint par l'esprit de Dieu parfaitement instruit et touché de ce qu'il y a de plus saint dans la religion. Ainsi ce fut par sa disgrâce qu'il se convertit, qu'il se sanctifia et qu'il mourut, chargé de bonnes œuvres et de mérites devant Dieu. », in J. LAIR, *op. cit.*, t. II, p. 473-474.

64. GOURVILLE, *Mémoires.*

65. VOLTAIRE, *Œuvres historiques*, p. 902.

66. R. CHALLE, *Mémoires.*

67. B.N., Réserve, Thoisy 158, fol. 610-618.

68. A.N., K 120, n° 67, 19 juillet 1669.
69. A.N., K 120, n° 78, 26 mars 1670.
70. A.N., K 120, n° 167, 30 janvier 1675.
71. A.N., K 120, n° 253, 20 janvier 1679.
72. A.N., K 120, n° 257, 15 février 1679.
73. A.N., K 120, n° 302, 8 avril 1680.
74. A.N., K 120, n° 375, 12 mai 1681.
75. *Ibid.*
76. A.N., K 120, n° 307, 16 mai 1680.
77. A.N., K 120, n° 313, 10 juillet 1680.
78. *Ibid.*
79. Guy PATIN, *Lettres*, t. III, p. 505.
80. Madame DE SÉVIGNÉ, *op. cit.*, t. I, p. 81.
81. G. MONGRÉDIEN, *op. cit*, p. 235.
82. M. DUVIVIER, *Le Masque de Fer* ; G. MONGRÉDIEN, *Le Masque de Fer*, 1952. Ces deux auteurs défendent avec beaucoup de logique l'hypothèse selon laquelle Eustache Dauger serait le « Masque de Fer ».
83. SAINT-SIMON, *op. cit.*, t. V, p. 400.
84. VOLTAIRE, *op. cit.*, p. 1241.

Chapitre XI
LES FOUQUET APRÈS FOUQUET

1. *Cf.* annexe n° 2, note 52.
2. A.N., E 399ᴮ, fol. 382, 28 juillet 1667, E n° 422ᴬ, fol. 113, 5 août 1669.
3. A.N., Y 8794, 23 décembre 1661. Madame Fouquet avait demandé la séparation de biens par acte reçu devant Me Blaize, notaire à Limoges, le 27 octobre 1661.
4. A.N., Y 8802, 14 mars 1663.
5. B.N., Réserve, Thoisy 158, fol. 590, 591, 604, 609 v°, 619 et suivants. Ces listes de créanciers de Nicolas Fouquet ne sont certainement pas complètes.
6. *Ibid.*, fol. 592 à 596.
7. A.N., E 427ᴮ, fol. 673, 31 mars 1670.
8. A.N., E 444ᴮ, fol. 250, 26 octobre 1671. L'adjudication s'était faite moyennant 37 000 l.
9. A.N., E 439, fol. 170, 13 mai 1671.
10. A.N., E 1755, fol. 44, 19 février 1669 ; E 428ᴮ, fol. 214, 5 mai 1670.
11. A.N., E 1755, fol. 235, 7 décembre 1669 ; E 431, fol. 649, 25 août 1670.
12. A.N., M.C., XCIX, 242, 18 mai 1670. Cette procuration est donnée par les créanciers de N. Fouquet à Jean Servais de Salvert, pour mettre à son nom tout ce qui appartient à Fouquet aux Iles d'Amérique.
13. Le répertoire n° 5 de l'étude XCIX mentionne en 1750 des actes concernant la direction de la succession de N. Fouquet.
14. A.N., E 422ᴬ, fol. 13, 5 août 1669.
15. A.N., E 431, fol. 649, 25 août 1670 ; A.N., M.C., XCIC, 245, 26 octobre 1670 ; A.N., E 444ᴮ, fol. 290, 26 octobre 1671.
16. A.N., M.C., XCIX, 247, 21 juin 1671.
17. A.N., M.C., XCIX, 253, 4 décembre 1672. Louis Berryer paie l'office dont son fils, J.-C. L. Berryer, secrétaire du roi, substitut du procureur général du Parlement de Paris sera revêtu.
18. A.N., M.C., XCIX, 248, 20 septembre 1671.
19. A.N., E 437ᴮ - 438ᴬ, fol. 62 et 75, 16 mars 1671.
20. A.N., E 437ᴮ - 438ᴬ, fol. 306, 23 mars 1671 ; E 444ᴮ, fol. 289, 26 octobre 1671.
21. A.N., E 444ᴮ, fol. 290, 26 octobre 1671.
22. A.N., E 444ᴮ, fol. 285 et 285 v°, 26 octobre 1671. Il y est fait mention des délibérations du 10 mai précédent entre Mme Fouquet et les créanciers de son mari.

23. *Ibid.*, fol. 286 v°.

24. A.N., E 459^A, fol. 335 v°-336 v°, 14 janvier 1673.

25. A.N., M.C., XCIX, 254, 19 mars 1673.

26. A.N., M.C., XIX, 508, 12 avril 1677.

27. A.N., M.C., XX, 344, 13 octobre 1674.

28. A.N., Y 232, fol. 292, 9 mai 1673, et fol. 292 v°, 16 août 1673.

29. A.N., M.C., XIX, 513, 9 février 1680, inventaire de Basile Fouquet. L'abbé est mort chez lui, rue des Saints-Pères.

30. A.N., M.C., LI, 596, dépôt le 31 janvier 1680 du testament de Basile Fouquet, cet acte ayant été rédigé le 17 novembre 1679.

31. A.N., M.C., XXXI, 6, 16 juin 1694. Le testament de Marie de Maupeou est annexé à l'inventaire des biens de Gilles Fouquet.

32. A.N., M.C., LI, 602, 28 mai 1681, inventaire de Marie de Maupeou. Le nouveau partage de ses biens a été fait à Moulins, devant Berroyer, notaire, le 9 juillet 1680. Un exemplaire a été déposé chez Maître Gaudion, notaire à Paris.

33. A.N., XXXI, 6, 16 juin 1694, inventaire de Gilles Fouquet. La pauvreté de l'inventaire des meubles de l'ancien premier écuyer prouve que Gilles vivait dans la gêne.

34. *Cf.* Azéma, *Un Prélat janséniste, Louis Fouquet, évêque et comte d'Agde (1656-1702).* Il s'agit là de la meilleure étude parue sur ce personnage.

35. A.N., M.C., LXXV, 207, 23 août 1681, convention d'évêque d'Agde et de Marie Madeleine de Castille sur l'accord passé devant Berroyer, notaire à Moulins, le 20 septembre 1680 à propos de la terre de Vaux.

36. C'est à Montargis que les Charost font la connaissance de Mme Guyon, et que se nouent les liens étroits qui vont unir les Charost et les Fouquet aux Guyon.

37. A.N., M.C., LXXVII, 151, 12 avril 1717, inventaire du duc de Béthune (depuis que son fils aîné a pris le titre de duc de Charost).

38. Le mariage a été célébré dans la chapelle du château de Pomay, propriété de Marie Madeleine de Castille, le 21 juillet 1683 (*cf.* J. Lair, *op. cit.*, t. II, pp. 492-493).

39. B.N., P.O. 1219, 27 349, fol. 390 v° et 391, copie du contrat de mariage du 23 mai 1683 entre le marquis de Montsalés et Marie Madeleine Fouquet.

40. Il était fort lié à Nicole dont il fut l'exécuteur testamentaire.

41. Son inventaire montre que le comte de Vaux, comme son père et son grand-père, cultive le goût atavique des Belles-Lettres et de l'art. C'est un amateur éclairé en matière de livres, d'antiques, d'estampes, de médailles. Il possède deux dessins de Véronèse.

42. B.N., P.O. 1219, 27 349, fol. 290. Copie d'un extrait du contrat de mariage passé entre Louis Fouquet et Catherine Agnès de Lévis, passé le 8 juin 1686, devant maître Dufour, notaire à Issoudun.

43. A.N., M.C., LI, 644, 23 août 1689, contrat de mariage entre Louis Nicolas Fouquet et Marie-Jeanne Guyon. Le futur avait reçu de sa mère 100 000 l en avancement d'hoirie, à prendre sur tous les biens de Marie Madeleine de Castille et la confirmation du don, fait par elle, de la vicomté de Melun et de Vaux, ainsi que de la terre de Maincy.

44. A.N., M.C., XIX, 580, 8 juin 1705, inventaire de Louis-Nicolas Fouquet, comte de Vaux.

45. A.N., M.C., CXVII, 676, 29 août 1705, vente au maréchal-duc de Villars des vicomtés de Vaux et Melun, avec toutes leurs dépendances, moyennant 500 000 l, plus 6 000 l pour la « chaîne » de Mme Fouquet.

46. A.N., M.C., XCIX, 382, 1ᵉʳ juin 1709. Les religieux de l'abbaye royale du Val-de-Grâce, moyennant 500 l par an, donne à bail une maison de trois étages jouxtant le cloître de l'abbaye.

47. A.N., M.C., LXXVII, 146, 14 vril 1716, dépôt du testament de la duchesse de Béthune-Charost ; *ibid.*, 25 mai 1716, inventaire de ses biens.

48. A.N., M.C., VIII, 917, 17 décembre 1716, dépôt du testament de Marie Madeleine de Castille ; *ibid.*, 16 décembre 1716, inventaire de Marie Madeleine de Castille.

49. Saint-Simon, *op. cit.*, t. V, pp. 84-85.

50. B.N., P.O. 1219, 27 349, fol. 388-389 v°.

51. *Ibid.*

52. A.N., M.C., VIII, 890, 16 et 20 mai 1711, contrat de mariage passé entre Auguste

de Fouquet et Henriette de Durfort de Civrac. La future apporte de nombreux biens : le comté de Blaignac, la baronnie de La Lande, la terre des Certes ; des dettes actives, des pierreries et des meubles, et la moitié des biens de sa mère, Angélique Acarie du Bourdot. Pour sa part, L.C.A. Fouquet reçoit Belle-Île, une pension viagère de 3 000 l et 400 000 l dues par le roi pour les fortifications de Belle-Île, sa charge de maître de camp général des dragons de France, achetée 280 000 l, et des meubles et une argenterie estimée à 30 000 l.

53. En vertu d'une clause du testament du défunt marquis de Civrac, père de Henriette de Durfort, il est prévu que l'aîné des enfants à naître de ce mariage, ainsi que ceux de sa descendance, porteront le nom et les armes de la future épouse.

54. Daniel François Voysin, futur chancelier de France en 1714, était le neveu du commissaire de la Chambre de Justice, ayant eu à juger Fouquet, et celui-ci avait voté la peine de mort !

55. A.N., M.C., CXV 376, 2 octobre 1718, échange entre le roi et le comte de Belle-Isle. Ce dernier remet Belle-Île contre le comté de Gisors, les terres et seigneuries de Longueuil, d'Auvillars (près de Montauban), de Beaulieu et de Montoire, plus une rente de 13 000 l due au roi pour les droits de pesée des villes et diocèse d'Albi et les droits de leudes levés à Carcassonne, Conques et Villeneuve.

Épilogue :
POUR UNE ÉPITAPHE

1. Fouquet, inhumé au temple Sainte-Marie, repose dans une crypte fermée par une simple plaque de marbre, et située sous la première chapelle, à gauche de l'entrée.

2. J. LAIR, *op. cit.*, t. II, pp. 10-12.

3. D. DESSERT et J.-L. JOURNET, *art. cité*, p. 1308 et annexe n° 1, p. 1330.

4. Communication de Michel MORINEAU au *Colloque Colbert* du 4 au 6 octobre 1983, restée malheureusement inédite.

5. D. DESSERT, « Colbert contre Colbert », in *un Nouveau Colbert*, Actes du Colloque Colbert, publiés sous la direction de Roland Mousnier, Paris, 1985, pp. 111-118.

6. Il s'agit de l'affaire des pièces de 4 sols qui éclate en 1683, peu après la mort de Colbert. Bellinzani, intendant général du Commerce, est arrêté et déféré devant un tribunal pour concussion dans la frappe de ces espèces, laquelle a suscité plusieurs fraudes. Il meurt très opportunément en mai 1684, au moment où son procès va s'ouvrir. Le neveu de Colbert, Desmarets, intendant des Finances, compromis, est relevé de ses fonctions. Une longue disgrâce l'attend : il n'en sortira que pendant la guerre de Succession d'Espagne.

7. Le président Bénigne Duguay, premier président de la Chambre des Comptes de Bourgogne, a été emprisonné en 1684 sur accusation de malversations, d'abus dans l'exploitation des bois de marine de Bourgogne et dans diverses fournitures à la Marine, ainsi que dans l'administration de fonds alloués pour les dépenses en Bourgogne. Il est traduit avec ces complices devant une commission siégeant à l'Arsenal en 1687.

8. F. DORNIC, *Louis Berryer, agent de Mazarin et de Colbert*, chap. IV et X.

SOURCES IMPRIMÉES

AUGUSTIN-THIERRY A., éd., *Mémoires de Robert Challe, écrivain du roi*, Paris, 1931.
AVENEL D.L.M., éd., *Lettres, Instructions diplomatiques et Papiers d'État du cardinal de Richelieu*, Paris, 1853-1877, 8 volumes.
CHERUEL P.A. et AVENEL G. d', éd., *Lettres de Mazarin*, Paris, 1872-1906, 9 volumes.
CHOISY F.T. de, *Mémoires pour servir à l'histoire de Louis XIV*, Paris, 1966.
CLEMENT P., éd., *Lettres, Instructions et Mémoires de Colbert*, Paris, 1861-1882, 8 tomes en 10 vol.
DUBUISSON-AUBENAY F.N.B., *Journal des guerres civiles*, Paris, 1883-1885, 2 vol.
FOUCAULT N.J., *Mémoires*, Paris, 1862.
FOUQUET N., *Les Œuvres de M. Fouquet, ministre d'État, contenant son accusation, son procès et ses défenses contre Louis XIV...*, Paris, 1696, 16 vol.
GOURVILLE J. HERAULD de, *Mémoires*, Paris, 1826.
GRILLON P., éd., *Les Papiers de Richelieu*, Paris, 1975-1980, 4 vol. et un index parus.
LEFÈVRE D'ORMESSON O., *Journal*, Paris, 1860-1861, 2 vol.
MOTTEVILLE F.B. de, *Mémoires*, Paris, 1838.
MOUSNIER R., éd., *Lettres et Mémoires adressés au chancelier Séguier*, Paris, 1964, 2 vol.
PATIN G., *Lettres*, Paris, 1846, 3 vol.
SAINT-SIMON L. duc de, *Mémoires*, Paris, éd. La Pléiade, 1953-1965, 7 vol.
SÉVIGNÉ Mme de, *Correspondance*, Paris, éd. la Pléiade, 1972-1978, 3 vol.
SPANHEIM E., *Relation de la cour de France*, Paris, 1973.
TALLEMANT DES RÉAUX G., *Historiettes*, Paris, éd. La Pléiade, 1967-1970, 2 vol.
VALLIER J., *Journal*, Paris, 1902-1918, 4 vol.
WICQUEFORT A. de, *Chronique discontinue de la Fronde, choix de textes*, introduction et présentation, annotations par R. Mandrou, Paris, 1978.

ORIENTATION BIBLIOGRAPHIQUE

ANSELME DE SAINTE-MARIE, GUIBOURS P. de, *Histoire généalogique et chronologique de la maison royale de France, des pairs, grands officiers de la couronne...*, Paris, 1726-1733, 9 vol.
ANTOINE M., *Le Conseil royal des Finances au XVIIIᵉ siècle et le registre E 3 659 des Archives nationales*, Genève-Paris, 1973.
—, « Le Régalement des tailles », *Revue historique*, nᵒ 537, janvier-mars 1981, pp. 27-63.
ARNOULD A.M., *De la balance du commerce et des relations commerciales extérieures de la France...*, Paris, 1791, 2 vol.
BADALO-DULONG C., *Banquier du roi, Barthélémy Hervart*, Paris, 1951.

BAYARD F., « Les Chambres de justice de la première moitié du XVIIᵉ siècle », *Cahiers d'Histoire*, t. XIX, nᵒ 2, 1974, pp. 121-140.

—, « Fermes et Traités dans la première moitié du XVIIᵉ siècle », *Bulletin du Centre d'histoire économique et sociale de la région lyonnaise*, nᵒ 1, 1976, pp. 45-80.

—, « Les Espèces monétaires à l'Épargne en 1636 », *Lyon et l'Europe, hommes et sociétés, Mélanges d'histoire offerts à R. Gascon*, Lyon, 1980, p. 32.

—, *Finances et financiers en France dans la première moitié du XVIIᵉ siècle (1598-1653)*, thèse d'État, dactylogramme, Université de Lyon, 1984, 7 vol.

—, DESSERT D., « Les financiers dans l'État monarchique en guerre au XVIIᵉ siècle », in *Les Monarchies*, Paris, 1986.

BEAULIEU E.P., *Les Gabelles sous Louis XIV*, Paris-Nancy, 1903.

BERCÉ Y.-M., *Histoire des croquants, étude des soulèvements populaires au XVIIᵉ siècle dans le sud-ouest de la France*, Paris-Genève, 1974, 2 vol.

BERGIN J., *Cardinal Richelieu, Power and the Pursuit of Wealth*, New Haven-Londres, 1985.

BLANCHET J.A. et DIEUDONNÉ A., *Manuel de numismatique française*, Paris, 1912-1936, 4 vol.

BLOCH M., « Esquisse d'une histoire monétaire de l'Europe », *Cahiers des Annales*, nᵒ 13, Paris, 1954.

BLUCHE F., *Louis XIV*, Paris, 1986.

BONNASSIEUX P., *Les Grandes Compagnies de commerce*, Paris, 1902.

BONNEY R.J., « The secret Expenses of Richelieu and Mazarin, 1624-1661 », *English Historical Review*, vol. XCI, october 1976, pp. 825-836.

—, *Political Change in France under Richelieu and Mazarin, 1624-1661*, Oxford, 1978.

—, « The Failure of the french revenue farms, 1600-1660 », *Economic History Review*, second series, vol. XXXII, nᵒ 1, february 1979, pp. 11-32.

.—, *The King's Debts, Finance and Politics in France*, Oxofrd, 1981.

BOSHER J.F., « Chambres de justice in french monarchy », French Government and Society, 1500-1850, *Essays in Memory of Alfred Gobban*, Londres, 1973, pp. 19-40.

BOUYER C., *Les Finances extraordinaires de la France, de la déclaration de la guerre à l'Espagne à la Fronde, 1635-1648*, thèse de 3ᵉ cycle, Université Paris IV, dactyl., 1978, 2 vol.

BOURGEON J.-L., *Les Colbert avant Colbert*, Paris, 1973.

BOUVIER J. et GERMAIN-MARTIN H., *Finances et Financiers de l'Ancien Régime*, Paris, 1969.

CHAMBOIS abbé et FARCY P. de, *Recherche de la noblesse dans la généralité de Tours*, Mamers, 1895.

CHATELAIN, *Le Surintendant Nicolas Fouquet, protecteur des Lettres, des Arts et des Sciences*, Genève, reprint, 1971.

CHAULEUR A., « Le rôle des traitants dans l'administration financière de la France de 1643 à 1653 », *Revue XVIIᵉ siècle*, nᵒ 65, 1964, pp. 16-49.

CHERUEL A., *Mémoires sur la vie publique et privée de Fouquet, surintendant des Finances*, Paris, 1862, 2 vol.

CHEVALIER abbé J.F., *Gourville et sa famille d'après des documents inédits*, Ruffec, 1927.

CLAMAGERAN J.-J., *Histoire de l'impôt en France*, Paris, 1867-1876, 3 vol.

CORDIER L., *Les compagnies à charte et la politique coloniale sous le ministère de Colbert*, Paris, 1906.

DELAFOSSE M. et LAVEAU C., « Le commerce du sel de Brouage aux XVIIᵉ et XVIIIᵉ siècles », *Cahiers des Annales*, nº 17, Paris, 1960.

DELAY J., *Avant mémoire, d'une minute à l'autre*, Paris, 1979-1982, 3 vol. parus.

DENT J., « An aspect of the Crisis of the seventeenth century : the collapse of the financial administration of the french monarchy (1653-1661) », *Economic History Review*, second series, vol. XX, nº 2, august 1967, pp. 241-256.

—, *Crisis in Finance, Crown, Financers and Society in Seventeenth Century France*, New York, 1973.

—, « The Role of Clienteles in the Financial Elite of France under Cardinal Mazarin », *French Government and Society, 1500-1850, Essays in Memory of Alfred Cobban*, Londres, 1973, pp. 41-69.

DEPPING G., « Un banquier protestant en France au XVIIᵉ siècle, Barthélémy Hervart », *Revue historique*, t. X, mai-août 1879, pp. 285-338, t. XI, septembre-décembre 1879, pp. 63-80.

DESSERT D., « Finances et société au XVIIᵉ siècle : à propos de la Chambre de Justice de 1661 », *Annales E.S.C.*, nº 4, juillet-août 1974, pp. 847-882.

—, « Le "Laquais-Financier" au Grand Siècle : mythe ou réalité ? », *Revue XVIIᵉ siècle*, nº 122, janvier-mars 1979, pp. 21-36.

—, « Fortune politique et politique de la fortune : à propos de la succession du surintendant Abel Servien », in *La France d'Ancien Régime. Études réunies en l'honneur de P. Goubert*, Paris, 1984.

—, « Les groupes financiers et Colbert (1661-1683) », *Bulletin de la société d'histoire moderne*, 16ᵉ série, nº 9, 80ᵉ année, pp. 19-29.

—, *Argent, pouvoir et société au Grand Siècle*, Paris, 1984.

— et JOURNET J.-L., « Le lobby Colbert, un royaume ou une affaire de famille ? », *Annales E.S.C.*, nº 6, novembre-décembre 1975, pp. 1303-1336.

DODIN A., *La Légende et l'Histoire de monsieur Depaul à Saint-Vincent de Paul*, Paris, 1985.

DORNIC F., *Louis Berryer, agent de Mazarin et de Colbert*, Caen, 1968.

DUVIVIER M., *Le Masque de Fer*, Paris, 1932.

FARCY P. de, *Les Fouquet d'Anjou*, Laval, 1916.

FAUCHER P., *Un des Juges de Fouquet : Roquesante*, Aix, 1895.

FOISIL M., *La Révolte des nu-pieds et les révoltes normandes de 1639*, Paris, 1970.

FORBONNAIS F., VERON de, *Recherches et considérations sur les finances de France depuis 1595 jusqu'à 1721*, Bâle, 1758, 2 vol.

FRANCE A. et CORDEY J., *Le château de Vaux-le-Vicomte*, Paris, 1933.

FUNCK-BRENTANO F., *Les Lettres de cachet à Paris, étude suivie d'une liste des prisonniers de la Bastille (1659-1789)*, Paris, 1903.

GOUBERT P., *Louis XIV et vingt millions de Français*, Paris, 1966.

GUERY A., Les Finances de la monarchie française sous l'Ancien Régime », *Annales E.S.C.*, nº 2, mars-avril 1978, pp. 216-239.

HARSIN P., *Les Doctrines monétaires et financières en France du XVIᵉ au XVIIIᵉ siècle*, Paris, 1928.

HENNEQUIN, *Le Guidon général des finances*, nouv. éd. par S. Hardy, Paris, 1644.

KOSSMANN E.H., *La Fronde*, Leyde, 1954.

LABATUT J.-P., *Les Ducs et pairs de France au XVII*e *siècle*, Paris, 1972.

LAIR J., *Nicolas Fouquet, procureur général, surintendant des Finances, ministre d'État de Louis XIV*, Paris, 1980, 2 vol.

MALLET J.R., *Comptes rendus de l'administration des finances du royaume de France...*, Londres-Paris, 1789.

MARCEL G., « Le surintendant Fouquet vice-roi d'Amérique », *in Revue de géographie*, 1885, 15 p.

MARION M., *Les Impôts directs sous l'Ancien Régime*, Paris, 1910.

MARTIN G., « La monnaie et le crédit privé en France aux XVIe et XVIIe siècles, les faits et les théories (1550-1664) », *Revue d'Histoire des doctrines économiques et sociales*, 1909, pp. 1-40.

— et BEZANÇON M., *L'Histoire du crédit en France sous le règne de Louis XIV*, t. I : Le Crédit public (seul paru), Paris, 1913.

MAUPEOU J. de, *Histoire des Maupeou*, Fontenay-le-Comte, 1959.

MEYER J., *Colbert*, Paris, 1981.

MICHEL E., *Biographie du Parlement de Metz*, Metz, 1853.

MONGREDIEN G., *L'Affaire Fouquet*, Paris, 1956.

MOOTE A.L., *The Revolt of the Judges. The Parlement of Paris and the Fronde 1643-1652*, Princeton, 1971.

MORINEAU M., « Des métaux précieux américains aux XVIIe et XVIIIe siècles, et leur influence », *Bulletin de la Société d'histoire moderne*, 15e série, n° 18, 76e année, pp. 17-33.

—, *Incroyables gazettes et fabuleux métaux*, Londres-Paris, 1985.

MOUSNIER R., *La vénalité des offices sous Henri IV et Louis XIII*, 2e ed., Paris, 1971.

MOUSNIER R., (sous la direction de), *Un nouveau Colbert*, Paris, 1985.

MURAT I., *Colbert*, Paris, 1980.

PALLU DE LESSERT A.L., *Essai sur la famille Pallu*, Paris, 1907.

PASQUIER J., *L'Impôt des gabelles en France aux XVII*e *et XVIII*e *siècles*, Paris, 1905.

PAULIAT L., *Louis XIV et la Compagnie des Indes orientales de 1664*, Paris, 1886.

PILLORGET R., *Les Mouvements insurrectionnels de Provence entre 1596 et 1715*, Paris, 1975.

—, « Les problèmes monétaires français de 1602 à 1689 », *Revue XVII*e *siècle*, 1966, n° 70 à 71, pp. 107-130.

RANUM O., *Les Créatures de Richelieu*, Paris, 1966.

SORIANO M., *Le Dossier Charles Perrault*, Paris, 1972.

SPOONER F.C., *L'Économie mondiale et les frappes monétaires en France, 1493-1680*, Paris, 1956.

VILLARS P., *Or et Monnaie dans l'histoire*, Paris, 1974.

VAN DILLEN J.G., *Bronnen tot de geschiedenis der wisselbanken's*, Gravenhage, 1925, 2 vol.

VILLAIN J., « Comment Mazarin s'enrichit (1643-1648) », *Revue des Deux Mondes*, n° 12, 1955, pp. 698-708.

WAILLY N. de, « Mémoire sur les variations de la livre tournois depuis le règne de Saint Louis jusqu'à l'établissement de la monnaie décimale », *Mémoire de l'Institut académique des Inscriptions et Belles-Lettres*, t. XXI, 1857, 2e partie, pp. 177-419.

Index

TABLE DES MATIÈRES

DANS LA MÊME COLLECTION

Cet ouvrage a été réalisé par la
SOCIÉTÉ NOUVELLE FIRMIN-DIDOT
Mesnil-sur-l'Estrée
pour le compte des Éditions Fayard
en juillet 1997

Imprimé en France
Dépôt légal : août 1997
N° d'édition : 3696 − N° d'impression : 39402
ISBN 2-213-01705-0
35-14-7478-08

35-7478-7